中國國家圖書館編

國家圖書館藏敦煌遺書

第十四冊　北敦〇〇九四四號——北敦〇一〇〇〇號

北京圖書館出版社

圖書在版編目(CIP)數據

國家圖書館藏敦煌遺書・第十四册/中國國家圖書館編;任繼愈主編. —北京:北京圖書館出版社,2005.12

ISBN 7-5013-2956-7

Ⅰ.國… Ⅱ.①中…②任… Ⅲ.敦煌學—文獻 Ⅳ.K870.6

中國版本圖書館 CIP 數據核字(2005)第 136364 號

ISBN 7-5013-2956-7

9 787501 329564 >

書　　名　國家圖書館藏敦煌遺書・第十四册
著　　者　中國國家圖書館編　任繼愈主編
責任編輯　徐　蜀　孫　彦
封面設計　李　璀

出　　版　北京圖書館出版社　(100034　北京西城區文津街 7 號)
發　　行　010-66139745　66151313　66175620　66126153
　　　　　66174391(傳真)　66126156(門市部)
E-mail　cbs@nlc.gov.cn(投稿)　btsfxb@nlc.gov.cn(郵購)
Website　www.nlcpress.com
經　　銷　新華書店
印　　刷　北京文津閣印務有限責任公司

開　　本　八開
印　　張　51
版　　次　2005 年 12 月第 1 版第 1 次印刷
印　　數　1-150 册(套)

書　　號　ISBN 7-5013-2956-7/K・1239
定　　價　990.00 圓

編輯委員會

主　　編　任繼愈
常務副主編　方廣錩
副 主 編　李際寧　張志清
編委（按姓氏筆畫排列）　王克芬　王姿怡　吳玉梅　胡新英　陳　穎　黄　霞（常務）　劉玉芬

出版委員會

主　任　詹福瑞
副主任　陳　力
委　員（按姓氏筆畫排列）　李　健　姜　紅　郭又陵　徐　蜀　孫　彦

攝製人員（按姓氏筆畫排列）

于向洋　王富生　王遂新　谷韶軍　張　軍　張紅兵　張　陽　曹　宏　郭春紅　楊　勇　嚴　平

目錄

佛自恣後遊行教化有一比丘手捉鉢藥草
草蘉而行佛見此比丘知而故問汝何以捉
鉢藥草草蘉遊行荅言我更無著處佛言
從今聽畜三種囊鉢囊藥草囊草蘉囊佛在
王舍城尒時六群比丘所受持坐具置一處已
餘處宿佛言從今日所受坐具不應離犯者
突吉羅
佛在舍衛國憍薩羅國有緣兒處有二比丘
在彼住一人犯戒一人淨持戒此二比丘未
曾見佛欲共往見佛道中值有虫水破戒者
語持戒者言可共飲是水持戒者言水中有
虫云何可飲犯戒者言我若不飲便死不得
見佛聞法及僧持戒者言至死不飲時犯戒
者便飲持戒者不飲便死即生卅三天上得
天身具足先到佛所頭面礼足在一面立在
一面立已佛為種種說法得法眼淨即時礼
佛足言歸依佛歸依法歸依僧我盡形壽為
優婆塞佛更為說法已默然時天礼佛已忽

BD00944 號　十誦律（兌廢稿）卷三八　（3–1）

天身具足先到佛所頭面礼足在一面立在
一面立已佛為種種說法得法眼淨即時礼
佛足言歸依佛歸依法歸依僧我盡形壽為
優婆塞佛更為說法已默然時天礼佛已忽
然不現時飲水者後到佛所佛為無量衆圍
遶說法佛見此比丘来到佛所佛時撥僧多
羅僧示金色身汝癡人欲見我实身為不如
持戒者先見我身佛說偈言
心不善觀察　見則不審諦　愚如蛾投火　而貪觀我身
色身但不淨　汝欲見何為　内有脂血肉　外為薄皮覆
彼為渴所燒　猶行恭敬戒　至死護我教　彼見我非汝
佛說是偈已告諸比丘從今不持漉水囊不
聽行若不持行者犯突吉羅不犯者有清流
水或大河或泉水從此寺至彼寺卄里内不
犯尒時比丘聚落中有緣事無漉水囊故不
去若不去者此事不成以是事白佛佛言若
一比丘有漉水囊便共去尒時六群比丘聚
落中有緣事往語知識比丘我有緣事可共
至聚落是比丘言我無漉水囊六群比丘言
我有可共俱往荅言可尒時道行中共諍值
有虫水六群比丘以漉水囊自漉水飲彼比
丘索不與是比丘極渴急垂死以是因緣白
佛佛言若比丘先共諍無嫌心者應共行有
嫌心者不應共去
佛在王舍城尒時六群比丘木上食佛言從

BD00944 號　十誦律（兌廢稿）卷三八　（3–2）

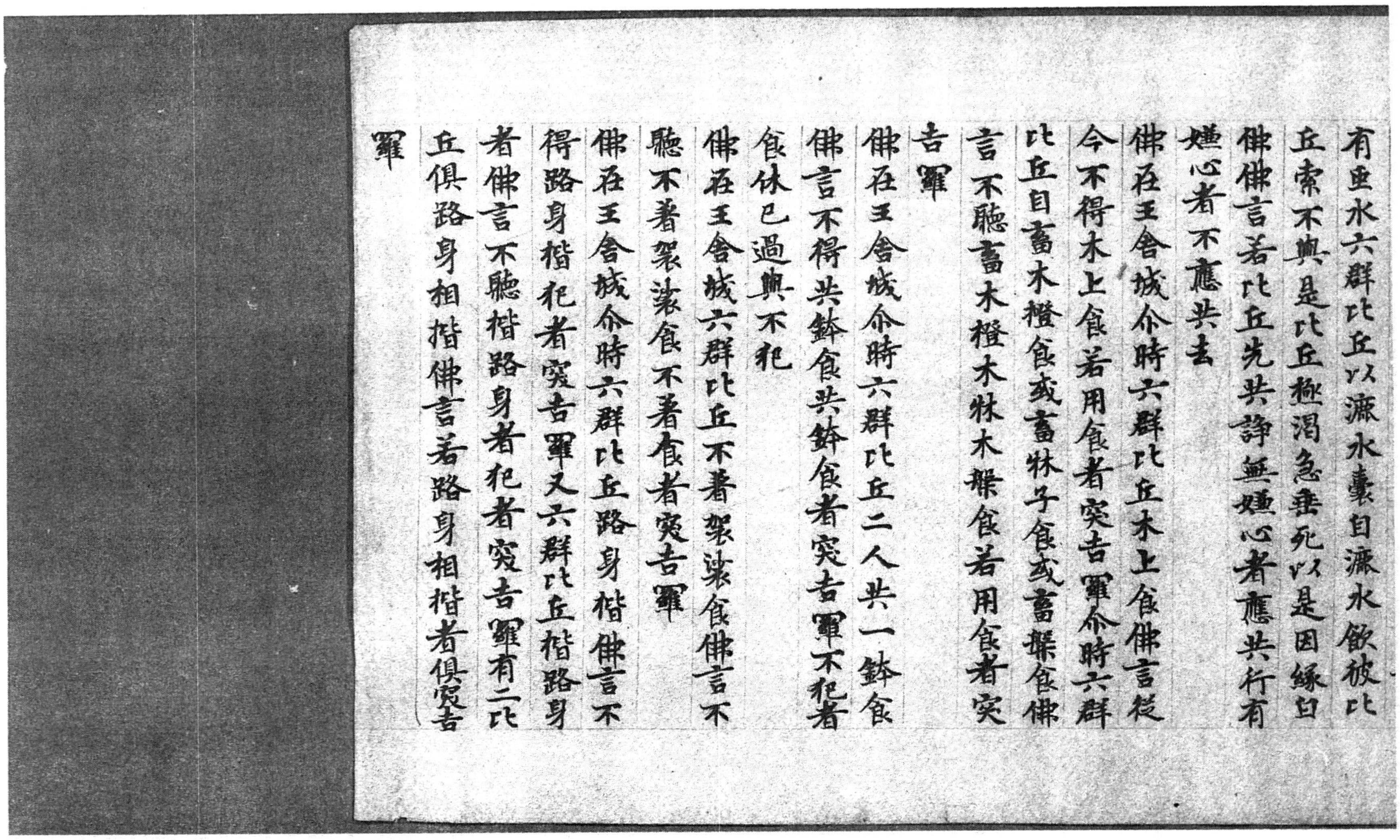
有虫水六群比丘以漉水囊自漉水飲彼比
丘索不與是比丘極渴急垂死以是因緣白
佛佛言若比丘先共諍無嫌心者應共行有
嫌心者不應共去
佛在王舍城尒時六群比丘木上食佛言從
今不得木上食若用食者突吉羅尒時六群
比丘自畜木橙食或畜牀子食或畜檗食佛
言不聽畜木橙木牀木檗食若用食者突
吉羅
佛在王舍城尒時六群比丘二人共一鉢食
佛言不得共鉢食共鉢食者突吉羅不犯者
食休已過與不犯
佛在王舍城六群比丘不著袈裟食佛言不
聽不著袈裟食不著食者突吉羅
佛在王舍城尒時六群比丘路身揩佛言不
得路身揩犯者突吉羅又六群比丘揩路身
者佛言不聽揩路身者犯者突吉羅有二比
丘俱路身相揩佛言若路身相揩者俱突吉
羅

BD00944 號　十誦律（兌廢稿）卷三八　（3–3）

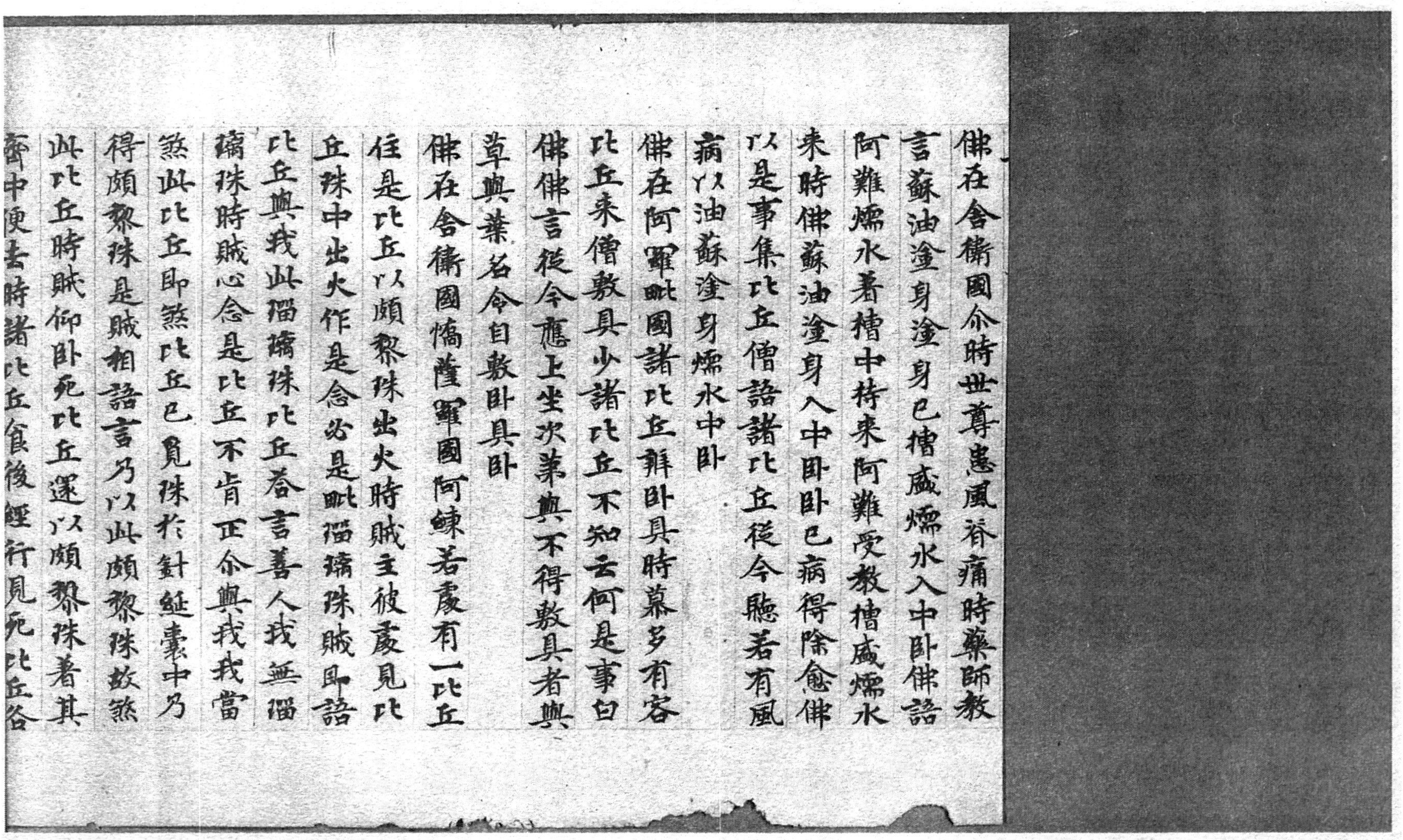
佛在舍衛國尒時世尊患風脊痛時藥師教
言蘇油塗身塗身已槽盛煖水入中卧佛語
阿難煖水著槽中持来阿難受教槽盛煖水
来時佛蘇油塗身入中卧卧已病得除愈佛
以是事集比丘僧語諸比丘從今聽若有風
病以油蘇塗身煖水中卧
佛在阿羅毗國諸比丘辦卧具時慕多有客
比丘来僧敷具少諸比丘不知云何是事白
佛佛言從今應上坐次第與不得敷具者與
草與葉名令自敷卧具卧
佛在舍衛國憍薩羅國阿練若處有一比丘
住是比丘以頗黎珠出火時賊主彼處見比
丘珠中出火作是念必是毗瑠璃珠賊即語
比丘與我此瑠璃珠比丘荅言善人我無瑠
璃珠時賊心念是比丘不肯正尒與我我當
煞此比丘即煞比丘已覓珠於針綖囊中乃
得頗黎珠是賊相語言乃以此頗黎珠故煞
此比丘時賊仰卧死比丘還以頗黎珠著其
齊中便去時諸比丘食後經行見死比丘谷

BD00945 號　十誦律（兌廢稿）卷三八　（3–1）

[illegible]
煞此比丘即煞比丘已覓珠於針綖囊中乃
得頗黎珠是賊相語言乃以此頗黎珠故煞
此比丘時賊仰卧死比丘還以頗黎珠着其
齋中便去時諸比丘食後經行見死比丘各
相謂言以此珠故為人所害諸比丘不知云
何是事白佛佛言以是事集比丘僧集比丘
僧已語諸比丘從今不得畜月珠日珠畜者
突吉羅
佛在王舍城時諸比丘以大價火浣衣石上
浣浣已破壞佛言應平板上手揉浣
佛在舍衛國時末利夫人作一講堂種種莊
嚴施僧諸比丘言佛未聽受種種莊嚴講堂
在中出入諸比丘不知云何是事白佛佛言
此堂清淨可受在中出入時有鵝鶩鴛孔雀
等俱舍羅鳥者羅命命飛鷁諸鳥入出作聲
妨諸比丘坐禪誦經是事白佛佛言應施蘭
楯施已故來入佛言應施絡時優波離問佛
以何物作絡佛言以義以蒭摩劫貝文闍草
麻龍鬚皮等作作已喜爛壞佛言應施雀
目諸鳥故得來佛言應懸簾懸簾時闇佛言
應繩牽上
佛在阿羅毗國新作僧伽藍無掃地物諸比
丘不知云何是事白佛佛言應作掃箒
佛在舍衛國尒時長老畢陵伽婆蹉眼痛
心念若聽我高處坐者善是事白佛佛言聽高

麻龍鬚皮等作作已喜爛壞佛言應施雀
目諸鳥故得來佛言應懸簾懸簾時闇佛言
應繩牽上
佛在阿羅毗國新作僧伽藍無掃地物諸比
丘不知云何是事白佛佛言應作掃箒
佛在舍衛國尒時長老畢陵伽婆蹉眼痛
心念若聽我高處坐者善是事白佛佛言聽高
處坐在高處時畏墮地作是念若佛聽我高
處作蘭楯者善是事白佛佛言聽高處作
蘭楯
佛在舍衛國時僧坊無門牛馬獼猴狗等來
入是事白佛佛言應作門
佛在舍衛國時諸比丘不知何處著針佛言
應作針筒
佛在舍衛國諸比丘不知何處著藥草是事
白佛佛言應畜盛藥物諸比丘無曬藥物是
事白佛佛言應作曬藥物
佛在舍衛國給孤獨居士施僧蓐諸比丘言
佛未聽受蓐是事白佛佛言聽僧畜私亦得
畜時諸比丘不自畜蓐覆壞僧卧具踏身

維摩詰所說經　一名不可思議解脫佛國品第一
如是我聞一時佛在毗耶離菴羅樹園與大
比丘衆八千人俱菩薩三万二千衆所知識大
智本行皆悉成就諸佛威神之所建立爲護

BD00946 號　維摩詰所說經卷上　（5–1）

維摩詰所說經　一名不可思議解脫佛國品第一
如是我聞一時佛在毗耶離菴羅樹園與大
比丘衆八千人俱菩薩三万二千衆所知識大
智本行皆悉成就諸佛威神之所建立爲護
法城受持正法能師子吼名聞十方衆人不請
友而安之紹隆三寶能使不絕降伏魔怨
制諸外道悉已清淨永離蓋纏心常安住
无㝵解脫念定揔持辯才不斷布施持戒忍
辱精進禪定智慧及方便力无不具足逮无
所得不起法忍已能隨順轉不退輪善解法
相知衆生根蓋諸大衆得无所畏功德智慧
以脩其心相好嚴身色像第一捨諸世間所
有飾好名稱高遠踰於須弥深信堅固猶
若金剛法寶普照而雨甘露於衆言音微
妙第一深入緣起斷諸邪見有无二邊无復餘
習演法无畏猶師子吼其所講說乃如雷震无
有量已過量集衆法寶如海導師了達諸
法深妙之義善知衆生往來所趣及心所行近
无等等佛自在慧十力无畏十八不共關閉一
切諸惡趣門而生五道以見其身爲大醫
王善療衆病應病與藥令得服行无量功
德皆成就无量佛土皆嚴淨其見聞者无不
蒙益諸有所作亦不唐捐如是一切功德皆悉
具足其名曰等觀菩薩不等觀菩薩等不等

BD00946 號　維摩詰所說經卷上　（5–2）

切諸惡趣門而生五道以現其身
王善療衆病應病與藥令得服行无量功
德皆成就无量佛土皆嚴淨其見聞者无不
蒙益諸有所作亦不唐捐如是一切功德皆悉
具足其名曰等觀菩薩不等觀菩薩等不等
觀菩薩定自在王菩薩法自在王菩薩法相
菩薩光相菩薩光嚴菩薩大嚴菩薩寶積
菩薩辯積菩薩寶手菩薩寶印手菩薩常
舉手菩薩常下手菩薩常慘菩薩喜根菩薩
喜王菩薩辯音菩薩虛空藏菩薩執寶炬菩薩
寶勇菩薩寶見菩薩帝網菩薩明網菩薩无
緣觀菩薩慧積菩薩寶勝菩薩天王菩薩壞
魔菩薩電德菩薩自在王菩薩功德相嚴菩
薩師子吼菩薩雷音菩薩山相擊音菩薩香
象菩薩白香象菩薩常精進菩薩不休息菩
薩妙生菩薩華嚴菩薩觀世音菩薩得大勢
菩薩梵網菩薩寶杖菩薩无勝菩薩嚴土菩
薩金髻菩薩珠髻菩薩弥勒菩薩文殊師利法
王子菩薩如是等三万二千人
復有万梵天王尸棄等從餘四天下來詣佛所
而聽法復有万二千天帝亦從餘四天下來
在會坐并餘大威力諸天龍神夜叉乹闥
婆阿脩羅迦樓羅緊那羅摩睺羅伽人非人
等悉來會坐諸比丘比丘尼優婆塞優婆夷
俱來會坐時彼佛與无量百千之衆恭敬圍
繞而為說法譬如須弥山王顯于大海安處衆

BD00946 號　維摩詰所說經卷上　（5–3）

等悉來會坐諸比丘比丘尼優婆塞優婆夷
俱來會坐時彼佛與无量百千之衆恭敬圍
繞而為說法譬如須弥山王顯于大海安處衆
寶師子之座蔽於一切諸來大衆
尒時毗耶離城有長者子名曰寶積與五百
長者子俱持七寶蓋來詣佛所頭面礼足各
以其蓋共供養佛佛之威神令諸寶蓋合成
一蓋遍覆三千大千世界而此世界廣長之相
悉於中現又此三千大千世界諸須弥山雪山
目真隣陁山摩訶目真隣陁山香山寶山
金山黑山鐵圍山大鐵圍山大海江河川流
泉源及日月星辰天宮龍宮諸尊神宮悉
現於寶蓋中又十方諸佛諸佛說法亦現於
寶蓋中尒時一切大衆覩佛神力嘆未曾
有合掌礼佛瞻仰尊顏目不暫捨長者
子寶積即於佛前以偈頌曰
目淨脩廣如清蓮　心淨已度諸禪定
久積淨業稱无量　導衆以寂故稽首
既見大聖以神變　普現十方无量土
其中諸佛演說法　於是一切悉見聞
法王法力超群生　常以法財施一切
能善分別諸法相　於第一義而不動
已於諸法得自在　是故稽首此法王
說法不有亦不无　以因緣故諸法生
无我无造无受者　善惡之業亦不亡

BD00946 號　維摩詰所說經卷上　（5–4）

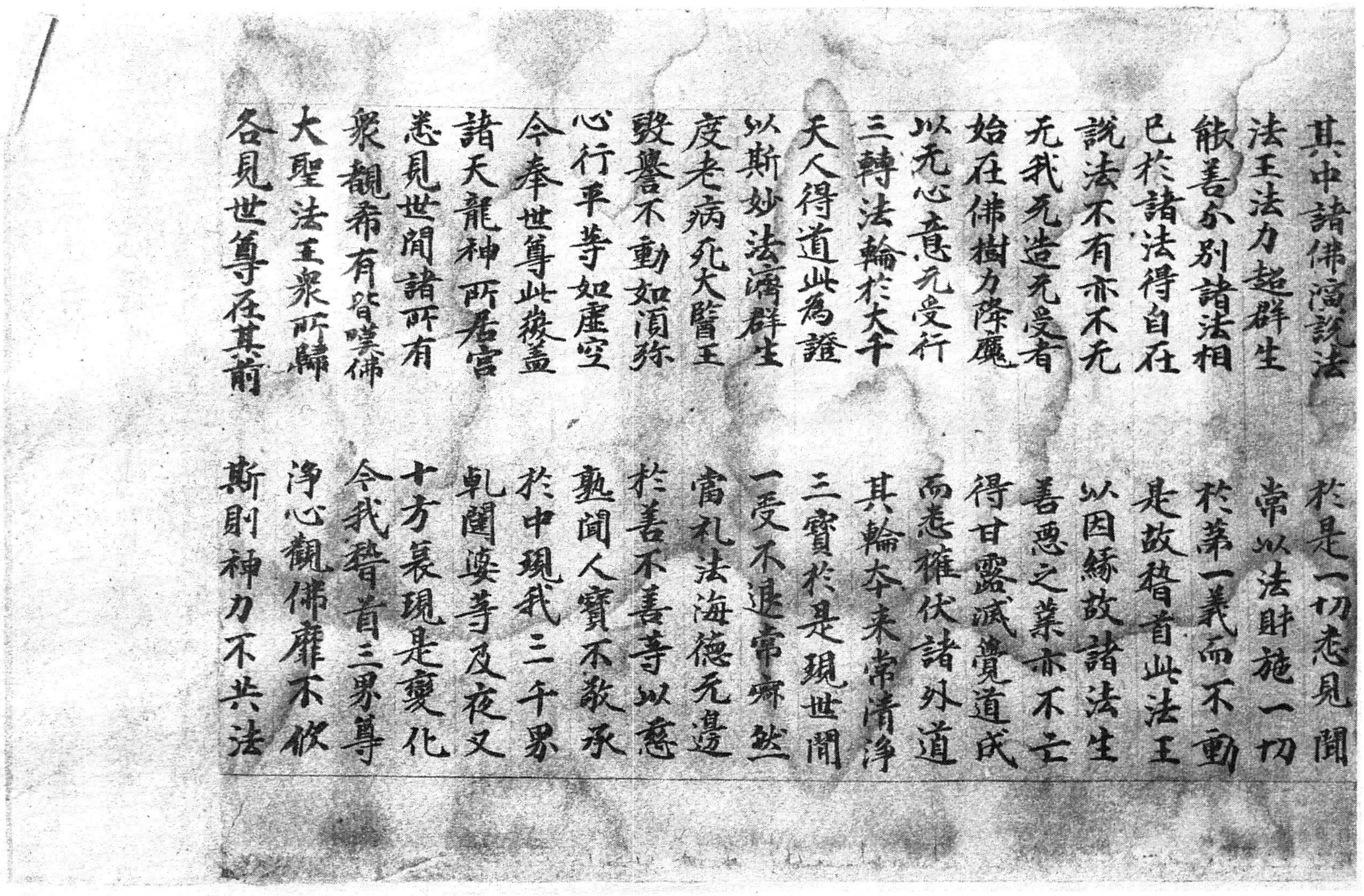

其中諸佛演說法　於是一切悉見聞
法王法力超群生　常以法財施一切
能善分別諸法相　於第一義而不動
已於諸法得自在　是故稽首此法王
說法不有亦不无　以因緣故諸法生
无我无造无受者　善惡之業亦不亡
始在佛樹力降魔　得甘露滅覺道成
以无心意无受行　而悉摧伏諸外道
三轉法輪於大千　其輪本來常清淨
天人得道此為證　三寶於是現世間
以斯妙法濟群生　一受不退常寂然
度老病死大醫王　當礼法海德无邊
毀譽不動如須弥　於善不善等以慈
心行平等如虛空　孰聞人寶不敬承
今奉世尊此微蓋　於中現我三千界
諸天龍神所居宮　乾闥婆等及夜叉
悉見世間諸所有　十方衆現是變化
衆覩希有皆歎佛　今我稽首三界尊
大聖法王衆所歸　淨心觀佛靡不欣
各見世尊在其前　斯則神力不共法

BD00946號　維摩詰所說經卷上　（5–5）

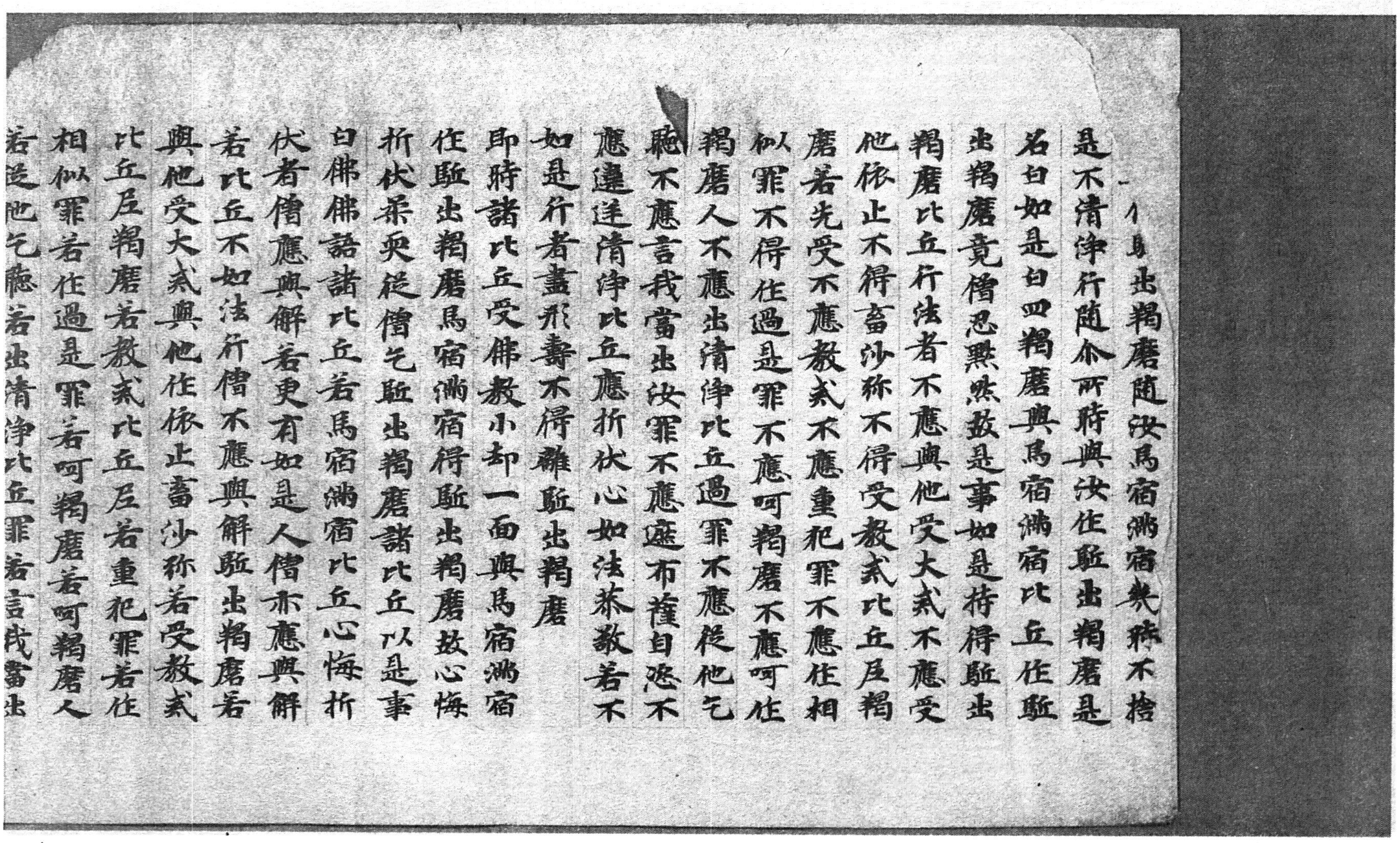

作[illegible]出羯磨隨汝馬宿滿宿[illegible][illegible]不捨
是不清淨行隨汝所時與汝作駈出羯磨是
名白如是白四羯磨與馬宿滿宿比丘作駈
出羯磨竟僧忍默然故是事如是持得駈出
羯磨比丘行法者不應與他受大戒不應受
他依止不得畜沙弥不得受教戒比丘尼羯
磨若先受不應教戒不應重犯罪不應作相
似罪不得作過是罪不應呵羯磨不應呵作
羯磨人不應出清淨比丘過罪不應從他乞
聽不應言我當出汝罪不應遮布薩自恣不
應違逆清淨比丘應折伏心如法恭敬若不
如是行者盡形壽不得離駈出羯磨
即時諸比丘受佛教小却一面與馬宿滿宿
作駈出羯磨馬宿滿宿得駈出羯磨故心悔
折伏柔耎從僧乞駈出羯磨諸比丘以是事
白佛佛語諸比丘若馬宿滿宿比丘心悔折
伏者僧應與解若更有如是人僧亦應與解
若比丘不如法行僧不應與解駈出羯磨若
與他受大戒與他作依止畜沙弥若受教戒
比丘尼羯磨若教戒比丘尼若重犯罪若作
相似罪若作過是罪若呵羯磨若呵羯磨人
若從他乞聽若出清淨比丘罪若言我當出

BD00947號　十誦律（兌廢稿）卷三一　（2–1）

如是行者盡形壽不得離駈出羯磨
即時諸比丘受佛教小却一面與馬宿滿宿
作駈出羯磨馬宿滿宿得駈出羯磨故心悔
折伏柔軟從僧乞駈出羯磨諸比丘以是事
白佛佛語諸比丘若馬宿滿宿比丘心悔折
伏者僧應與解若更有如是人僧亦應與解
若比丘不如法行僧不應與解駈出羯磨若
與他受大戒與他作依止畜沙彌若受教戒
比丘尼羯磨若教戒比丘尼若重犯罪若作
相似罪若作過是罪若呵羯磨若呵羯磨人
若從他乞聽若出清淨比丘罪若言我當出
汝罪若遮布薩自恣還遮清淨比丘不心悔
折伏柔軟不應解若如法行僧應與解駈出
羯磨不與他受大戒不與他作依止不畜沙
彌不受教戒比丘尼羯磨不教戒比丘尼不
重犯罪不作相似罪不作過是罪不呵羯磨
羯磨人不從他乞聽不出清淨比丘罪

BD00947號　十誦律（兌廢稿）卷三一　（2–2）

佛言比丘於三事中有犯僧應作駈出羯磨
若破戒破見破威儀有三種應作駈出羯磨
|| 喜鬬喜諍喜相言有三種非法非比尼非佛
教作駈出羯磨可破人不現前作不先說其
罪作不令憶念作有三種如法比尼如佛教
教作駈出羯磨不可破人現前作先說其罪
作令憶念作有三種可破非法作別衆作人
不現前作有三種不可破如法作和合僧作
人現前作有三種可破非法作別衆作不先
說其罪作有三種不可破如法作和合僧作
先說其罪作有三種可破非法作別衆作不
令憶念作有三種不可破如法作和合僧作
令憶念作有三種作駈出羯磨可破為不犯
罪作為不可悔過作與已悔過作有三種作
駈出羯磨不可破為犯罪作為可悔過作與
未悔過作有三種可破非法作別衆作與不
犯罪作有三種不可破如法作和合僧作為
犯罪作有三種可破非法作別衆作為不可
悔過作有三種不可破如法作和合僧作為
可悔過作有三種可破非法作別衆作與已
悔過作有三種不可破如法作和合僧作與
未悔過作駈出羯磨法者一心和合僧一比

BD00948號　十誦律（兌廢稿）卷三一　（2–1）

先說其罪作有三種可破非法作別衆作不
令憶念作有三種不可破如法作和合僧作
令憶念作有三種作駈出羯磨可破為不犯
罪作為不可悔過作與已悔過作有三種作
駈出羯磨不可破為犯罪作為可悔過作與
未悔過作有三種可破非法作別衆作與不
犯罪作有三種不可破如法作和合僧作為
犯罪作有三種可破非法作別衆作為不可
悔過作有三種不可破如法作和合僧作為
可悔過作有三種可破非法作別衆作與已
悔過作有三種不可破如法作和合僧作與
未悔過作駈出羯磨法者一心和合僧一比
丘僧中唱大德僧聽是馬宿滿宿比丘汙他
家行惡行汙他家皆見皆聞皆知行惡行亦
見亦聞亦知若僧時到僧忍聽與馬宿滿宿

BD00948號　十誦律（兌廢稿）卷三一　　（2–2）

戒脩福者於
知是人不於一佛
已於无量千万佛所
乃至一念生淨信者須
諸衆生得如是无量
无復我相人相衆生
非法相何以故是諸
相
衆生若心取相則為著我人衆生壽者若取
法相即著我人衆生壽者何以故若取法
相即著我人衆生壽者是故不應取法不應
取非法以是義故如來常說汝等比丘知我
說法如筏喻者法尚應捨何況非法
須菩提於意云何如來得阿耨多羅三藐三
菩提耶如來有所說法耶須菩提言如我解
佛所說義无有定法名阿耨多羅三藐三菩
提亦无有定法如來可說何以故如來所說法
皆不可取不可說非法非非法所以者何一
切賢聖皆以无為法而有差別
須菩提於意云何若人滿三千大千世界七
寶以用布施是人所得福德寧為多不須
菩提言甚多世尊何以故是福德即非福德性
是故如來說福德多若復有人於此經中受
持乃至四句偈等為他人說其福勝彼何以
故須菩提一切諸佛及諸佛

BD00949號　金剛般若波羅蜜經　　（4–1）

皆不可取不可說非法非非法所以者何一
切賢聖皆以无為法而有差别
須菩提於意云何若人滿三千大千世界七
寶以用布施是人所得福德寧為多不善須
提言甚多世尊何以故是福德即非福德性
是故如来說福德多若復有人於此經中受
持乃至四句偈等為他人說其福勝彼何以
故須菩提一切諸佛及諸佛阿耨多羅三藐三
菩提法皆從此經出須菩提所謂佛法者即
非佛法
須菩提於意云何須陁洹能作是念我得須
陁洹果不須菩提言不也世尊何以故須陁
洹名為入流而无所入不入色聲香味觸法
是名須陁洹須菩提於意云何斯陁含能作
是念我得斯陁含果不須菩提言不也世尊
何以故斯陁含名一往来而實无往来是名
斯陁含須菩提於意云何阿那含能作是念
我得阿那含果不須菩提言不也世尊何以
故阿那含名為不来而實无来是故名阿那
含須菩提於意云何阿羅漢能作是念我得
阿羅漢道不須菩提言不也世尊何以故實无
有法名阿羅漢世尊若阿羅漢作是念我
得阿羅漢道即為著我人衆生壽者世尊佛
說我得无諍三昧人中最為第一是第一離
欲阿羅漢我不作是念我是離欲阿羅漢世
尊我若作是念我得阿羅漢道世尊則不說

BD00949 號　金剛般若波羅蜜經　（4–2）

得阿羅漢道即為著我人衆生壽者世尊佛
說我得无諍三昧人中最為第一是第一離
欲阿羅漢我不作是念我是離欲阿羅漢世
尊我若作是念我得阿羅漢道世尊則不說
須菩提是樂阿蘭那行者以須菩提實无所
行而名須菩提是樂阿蘭那行
佛告須菩提於意云何如来昔在然燈佛所
於法有所得不不也世尊如来在然燈佛所
於法實无所得須菩提於意云何菩薩莊嚴
佛土不不也世尊何以故莊嚴佛土者則非
莊嚴是名莊嚴是故須菩提諸菩薩摩訶薩
應如是生清淨心不應住色生心不應住聲
香味觸法生心應无所住而生其心須菩提
譬如有人身如須弥山王於意云何是身為
大不須菩提言甚大世尊何以故佛說非身
是名大身
須菩提如恒河中所有沙數如是沙等恒河
於意云何是諸恒河沙寧為多不須菩提言
甚多世尊但諸恒河尚多无數何况其沙須
菩提我今實言告汝若有善男子善女人以
七寶滿尒所恒河數沙三千大千世界以用
布施得福多不須菩提言甚多世尊佛告須
菩提若善男子善女人於此經中乃至受持
四句偈等為他人說而此福德勝前福德
復次須菩提隨說是經乃至四句偈等當知
此處一切世間天人阿脩羅皆應供養如佛

BD00949 號　金剛般若波羅蜜經　（4–3）

於意云何是諸恒河沙寧為多不須菩提言
甚多世尊但諸恒河尚多无數何况其沙須
菩提我今實言告汝若有善男子善女人以
七寶滿尒所恒河數沙三千大千世界以用
布施得福多不須菩提言甚多世尊佛告須
菩提若善男子善女人於此經中乃至受持
四句偈等為他人說而此福德勝前福德
復次須菩提隨說是經乃至四句偈等當知
此處一切世間天人阿脩羅皆應供養如佛
塔廟何况有人盡能受持讀誦須菩提當知
是人成就最上第一希有之法若是經典所
在之處則為有佛若尊重弟子
尒時須菩提白佛言世尊當何名此經我等
云何奉持佛告須菩提是經名為金剛般若
波羅蜜以是名字汝當奉持所以者何須菩
提佛說般若波羅蜜則非般若波羅蜜須菩
提於意云何如来有所說法不須菩提白佛
言世尊如来无所說須菩提於意云何三千
界所有微塵是為多不須菩提言甚
諸微塵如来說非微塵是名
非世界是名世界須菩提

BD00949 號　金剛般若波羅蜜經　（4–4）

是觀已尋使離去尒時第三王子作是念言
我今捨身時已到矣何以故我從昔来多棄
是身都无所為亦常愛護處之屋宅又復供
給衣服飲食卧具醫藥象馬車乘隨時將養
令无所乏而不知恩反生怨害然復不免无常
敗壞復次是身不堅无所利益可惡如賊猶若
行廁我於今日當使此身作无上業於生死海
中作大橋梁復次若捨此身則捨无量癰疽
疾百千怖畏是身唯有大小便利是身不堅
如水上沫是身不淨多諸虫戶是身不淨筋
纏血塗皮骨髓腦共相連持如是觀察甚可
患猒是故我今應當捨離以求寂滅无上涅
槃永離憂患无常變異生死休息无諸塵累
无量禪定智慧功德具足成就微妙法身百
福莊嚴諸佛所讚證成如是无上法身與諸
衆生无量法樂是時王子勇猛堪任作是大
願以上大悲熏脩其心慮其二兄心懷怖懼或
恐固遮為作留難即便語言兄等今者可與
眷屬還其所止尒時王子摩訶薩埵還至竹
所脫身衣裳置竹枝上作是誓言我今為利
諸衆生故證於最勝无上道故大悲不動捨
故為求菩提智所讚故欲度三有諸衆生故

BD00950 號　合部金光明經卷八　（15–1）

……今者可與
眷屬還其所止尒時王子摩訶薩埵還至虎
所脫身衣裳置竹枝上作是誓言我今為利
諸衆生故證於最勝无上道故大悲不動捨
故為求菩提智所讚故欲度三有諸衆生故
滅生死怖畏惱熱故是時王子作是誓已即
自放身卧餓虎前是時王子以大悲力故虎
无能為王子復作如是念言虎今羸瘦身
无勢力不能得我身血肉食即起求刀周遍
求之了不能得即以乾竹刺頸出血於高山上
投身虎前是時大地六種震動日无精光
如羅睺羅阿脩羅王捉持鄣蔽又雨雜華種
種妙香時虛空中有諸餘天見是事已心生
歡喜歎未曾有讚言善哉善哉大士汝今真
是行大悲者為衆生故能捨難捨於諸學人
第一勇健汝已為得諸佛所讚常樂住處不
久當證无惱无熱清涼涅槃是虎尒時見血
流出汙王子身即便䑛血噉食其肉唯留餘
骨尒時第一王子見地大動為第二王子
而說偈言
震動大地　及以大海　日无精光　如有覆蔽
於上虛空　雨諸華香　必是我弟　捨所愛身
第二王子復說偈言
彼虎產來　已經七日　七子圍遶　窮无飲食
氣力羸損　命不云遠　小弟大悲　知其窮悴
懼不堪忍　還食其子　恐定捨身　以救彼命
時二王子心大愁怖涕泣悲歎容貌憔悴復

第二王子復說偈言
彼虎產來　已經七日　七子圍遶　窮无飲食
氣力羸損　命不云遠　小弟大悲　知其窮悴
懼不堪忍　還食其子　恐定捨身　以救彼命
時二王子心大愁怖涕泣悲歎容貌憔悴復
共相將還至虎所見弟所著衣服衣裳皆悉
在一竹枝之上骸骨髮爪布散狼藉流血處
處遍汙其地見已悶絕不自勝持投身骨上
良久乃寤即起舉手呼天而哭我弟幼稚才
能過人特為父母之所愛念奄忽捨身以餧
餓虎我今還宮父母設問當云何荅我寧在
此并命一處不忍見是骸骨髮爪何心捨離
還見父母妻子眷屬朋友知識時二王子悲
號懊惱漸捨而去時小王子所將侍從各散
諸方互相謂言今者我天為何所在尒時王
妃於睡夢中夢乳被割牙齒墮落得三鴿鶵
一為鷹食尒時王妃大地動時即便驚寤心
大愁怖而說偈言
今日何故　大地大水　一切皆動　物不安所
日无精光　如有覆蔽　我心憂苦　目睫瞤動
如我今者　所見瑞相　必有災異　不祥苦惱
於是王妃說是偈已時有青衣在外已聞王
子消息心驚惶怖尋即入內啓白王妃作如是
言向者在外聞諸侍從推覓王子不知所在
王妃聞已生大憂苦涕泣滿目至大王所我
於向者傳聞外人失我最小所愛之子大王
聞已而復悶絕悲哽苦惱收淚而言如何今

言向者在外聞諸侍從推覓王子不知所在
王妃聞已生大憂苦涕泣滿目至大王所我
於向者傳聞外人失我最小所愛之子大王
聞已而復悶絕悲哽苦惱收淚而言如何今
日失我心中所愛重者尒時世尊欲重宣此
義而說偈言

我於往昔　无量劫中　捨所重身　以求菩提
若為國王　及作王子　常捨難捨　以求菩提
我念宿命　有大國王　其王名曰　摩訶羅陁
是王有子　能大布施　其子名曰　摩訶薩埵
復有二兄　長者名曰　大波那羅　次名大天
三人同遊　至一空山　見新產虎　飢窮无食
時勝大士　生大悲心　我今當捨　所重之身
此虎或為　飢餓所逼　儻能還食　自所生子
即上高山　自投虎前　為令虎子　得全性命
是時大地　及諸大山　皆悉震動　驚諸虫獸
虎狼師子　四散馳走　世間皆暗　无有光明
是時二兄　故在竹林　心懷憂惱　愁苦涕泣
漸漸推求　遂至虎所　見虎虎子　血汙其口
又見骸骨　髮毛爪齒　處處迸血　狼藉在地
時二王子　見是事已　心更悶絕　自擲於地
以灰塵土　自塗全身　忘失正念　生狂癡心
所將侍從　覩見是事　亦生悲慟　失聲號哭
手以冷水　共相噴灑　然後蘇息　而復得起
是時王子　當捨身時　正值後宮　妃后婇女
眷屬五百　共相娛樂　王妃是時　兩乳汁出

所將侍從　覩見是事　亦生悲慟　失聲號哭
手以冷水　共相噴灑　然後蘇息　而復得起
是時王子　當捨身時　正值後宮　妃后婇女
眷屬五百　共相娛樂　王妃是時　兩乳汁出
一切枝節　痛如針刺　心生愁惱　以喪愛子
於是王妃　疾至王所　其聲微細　悲泣而言
大王今當　諦聽諦聽　憂愁盛火　今來燒我
我今二乳　俱時汁出　身體苦切　如被針刺
我見如是　不祥瑞相　恐更不復　見所愛子
今以身命　奉上大王　願速遣人　求覓我子
夢三鴿鶵　在我懷抱　其最小者　可適我心
有鷹飛來　奪我而去　夢是事已　即生憂惱
我今愁怖　恐命不濟　唯願遣人　推求我子
是時王妃　說是語已　即時悶絕　而復擗地
王聞是語　復生憂惱　以不得見　所愛子故
其王大臣　及諸眷屬　悉皆聚集　在王左右
哀哭悲號　聲動天地　尒時城內　所有人民
聞是聲已　驚愕而出　各相謂言　今是王子
為活來耶　為已死亡　如是大士　常出軟語
為衆所愛　今難可見　已有諸人　入林推求
不久自當　得定消息　諸人尒時　章惶如是
而復悲號　哀動神祇
尒時大王　即從座起　以水灑妃　良久乃穌
還得正念　微聲問王　我子今者　為死活耶
尒時王妃　念其子故　倍復懊惱　心无暫捨
可惜我子　形色端正　如何一旦　捨我終亡

尒時大王　即從座起　以水灑妃　良久乃穌
還得正念　微聲問王　我子今者　為死活邪
尒時王妃　念其子故　倍復懊惱　心无蹔捨
可惜我子　形色端正　如何一旦　捨我終亡
云何我身　不先薨沒　而見如是　諸苦惱事
善子妙色　猶如蓮華　誰壞汝身　使令分離
將非是我　昔日怨讎　使本業緣　而殺汝邪
我子面目　淨如滿月　不圖一旦　遇斯禍對
寧使我身　碎破如塵　不令我子　喪失身命
我所見夢　已為得報　值我无情　能堪是苦
如我所夢　牙齒墮落　二乳一時　汁自流出
必定是我　失所愛子　夢三鴿鶵　鷹奪一去
三子之中　必定失一
尒時大王　即告其妃　我今當遣　大臣使者
周遍東西　推求覓子　汝今且可　莫大憂惱
大王如是　慰喻妃已　即便嚴駕　出其宮殿
心生愁惱　憂苦所切　雖在大眾　顏貌憔悴
即出其城　覓所愛子　尒時亦有　无量諸人
哀號動地　尋從王後
是時大王　既出城已　四向顧望　求覓其子
煩寃心亂　靡知所在　冣後遙見　有一信來
頭蒙塵土　血汙其衣　灰糞塗身　悲號而至
尒時大王　摩訶羅陁　見是使已　倍生懊惱
舉手號叫　仰天而哭　先所遣臣　尋復來至
既至王所　作如是言　願王莫愁　諸子猶在
不久當至　令王得見　須臾之頃　復有臣來
見王愁苦　顏貌憔悴　身所著衣　垢膩塵汙

尒時大王　摩訶羅陁　見是使已　倍生懊惱
舉手號叫　仰天而哭　先所遣臣　尋復來至
既至王所　作如是言　願王莫愁　諸子猶在
不久當至　令王得見　須臾之頃　復有臣來
見王愁苦　顏貌憔悴　身所著衣　垢膩塵汙
大王當知　一子已終　二子雖存　衰悴无賴
第三王子　見虎新產　飢窮七日　恐還食子
見是虎已　深生悲心　發大誓願　當度眾生
於未來世　證成菩提　即上高山　投身餓虎
虎飢所逼　便起噉食　一切血肉　已為都盡
唯有骸骨　狼藉在地　是時大王　聞臣語已
轉復悶絕　失念躄地　憂愁盛火　熾然其身
諸臣眷屬　亦復如是　以水灑王　良久乃穌
復起舉手　號天而哭　復有臣來　而白王言
向於林中　見二王子　愁憂苦毒　悲號啼哭
迷悶失志　自投於地　臣即求水　灑其身上
良久之頃　乃還穌息　望見四方　大火熾然
扶持蹔起　尋復躄地　舉手悲哀　號天而哭
乍復讚歎　其弟功德　是時大王　以離愛子
其心迷沒　氣力惙然　憂惱涕泣　并復思惟
是冣小子　我所愛重　无常大鬼　奄便吞食
其餘二子　今雖存在　而為憂火　之所焚燒
或能為是　喪失命根　我宜速往　至彼林中
迎載諸子　急還宮殿　其母在後　憂苦逼切
心肝分裂　或能失命　若見二子　慰喻其心
可使終保　餘年壽命　尒時大王　駕乘名象
與諸侍從　欲至彼林　即於中路　見其二子

其餘二子 今雖存在 而為憂火 之所焚燒
或能為是 喪失命根 我宜速往 至彼林中
迎載諸子 急還宮殿 其母在後 憂苦逼切
心肝分裂 或能失命 若見二子 慰喻其心
可使終保 餘年壽命 尒時大王 駕乘名象
與諸侍從 欲至彼林 即於中路 見其二子
號天扣地 稱弟名字 時王即前 抱持二子
悲號涕泣 隨路還宮 速令二子 覲見其母
佛告樹神 汝今當知 尒時王子 摩訶薩埵
捨身飴虎 今我身是 尒時大王 摩訶羅陁
於今父王 輸頭檀是 尒時王妃 今摩耶是
第一王子 今弥勒是 第二王子 今調達是
尒時虎者 今瞿夷是 時虎七子 今五比丘
及舍利弗 目揵連是
尒時大王摩訶羅陁及其妃后悲號涕泣悉
皆脫身御服瓔珞與諸大衆往竹林中收其
舍利即於此處起七寶塔是時王子摩訶薩
埵臨捨命時作是誓願願我舍利於未來世
過筭數劫常為衆生而作佛事說是經時无
量阿僧祇天及人發阿耨多羅三藐三菩提
心樹神是名礼塔往昔因緣尒時佛神力故是
七寶塔即沒不現

金光明經讚佛品第廿三

尒時无量百千万億諸菩薩衆從此世界至
金寶盖山王如来國土到彼土已五體投地
為佛作礼却一面立向佛合掌異口同音而
讚歎佛

七寶塔即沒不現

金光明經讚佛品第廿三

尒時无量百千万億諸菩薩衆從此世界至
金寶盖山王如来國土到彼土已五體投地
為佛作礼却一面立向佛合掌異口同音而
讚歎佛
如来之身 金色微妙 其明照曜 如金山王
身淨柔軟 如金蓮華 无量妙相 以自莊嚴
隨形之好 光飾其體 淨潔无比 如紫金山
圓足无垢 如淨滿月 其音清徹 妙如梵聲
師子吼聲 大雷震聲 六種清淨 微妙音聲
迦陵頻伽 孔雀之聲 清淨无垢 威德具足
百福相好 莊嚴其身 光明遠照 无有齊限
智慧寂滅 无諸愛習 世尊成就 无量功德
譬如大海 須弥寶山 為諸衆生 生憐愍心
於未来世 能與快樂 如来所說 第一深義
能令衆生 寂滅安隱 能與衆生 无量快樂
能演无上 甘露妙法 能開无上 甘露法門
能入一切 无患廬宅 能令衆生 悉得解脫
度於三有 无量苦海 安住正道 无諸憂苦
如来世尊 功德智慧 大慈悲力 精進方便
如是无量 不可稱計 我等今者 不能說喻
諸天世人 於无量劫 盡思度量 不能得如
如来所有 功德智慧 无量大海 一渧少分
我今略讚 如来功德 百千億分 不能宣一
若我功德 得最集者 迴與衆生 證无上道

諸天世人 於无量劫 盡思度量 不能得知
如来所有 功德智慧 无量大海 一渧少分
我今略讚 如来功德 百千億分 不能宣一
若我功德 得最集者 迴與衆生 證无上道
尒時信相菩薩即於此會從座而起偏袒右
肩右膝著地合掌向佛而說讚言
世尊百福 相好微妙 功德千數 莊嚴其身
色淨遠照 視之无猒 如日千光 弥滿虛空
光明熾盛 无量无邊 猶如无數 珎寶大聚
其明五色 青紅赤白 琉璃頗梨 如融真金
光明赫弈 通徹諸山 悉能遠照 无量佛土
能滅衆生 无量苦惱 又與衆生 上妙快樂
諸根清淨 微妙第一 衆生見者 无有猒足
駿紺柔軟 猶孔雀項 如諸蜂王 集在蓮華
清淨大悲 功德莊嚴 无量三昧 及以大悲
如是功德 悉已最集 相好妙色 嚴飾其身
種種功德 助成菩提
如来悉能 調伏衆生 令心柔軟 受諸快樂
種種深妙 功德莊嚴 亦為十方 諸佛所讚
其光遠照 遍於諸方 猶如日月 充滿虛空
功德成就 如須弥山 在在示現 於諸世界
齒白齊整 猶如珂雪 其德如日 處空明顯
眉間豪相 右旋宛轉 光明流出 如琉璃珠
其色微妙 如日處空
尒時道場菩提樹神復說讚曰
南无清淨 无上正覺 甚深妙法 隨順覺了

眉間豪相 右旋宛轉 光明流出 如琉璃珠
其色微妙 如日處空
尒時道場菩提樹神復說讚曰
南无清淨 无上正覺 甚深妙法 隨順覺了
遠離一切 非法非道 獨拔而出 成佛正覺
如有非有 本性清淨
希有希有 如来功德 希有希有 如来大海
希有希有 如須弥山 希有希有 佛无邊行
希有希有 佛出於世 如優曇華 時一現耳
希有希有 无量大悲 釋迦牟尼 為人中日
為欲利益 諸衆生故 宣說如是 妙寶經典
善哉如来 諸根寂滅 而復遊入 善寂大城
无垢清淨 甚深三昧 入於諸佛 所行之處
一切聲聞 身皆空寂 兩足世尊 行處亦空
如是一切 无量諸法 推本性相 亦皆空寂
一切衆生 性相亦空 狂愚心故 不能覺知
我常念佛 樂見世尊 常作誓願 不離佛日
我常於地 長跪合掌 其心戀慕 欲見於佛
我常脩行 最上大悲 哀泣雨淚 欲見於佛
我常渴仰 欲見於佛 為是事故 憂火熾然
唯願世尊 賜我慈悲 清冷法水 以滅是火
世尊慈愍 悲心无量 願使我身 常得見佛
世尊常護 一切人天 是故我今 渴仰欲見
聲聞之身 猶如虛空 焰幻響化 如水中月
衆生之身 如夢所見 如来行處 淨如瑠璃
雨於无上 甘露法雨 能與衆生 无量快樂

世尊常護一切人天 是故我今 渴仰欲見
聲聞之身 猶如虛空 焰幻響化 如水中月
衆生之身 如夢所見 如來行處 淨如瑠璃
而於无上 甘露法雨 能與衆生 无量快樂
如來行處 微妙甚深 一切衆生 无能知者
五通神仙 及諸聲聞 一切緣覺 亦不能知
我今不疑 佛所行處 唯願慈悲 為我現身
尒時世尊 從三昧起 以微妙音 而讚歎言
善哉善哉 樹神善女 汝於今日 快說是言

金光明經付囑品第廿四

尒時世尊告彼大菩薩衆言 汝等善丈夫輩
誰能守護此諸如來阿僧祇劫集成菩提 於
我滅後以此法本當作廣現令正法久住故 尒
時彼菩薩衆中有六十俱致菩薩及六十俱
致天女同以一咽唯聲說如是言 世尊我等
堪能守護此諸如來阿僧祇劫集成菩提 於
彼後時當作廣現 尒時世尊說此伽他
諸佛是實語 安住於實法 彼等實住故 此經增住持
大悲為鎧甲 大慈為安住 彼等慈力故 此經增住持
福聚為鎧甲 智聚所出生 諸聚和合故 此經增住持
降伏諸魔羅 諸論亦破散 已斷於諸見 此經增住持
讃世天帝等 諸梵及脩羅 天龍乾闥婆 住持此已作
地住及虛空 所有諸天女 諸佛住持故 已說此行法
其行相應故 四實已莊嚴 盡四摩羅故 此經增住持
虛空若住色 或色作非色 諸佛所住持 无有能令動
尒時四大天王同以一咽唯聲說此伽他

BD00950 號　合部金光明經卷八　（15–12）

讃世天帝等 諸梵及脩羅 天龍乾闥婆 住持此已作
地住及虛空 所有諸天女 諸佛住持故 已說此行法
其行相應故 四實已莊嚴 盡四摩羅故 此經增住持
虛空若住色 或色作非色 諸佛所住持 无有能令動
尒時四大天王同以一咽唯聲說此伽他
我等於此經 守護當如是 及子諸眷屬 亦善作守護
若當持此者 菩提已作緣 我當近彼等 四方作守護
尒時天帝向佛說此伽他
我報諸佛恩 導師亦已證 於此勝經典 已說佛出生
我於彼諸佛 報恩當作護 當護如是經 及彼持經者
尒時娑訶世界主大梵天王向佛說此伽他
諸定及无量 諸乘及解脫 皆由此經出 已說佛出生
我捨梵處樂 此經所在處 至彼聽聞故 守護當如是
尒時刪兜率多天子向佛說此伽他
若住於菩提 彼當住兜率 此經佛已說 若當有持者
世尊我當能 捨於天福報 閻浮洲內住 當說此行法
尒時商主摩羅子向佛說此伽他
清淨摩羅業 彼不隨摩羅 若當能持此 脩多羅正義
我等於此經 守護當如是 我發精進欲 如是令廣現
尒時摩羅波卑摩向佛說此伽他
我於彼衆生 當不作障礙 若當持此者 煩惱皆折伏
摩羅不得便 故說於此經 以佛住持故 我當護彼等
尒時善德天子向佛說此伽他
若諸佛菩提 彼於此經說 若持此經典 彼即供諸尊
我當持此經 為俱致天說 教化向菩提 當聽及敬重
尒時慈氏菩薩向佛說此伽他
不請之朋友 [illegible]

BD00950 號　合部金光明經卷八　（15–13）

摩羅不得便　故說於此經　以佛住持故　我當讚彼等
尒時善德天子向佛說此伽他
若諸佛菩提　彼於此經說　若持此經典　彼即供諸尊
我當持此經　為俱致天說　教化向菩提　當聽及敬重
尒時慈氏菩薩向佛說此伽他
不請之朋友　若彼住菩提　守護諸法故　能捨於自體
故我在兜率　如是俱多羅　以佛住持故　我當作廣顯
尒時上座摩訶迦葉波向佛說此伽他
我等少智慧　昔聞乘已說　隨能隨勢力　教師法當持
若有持此經　我當攝受彼　及以堪能辯　與彼作善言
尒時命者阿難陁向佛說此伽他
諸經多千數　我聞教師口　如是等經典　我先未曾聞
我值遇此經　對面已受取　我當作廣顯　欲求於菩提
佛說此時菩提高樹善衍天女及彼大辯天
女等功德天女等諸天女及諸天衆釋梵婆羅
門等為首諸天王及彼諸大天衆乾闥婆
阿脩羅等世間於佛所說皆大歡喜

金光明經卷第八

BD00950 號　合部金光明經卷八　（15–14）

我值遇此經　對面已受取　我當作廣顯　欲求於菩提
佛說此時菩提高樹善衍天女及彼大辯天
女等功德天女等諸天女及諸天衆釋梵婆羅
門等為首諸天王及彼諸大天衆乾闥婆
阿脩羅等世間於佛所說皆大歡喜

金光明經卷第八

BD00950 號　合部金光明經卷八　（15–15）

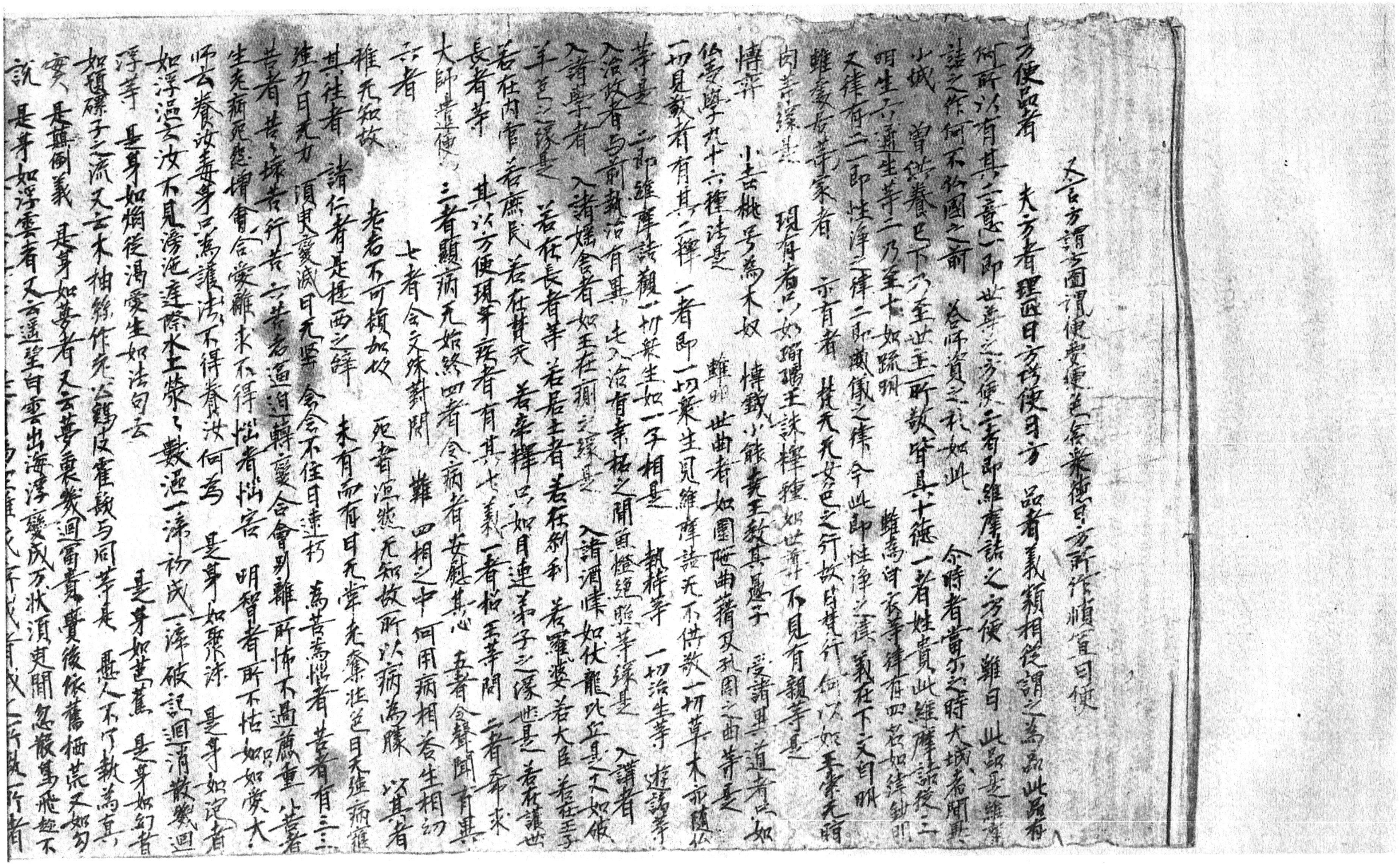

BD00950號背　維摩經解（擬）　（10–1）

苦者苦苦、壞苦、行苦，三苦名道。泊轉變合會別離所怖不遇願重，八苦
生老病死、怨憎會、愛離、求不得。惱者惱害。明智者所不怙，如□如炎大
師云：養汝毒身，口為護法，不得養汝何為。是身如泡者
如浮漚云：汝不見滂沲渧水上漿漿，數漚一滅初成，一滅破訖，迴還消散，數迴
浮等。是身如焰，從渴愛生，如法句云　是身如芭蕉　是身如幻者
如頑礫子之流。又云木柚縱作死屍鷄皮霍穀與同等是。愚人不了，執為真
實，是顛倒義。是身如夢者，又云夢裏幾迴富貴，覺後依舊栖荒，又如夢
說。是身如浮雲者，又云遙望白雲出海，須臾變成萬狀，須臾閒忽散，鳥飛起不
又只有清風遂往還等是。是身為空，離我我所，我者我之所執，所者
我之所有，奴婢妻子等是。是身不淨者，有其五種，所謂種子不淨
如父母和合；二者住處不淨，如母胎中是；三者自體不淨，如自性是；四者
現相不淨，即九孔所流是；五者究竟不淨，即死相是。是身為虛偽，雖假以
澡浴衣食，必歸磨滅，即薩埵王子偈云：我從久遠持此身等。是身為
災，百病惱，緣在他經。是身如毒蛇，如怨賊，如空聚，陰界諸入所共合
成，緣卅經說。從無量功德智慧生者，即戒不與攝即果不圓，智不與
攝即貪沙入鉢等。從布施持戒乃至波羅蜜生者，普心運及為弁
蝮蛇惠人為施，防非止惡為戒，忍彼所辱為忍辱，以有忍辱即有柔和
精謂精勤進趣，如前釋禪，禪謂初禪二禪三四，又云中間禪，定謂空
識無所有非想非非想，亦未至定近分定。問：何以四禪獨禪，四空獨定？
答：欲界多散不名禪，四空息少故不名禪，唯此四禪定慧等故
獨得禪，四空無慧故得名四定。八解脫者，內有色外觀色，內無色外觀色
觀內外色、白骨、空無邊、識無邊、無所有、非想非非想、滅盡
定。三昧名空無相無作。從方便生，從六通生者，神足、天耳、天
眼、他心、宿命、漏盡，以何為體？以四念為體。神足以戒所作為體，
亦云神境。天耳、天眼、他心、宿命以妙觀察智為體，漏盡以平等大圓
鏡二智為體。從三明生者，天眼、宿命、漏盡。天明知未來，宿命知
過去，漏盡知現在。明通有何別？如凡夫有通無明，不知因果故。如
聲聞通明並有，即無有力。諸佛亦有力，知因識果為明義，
現自在為通義。聲聞有限，如鴿生八万劫事；諸仏見無限
量故。力三明以何為體？天眼宿命以後得智為體，漏盡以
正體智為體。何者後得？以正體後生故。從卅七道品生，從
止觀生者，除擁通物名之為道，義類相從謂之為品，品品別不同，卅有
七。止觀者，止名息諸結，觀名觀察緣起。諸仁者欲得佛
身斷一切眾生病者，當發阿耨多羅三藐三菩提心。眾生病即
謂貪嗔煩惱等。菩提心者，所謂大乘心，即如小乘仰入山從
道，將一弟子從後之類是。先釋品題，後依文解。先品題者，即
弟子品者，居士現疾，必有遣往所以，有弟子問疾之由。實宜呵辭者，今居士既
[illegible]

此觀生者隨根道將[illegible]
七　此觀者　此名此見諸經　蔽蔽發緣起　諸仁者欲得佛
牙斷一切衆生病者當發阿耨多羅三藐三菩提心　衆生病即
謂貪嗔煩惱等　菩提心者　所謂大乘心即如來乘　入山從
道將一弟子從後之緣是　先擇品題　後依文解　此品題者即
弟子品者　居士現疾　必有往往所以有弟子問疾之由　審宜呵詳者　今居士既
疾　教其答答說不任之辭　今弟子事遍其身　答說其能　今居士還如世人有勝負心不无意　今聚大
故　仏知其意　即告舍利弗者　其何人也　父是摩竭國之師　名摩伽陀　其國王封邑後有外國論師
優婆提聞其有德故來相對　其優波提舍手執利劍　頭戴大盆鐵鍱葉腹　表其異相故來擊
鼓與其校義　其摩伽陀不在　聞有外難從外而來　路次見一年相諍　內自思惟　未聞達去
我兩遂是彼莛決疑　忽被兩遂莛　內自知不如　後即對談果然　俯從此王　邑等奪彼邑與優
波提舍　其摩伽陀心生熱惱　遂自思惟　即妻其女與之為親　後即有身　生舍利弗　其母未身
已前恒共其兄長爪梵志論義　或勝或負不定　其母夜中夢見有人持鏡物於腹上安
置　遂入其腹　又見一金人身著金甲　手持魔杵破一切山　唯向一大山下而立　其知所以遂即向
其夫說　夫遂解曰　公今有身　好自執愛　我身身著金甲者　表大智慧　手執杵者　破
十六國論師　並皆依一大山而住者　依一大智人為師　自此已後　其母有大智慧　其兄莫敵
富其　嫌其兄亦知有身　遂自思惟　若生必聰明多智　我今入山捨道　取衆為弟子　其兄即
入山貪於道業　號長爪　故日長爪梵志　其舍利弗者　是其母名　亦名秋露子　母眼似秋露鳥　亦云
多舌鳥　舍利弗才辯多故　亦名為名有多　身形先命世　故先勸世　下有難　云仏既知居
會疾者　豈不知諸聲聞　故呵之由　答世尊亦知　為顯居士之德故　不以先坐為真坐也　下
有人疏云　今一切衆生在喧亂　故所以不得解脫　今我捨世取淨　有何所以　答如疏夫心體離
會等　隱障生死者　為小乘斷生死根故　終日凡夫終日貪者　法者即如雖有妻子　是終日
凡夫貪於行者　是終日道法　心為宅者　如燒車對驢等事也　不近於妻見如業驢
肯驢等世　不待新者即如貫弃即事也　理出意外者即如烟公之事也　今舍利弗有辭不堪
世尊不可休問疾　舍利弗雖有智慧　即神通不及目連　神化俗　今居士身是白衣　目連亦可得目
連者是何人　此云採菽者　是胡豆子　其先祖好食其豆　故以為名　亦云羅[illegible]下　餘如疏表踈明
然故不柳之而不告者　下有難云　諸經所說其德　或前或後不定　次舍利弗與目連恒在一處　有
何所以　答舍衛國中有外道名耶舍　得五通　其二人已為弟子　年少故不勤道業　亦不獲其果　後
時其師得病　知其二人不獲勝果　故現其相　忽然微笑　其二人恠　所以即問其故　其師云世間
衆生恩愛所繫　金地國王死以火燒之　其夫人投火而死　二人即以書銅記之　可以驗其虛實
其師死後　有金地人來　果如其言　其二人即生悔恨　我等明師已死　今盧遇一身　二人遂即立
誓云　若得勝者　須相命　後時身子在路　見馬勝子比丘乞食之次　威儀祥序　即前問其法
馬勝子即與說其三諦云　是法因緣生　如來說是因　此即初二　是法因緣滅　大師如是說　此即滅諦
身子遂獲初果　即問馬勝子　汝之師與汝何如　馬勝子云　辟如須彌與芥子　虛空福絲孔大海方
毛跡　印日比螢火　弟子與師如此　身子即着　其目連欲同聞法　目連遂見即知身子得其勝
法　身子遂說三諦　目連亦獲初果　遂即二人相隨見仏精舍　衆會遙見遂生疑　此二梵志
名為吾與世尊　說難仏知故遣馬勝子遠路伏之　除衆僧之疑　來至世尊前　世尊言善
來　元鬚髮自落　袈裟著身　登阿羅漢果　所以恒時相隨而已　故云不當者　下身
子目連交呵者　為其定慧不平　故身子智慧約定而呵者　但呵其定即智慧之淺深
目連是定　而約說法而呵者　但呵其慧　即知定之淺深　亦當其根所以不呵　又故云不當
下目連文　仏播云　我所說為說因果善惡等法　无可當宗　更何所說　居士云夫說法
者當如法說　始終不改　謂之為法　法者即如薩般若之流　外道以人為神　始終不改　我者
謂其心神无有間段　斷斷刹那其生前刹那死　後刹那生　故云神　今即不然　前念不是後
念　故云夫子與顛倒執手不相識等　念念滅故　法順空者即謂三空三昧三脫　是何
者是三昧　了三界本性自空　无有實法　故云空　了三界之法本无生滅　即其相自
无　故云无相　知万法性空　更不求人天福樂等果　故云无願　豈況於言乎　下目連
有辭　我前聞說无生之法　今居士所言　法无有說等者　我即從今更不敢為人
說法　居士云　不然　夫說法者无說无示
今目連故辭不堪　世尊不可不聞　次命大迦葉　行高種貴　應可能聞　次人是何
人　斯此迦葉有多種　有須螺　優樓頻螺　那提　伽耶等　今次是其大迦葉　是大富

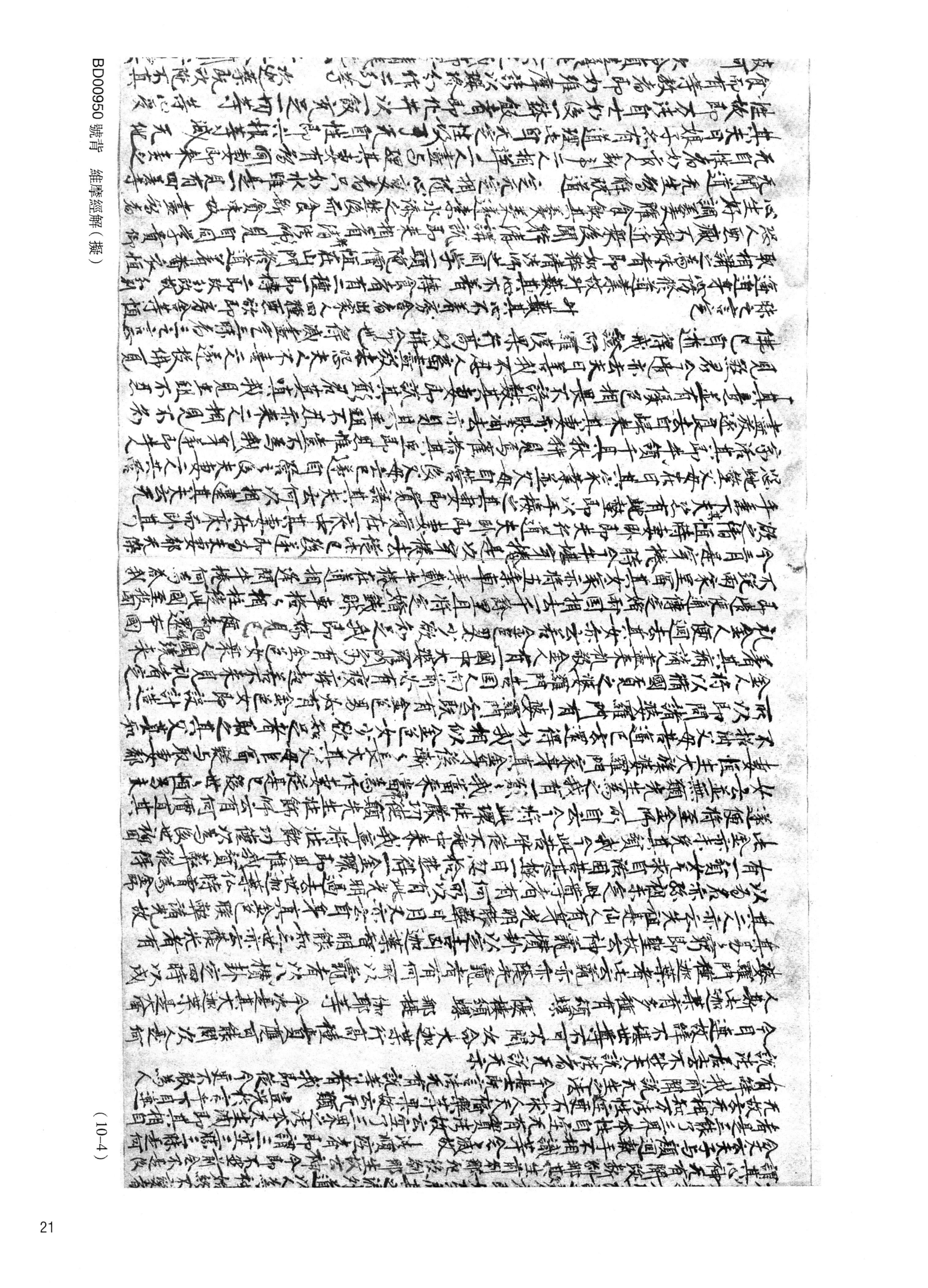

BD00950號背　維摩經解（擬）

（10–4）

惡人亞癡不敢近梁後聞舒清講說即來相看請除作見自居等皆作
心生好調善美雖食飲其羹美漿邊來水添之然後而食新貪味故盡飲名
无閒道　无生智解脫道　定无定相隨心變文者只如水雖是一見有四差等
无自性者如有人斷手二人相諍二人盡与理其妻有智滿妻即來責之　无他
其夫曰娘子亦有道理也自无定性故可无自性即六根等滅　等心愛
性故即方法自在如後一鉢飯者即化并次一飯竟之一切等　次迦葉既說隨有真
食而有等教者即如維摩詰以瓔珞幻作二分等
被呵　次命須菩提也大名已成佛號清龍陀仙應現聲聞亦可堪去
須菩提者也云善吉亦号空生舍衛國中有俱流長者子官而無子
恒時祀天求子空中有語長者家當有人堪來令有一天令將欲盡令
來生也不逾旬日其妻有身其生之日室宅皆空故以爲名表
其解空曰即如也其行何故行終无諍三昧比人過去世時
曾爲俗人於三寶閒有少諍事從是恒受地獄苦往无量
劫自也已來不与物諍故云无諍何以知之有一女人生貪染
心与尊者語尊者以欲不語恐遂无諍与語即生貪著
愛其眼〃即滅愛其鼻〃即滅如是乃至不現其女人
遂心生悔恨尊者憂現爲說法即得道果即知无諍
有情之迹而致詰者下如樹樓先生死類面乎去
見先生腳出語妻曰其被何不斜蓋之妻曰寧可蓋
而死不斜而活類回无言可對故用此緣
謂我言唯須菩提汝是阿羅漢從等〃答我從
平等无諍之〃若從平等何以從富而无若能於食
等者諸法亦等住此平等若其福田〃有二種一
者敬田二者悲田若如我所說我自欽仰敬田取之
若不如是即悲田取之須菩取敬田其〃不應取
悲田恐失其名是以兩疑不去以五逆相下云一麻
善有油積聚多麻亦有油一沙若无油積聚多〃
沙亦无油即知一〃麻中既无之和合之時亦无之推
求之要性不可得故煞亦无罪亡其相故　六師一
斷滅宗二自在宗三不須修宗四
五　類生違談以成大順者如善吉執丈六爲真不見佛
執文字爲法不見法救比丘爲僧不見僧約相似違之約理順
佛去留樓那有大婆羅門種其父無子於滿江神邊求故名爲滿花

薪滅第二自利第三不須能守四
五　　頼生蓮談以成大順者如善吉執丈六爲真不見佛
執文字爲法不見法故比丘爲僧不見僧約相似淨之約理順
佛者富樓那者大婆羅門種其父無子於滿江神邊求故名爲緣花
法花疏明　　前呵目連說不稱理如法无說法高眼耳鼻舌等法
相如是之　次呵滿願不識根機只如舍利弗教二弟子不當根金師之
子教白骨觀浣衣之子教數息觀久而不成仏因之迴其所教其衣若
獲道果當故　大乘自法已下者有所以一会維摩詰不入定何得之知
法身之名猶如於鏡聲聞之名猶如於水動即不照　无生忍八地已上
无相於禪恒与定俱无功用行更不作意故名无生忍　八地已前並有
意失如舍利弗得六住婆羅門求眼精從此却入聲聞位故宗中意留
樓那雖辭說法不辭其義　今摩訶迦旃延深解其義是何人也
云文飾善能論義弟一　在飾巧辯詞句故　又云扇繩其父早亡母戀不
嫁如繩連扇風吹不去故　剃髮種上古婆羅門有二子其父入山修仙久而
不見其二子遂入山而尋見其父爪髮甚長其二子即与剃之得其女樂
更有同侶婆羅門亦求剃之其弟兄二人其兄心廉鍾不肯与剃之
其弟心貪意欲盡与剃之諸仙並發其願与我剃者世世恒受富貴不
与我剃者世世貧賤從此已來其弟子恒受富貴其兄恒受貧賤長与人
剃髮今此尊者是剃髮種因此代与諸仙人剃髮故爲名　阿那律隨者
是佛之堂弟外族即斛伯內族即是甘露飯王弟四子　今淨飯爲長
以爲王善覺長者子有其八女淨飯王兄弟四人各取二女爲妻上取摩耶下取波
闍善覺啓王曰今上取一女下取一諸人皆精中間有庶甚不堪出適王曰盡
吾取之所以兄弟四人各取兩箇各生二子有八釋子淨飯二子仏難陀甘露
飯王二子阿那律跋難陀斛飯二子婆提達自飯二子婆提婆殺
此阿那律天眼弟一有何所以過去世時爲獵師逐一鹿於曠野其鹿入一古
塔中甚中甚黑都无所見之一燈欲死遂即以箭剔之貢其鹿見在
仏之下所以又見世尊三十二相心生悔恨發勤尚授况我人遂即
弃捨一切悕依三寶從是以來恒得天眼受其如是天眼者約金剛
明五種耕闕弟一釋名者肉天慧法　仏肉眼者浮根四塵從血所成能見
障內撥見四方開前見日月等天眼能見內外等慧眼見万法皆空法
眼者執持諸法能照俗故　仏眼遍前四故在於仏身上爲俗服眼者欲祭
前境故今阿那律天眼因着貪睡眠仏所呵七日不眠失其肉眼肉眼者
失食无由可諫仏教修禪天得眼弟一　在一處　經行者處有五經
行亦五先明處者蘇靜處戶外堂殿仏塔屋宇　次明經行一堪能達
附二消宿食三兒唯義四能入定五能住正定故
菴　菴羅果者其葉以來果似勒桃其味酸甜故堪爲藥故以喻曰撣得滅故云
撣滅　優波離者是八釋子之使人其釋子等盡出存遊於野外遊戲之
次忿然自悟謂曰今我見最若其父況自捨輪王不貪五欲得其道果

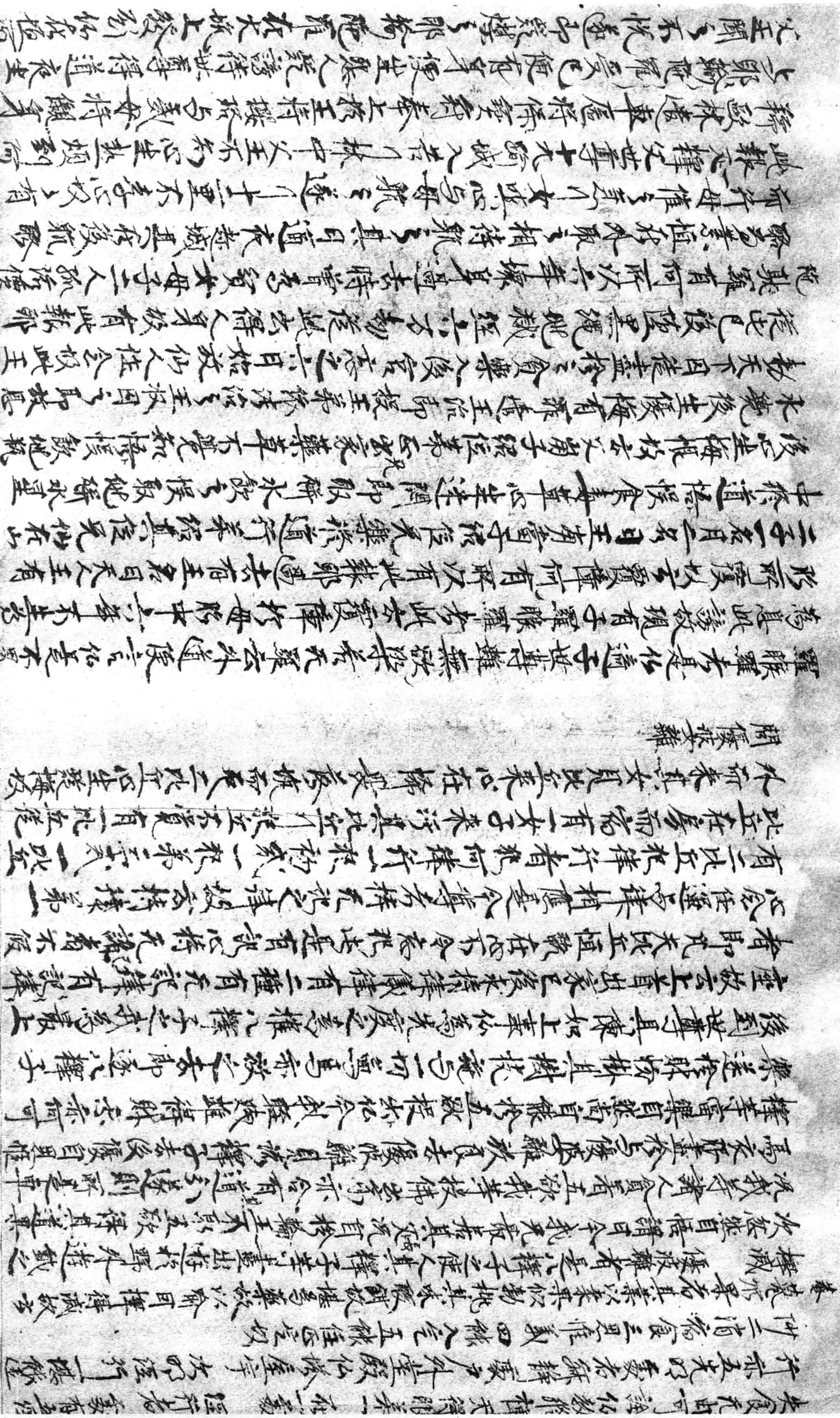

BD00950號背　維摩經解（擬）

（10–7）

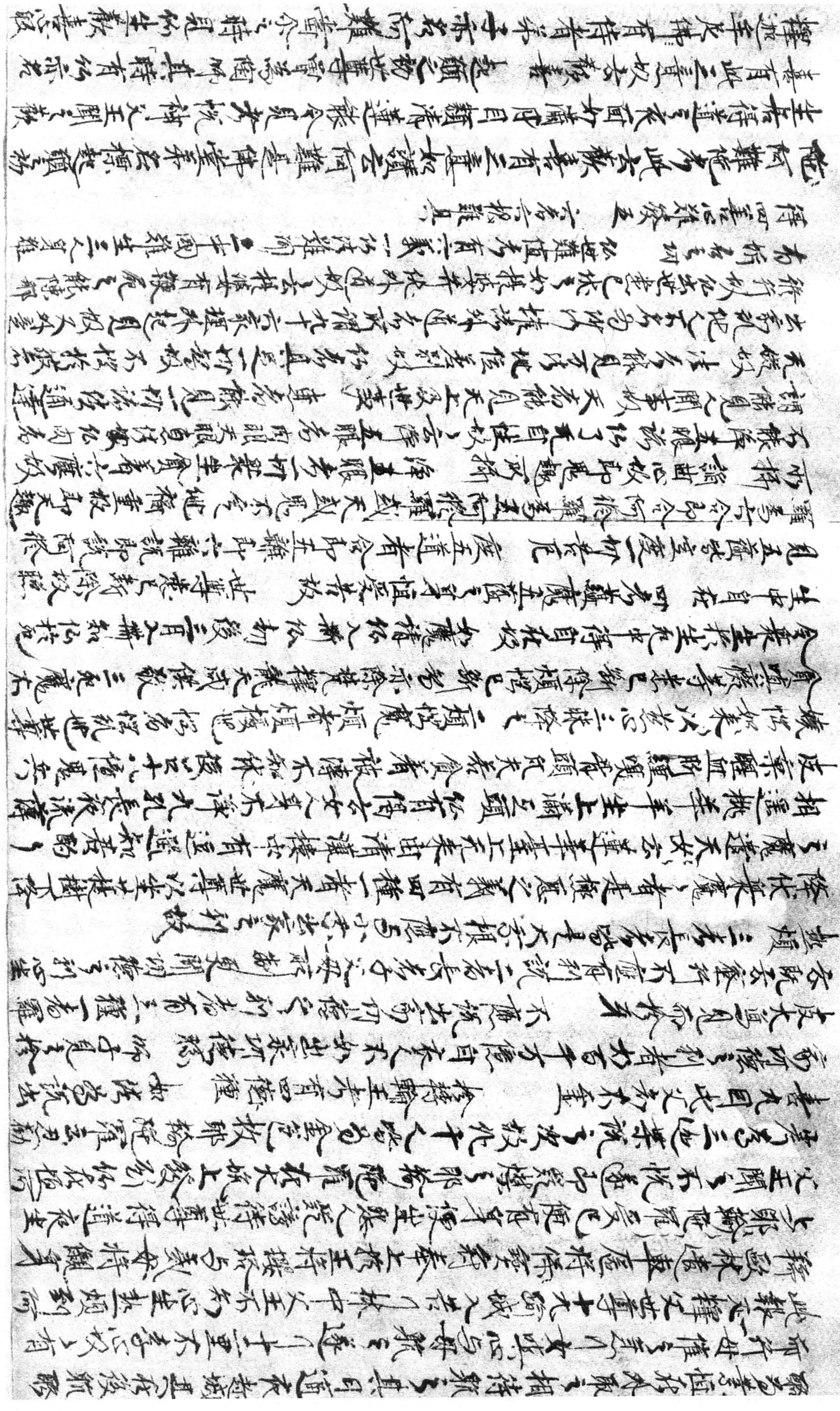

BD00950號背　維摩經解（擬）　（10–8）

得四善心難發乏　六者六根難具
隨阿難隨者此云歡喜有三意一如讚云阿難是佛堂弟名標起願之初
生者得道之夜面如滿月目類清蓮能令見者悅神父王聞之歡
喜有此三意故云歡喜　起願之初世尊曾為陶師其時有佛亦名
釋迦牟尼佛有侍者弟子亦名阿難當爾之時見佛生歡喜心發
願我當來成佛之時還名釋迦弟子還名阿難　生者得
道之夜者如世尊在菩提樹下降諸魔衆諸魔心生熱惱故來惑
父王報言今悉達太子退失道心等又須淨居天子來慶父曰悉達
太子昨夜子時降諸魔衆得成無上正覺其王聞二種聲心懷猶豫
即問日汝之二者何者是真曰我是淨居天子前來是魔其王歡
喜又聞斛飯王宮生一子歡王之日值我歡喜時生故名歡喜　又見者能
令悅神者如阿難无如待來小於惡忍故如毗耶城南有一大旗名曰
衆喜如來將諸徒衆在坑所門佛見一死猪臘夏之時嗅穢諸阿
難云甚可嗅穢阿難云此猪好牙齒諸人所阿難仏言阿難其
諸人過故見者歡喜　姪持第一者世尊因地之時曾為沙彌持
奉和上嚴整在蘭若如來乃日斜誦經更乏和上及自食之是即從
不得之經而食不足恆時在城乞惟之而乞有一長者恆見此沙彌在
道所門善之而乞依之一日中即問其所以沙彌具說上事長者云從
今已後恆在我邊取二分食沙彌心喜悅每到時即取經數日和上
依食及經問其所以沙彌具述之和上日汝將之長者有阿難供養
我之有窮方受无窮還入城乞食沙彌即陳其所以長者曰我
恆供養阿師子更无別沙彌日和上无我不敢受供養長者曰有
願阿師子成佛之時度我為多聞弟子所是一代教積如瓶瀉瓶
爾時和尚者燃燈光佛是沙彌者釋迦牟尼佛是長者之即阿難是
除故貪者有何以有一梵志名耶理其家巨富慳貪
不施恆与鐵網遮於飛鳥又不放沙門取門有沙門五百人世尊
在一林中菩提樹下為諸天人說法之次歎見此梵志堪可化
度故亦有疾　祇婆脈振有少風疾要牛乳故令阿難乞乳晨
朝至梵志門嗔恚只欲難之知是王子不敢違与惡牛令恨殺之阿難
即從牛取乳以手捫摸為說偈云我是佛弟子如來是我師欲
世尊有少疾故來相化爾牛說偈云　以手捫摸我一所甚快亦
前乳与犢子餘將奉世尊　犢子在邊亦說偈云我恨前生不將
隨在畜生中我自食水草四乳其將奉世尊　其長者梵志見已
心生悔恨亦說偈云　我是人頭畜汝是畜頭人餘我慳貪相將見世尊

不能恒与鐵衛遮於飛鳥又不放御門守門有門　五百人世尊
在一林中音樂樹下為諸天人說法之次歡見此梵志堪可化
度故示有疾　祇婆脈振有少風疾要牛乳故令阿難乞乳辰
朝至梵志　嗔怒只欲難之知是王之子不敢違与惡牛令恨煞之阿難
即從牛取乳以手捫摸為說偈云我是佛弟子如來是我師有
世尊有少疾故來相化尔牛說偈云　以手捫摸我一所甚快樂
所乳与犢子餘將奉世尊　犢子在邊亦說偈云　我恨前生不孝
隨在畜生中我自食水草四乳與將奉世尊　其長者梵志見也
心生悔恨亦說偈云　我是人頭畜汝是畜頭人餘我慳貪相將見世尊
以是之次即維摩詰來　德國言減　如蒲俱羅施僧一訶梨勒尚
得五種不死況我如來万德備之而有病哉　金剛者以峯利為性
堅審為體能壞一切　募說者引募旁布收出一口入万人耳　力使我等
受斯恥也　君者君優臣劣只如起信泄時　又如惡泄會　趙王与秦王
對讌秦王恃強輕趙相如以兩刺之不惜於命今維摩詰是仏弟子
既聞仏病亦受其恥故呵之　自疾不能救者有二一者身疾二者心疾
世間良醫能救一切衆生身病如扁鵲之流二心病如阿闍世王已
心生熱惱往懶詹生仏放光照觸其身身之瘡半瘉如來除能
心疾故　非思欲等思謂思等煩惱欲謂欲樂亦塵故
仏為世尊過於三界者如來託質王宮初生之日一手指天一手指地口言天上天下
唯我獨尊故以為名難四生之中化生為勝化故仏不化生弘言為眷屬故若不
王宮生外道有語故此是初武之身外道為伏煩惱故不能斷不出三界
聖弟子為斷本能出三界故　三界愛生苦者上生非想處下至轉輪千
子常圍繞如其受命盡須臾不暫停還淪四海中隨緣受苦衆如攀頭盧
弗坐非非想定不免飛貍　仏身无漏者於此覺世覺此六根不漏六
塵故　而无不為者如廬師家長者観三尺而發心五百億屋見灰身
而證果隨機根化故　二寶懷慚愧者有二種一者阿難非傳聞故二者
阿難非鈍根故所以有二慚愧

乃
阿䎡多
得是色乃至
提是菩薩作是念
三藐三菩提我當度衆生
以五眼觀尚不得色乃至阿耨
三菩提是狂愚人无目而欲得阿
三藐三菩提度衆生生死須菩提白
世尊若佛以五眼觀不見衆生生死中
及者今世尊云何得阿耨多羅三藐三菩
㨨分別衆生有三聚正定耶定不定須菩提
我得阿耨多羅三藐三菩提初不得衆生三
聚若正定若耶定若不定須菩提以衆生无
法有法想我以除其妄著世俗法故非第一義
世尊非住第一義得阿耨多羅三藐三菩提
耶佛言不也世尊住顛倒得阿耨多羅三藐
三菩提耶佛言不也世尊若不住第一義中
得亦不住顛倒中得將无世尊不得阿耨多

法有法想我以除其妄著世俗法故非第一義
世尊非住第一義得阿耨多羅三藐三菩提
耶佛言不也世尊住顛倒得阿耨多羅三藐
三菩提耶佛言不也世尊若不住第一義中
得亦不住顛倒中得將无世尊不得阿耨多
羅三藐三菩提耶佛言不也我實得阿耨多
羅三藐三菩提无所住若有為相若无為相
須菩提譬如佛所化人不住有為相不住无
為相化人亦有来有去亦坐亦立須菩提是
化人若行檀波羅蜜行尸羅波羅蜜羼提波
羅蜜毗梨耶波羅蜜禪波羅蜜般若波羅蜜行
四禪四无量心四无色定五神通行四念處
乃至行八聖道分入空三昧无相三昧无作
三昧行内空乃至无法有法空行八背捨九
次第定佛十力四无所畏四无㝵智大慈大
悲得阿耨多羅三藐三菩提轉法輪是化人化
作无量衆生有三聚須菩提於汝意云何是
化人行檀波羅蜜乃至有三聚衆生不須善
提言不也須菩提佛亦如是如諸法如化如
化人度化衆生无有實衆生可度如是須菩
提菩薩摩訶薩行般若波羅蜜如佛所化人
行須菩提白佛言世尊若一切法如化佛與化
人有何等差別佛告須菩提佛與化人无有
差別何以故佛能有所作化人亦能有所作
世尊若无佛化人獨能有所作不佛言能有
所作須菩提言世尊云何无佛化人能有所

人有何等差別佛告須菩提佛與化人无有
差別何以故佛能有所作化人亦能有所作
世尊若无佛化人獨能有所作不佛言能有
所作須菩提言世尊云何无佛化人能有所
作須菩提辟如過去有佛名須扇多爲欲度
菩薩故化作佛已而自滅度是化佛住半劫
作佛事授應菩薩記已滅度一切世間
衆生知佛實滅度須菩提化人實无生无滅
如是須菩提菩薩行般若波羅蜜當信如諸
法如化世尊若佛佛所化人无差別者云
何令布施清淨如人供養佛是衆生乃至无
餘泥洹福德不盡若供養化佛是人乃至无
餘泥洹福德亦應不盡耶佛告須菩提佛以
諸法實相故與一切衆生天及人作福田化佛
亦以諸法實相故與一切衆生天及人作福田
佛告須菩提置是化佛及於化佛所種福德
若有善男子善女人但以敬心念佛是善根
因緣乃至畢苦其福不盡須菩提置是敬心
念佛若有善男子善女人但以一華散虛空中
念佛乃至畢苦其福不盡須菩提置是敬心
念佛散華念佛若有人一稱南无佛乃至畢
苦其福不盡如是須菩提佛福田中種其福
无量以是故須菩提當知佛與化佛无有差
別諸法法相无異故須菩提菩薩摩訶薩應
如是行般若波羅蜜入諸法實相中是諸法
實相不應壞所謂般若波羅蜜相乃至阿耨多
羅三藐三菩提相須菩提白佛言世尊若諸

BD00951號　摩訶般若波羅蜜經卷二一　（4–3）

念佛若有善男子善女人但以一華散虛空中
念佛乃至畢苦其福不盡須菩提置是敬心
念佛散華念佛若有人一稱南无佛乃至畢
苦其福不盡如是須菩提佛福田中種其福
无量以是故須菩提當知佛與化佛无有差
別諸法法相无異故須菩提菩薩摩訶薩應
如是行般若波羅蜜入諸法實相中是諸法
實相不應壞所謂般若波羅蜜相乃至阿耨多
羅三藐三菩提相須菩提白佛言世尊若諸
法實相不應壞佛何以壞諸法相言是色受
想行[illegible]法是外法是善法是不善法是
[illegible]世間是出世間是有諍法
[illegible]法等世尊將无
[illegible]目故示

BD00951號　摩訶般若波羅蜜經卷二一　（4–4）

大身須菩提如恒河
恒河於意云何是諸
提言甚多世尊但諸
沙須菩提我今實言
女人以七寶滿尒所恒
以用布施得福多不
告須菩提若善男子
受持四句偈等為他人說
德復次須菩提隨說
知此處一切世間天人阿
塔廟何況有人盡能
知是人成就最上第一
所在之處則為有佛
尒時須菩提白佛言世
云何奉持佛告須菩提
波羅蜜以是名字汝
提佛說般若波羅蜜
菩提於意云何如來
佛言世尊如來无所說
大千世界所有微塵
多世尊須菩提諸微塵

BD00952號　金剛般若波羅蜜經　（9–1）

提佛說般若波羅蜜
菩提於意云何如來有
佛言世尊如來无所說
大千世界所有微塵是
多世尊須菩提諸微塵
微塵如來說世界非世界是名
於意云何可以三十二相見如來
尊何以故如來說三十二相即是
三十二相須菩提若有善男子善
河沙等身命布施若復有人於此
受持四句偈等為他人說其福甚多
尒時須菩提聞說是經深解義趣
而白佛言希有世尊佛說如是甚深經
從昔來所得慧眼未曾得聞如是之經世尊
若復有人得聞是經信心清淨則生實相
知是人成就第一希有功德世尊是實相
則是非相是故如來說名實相世尊我
聞如是經典信解受持不足為難若當
後五百歲其有眾生得聞是經信解
人則為第一希有何以故此人无我相人
生相壽者相所以者何我相即是非相人
眾生相壽者相即是非相何以故離一
相則名諸佛
佛告須菩提如是如是若復有人得
不驚不怖不畏當知是人甚為希有
須菩提如來說第一波羅蜜非第一波羅
是名第一波羅蜜

BD00952號　金剛般若波羅蜜經　（9–2）

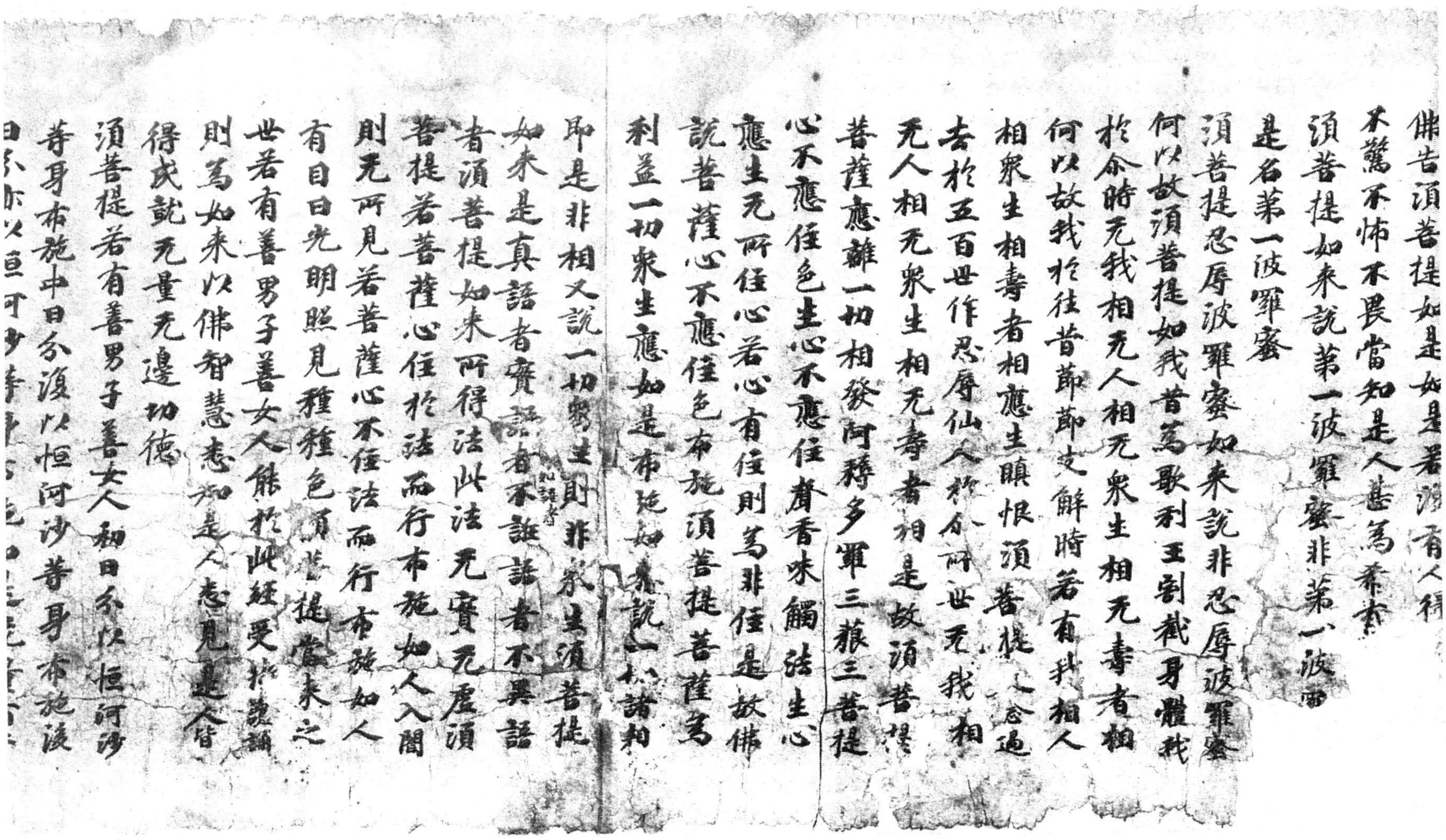
佛告須菩提如是如是若復有人得
不驚不怖不畏當知是人甚為希有
須菩提如來說第一波羅蜜非第一波羅蜜
是名第一波羅蜜
須菩提忍辱波羅蜜如來說非忍辱波羅蜜
何以故須菩提如我昔為歌利王割截身體我
於爾時无我相无人相无衆生相无壽者相
何以故我於往昔節節支解時若有我相人
相衆生相壽者相應生瞋恨須菩提又念過
去於五百世作忍辱仙人於爾所世无我相
无人相无衆生相无壽者相是故須菩提
菩薩應離一切相發阿耨多羅三藐三菩提
心不應住色生心不應住聲香味觸法生心
應生无所住心若心有住則為非住是故佛
說菩薩心不應住色布施須菩提菩薩為
利益一切衆生應如是布施如來說一切諸相
即是非相又說一切衆生則非衆生須菩提
如來是真語者實語者如語者不誑語者不異語
者須菩提如來所得法此法无實无虛須
菩提若菩薩心住於法而行布施如人入闇
則无所見若菩薩心不住法而行布施如人
有目日光明照見種種色須菩提當來之
世若有善男子善女人能於此經受持讀誦
則為如來以佛智慧悉知是人悉見是人皆
得成就无量无邊功德
須菩提若有善男子善女人初日分以恒河沙
等身布施中日分復以恒河沙等身布施後
日分亦以恒河沙等身布施

BD00952 號　金剛般若波羅蜜經　（9–3）

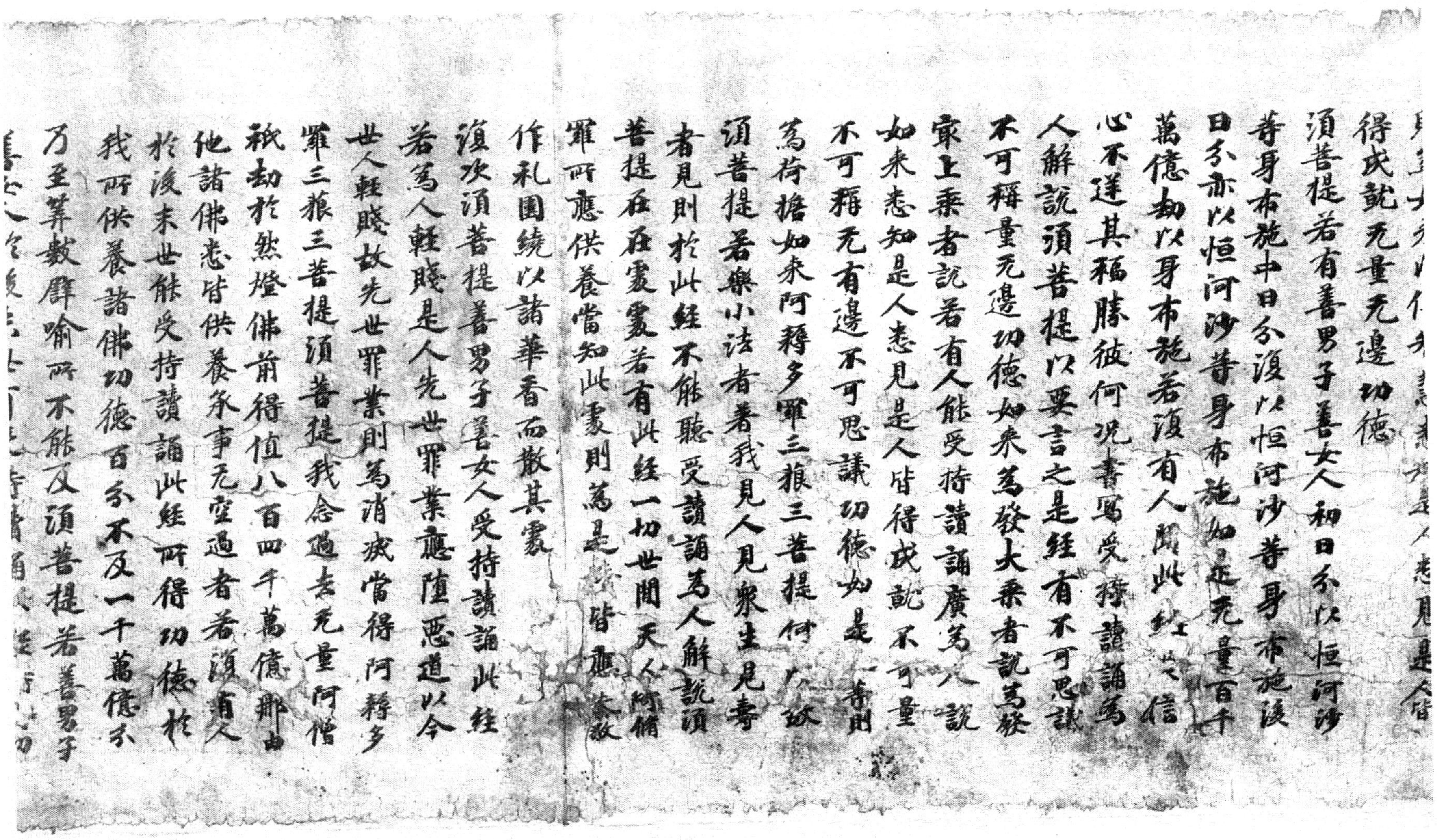
則為如來以佛智慧悉知是人悉見是人皆
得成就无量无邊功德
須菩提若有善男子善女人初日分以恒河沙
等身布施中日分復以恒河沙等身布施後
日分亦以恒河沙等身布施如是无量百千
萬億劫以身布施若復有人聞此經典信
心不逆其福勝彼何況書寫受持讀誦為
人解說須菩提以要言之是經有不可思議
不可稱量无邊功德如來為發大乘者說為發
最上乘者說若有人能受持讀誦廣為人說
如來悉知是人悉見是人皆得成就不可量
不可稱无有邊不可思議功德如是人等則
為荷擔如來阿耨多羅三藐三菩提何以故
須菩提若樂小法者著我見人見衆生見壽
者見則於此經不能聽受讀誦為人解說須
菩提在在處處若有此經一切世間天人阿脩
羅所應供養當知此處則為是塔皆應恭敬
作禮圍繞以諸華香而散其處
復次須菩提善男子善女人受持讀誦此經
若為人輕賤是人先世罪業應墮惡道以今
世人輕賤故先世罪業則為消滅當得阿耨多
羅三藐三菩提須菩提我念過去无量阿僧
祇劫於然燈佛前得值八百四千萬億那由
他諸佛悉皆供養承事无空過者若復有人
於後末世能受持讀誦此經所得功德於
我所供養諸佛功德百分不及一千萬億分不
乃至筭數譬喻所不能及須菩提若善男子

BD00952 號　金剛般若波羅蜜經　（9–4）

他諸佛悉皆供養承事无空過者若復有人
於後末世能受持讀誦此經所得功德於
我所供養諸佛功德百分不及一千萬億分
乃至筭數譬喻所不能及須菩提若善男子
善女人於後末世有受持讀誦此經所得功
德我若具說者或有人聞心則狂亂狐疑不
信須菩提當知是經義不可思議果報亦不
可思議
尒時須菩提白佛言世尊善男子善女人發
阿耨多羅三藐三菩提心云何應住云何降
伏其心佛告須菩提善男子善女人發阿耨
多羅三藐三菩提者當生如是心我應滅度
一切眾生滅度一切眾生已而无有一眾生
實滅度者何以故若菩薩有我相人相眾生
相壽者相則非菩薩所以者何須菩提實无
有法發阿耨多羅三藐三菩提者須菩提於
意云何如來於然燈佛所有法得阿耨多羅
三藐三菩提不不也世尊如我解佛所說義
佛於然燈佛所无有法得阿耨多羅三藐三
菩提佛言如是如是須菩提實无有法如來
得阿耨多羅三藐三菩提須菩提若有法如
來得阿耨多羅三藐三菩提者然燈佛則不
與我受記汝於來世當得作佛号釋迦牟尼
以實无有法得阿耨多羅三藐三菩提是故
然燈佛與我受記作是言汝於來世當得作
佛号釋迦牟尼何以故如來者即諸法如義
若有人言如來得阿耨多羅三藐三菩提須
菩提實无有法佛得阿耨多羅三藐三菩提

BD00952 號　金剛般若波羅蜜經　（9–5）

以實无有法得阿耨多羅三藐三菩提是故
然燈佛與我受記作是言汝於來世當得作
佛号釋迦牟尼何以故如來者即諸法如義
若有人言如來得阿耨多羅三藐三菩提須
菩提實无有法佛得阿耨多羅三藐三菩提
須菩提如來所得阿耨多羅三藐三菩提於
是中无實无虛是故如來說一切法皆是佛
法須菩提所言一切法者即非一切法是故
名一切法須菩提譬如人身長大須菩提言
世尊如來說人身長大則為非大身是名大
身須菩提菩薩亦如是若作是言我當滅度
无量眾生則不名菩薩何以故須菩提實无
有法名為菩薩是故佛說一切法无我无人
无眾生无壽者須菩提若菩薩作是言我當
莊嚴佛土是不名菩薩何以故如來說莊嚴
佛土者即非莊嚴是名莊嚴須菩提若菩薩
通達无我法者如來說名真是菩薩
須菩提於意云何如來有肉眼不如是世尊
如來有肉眼須菩提於意云何如來有天眼
不如是世尊如來有天眼須菩提於意云何
如來有慧眼不如是世尊如來有慧眼須菩
提於意云何如來有法眼不如是世尊如來
有法眼須菩提於意云何如來有佛眼不如
是世尊如來有佛眼須菩提於意云何恒河
中所有沙佛說是沙不如是世尊如來說是
沙須菩提於意云何如一恒河中所有沙有
如是等恒河是諸恒河所有沙數佛世界如

BD00952 號　金剛般若波羅蜜經　（9–6）

是世尊如來有佛眼須菩提於意云何恒河
中所有沙佛說是沙不如是世尊如來說是
沙須菩提於意云何如一恒河中所有沙有
如是等恒河是諸恒河所有沙數佛世界如
是寧為多不甚多世尊佛告須菩提尒所國
土中所有衆生若干種心如來悉知何以故
如來說諸心皆為非心是名為心所以者何
須菩提過去心不可得現在心不可得未來
心不可得須菩提於意云何若有人滿三千
大千世界七寶以用布施是人以是因緣得
福多不如是世尊此人以是因緣得福甚多
須菩提若福德有實如來不說得福德多
以福德无故如來說得福德多
須菩提於意云何佛可以具足色身見不不
也世尊如來不應以色身見何以故如來說
具足色身即非具足色身是名具足色身須
菩提於意云何如來可以具足諸相見不不
也世尊如來不應以具足諸相見何以故如來
說諸相具足即非具足是名諸相具足須菩
提汝勿謂如來作是念我當有所說法莫
作是念何以故若人言如來有所說法即為
謗佛不能解我所說故須菩提說法者无法
可說是名說法須菩提白佛言世尊佛得阿
耨多羅三藐三菩提為无所得耶如是如是
須菩提我於阿耨多羅三藐三菩提乃至无
有少法可得是名阿耨多羅三藐三菩提復
次須菩提是法平等无有高下是名阿耨多

BD00952 號　金剛般若波羅蜜經　（9–7）

耨多羅三藐三菩提為无所得耶如是如是
須菩提我於阿耨多羅三藐三菩提乃至无
有少法可得是名阿耨多羅三藐三菩提復
次須菩提是法平等无有高下是名阿耨多
羅三藐三菩提以无我无人无衆生无壽者脩
一切善法則得阿耨多羅三藐三菩提須
菩提所言善法者如來說非善法是名善法
須菩提若三千大千世界中所有諸須彌山
王如是等七寶聚有人持用布施若人以此
般若波羅蜜經乃至四句偈等受持為他人
說於前福德百分不及一百千萬億分乃至
筭數譬喻所不能及
須菩提於意云何汝等勿謂如來作是念我
當度衆生須菩提莫作是念何以故實无有
衆生如來度者若有衆生如來度者如來則
有我人衆生壽者須菩提如來說有我者則
非有我而凡夫之人以為有我須菩提凡夫
者如來說則非凡夫須菩提於意云何可以
三十二相觀如來不須菩提言如是如是以
三十二相觀如來佛言須菩提若以三十二相
觀如來者轉輪聖王則是如來須菩提白佛
言世尊如我解佛所說義不應以三十二相
觀如來尒時世尊而說偈言
若以色見我　以音聲求我　是人行邪道　不能見如來
須菩提汝若作是念如來不以具足相故得
阿耨多羅三藐三菩提須菩提莫作是念如
來不以具足相故得阿耨多羅三藐三菩提

BD00952 號　金剛般若波羅蜜經　（9–8）

者以色見我以音聲求我是人行邪道不能見如來
須菩提汝若作是念如來不以具足相故得
阿耨多羅三藐三菩提須菩提莫作是念如
來不以具足相故得阿耨多羅三藐三菩提
須菩提汝若作是念發阿耨多羅三藐三菩
提者說諸法斷滅相莫作是念何以故發阿
耨多羅三藐三菩提者於法不說斷滅相須
菩提若菩薩以滿恒河沙等世界七寶布施
若復有人知一切法无我得成於忍此菩薩
勝前菩薩所得功德須菩提以諸菩薩不受
福德故須菩提白佛言世尊云何菩薩不受
福德須菩提菩薩所作福德不應貪著是故
說不受福德須菩提若有人言如來若來若
去若坐若卧是人不解我所說義何以故如
來者无所從來亦无所去故名如來
須菩提若善男子善女人以三千大千世界
碎為微塵於意云何是微塵衆寧為多不甚
多世尊何以故若是微塵衆實有者佛則不
說是微塵衆所以者何佛說微塵衆則非微
塵衆是名微塵衆世尊如來所說三千大千
世界則非世界是名世界何以故若世界實
有者則是一合相如來說一合相則非一合
名一合相須菩提一合相者則是不可
人貪著其事須菩提若人言佛
壽者見須菩提於意
是人不解

BD00952 號　金剛般若波羅蜜經　（9–9）

南无[illegible]佛　南无雲雷音宿王華智佛
南无淨華宿王智佛　南无六方同字光明佛
南无六百同字散華佛　南无无量光佛
南无无量光明佛　南无无量自在力佛
南无无量力佛　南无一蓋佛
南无无量明佛　南无蓋行佛
南无寶蓋佛　南无宿王佛
南无善宿佛　南无明輪佛
南无明王佛　南无高廣德佛
南无无邊光佛　南无自在王佛
南无自在力佛　南无无量音聲佛
南无大雲光佛　南无網聚佛
南无覺華光佛　南无蓮華自在佛
南无山王佛　南无月衆增上佛

BD00953 號 1　賢劫十方千五百佛名經　（26–1）

南无自在力佛　南无无量音聲佛
南无大雲光佛　南无網聚佛
南无覺華光佛　南无蓮華自在佛
南无山王佛　南无月衆增上佛
南无放光佛　南无妙肩佛
南无不虛見佛　南无須生王佛
南无蓮華生佛　南无普香光佛
南无香明王佛　南无香弥樓佛
南无香烏佛　南无香自在佛
南无香窟佛　南无明輪佛
南无光王佛　南无蓮華生佛
南无法自在佛　南无可樂佛
南无无邊法自在佛　南无愛德佛
南无散華佛　南无華蓋行列佛
南无華窟佛　南无金華佛
南无香華佛　南无弥樓王佛
南无善導師佛　南无一切衆生最勝嚴佛
南无轉諸難佛　南无善行嚴佛
南无妙華佛　南无无邊香佛
南无普放光佛　南无善放香佛
南无普光明佛　南无散華生德佛
南无寶網手佛　南无極高王佛
南无普照一切佛土佛　南无宿王佛
南无妙見佛　南无安立王佛
南无香流佛　南无无邊智自在佛

BD00953 號 1　賢劫十方千五百佛名經　（26–2）

南无寶網手佛　南无極高王佛
南无普照一切佛土佛　南无宿王佛
南无妙見佛　南无安立王佛
南无香流佛　南无无邊智自在佛
南无不虛嚴佛　南无不虛見佛
南无无㝵眼佛　南无不動佛
南无初發意佛　南无无邊眼佛
南无燈上佛　南无普照明佛
南无光照佛　南无一切世界佛
南无一切衆生不斷壽佛　南无无垢力佛
南无无迹行佛　南无習精進佛
南无一乘度佛　南无蓮華上佛
南无上精進佛
南无无量寶藏寶積杖見金剛師子遊王佛
南无法央佛　南无普光德上嚴王佛
南无堅住功德注山嚴佛　南无定光佛
南无德央佛　南无法造知佛
南无仙天佛　南无諦央佛
南无習金剛佛　南无衆尊佛
南无雷像佛　南无樂清淨佛
南无出家樂行佛　南无華央佛
南无勝放佛　南无善明佛
南无善曜佛　南无仙動佛
南无轉勝佛　南无欣樂佛
南无天華佛　南无轉吉祥佛

BD00953 號 1　賢劫十方千五百佛名經　（26–3）

南无出家[illegible]佛
南无華[illegible]佛
南无賸放佛
南无善明佛
南无善曜佛
南无仙勳佛
南无轉賸佛
南无欣樂佛
南无天華佛
南无轉吉祥佛
南无善首佛
南无善喜佛
南无任覺佛
南无任施佛
南无諦法普稱佛
南无是世善妙佛
南无普辯佛
南无寶稱佛
南无威疆佛
南无梵神佛
南无无畏善化佛
南无善音佛
南无目悅佛
南无積德佛
南无音雨佛
南无妙觀佛
南无受神佛
南无興人遊佛
南无美求佛
南无降怨眷屬佛
南无維越佛
南无識佛
南无隨葉佛
南无拘留秦佛
南无迦葉佛
南无拘那含牟尼佛
南无无垢光佛
南无忍美豫佛
南无寶村佛
南无雨香王佛
南无多摩羅跋旃檀香神通佛
南无須彌相佛
南无優羅蓮華賸佛
南无妙容山相佛
南无人天王佛
南无華德佛
南无无上賸尊佛
南无慧權佛
南无開化菩薩佛
一心敬礼者却八十一劫生死罪

南无優羅蓮華賸佛
南无妙容山相佛
南无人天王佛
南无華德佛
南无无上賸尊佛
南无慧權佛
南无開化菩薩佛
一心敬礼者却八十一劫生死罪
南无見无恐懼佛
一心敬礼者却六十三劫生死之罪
南无一乘度佛
一心敬礼者却六十四劫生死之罪

現在北方一百五五佛名

佛言若族姓男女學菩薩乘聞此佛名信樂不疑喜心敬事者所生之處逮得法寶種種三昧覩見十方各十恒河諸佛亦使現世離諸枉横怨毒除滅行道日進心中善願應念皆遇善知識獲深法忍所生之處常為人尊至成仙道終不受苦能滅三十万億阿僧祇生死之罪

南无人王佛
南无賸王佛
南无寶智手佛
南无月殿清淨佛
南无難俎佛
南无日生佛
南无炎肩佛
南无眾賸音佛
南五綱明佛
南无无量德寶佛
南无蘇日月光佛
南无德德精進佛
南无雲自在佛
南无雲自在王佛
南无相德佛
南无王相佛
南无斷愛王佛
南无接識佛
南无卅億同号釋迦文佛
南无摩尼珠佛
南无釋迦文尼佛
南无尊音王佛
南无智和合佛
南无善華佛
南无无怒佛
南无善藏佛
南无尊樂佛
南无賸尊佛
南无[illegible]華佛
南无[illegible]月佛

南无釋迦文尼佛　南无尊音王佛
南无智和合佛　南无善華佛
南无无怒佛　南无善藏佛
南无尊樂佛　南无勝尊佛
南无成華佛　南无日明佛
南无龍德佛　南无金剛光明佛
南无稱王佛　南无常无明佛
南无四相光明佛　南无那尼輪佛
南无智成就佛　南无香王佛
南无香王佛　南无火葉佛
南无娑羅王那羅延佛　南无无垢燈出王佛
南无寶蓋增光明佛　南无金山王佛
南无迦葉佛　南无須弥佛
南无壞諸道佛　南无破疑佛
南无无邊功德成就佛　南无寶生德佛
南无蓮華生德佛　南无寶上佛
南无三世无㝵嚴佛　南无无邊明佛
南无寶弥樓佛　南无燈高德佛
南无智生德佛　南无炬燈佛
南无无上光佛　南无德王明佛
南无沸生佛　南无无邊眼佛
南无德味佛　南无方等佛

南无華生德佛　南无娑羅王佛

BD00953號1　賢劫十方千五百佛名經　（26–6）

南无德味佛　南无方等佛

南无華生德佛　南无娑羅王佛
南无師子王佛　南无寶弥樓佛
南无毗跋尸佛　南无醫王佛
南无上衆佛　南无上善德佛
南无自在力佛　南无上香德佛
南无上香相佛　南无旃檀窟佛
南无无邊明佛　南无增千光華出佛
南无无邊自在佛　南无成華生高王佛
南无寶網佛　南无安立王佛
南无不虛稱佛　南无不虛力佛
南无不虛自在力佛　南无不虛光佛
南无无邊精進佛　南无娑羅王佛
南无寶波羅佛　南无一蓋嚴佛
南无寶堅佛　南无旃檀窟佛
南无旃檀香佛　南无无邊明佛
南无明輪佛　南无弥樓嚴佛
南无无㝵眼佛　南无无邊眼佛
南无寶生佛　南无諸德佛
南无覺華德佛　南无善住憶佛
南无不虛德佛　南无无邊力佛
南无寶力佛　南无无邊嚴佛
南无虛空光佛　南无无相音佛
南无藥王佛　南无不驚畏佛

BD00953號1　賢劫十方千五百佛名經　（26–7）

南无[illegible]德佛　南无[illegible]佛
南无不虛德佛　南无无邊力佛
南无寶力佛　南无无邊嚴佛
南无虛空光佛　南无无相音佛
南无藥王佛　南无不驚畏佛
南无離怖畏佛　南无淨王佛
南无智出佛　南无勇衆佛
南无智聚佛　南无作方佛
南无沙訶主佛　南无上離佛
南无調御佛　南无智守佛
南无嚴高德佛　南无示衆生深心佛
南无滅諸憂自在佛　南无无量光佛
南无華聚高主德佛　南无拘陵王佛
南无日燈佛　南无上寶佛
南无智生德佛　南无无量眼佛
南无安立一切德王佛　南无无畏佛
南无智聚佛　南无金剛佛
南无火衣佛　南无明燈佛
南无不虛精進佛　南无善思嚴相佛
南无師子佛　南无妙善住王佛
南无寶聚高德佛　南无梵德佛
南无无量香烏佛　南无弥樓明佛
南无火燈王佛　南无華上光佛
南无住名聞佛　南无名意佛
南无婆羅王佛　南无觀華佛

BD00953號1　賢劫十方千五百佛名經　（26–8）

南无火燈王佛　南无華上光佛
南无住名聞佛　南无名意佛
南无婆羅王佛　南无觀華佛
南无无邊光佛　南无善華佛
南无无怨佛　南无日藏佛
南无尊樂佛　南无德內豐嚴王佛
聞名歡喜信樂誦念一心作礼得不退轉疾成正覺却一劫生死後生得六神通得端政常尊貴能降欲時六情常无病生常值佛聞法見僧離八難常具淨戒心不惱亂乃至涅槃
南无金剛堅强消伏壞散佛　聞名歡喜信樂誦念得不退轉却十方億那術劫生死之罪
聞名歡喜信樂誦念得不退轉疾成正覺
南无寶火佛
南无寶月光明佛　聞名信樂持諷誦念後生得不退得中正定自見諸佛轉尊法輪
南无賢嚴佛　聞名歡喜信樂持諷誦念後生得端政自識宿命
南无寶蓮華步佛　聞名信樂誦念所生之處常為一切所敬言教承用一心敬礼者能令女人得為男子成阿惟越致
南无蓮華鴟莊嚴王佛
南无月殿清淨佛　南无相德佛
現在東北方一百五十佛名　佛告舍利弗若族姓子族姓女聞有此諸佛名号歡喜信樂執持諷誦礼敬之者所得功德勝於一切布施諸餘功德千万億倍諸佛國土隨意往生不退轉成最正覺若有誹謗懷疑不信者當墮盧騰泥梨六万億歲中受无量罪其有信樂稱歎礼拜現世安隱滅五百千万億劫生死之罪
南无壞一切世間怖畏佛　南无蹈七寶華佛
南无離垢心佛　南无寶蓋起光佛
南无悲精進佛　南无三乘行佛
南无无諍佛　南无緣一切辯佛
南无寶事佛　南无寶積佛
南无等行佛　南无一切功德光明佛

BD00953號1　賢劫十方千五百佛名經　（26–9）

南无无諍佛　南无緣一切辯佛
南无寶事佛　南无寶積佛
南无等行佛　南无一切功德光相佛
南无弥樓乾那佛　南无增肩佛
南无不虛行佛　南无无导眼佛
南无普守佛　南无德王眼佛
南无賢王佛　南无月辯佛
南无善月佛　南无普世佛
南无寶首佛　南无普觀佛
南无尊自在王佛　南无光淨照曜佛
南无梵首天王佛　南无二万同号日月燈明佛
南无慧見佛　南无无垢淨无量德超王佛 所有
南无金華佛　南无龍自在尊音王佛
南无寶藏佛　南无无量淨王佛
南无寶山王佛　南无不可思議功德佛
南无寶光明佛　南无寶尊音佛
南无遍出一切光明功德王佛　南无寶海佛
南无智華无垢堅佛　南无普賢佛
南无阿閦佛　南无无垢功德光明佛
南无樂自在音光明佛　南无日藏佛
南无智日佛　南无龍自在佛
南无金剛稱佛　南无日藏佛
南无大功德藏佛　南无不可思議王佛

BD00953號1　賢劫十方千五百佛名經　（26–10）

南无樂自在音光明佛　南无日藏佛
南无智日佛　南无龍自在佛
南无金剛稱佛　南无日藏佛
南无大功德藏佛　南无不可思議王佛
南无安和自在見山王佛　南无智豫佛
南无眼淨无垢佛　南无百功德佛
南无号勝佛　南无明慧佛
南无遍淨佛　南无善眼佛
南无九万十一那術同字光色佛　南无无垢超德佛
南无勇進佛　南无離百憂佛
南无喜生德佛　南无安王佛
南无上弥樓佛　南无妙香佛
南无憍陳如佛　南无勢德佛
南无赤蓮華德佛　南无白蓮華生佛
南无大音眼佛　南无上衆佛
南无无邊明德佛　南无月出光佛
南无名流十方佛　南无星宿王佛
南无无邊光明佛　南无上衆弥樓佛
南无離怖畏佛　南无安隱生德佛
南无无邊功德月佛　南无一切德嚴佛
南无日華王佛　南无不壞相佛
南无宗守光佛　南无无量生行佛
南无大威德蓮華生佛　南无一切上佛
南无虛空淨王佛　南无无相音聲佛

BD00953號1　賢劫十方千五百佛名經　（26–11）

南无日華王佛　南无不壞相佛
南无宗守光佛　南无无量行佛
南无大威德蓮華王佛　南无一切上佛
南无虛空淨王佛　南无无相音聲佛
南无明德王佛　南无德王相佛
南无度切德邊佛　南无燃燈佛
南无无畏佛　南无明作佛
南无德味佛　南无无怖畏佛
南无華德佛　南无智華德佛
南无實精佛　南无无邊願佛
南无无邊切德王安立佛　南无寶首佛
南无婆羅王佛　南无寶明佛
南无寶聚佛　南无上衆德佛
南无无邊德嚴佛　南无觀世音佛
南无須弥明佛　南无无邊自在力佛
南无趣高行佛　南无寶華德佛
南无无量神通自在佛　南无隨衆生願嚴佛
南无高寶蓋佛　南无上衆佛
南无无量華佛　南无寶自在佛
南无月出德佛　南无諦釋幢王佛
南无發心即轉法輪佛　南无十方同字流布佛
南无普光淨德佛　南无勝戰鬪佛
南无无㝵尊樹德佛　南无蓮華步佛
南无寶蓮華諦桂樹王佛　南无大光曜佛

BD00953 號 1　賢劫十方千五百佛名經　（26–12）

南无發即轉法輪佛　南无十方同字流布佛
南无普光淨德佛　南无勝戰鬪佛
南无无㝵尊樹德佛　南无蓮華步佛
南无寶蓮華諦桂樹王佛　南无大光曜佛
南无慧燈明佛　南无大雄佛
南无白无垢塵佛　南无内實佛
南无上像幢十蓋王佛　南无威神自在王佛
南无趣受高影王佛　南无大海佛
南无十方見佛　南无世間尊佛
南无善得佛　南无須弥相佛
南无蓮華尊佛　南无日月尊佛
南无寶光月殿妙尊音王佛
南无壞魔羅網獨步佛　一心敬礼者却一百劫生死之罪
南无師子吼力佛　一心敬礼者却十德劫生死之罪
南无悲精進佛　一心敬礼者却二百一千劫生死之罪
南无三乘行佛　南无金剛堅强自在王佛
南无梵天佛
現在上方一百五十佛名
佛言若族姓子族姓女學
菩薩乘聞此佛名心无結
鋼信吾道眼之所班宣者世世所生未曾懈怠不習貪
欲常以菩薩爲父母妻子兄弟親族在在生處身未曾離
卅二相亦得往生諸佛國土少婬怒癡身无疾痛一切
皆得成就卅五万恒河沙劫罪皆得消滅
南无華敷星佛　南无不可思議月光明王佛
南无勝月光佛　南无名稱佛
南无樂蓮華首佛　南无廣衆德佛
南无思樂成佛　南无善德佛
南无无[illegible]青蓮頂首佛　南无[illegible]

BD00953 號 1　賢劫十方千五百佛名經　（26–13）

卅二相亦得往生諸佛國土少煩惱瘦身无疾痛一切功
皆得成就世五万恒河沙劫罪皆得消滅

南无華數星佛
南无不可思議月光明王佛
南无勝月光佛
南无名稱佛
南无樂蓮華首佛
南无廣衆德佛
南无思樂成佛
南无善德佛
南无无數精進願首佛
南无世自在王佛
南无消滅菩起王佛
南无无恨眼王佛
南无至精進佛
南无香積佛
南无万八千同字山王佛
南无无垢大聖佛
南无吉祥佛
南无師子央如光尊佛
南无梵音佛
南无宿王佛
南无香上佛
南无香光佛
南无火炎肩佛
南无娑羅樹王佛
南无雜色寶華嚴身佛
南无寶華德佛
南无見一切義佛
南无如須弥山佛
南无无邊高力王佛
南无善寂佛
南无月響佛
南无精進冣高力王佛
南无破疑佛
南无善宿佛
南无燃燈佛
南无作明佛
南无明弥樓佛
南无明輪佛
南无淨明佛
南无白蓋佛
南无香蓋佛
南无寶蓋佛
南无栴檀窟佛
南无栴檀德佛
南无須弥肩佛
南无寶明佛

南无香蓋佛
南无寶蓋佛
南无栴檀窟佛
南无栴檀德佛
南无須弥肩佛
南无寶明佛
南无娑羅王佛
南无梵德佛
南无淨眼佛
南无鶖畏佛
南无離怖畏佛
南无妙肩佛
南无上寶佛
南无山王佛
南无轉女相嚴佛
南无无邊嚴佛
南无无上光佛
南无網明相佛
南无因王佛
南无德勝佛
南无普明佛
南无勝敵佛
南无相王佛
南无藥王无导佛
南无无量功德明自在王佛
南无寶遊行佛
南无寶華佛
南无安住佛
南无山王佛
南无无垢相佛
南无大山戶佛
南无淨面顯威德勝王佛
南无善住意佛
南无月王佛
南无无勝步自在王佛
南无娑隣陁王佛
南无普賢佛
南无八十同字師子步王佛
南无蓮華尊佛
南无法自在豐王佛
南无光明无垢堅香豐王佛
南无智光自在相王佛
南无千智識尊音王佛
南无千增相尊音王佛
南无千善无垢尊音王佛
南无千離怖畏尊音王佛
南无[illegible]
南无五百日音王佛

南无光明无垢堅香豐王佛　南无智光自在相王佛
南无千智識尊音王佛　南无千增相尊音王佛
南无千善无垢尊音王佛　南无千離怖畏尊音王佛
南无千善无垢光尊音王佛　南无香樂香尊王佛
南无五百日藏尊王佛　南无五百日音王佛
南无二日光明佛　南无四龍自在神佛
南无八離恐怖稱王光明佛　南无千離著光明佛
南无八音聲稱佛　南无十顯露法音佛
南无一切德法稱王佛　南无廿不思議王佛
南无覺智尊相王佛　南无七不可思議意佛
南无三智藏佛　南无十五智山幢佛
南无十五智海王佛　南无卅大智力尊音王佛
南无二山功德劫佛　南无十八清淨智勤佛
南无九十尊相衆生佛　南无百善智无垢雷音尊王佛
南无八十勝尊大海功德智山力王佛　南无卅无上菩提尊王佛
南无智覺山華王佛　南无二切德山二智覺佛
南无二金剛師子佛　南无二持戒光明佛
南无二示現增益佛　南无无量光明佛
南无三師子遊戲佛　南无二无盡智山佛
南无二寶光明佛　南无二无垢智慧佛
南无九智慧光明佛　南无五千那羅延无勝藏佛
南无二无垢淨智慧佛　南无九大智光明佛
南无七十聚集珍寶功德佛　南无卅光明藏佛
南无梵增益佛　南无廿分別星宿稱王佛

BD00953 號 1　賢劫十方千五百佛名經　（26–16）

南无九智慧光明佛　南无五千那羅延无勝藏佛
南无二无垢淨智慧佛　南无九大智光明佛
南无七十聚集珍寶功德佛　南无卅光明藏佛
南无梵增益佛　南无廿分別星宿稱王佛
南无二切德力娑羅王佛　南无九十徵妙香佛
南无提頭賴吒王佛　南无千蓮華香釋稱尊王佛
南无五千光明幟珠王佛　南无卅蓮華香力增佛
南无一无量功德大海智王佛　南无閻浮提音佛
南无一百三切德山幢佛　南无師子相佛
南无百一龍雷尊華光明佛　南无度蓋行佛
南无善趣種无我甘露功德王劫佛
南无種種威嚴王无勝智佛
南无千離法智龍王解脫覺世界海眼山王佛
南无威神佛　南无善師月音王佛
南无諸華佛　南无寶成佛
南无善德佛　南无无數精進願首佛
南无廣衆德佛
南无殊勝月佛
現在下方一百五十佛名　佛言若善男子善女人聞此佛名至心受
持燒香敬礼者所生之處得普光三昧命欲終時自
然得見億百千俠諸佛住前十方皆皆然諸佛所說悉
皆受持未曾忽忘神通感動无量衆生亦
能滅除二百億俠生死之罪
南无明德佛　南无師子佛
南无名聞佛　南无普光佛
南无達摩佛　南无法幢佛
南无持法佛　南无一寶蓋佛

BD00953 號 1　賢劫十方千五百佛名經　（26–17）

南无名聞佛　南无普光佛
南无達摩佛　南无法憧佛
南无持法佛　南无一寶蓋佛
南无淨清華佛　南无普賢佛
南无梵精進佛　南无寶藏佛
南无娑羅王佛　南无離恐怖圍遶音佛
南无月殿佛　南无清淨華光佛
南无遍神通王佛　南无達立精進佛
南无師子央佛　南无无量光勝最勝佛
南无虛空音佛　南无虛空嚴王佛
南无大目佛　南无拘留孫佛
南无上德佛　南无大德佛
南无蓮華德佛　南无有德佛
南无師子德佛　南无成刹佛
南无師子頸佛　南无師子護佛
南无安立王佛　南无梵弥樓佛
南无淨明佛　南无不虛步佛
南无香烏佛　南无香德佛
南无香弥樓佛　南无无量眼佛
南无香聚佛　南无寶窟佛
南无寶弥樓佛　南无安住佛
南无善住王佛　南无梵弥樓佛
南无娑羅王佛　南无明輪佛
南无七十普淨光王佛　南无燃燈佛

BD00953 號 1　賢劫十方千五百佛名經　（26–18）

南无善住王佛　南无梵弥樓佛
南无娑羅王佛　南无明輪佛
南无七十普淨光王佛　南无燃燈佛
南无威德佛　南无提沙佛
南无弗沙佛　南无光明佛
南无天王佛　南无密迹金剛步佛
南无淨王佛　南无息意佛
南无无量訓寶佛　南无鉀淨王佛
南无師子步佛　南无妙央佛
南无光明王佛　南无供養佛
南无妙華佛　南无奉養佛
南无善目佛　南无快辟佛
南无炎光佛　南无炎味佛
南无无退沒佛　南无執功德佛
南无寶事佛　南无无欺世佛
南无无量德佛　南无寶稱佛
南无蓮華上佛　南无雷音王佛
南无虛空住佛　南无遠離佛
南无德明王佛　南无善思願成佛
南无迦葉佛　南无香明佛
南无八千定光佛　南无无邊德寶佛
南无普光德淨威佛　南无不虛稱佛
南无五百華上佛　南无五威德佛

BD00953 號 1　賢劫十方千五百佛名經　（26–19）

南无八千定光佛　南无无邊德寶佛
南无普光德淨威佛　南无不虚稱佛
南无五百華上佛　南无五威德佛
南无二千憍陳如佛　南无金剛上佛
南无普首佛　南无迦葉佛
南无十五日明佛　南无六十二善寂佛
南无定光佛　南无大莊嚴佛
南无善明佛　南无无始佛
南无智光明佛　南无淨身佛
南无華光佛　南无燃燈佛
南无光明佛　南无名相佛
南无大通智勝佛　南无閻浮那提金光佛
南无多摩羅跋栴檀香佛　南无法明佛
南无千二百普明佛　南无光遠佛
南无月教佛　南无栴檀香佛
南无善山剛佛　南无止念佛
南无世如王佛　南无无量壽佛
南无離垢辯佛　南无无著佛
南无龍天佛　南无音王佛
南无安明頂佛　南无金剛藏佛
南无燄光相佛　南无地種佛
南无上瑠璃佛　南无金色佛
南无月像佛　南无音華佛
南无解脱華佛　南无具足光明佛

南无上瑠璃佛　南无金色佛
南无月像佛　南无音華佛
南无解脱華佛　南无具足光明佛
南无海意樂慧佛　南无火光佛
南无大香佛　南无離胎佛
南无捨猒意佛　南无寶行佛
南无勇音佛　南无首積佛
南无大衆法慧佛　南无弊日月光佛
南无極羼首佛　南无月光佛
南无日光佛　南无調意越諸華佛
南无除諸病冥佛　南无宣龍冨音佛
南无断疑拔欲除冥佛　一心敬礼者却卅六億劫生死之罪
南无意无恐懼威毛不竪佛　一心敬礼者却八万劫生死之罪
南无師子佛　一心敬礼者却六十劫生死之罪
南无名稱遠聞佛　一心敬礼者却八万劫生死之罪
南无法名号佛　一心敬礼者却七十二劫生死之罪
南无奉法佛　一心敬礼者却八十二万三千劫生死之罪
南无法幢佛　一心敬礼者却十二万二千億劫生死之罪
南无善寂月音王佛　南无明德佛
南无日月光王佛

佛説賢劫十方千五百佛名經卷下

若有人至心受持讀誦佛名所犯生死重罪

佛說賢刧十方千五百佛名經卷下

若有人至心受持讀誦佛名所犯生死重罪
晝夜獨處至心懺悔悉皆消滅
歸依佛 歸依法 歸依僧 礼說作如是言
南无釋迦牟尼佛 南无金剛不壞佛
南无龍尊王佛 南无精進軍佛
南无精喜佛 南无寶月佛
南无无垢佛 南无寶光佛
南无寶火佛 南无寶月光佛
南无現无愚佛 南无寶月佛
南无无垢佛 南无離垢佛
南无勇施佛 南无清淨佛
南无清淨施佛 南无娑留那佛
南无水天佛 南无賢德佛
南无旃檀功德佛 南无无量器光佛
南无光德佛 南无无憂德佛
南无那羅延佛 南无功德化佛
南无蓮華光遊戲神通佛 南无善遊步功德佛
南无洪炎幢王佛 南无善遊步佛
南无戰鬪勝佛 南无寶蓮華遊步佛
南无周帀莊嚴功德佛 南无寶蓮華善住娑羅樹王佛
南无賢劫千佛 南无十六王子佛

南无戰鬪勝佛 南无寶蓮華遊步佛
南无周帀莊嚴功德佛 南无寶蓮華善住娑羅樹王佛
南无賢劫千佛 南无十六王子佛
南无過去七佛 南无東方无量諸佛
南无東南方无量諸佛 南无南方无量諸佛
南无西南方无量諸佛 南无西方无量諸佛
南无西北方无量諸佛 南无北方无量諸佛
南无東北方无量諸佛 南无上方无量諸佛
南无下方无量諸佛
南无十方世界形像舍利如來神塔
南无十方世界諸蔵經法 南无十方世界三乘聖衆
南无代釋梵四天王護佛道尊神敬礼諸佛
南无代皇帝陛下太皇太后敬礼諸佛
南无代王公合國人民鎮式敬礼諸佛
南无代師長父母親族知識四事檀越敬礼諸佛
南无代三界廿五有微塵等衆生敬礼諸佛求哀懺悔
南无大德我大和上應正遍知大悲世尊釋迦
牟尼十方諸佛諸尊菩薩有大神力刑不
唐動言不虛發讚歎懺悔千劫所作極重
惡業若能至心一懺悔者悉皆滅盡我等今
日歸向諸佛誠心懺悔
我弟子某甲等普爲法界衆生從无始已來
所作衆罪或煞害君親及真人羅漢兵戈
征討鉾刃煞戮遊獵禽獸網捕虫魚或曾作

我弟子某甲等普爲法界衆生從无始巳來
所作衆罪或煞害君親及真人羅漢兵戈
征討鋒刃煞戮遊獵禽獸網捕虫魚或曾作
惡王刑罰枉濫乃至含靈稟性蠢動凡諸生
類殘害煞傷及猛獸鷙鳥遞相噉食或盜佛
物法物僧物及他財寶居官因事納貨受財
或非巳室家外行婬欲莫簡親属不避僧尼
横起愛憎妄想婚忌或虛詐妄語誑惑君
親不知不見言知言見憑託鬼神詭誑世俗
或讒諂兩舌鬪乱二邊將此惡言向彼陳說
持彼惡語復向此論但隔君臣離間骨宍
一切和合由其破壞或出言麁惡毀此他
人訶叱任情罵詈在口或不正巳言乃爲綺
語說善爲惡以晃爲香名長爲短說白爲
黑謟言詭語調弄於人或志在貪味求取
不節性多瞋毒恚怒自纏或不識正理
迷惑耶見謗佛法僧說无因果不信脩
善受人天樂不言爲惡受地獄苦或謂
此身无因而得或謂未來斷无因果毀
壞塔寺焚燒經典融劍佛像以取金銅
汙穢伽藍違越禁戒飲酒噉肉及食五辛
愚癡耶見无惡不造凡此所陳十種惡業
自作教他見作隨喜若不懺悔將隨三途
唯願三世三寶受我懺悔從今已去改往脩

BD00953 號 2　持誦佛名及功德文（擬）　（26–24）

汙穢伽藍違越禁戒飲酒噉肉及食五辛
愚癡耶見无惡不造凡此所陳十種惡業
自作教他見作隨喜若不懺悔將隨三塗
唯願三世三寶受我懺悔從今已去改往脩
來更不敢犯至心頂礼常住寶
如是等一切世界諸佛世尊常住在世是諸
世尊當慈念我若我此生若於餘生无始
以來所作衆罪若自作若教他作見作隨
喜若塔若僧四方僧物自取教他取見取隨
喜或作五逆无間重罪若十不善道自作教
他見作隨喜或曾出家違犯重禁久不懺悔
然虛於信施或曾作奸臣逆吏无道之君現
在身上從生以來愚癡心故戲犯禁戒身口
意業造作過惡无量无邊所作罪鄣或有覆
藏或不覆藏應墮地獄餓鬼畜生及諸惡趣
邊地下賤及弥利車如是等處所作罪鄣今
皆懺悔今諸佛世尊當慈念我證知我聽我
懺悔如是等罪一切世界諸佛世尊常住在
世是諸世尊當慈念我若我此生若於餘生
曾行布施或守淨戒乃至施与畜生一摶之
食或脩淨行所有善根一切合集挍計籌量
悉皆迴向无上菩提如過去未來現在諸
佛之所迴向我亦如是迴向佛道
佛道長遠　其必獲得　衆生无邊　誓命度盡

BD00953 號 2　持誦佛名及功德文（擬）　（26–25）

悉皆迴向无上菩提如過去未來現在諸
佛之所迴向我亦如是迴向佛道
佛道甚遠　其必獲得　衆生无邊　誓命度盡
生死可畏　樂處其中　佛道淵玄　盡其底
世界有盡　衆生有盡　諸佛有盡　我願无盡
我願廣大　信如法性　究竟如空　盡未來際
无有窮盡
南无十方諸佛持此懺悔功德礼佛功德施
與一切衆生迴向无上菩提使我現在身上從
今以去持戒堅強勇猛精進志如金剛斷諸
煩惱坐禪得定誦經不忘脩道成就學問聰
明所求如願百病除愈任運自在无諸憂苦
臨命終時身不苦痛心意不亂面覩諸佛

BD00953 號 2　持誦佛名及功德文（擬）　（26–26）

群黨抄劫爲害滋甚波斯匿王
兵伺捕得已挑目逐著黑闇叢
群賊已於先佛殖衆德本既失
惱各作是言南无佛陁南无佛
无有救護啼哭嘷咷我時住在
其音聲即生慈心時有涼風吹
香藥滿其眼匡尋還眼得如本不異
眼即見如來住立其前而爲說法賊聞法已
發阿耨多羅三藐三菩提心善男子我於尒
時實不作風吹香山中種種香藥住其人前
而爲說法善男子當知皆是慈善根力令彼
群賊見如是事復次善男子流離太子以愚
癡故廢其父王自立爲主復念宿嫌多害釋
種取万二千釋種諸女削劓耳鼻斷截手足
推之坑塹時諸女人身受苦惱作如是言南
无佛陁南无佛陁我等今者无有救護復大
嘷咷是諸女人已於先佛種諸善根我於尒
時在竹林中聞其音聲即起慈心諸女尒時
見我來至迦毗羅城以水洗瘡以藥材之苦

BD00954 號　大般涅槃經（北本異本）卷一六　（18–1）

无佛陁南无佛陁我等今者无有救護復大
嘷咷是諸女人已於先佛種諸善根我於尒
時在竹林中聞其音聲即起慈心諸女尒時
見我來至迦毗羅城以水洗創以藥傅之苦
痛尋除耳鼻手足還服如本我時即為略説
法要悉令俱發阿耨多羅三藐三菩提心即
於大愛道比丘尼所出家受具善男子如來
尒時實不往至迦毗羅城以水洗創傅藥心
苦善男子當知皆是慈善根力令彼女人得
如是事悲喜之心亦復如是善男子以是義
故菩薩摩訶薩脩慈思惟即是真實非虛妄
也善男子夫无量者不可思議菩薩所行不
可思議諸佛所行亦不可議是大乘典大涅
槃經亦不可議
復次善男子菩薩摩訶薩脩慈悲喜已得住
極愛一子之地善男子云何是地名曰極愛
復名一子善男子譬如父母見子安隱心大
歡喜菩薩摩訶薩住是地中亦復如是視諸
衆生同於一子見脩善者生大歡喜是故此
地名曰極愛善男子譬如父母見子遇患心
生苦惱愍之愁毒初无捨離菩薩摩訶薩住
是地中亦復如是見諸衆生為煩惱病之所
纏切心生愁惱憂念如子身諸毛孔血皆流
出是故此地名為一子善男子如人小時捨
取土塊糞穢瓦石枯骨草木置於口中父母
見已恐為其患右手捉頭左手挑出菩薩摩

是地中亦復如是見諸衆生為煩惱病之所
纏切心生愁惱憂念如子身諸毛孔血皆流
出是故此地名為一子善男子如人小時捨
取土塊糞穢瓦石枯骨草木置於口中父母
見已恐為其患右手捉頭左手挑出菩薩摩
訶薩住是地中亦復如是見諸衆生法身未
增或行身口意業不善菩薩見已則以智手
拔之令出不欲令彼流轉生死受諸苦惱是
故此地復名一子善男子譬如父母所愛之
子捨而終亡父母愁惱願与并命菩薩亦尒
見一闡提墮於地獄亦願与俱生地獄中何
以故是一闡提若受苦時或生一念改悔之
心我即當為説種種法令彼得生一念善根
是故此地復名一子善男子譬如父母唯有
一子其子眠寤行住坐卧心常念之若有罪
咎善言誘喻不加其惡菩薩摩訶薩亦復如
是見諸衆生若墮地獄畜生餓鬼或人天中
造作善惡心常念之初不放捨若行諸惡終
不生瞋以惡加之是故此地復名一子迦葉
菩薩白佛言世尊如佛所説其言秘密我今
智淺云何能解若諸菩薩住一子地能如是
者云何如來昔為國王行菩薩道時斷絶尒
所婆羅門命若得此地則應護念若不得者
復何因緣不墮地獄若使等視一切衆生同
於子想如羅睺羅何故復向提婆達多説如
是言癡人无羞食人涕唾令彼聞已生於瞋
恨起不善心出佛身血提婆達多造是惡已

於子想如羅睺羅何故復向提婆達多說如
是言癡人无羞食人涕唾令彼聞已生於瞋
恨起不善心出佛身血提婆達多造是惡已
如来復記當墮地獄一劫受罪世尊如是之
言云何於義不相違背世尊須菩提者住虛
空地凡欲入城求乞飲食要先覲人若有於
己生嫉妬心則心不行乃至極飢猶不行乞
何以故是須菩提常作是念我憶往昔於福
田所生一惡念由是因緣墮大地獄受種種
苦我今寧飢終日不食終不令彼於我起嫌
墮於地獄受苦惱也復作是念若有衆生嫌
我立者我當終日端坐不起若有衆生嫌我
坐者我終日立不移本處行卧亦尒是須菩
提護衆生故尚起是心何況菩薩若得一子
地者何緣如来出是麁言使諸衆生起重惡
心善男子汝今不應作如是難言佛如来爲
諸衆生作煩惱因緣善男子假使蚉嘴能盡
海底如来終不爲諸衆生作煩惱因緣善男
子假令大地悉爲非色水爲堅相火爲冷相
風爲住相三寶佛性及以虛空作无常相如
来終不爲諸衆生作煩惱因緣善男子假使
數犯四重禁罪及一闡提謗正法者現身得
成十力无畏卅二相八十種好如来終不爲
諸衆生作煩惱因緣善男子假使聲聞辟支
佛等常住不變如来終不爲諸衆生作煩惱
因緣善男子假使十住諸菩薩等犯四重禁
作一闡提誹謗正法如来終不爲諸衆生作

諸衆生作煩惱因緣善男子假使聲聞辟支
佛等常住不變如来終不爲諸衆生作煩惱
因緣善男子假使十住諸菩薩等犯四重禁
作一闡提誹謗正法如来終不爲諸衆生作
煩惱因緣善男子假使一切无量衆生悉成
佛性如来究竟入般涅槃如来終不爲諸衆
生作煩惱因緣善男子假使獼猴能繫縛風
蟲能破鐵析壞須彌如来終不爲諸衆生作
煩惱因緣寧与毒虵同共一處內其兩手餓
師子口佉陁羅炭用洗浴身不應發言如来
世尊爲諸衆生作煩惱因緣善男子如来真
實能爲衆生斷除煩惱終不爲作煩惱因也
善男子如汝所言如来往昔煞婆羅門者善
男子菩薩摩訶薩乃至蟻子尚不故煞況婆
羅門菩薩常作種種方便慧施衆生无量壽
命善男子夫施食者則爲施命菩薩摩訶薩
行檀波羅蜜時常施衆生无量壽命善男子
脩不煞戒得壽命長菩薩摩訶薩行尸波羅
蜜時則爲施与一切衆生无量壽命善男子
慎口无過得壽命長菩薩摩訶薩行羼提波
羅蜜時常勸衆生莫生怨想椎直於人引曲
向己无所諍訟得壽命長是故菩薩行羼提
波羅蜜時已施衆生无量壽命善男子精懃
脩善得壽命長菩薩摩訶薩行毗梨耶波羅
蜜時常勸衆生懃脩善法衆生行已得无量
壽命是故菩薩行毗梨耶波羅蜜時已施衆
生无量壽命善男子脩攝心者得壽命長菩

[illegible]
蜜時常勸衆生懃脩善法衆生行已得无量
壽命是故菩薩行毗梨耶波羅蜜時已施衆
生无量壽命善男子脩攝心者得壽命長菩
薩摩訶薩行禪波羅蜜時勸諸衆生脩平等
心衆生行已得壽命長是故菩薩行禪波羅
蜜時已施衆生无量壽命善男子於諸善法
不放逸者得壽命長菩薩摩訶薩行般若波
羅蜜時勸諸衆生於諸善法不生放逸衆生
行已以是因緣得壽命長是故菩薩行般若
波羅蜜時已施衆生无量壽命善男子以是
義故菩薩摩訶薩於諸衆生終无奪命善男
子汝向所問殺婆羅門時得是地不善男子
我時已得以愛念故斷其命根非惡心也善
男子譬如父母唯有一子愛之甚重犯官憲
制是時父母以怖畏故若儐若殺雖復儐殺
无有惡心菩薩摩訶薩為護正法亦復如是
若有衆生謗大乘者即以鞭撻苦加治之或
奪其命欲令改往遵脩善法菩薩常當作是
思惟以何因緣能令衆生發起信心隨其方
便要當為之諸婆羅門命終之後生阿鼻地
獄即有三念一者自念我從何處而來生此
即便自知從人道中來二者自念我今所生
為是何處即便自知是阿鼻獄三者自念乘
何業緣而來生此即便自知乘謗方等大乘
經典不信因緣為國主所殺而來生此念是
事已即於大乘方等經典生信敬心尋時命
終生甘露鼓如來世界於彼壽命具足十劫

BD00954號　大般涅槃經（北本異本）卷一六　（18-6）

為是何處即便自知是阿鼻獄三者自念乘
何業緣而來生此即便自知乘謗方等大乘
經典不信因緣為國主所殺而來生此念是
事已即於大乘方等經典生信敬心尋時命
終生甘露鼓如來世界於彼壽命具足十劫
善男子以是義故我於往昔乃與是人十劫
壽命云何名殺善男子有人掘地刈草斫樹
斬截死屍罵詈鞭撻以是業緣墮地獄不迦
葉菩薩白佛言世尊如我解佛所說義者應
墮地獄何以故如佛昔為聲聞說法汝諸比
丘於餘草木莫生惡心何以故一切衆生因
惡心故墮于地獄尒時佛讚迦葉菩薩善哉
善哉如汝所說應善受持善男子若因惡心
墮地獄者菩薩尒時實无惡心何以故菩薩
摩訶薩於一切衆生乃至虫蟻悉生憐愍利
益心故所以者何善知因緣諸方便故以方
便力欲令衆生種諸善根善男子以是義故
我於尒時以善方便雖奪其命而非惡心善
男子婆羅門法若殺蟻子滿足十車无有罪
報蚉蝱蚤蝨猫子師子虎狼熊羆諸惡虫獸
及餘能為衆生害者殺滿十車鬼神羅剎拘
槃荼迦羅富單那顛狂乾枯諸鬼神等能為
衆生作嬈害者有奪其命悉无罪報若殺惡
人則有罪報殺已不悔則墮餓鬼若能懺悔
三日斷食其罪消滅无有遺餘若殺和上害
其父母女人及牛无數千年在地獄中善男
子佛及菩薩知殺有三謂中、下上下者蟻子
乃至一切畜生唯除菩薩示現生者善男子

BD00954號　大般涅槃經（北本異本）卷一六　（18-7）

其父母女人及牛无數千年在地獄中善男
子佛及菩薩知熱有三謂中、下上下者蟻子
乃至一切畜生唯除善薩示現生者善男子
菩薩摩訶薩以願回緣示受畜生是名下熱
以下熱回緣隨於地獄餓鬼畜生具受下苦
何以故是諸畜生有微善根是故熱者具受
罪報是名下熱中熱者從凡夫人至阿那含
是名為中以是業回墮於地獄畜生餓鬼具
受中苦是名中熱上熱者父母乃至阿羅漢
辟支佛畢定菩是名為上以是業回緣故墮
於阿鼻大地獄中具受上苦是名上熱善
男子若有能熱一闡提者則不墮此三種熱
中善男子彼諸婆羅門等一切皆是一闡提
也辟如掘地刈草斫樹斬截死屍罵詈鞭韃
无有罪報熱一闡提亦復如是无有罪報何
以故諸婆羅門乃至无有信等五法是故雖
熱不墮地獄善男子汝先所言如來何故罵
提婆達多癡人食唾汝亦不應作如是問何
以故諸佛世尊凡所發言不可思議善男子
或有實語為世所憂非時非法不為利益如
是之言我終不說善男子或復有言麁穬虛
妄非時非法聞者不憂不能利益我亦不說
善男子若有語言雖復麁穬真實不虛是時
是法能為一切衆生利益聞雖不悅我要說
之何以故諸佛世尊應正遍知知方便故善
男子如我一時遊彼曠野聚落蕠樹在其林
下有一鬼神即名曠野純食宍血多熱衆生
復於其聚日食一人善男子我於尒時為彼

BD00954 號　大般涅槃經（北本異本）卷一六　（18–8）

是法能為一切衆生利益聞雖不悅我要說
之何以故諸佛世尊應正遍知知方便故善
男子如我一時遊彼曠野聚落蕠樹在其林
下有一鬼神即名曠野純食宍血多熱衆生
復於其聚日食一人善男子我於尒時為彼
鬼神廣說法要然彼暴惡愚癡无智不受教
法我即化身為大力鬼動其宮殿令不安所
彼鬼于時將其眷屬出其宮殿欲來直逆鬼
見我時即失心念惶怖僻地迷悶斷絶猶如死
人我以慈愍手摩其身即還起坐作如是言
快哉今日還得身命是大神王具大威德有
慈愍心故我愆咎即於我所生善信心我即
還服如來之身復更為說種種法要令彼鬼
神受不熱戒即於是日曠野村中有一長者
次應當死村人已送付彼鬼神鬼神得已即
以施我我既受已便為長者更立名字名手
長者尒時彼鬼即白我言世尊我及眷屬唯
仰血宍以自存活今以戒故當云何活我即
答言從今當勑聲聞弟子隨有循行佛法之
處悉當令其施汝飲食善男子以是回緣為
諸比丘制如是戒汝等從今常當施彼曠野
鬼食若有住處不能施者當如是輩非我弟
子即是天魔徒黨眷屬善男子如來為欲調
伏衆生故亦如是種種方便非故令彼生怖
畏也善男子我亦以木打護法鬼又於一時
在一山上推羊頭鬼令墮山下復於樹頭撲
護獼猴鬼令護財象見五師子使金剛神怖
墮懸崖死亦令人識刺時見鬼身唯作口是亦

BD00954 號　大般涅槃經（北本異本）卷一六　（18–9）

伏衆生故亦如是種種方便非故令彼生怖
畏也善男子我亦以木打護法鬼又於一時
在一山上推羊頭鬼令墮山下復於樹頭撲
護獼猴鬼令護財鳥見五師子使金剛神怖
薩遮尼乾亦以鍼刺箭毛鬼身雖作如是亦
不令彼諸鬼神等有滅沒者直欲令彼安住
正法故亦如是種種方便善男子我於尒時
實不罵辱提婆達多提婆達多亦不愚痴貪
人涕唾亦不生於惡趣之中阿鼻地獄受罪
一劫亦不壞僧出佛身血亦不遠犯四重之
罪誹謗正法大乘經典非一闡提亦非聲聞
辟支佛也善男子提婆達者實非聲聞緣覺
境界唯是諸佛之所知見善男子是故汝今
不應難言如來何緣呵嘖罵辱提婆達多汝
於諸佛所有境界不應如是生於疑罔迦葉
菩薩白佛言世尊譬如苦蔗數數煎煮得種
種味我亦如是從佛數聞多得法味所謂出
味離欲味寂滅味道味世尊譬如真金數數
燒打融消鍊治轉更明淨調和柔濡光色微
妙其價難量然後乃爲人天寶重世尊如來
亦尒鄭重諮問則得聞見甚深之義令深行
者受持奉脩无量衆生發阿耨多羅三藐三
菩提心然後爲人諸天所宗恭敬供養尒時
佛讚迦葉菩薩善哉善哉菩薩摩訶薩爲欲
利益諸衆生故諮啓如來如是深義善男子
以是義故我隨汝意說於大乘方等甚深秘
密之法所謂愛如一子地迦葉菩薩白佛

BD00954號　大般涅槃經（北本異本）卷一六　（18–10）

佛讚迦葉菩薩善哉善哉菩薩摩訶薩爲欲
利益諸衆生故諮啓如來如是深義善男子
以是義故我隨汝意說於大乘方等甚深秘
密之法所謂愛如一子地迦葉菩薩白佛
言世尊若諸菩薩脩慈悲喜得一子地者脩
捨心時復得何地佛言善哉善哉善男子汝
善知時知我欲說汝則諮問菩薩摩訶薩脩
捨心時則得住於空平等地如須菩提善男
子菩薩摩訶薩住於空平等地則不見有父
母兄弟姊妹兒息親族知識怨憎中人乃至
不見陰界諸入衆生壽命善男子譬如虛空
有无父母兄弟妻子乃至无有衆生壽命一
切諸法亦復如是无有父母乃至壽命菩薩
摩訶薩見一切法亦復如是其心平等如彼
虛空何以故善能脩集諸空法故迦葉菩薩
白佛言世尊云何名空善男子空者所謂內
空外空內外空有爲空无爲空无始空性空
无所有空第一義空空空大空菩薩摩訶薩
云何觀於內空是菩薩摩訶薩觀內法空是
內法空謂无父母怨親中人衆生壽命常樂
我淨如來法僧所有財物是內法中雖有佛
性而是佛性非內非外所以者何佛性常住
无變易故是名菩薩摩訶薩觀於內空外空
者亦復如是无有內法內外空者亦復如是
善男子唯有如來法僧佛性不在二空何以
故如是四法常樂我淨是故四法不名爲空
是名內外俱空善男子有爲空者有爲之法
悉皆是空所謂內空外空內外空常樂我淨

BD00954號　大般涅槃經（北本異本）卷一六　（18–11）

者亦復如是无有内法内外空者亦復如是
善男子唯有如来法僧佛性不在二空何以
故如是四法常樂我淨是故四法不名為空
是名内外俱空善男子有為空者有為之法
悉皆是空所謂内空外空内外空常樂我淨
空衆生壽命如来法僧第一義空是中佛性
非有為法是故佛性有為法空是名有為空
善男子云何菩薩摩訶薩觀无為空是无為
法悉皆是空所謂无常苦不淨无我陰界入
衆生壽命相有為有漏内法外法无為法中
佛等四法非有為非无為性是善故非无為
性常住故非有為是名菩薩觀无為空云何
菩薩摩訶薩觀无始空是菩薩摩訶薩見生
死无始皆悉空寂所謂空者常樂我淨皆悉
空寂无有變易衆生壽命三寶佛性及无為
法是名菩薩觀无始空云何菩薩觀於性空
是菩薩摩訶薩觀一切法本性皆空謂陰界
入常无常苦樂淨不淨我无我觀如是等一
切諸法不見本性是名菩薩摩訶薩觀於性
空云何菩薩摩訶薩觀无所有空如人无子
言舍宅空畢竟觀空无有親愛愚癡之人言
諸方空貧窮之人言一切空如是所計或空
或非空菩薩觀時如貧窮人一切皆空是名
菩薩摩訶薩觀无所有空云何菩薩摩訶薩
觀第一義空善男子菩薩摩訶薩觀第一義
時是眼生時无所從来及其滅時去无所至
本无今有已有還无推實其性无眼无主如

菩薩摩訶薩觀无所有空云何菩薩摩訶薩
觀第一義空善男子菩薩摩訶薩觀第一義
時是眼生時无所從来及其滅時去无所至
本无今有已有還无推實其性无眼无主如
眼一切諸法亦復如是何等名為第一義空
有業有報不見作者如是空法名第一義空
是名菩薩摩訶薩觀第一義空云何菩薩摩
訶薩觀於空空是空空中乃是聲聞辟支佛
等所迷没處善男子是有是无是名空空是
是非是是名空空善男子十住菩薩尚於
是中通達少分猶如微塵況復餘人善男子
如是空空亦不同於聲聞所得空空三昧是
名菩薩觀於空空善男子云何菩薩摩訶薩
觀於大空善男子言大空者謂般若波羅蜜
是名大空善男子菩薩摩訶薩得如是空門
則得住於虚空等地善男子我今於是大衆
之中說如是等諸空義時有十恒沙等菩薩
摩訶薩即得住於虚空等地善男子菩薩摩
訶薩住是地已於一切法中无有滞导繫縛
拘執心无迷悶以是義故名虚空等地善男
子譬如虚空於可愛色不貪生著不愛色中
不生瞋恚菩薩摩訶薩住是地中亦復如是
於好惡色心无貪恚善男子譬如虚空廣大
无對悉能容受一切諸法菩薩摩訶薩住是
地中亦復如是廣大无對悉能容受一切諸
法以是義故復得名為虚空等地善男子菩
薩摩訶薩住是地中於一切法亦見亦知若

无對悉能容受一切諸法菩薩摩訶薩住是
地中亦復如是廣大无對悉能容受一切
法以是義故復得名爲虛空等地善男子菩
薩摩訶薩住是地中於一切法亦見亦知若
行若緣若性若相若因若緣若衆生心若根
若禪定若乘若善知識若持禁戒若所施如
是等法一切知見復次善男子菩薩摩訶薩
住是地中知而不見云何爲知如自餓法投
淵赴火自墜高巖常翹一脚五熱炙身常臥
灰土棘刺編椽樹葉惡草牛糞之上衣麤麻
衣冢間所棄糞掃氀褐欽婆羅衣獐鹿皮草
蒭草衣茹菜噉果藕根油滓牛糞根果若
行乞食限從一家主若言无即便捨去設復
還喚終不迴顧不食鹽肉五種牛味常所飲
服康汁沸湯持牛戒狗戒雞戒以灰塗身長
髮爲相以羊祠時先呪後煞四月事火七日
服風百千億華供養諸天諸所欲願因此成
就如是等法能爲无上解脫因者无有是處
是名爲知云何不見菩薩摩訶薩不見一人
行如是法得正解脫是名不見復次善男子
菩薩摩訶薩亦見亦知何等爲見見諸衆生
行是邪法必墮地獄是名爲見云何爲知知
諸衆生從地獄出生於人中若能修行檀波
羅蜜乃至具足諸波羅蜜是人必得入正解
脫是名爲知復次善男子菩薩摩訶薩復有
亦見亦知云何爲見見常无常苦樂淨不淨
我无我是名爲見云何爲知知諸如來定不

BD00954號　大般涅槃經（北本異本）卷一六　（18–14）

羅蜜乃至具足諸波羅蜜是人必得入正解
脫是名爲知復次善男子菩薩摩訶薩復有
亦見亦知云何爲見見常无常苦樂淨不淨
我无我是名爲見云何爲知知諸如來定不
畢竟入於涅槃知如來身金剛无壞非是煩
惱所成就身又非臭穢腐敗之身亦復能知
一切衆生悉有佛性是名爲知復次善男子
菩薩摩訶薩復有知而不見云何爲知知是
衆生信心成就知是衆生求於大乘是人順
流是人逆流是人正住知是衆生已到彼岸順
流者諸凡夫人逆流者從須陁洹乃至緣覺
正住者諸菩薩等到彼岸者所謂如來應正
遍知是名爲知云何爲見菩薩摩訶薩住於
大乘大涅槃典修梵行心以淨天眼見諸衆
生造身口意三業不善墮於地獄畜生餓鬼
見諸衆生脩善業者命終當生天上人中是
諸衆生從闇入闇有諸衆生從闇入明有諸
衆生從明入闇有諸衆生從明入明是名爲
見復次善男子菩薩摩訶薩復有亦知亦見
菩薩摩訶薩見諸衆生脩身脩戒脩心脩慧
是人今世惡業成就或因貪欲瞋恚愚癡是
業必應地獄受報是人直以脩身脩戒脩心
脩慧現世輕受不墮地獄云何是業能得現
報懺悔發露所有諸惡既悔之後更不敢作
慚愧成就故供養三寶故常自呵責故是人
以是善業因緣不墮地獄現世受報所謂頭
痛目痛腹痛背痛橫羅其殃呵責罵辱鞭杖
閉繫飢餓困苦受如是等現世輕報是名爲

BD00954號　大般涅槃經（北本異本）卷一六　（18–15）

痛目痛腹痛背痛横羅其殃呵責罵辱鞭粗
閉繫飢餓困苦受如是等現世輕報是名為
知云何為見菩薩摩訶薩見是人不能修集
身戒心慧造少惡業此業因緣應現受報是
人少惡不能懺悔不自呵責不生慚愧无有
怖懼是業增長地獄受報是名為見復有知
而不見云何為知知諸衆生皆有佛性為諸
煩惱之所覆蔽不能得見是名知而不見復
有知而少見十住菩薩摩訶薩等知諸衆生
皆有佛性見不明了猶如闇夜所見不了復
有亦見亦知所謂諸佛如來亦見亦知復有
亦見亦知不見不知見知者所謂世間文字
言語男女車乘瓶瓮舍宅城邑衣裳飲食山
河薗林衆生壽命是名亦知亦見云何不見
不知聖人所有微密之語无有男女乃至薗
林是名不見不知復有知而不見知所惠施
知所供養知於受者知因果報是名為知云
何不見不見所施供養受者及以果報是名
不見菩薩摩訶薩知有八種即是如來五眼
所知迦葉菩薩白佛言世尊菩薩摩訶薩能
如是知得何等利佛言善男子菩薩摩訶薩
能如是知得四无㝵法无㝵義无㝵辞无㝵
樂說无㝵法无㝵者知一切法及法名字義
无㝵者知一切法所有諸義能隨諸法所立
名字而為作義辞无㝵者隨字論正音論闡
陁論世辯論樂說无㝵者所謂菩薩摩訶薩
凡所演說无有鄣㝵不可動轉无所畏懼難

BD00954 號　大般涅槃經（北本異本）卷一六　（18–16）

能如是知得四无㝵法无㝵義无㝵辞无㝵
樂說无㝵法无㝵者知一切法及法名字義
无㝵者知一切法所有諸義能隨諸法所立
名字而為作義辞无㝵者隨字論正音論闡
陁論世辯論樂說无㝵者所謂菩薩摩訶薩
凡所演說无有鄣㝵不可動轉无所畏懼難
可摧伏善男子是菩薩能如是見知即得如
是四无㝵復次善男子法无㝵者菩薩摩
訶薩遍知聲聞緣覺菩薩諸佛之法義无㝵
者乘雖有三知其歸一終不謂有差別之相
辞无㝵者菩薩摩訶薩於一法中作種種名
逕无量劫說不可盡聲聞緣覺能作是說无
有是處樂說无㝵者菩薩摩訶薩於无量劫
為諸衆生演說諸法若名若義種種異說不
可窮盡復次善男子法无㝵者菩薩摩訶薩
雖知諸法而不取著義无㝵者菩薩摩訶薩
雖知諸義而亦不著辞无㝵者菩薩摩訶薩
雖知名字亦不取著樂說无㝵者菩薩摩訶
薩雖知樂說如是最上而亦不著何以故善
男子若取著者不名菩薩

大般涅槃經卷第十六

BD00954 號　大般涅槃經（北本異本）卷一六　（18–17）

雖知諸義而亦不著辭无导者菩薩摩訶薩
雖知名字亦不取著樂說无导者菩薩摩訶
薩雖知樂說如是𢎞上而亦不著何以故善
男子若取著者不名菩薩

大般涅槃經卷第十六

BD00954 號　大般涅槃經（北本異本）卷一六　（18–18）

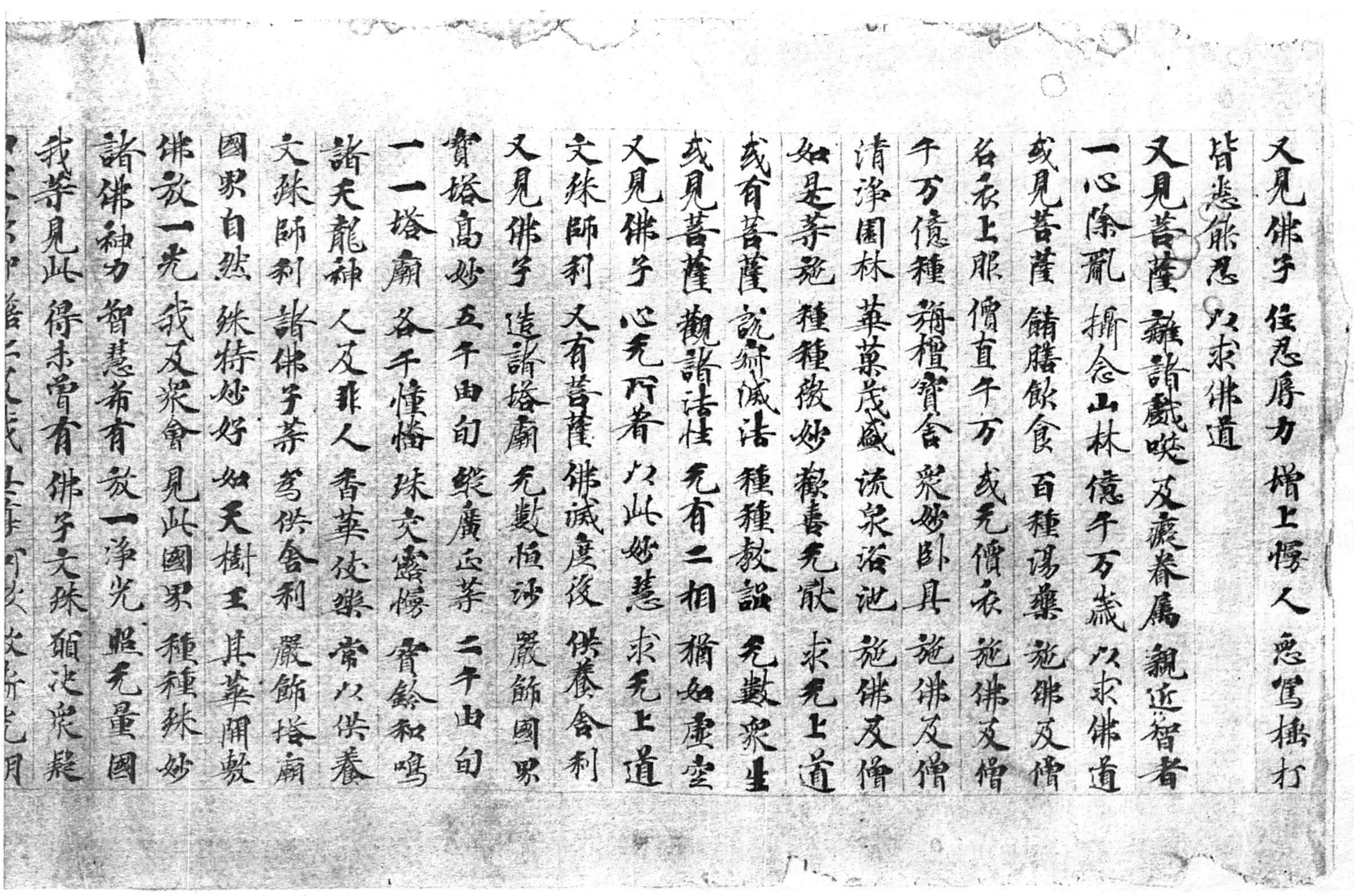

又見佛子　住忍辱力　增上慢人　惡罵捶打
皆悉能忍　以求佛道
又見菩薩　離諸戲笑　及癡眷屬　親近智者
一心除亂　攝念山林　億千万歲　以求佛道
或見菩薩　餚饍飲食　百種湯藥　施佛及僧
名衣上服　價直千万　或无價衣　施佛及僧
千万億種　栴檀寶舍　衆妙臥具　施佛及僧
清淨園林　華菓茂盛　流泉浴池　施佛及僧
如是等施　種種微妙　歡喜无猒　求无上道
或有菩薩　說寂滅法　種種教詔　无數衆生
或見菩薩　觀諸法性　无有二相　猶如虛空
又見佛子　心无所著　以此妙慧　求无上道
文殊師利　又有菩薩　佛滅度後　供養舍利
又見佛子　造諸塔廟　无數恒沙　嚴飾國界
寶塔高妙　五千由旬　縱廣正等　二千由旬
一一塔廟　各千幢幡　珠交露幔　寶鈴和鳴
諸天龍神　人及非人　香華伎樂　常以供養
文殊師利　諸佛子等　為供舍利　嚴飾塔廟
國界自然　殊特妙好　如天樹王　其華開敷
佛放一光　我及衆會　見此國界　種種殊妙
諸佛神力　智慧希有　放一淨光　照无量國
我等見此　得未曾有　佛子文殊　願決衆疑

BD00955 號　妙法蓮華經卷一　（19–1）

文殊師利諸佛子等為供舍利嚴飾塔廟
國界自然殊特妙好如天樹王其華開敷
佛放一光我及衆會見此國界種種殊妙
諸佛神力智慧希有放一淨光照无量國
我等見此得未曾有佛子文殊願決衆疑
四衆欣仰瞻仁及我世尊何故放斯光明
佛子時答決疑令喜何所饒益演斯光明
佛坐道場所得妙法為欲說此為當授記
示諸佛土衆寶嚴淨及見諸佛此非小緣
文殊當知四衆龍神瞻察仁者為說何等
尒時文殊師利語彌勒菩薩摩訶薩及諸大
士善男子等如我惟忖今佛世尊欲說大法
雨大法雨吹大法螺擊大法鼓演大法義諸
善男子我於過去諸佛曾見此瑞放斯光已
即說大法是故當知今佛現光亦復如是欲
令衆生咸得聞知一切世間難信之法故現
斯瑞諸善男子如過去无量无邊不可思議
阿僧祇劫尒時有佛号日月燈明如來應供
正遍知明行足善逝世間解无上士調御丈
夫天人師佛世尊演說正法初善中善後善
其義深遠其語巧妙純一无雜具足清白梵
行之相為求聲聞者說應四諦法度生老病
死究竟涅槃為求辟支佛者說應十二因緣
法為諸菩薩說應六波羅蜜令得阿耨多羅
三藐三菩提成一切種智次復有佛亦名日月
燈明次復有佛亦名日月燈明如是二万佛

BD00955號　妙法蓮華經卷一　（19–2）

法為諸菩薩說應六波羅蜜令得阿耨多羅
三藐三菩提成一切種智次復有佛亦名日月
燈明次復有佛亦名日月燈明如是二万佛
皆同一字号日月燈明又同一姓姓頗羅墮彌
勒當知初佛後佛皆同一字名日月燈明
十号具足所可說法初中後善其最後佛
未出家時有八王子一名有意二名善意三名
无量意四名寶意五名增意六名除疑意七
名嚮意八名法意是八王子威德自在各領
四天下是諸王子聞父出家得阿耨多羅三藐
三菩提悉捨王位亦隨出家發大乘意常修
梵行皆為法師已於千万佛所殖諸善本是
時日月燈明佛說大乘經名无量義教菩薩
法佛所護念說是經已即於大衆中結跏趺
坐入於无量義處三昧身心不動是時天雨
曼陀羅華摩訶曼陀羅華曼殊沙華摩訶
曼殊沙華而散佛上及諸大衆普佛世界六
種震動尒時會中比丘比丘尼優婆塞優婆
夷天龍夜叉乾闥婆阿修羅迦樓羅緊那羅
摩睺羅伽人非人及諸小王轉輪聖王等是
諸大衆得未曾有歡喜合掌一心觀佛尒
時如來放眉間白毫相光照東方万八千佛土
靡不周遍如今所見是諸佛土彌勒當知尒
時會中有二十億菩薩樂欲聽法是諸菩薩
見此光明普照佛土得未曾有欲知此光所
為因緣時有菩薩名曰妙光有八百弟子是

BD00955號　妙法蓮華經卷一　（19–3）

靡不周遍如今所見是諸佛土彌勒當知尒
時會中有二十億菩薩樂欲聽法是諸菩薩
見此光明普照佛土得未曾有欲知此光所
為因緣時有菩薩名曰妙光有八百弟子是
時日月燈明佛從三昧起因妙光菩薩說大
乘經名妙法蓮華教菩薩法佛所護念六十
小劫不起于座時會聽者亦坐一處六十小
劫身心不動聽佛所說謂如食頃是時眾中
无有一人若身若心而生懈惓日月燈明佛
於六十小劫說是經已即於梵魔沙門婆羅
門及天人阿脩羅眾中而宣此言如來於今
日中夜當入无餘涅槃時有菩薩名曰德藏
日月燈明佛即授其記告諸比丘是德藏菩
薩次當作佛号曰淨身多陀阿伽度阿羅訶
三藐三佛陀佛授記已便於中夜入无餘涅
槃佛滅度後妙光菩薩持妙法蓮華經滿八
十小劫為人演說日月燈明佛八子皆師妙
光妙光教化令其堅固阿耨多羅三藐三菩
提是諸王子供養无量百千万億佛已皆成
佛道其最後成佛者名曰然燈八百弟子中
有一人号曰求名貪著利養雖復讀誦眾經
而不通利多所忘失故号求名是人亦以種
諸善根因緣故得值无量百千万億諸佛
供養恭敬尊重讚歎彌勒當知尒時妙光菩
薩豈異人乎我身是也求名菩薩汝身是也
今見此瑞與本无異是故惟忖今日如來當說

供養恭敬尊重讚歎彌勒當知尒時妙光菩
薩豈異人乎我身是也求名菩薩汝身是也
今見此瑞與本无異是故惟忖今日如來當說
大乘經名妙法蓮華教菩薩法佛所護念尒
時文殊師利於大眾中欲重宣此義而說偈言
我念過去世　无量无數劫　有佛人中尊　号日月燈明
世尊演說法　度无量眾生　无數億菩薩　令入佛智慧
佛未出家時　所生八王子　見大聖出家　亦隨修梵行
時佛說大乘　經名无量義　於諸大眾中　而為廣分別
佛說此經已　即於法座上　跏趺坐三昧　名无量義處
天雨曼陁華　天鼓自然鳴　諸天龍鬼神　供養人中尊
一切諸佛土　即時大震動　佛放眉間光　現諸希有事
此光照東方　万八千佛土　示一切眾生　生死業報處
有見諸佛土　以眾寶莊嚴　瑠璃頗梨色　斯由佛光照
及見諸天人　龍神夜叉眾　乾闥緊那羅　各供養其佛
又見諸如來　自然成佛道　身色如金山　端嚴甚微妙
如淨瑠璃中　內現真金像　世尊在大眾　敷演深法義
一一諸佛土　聲聞眾无數　因佛光所照　悉見彼大眾
或有諸比丘　在於山林中　精進持淨戒　猶如護明珠
又見諸菩薩　行施忍辱等　其數如恒沙　斯由佛光照
又見諸菩薩　深入諸禪定　身心寂不動　以求无上道
又見諸菩薩　知法寂滅相　各於其國土　說法求佛道
尒時四部眾　見日月燈佛　現大神通力　其心皆歡喜
各各自相問　是事何因緣　天人所奉尊　適從三昧起
讚妙光菩薩　汝為世間眼　一切所歸信　能奉持法藏
如我所說法　唯汝能證知　世尊既讚歎　令妙光歡喜

尒時四部衆　見日月燈佛　現大神通力　其心皆歡喜
各各自相問　是事何因緣　天人所奉尊　適從三昧起
讚妙光菩薩　汝為世間眼　一切所歸信　能奉持法藏
如我所說法　唯汝能證知　世尊既讚歎　令妙光歡喜
說是法華經　滿六十小劫　不起於法座　所說上妙法
是妙光法師　悉皆能受持　佛說是法華　令衆歡喜已
尋即於是日　告於天人衆　諸法實相義　已為汝等說
我今於中夜　當入於涅槃　汝一心精進　當離於放逸
諸佛甚難值　億劫時一遇　世尊諸子等　聞佛入涅槃
各各懷悲惱　佛滅一何速　聖主法之王　安慰无量衆
我若滅度時　汝等勿憂怖　是德藏菩薩　於无漏實相
心已得通達　其次當作佛　号曰為淨身　亦度无量衆
佛此夜滅度　如薪盡火滅　分布諸舍利　而起无量塔
比丘比丘尼　其數如恒沙　倍復加精進　以求无上道
是妙光法師　奉持佛法藏　八十小劫中　廣宣法華經
是諸八王子　妙光所開化　堅固无上道　當見无數佛
供養諸佛已　隨順行大道　相繼得成佛　轉次而授記
最後天中天　号曰然燈佛　諸仙之導師　度脫无量衆
是妙光法師　時有一弟子　心常懷懈怠　貪著於名利
求名利无猒　多遊族姓家　棄捨所習誦　廢忘不通利
以是因緣故　号之為求名　亦行衆善業　得見无數佛
供養於諸佛　隨順行大道　具六波羅蜜　今見釋師子
其後當作佛　号名曰彌勒　廣度諸衆生　其數无有量
彼佛滅度後　懈怠者汝是　妙光法師者　今則我身是
我見燈明佛　本光瑞如此　以是知今佛　欲說法華經
今相如本瑞　是諸佛方便　今佛放光明　助發實相義

彼佛滅度後　懈怠者汝是　妙光法師者　今則我身是
我見燈明佛　本光瑞如此　以是知今佛　欲說法華經
今相如本瑞　是諸佛方便　今佛放光明　助發實相義
諸人今當知　合掌一心待　佛當雨法雨　充足求道者
諸求三乘人　若有疑悔者　佛當為除斷　令盡无有餘

妙法蓮華經方便品第二

尒時世尊從三昧安詳而起　告舍利弗　諸佛
智慧甚深无量　其智慧門難解難入　一切聲
聞辟支佛所不能知　所以者何　佛曾親近百
千万億无數諸佛　盡行諸佛无量道法　勇猛
精進　名稱普聞　成就甚深未曾有法　隨宜所
說意趣難解　舍利弗　吾從成佛已來　種種因
緣　種種譬喻　廣演言教　无數方便　引導衆生
令離諸著　所以者何　如來方便知見波羅蜜
皆已具足　舍利弗　如來知見　廣大深遠　无量
无礙　力　无所畏　禪定　解脫　三昧　深入无際　成
就一切未曾有法　舍利弗　如來能種種分別
巧說諸法　言辭柔軟　悅可衆心　舍利弗　取要
言之　无量无邊未曾有法　佛悉成就　止　舍利
弗　不須復說　所以者何　佛所成就第一希有
難解之法　唯佛與佛乃能究盡諸法實相　所
謂諸法如是相　如是性　如是體　如是力　如是
作　如是因　如是緣　如是果　如是報　如是本末
究竟等　尒時世尊欲重宣此義　而說偈言
世雄不可量　諸天及世人　一切衆生類　无能知佛者

謂諸法如是相 如是性 如是體 如是力 如是
作 如是因 如是緣 如是果 如是報 如是本末
究竟等 尒時世尊欲重宣此義而說偈言
世雄不可量 諸天及世人 一切衆生類 无能知佛者
佛力无所畏 解脫諸三昧 及佛諸餘法 无能測量者
本從无數佛 具足行諸道 甚深微妙法 難見難可了
於无量億劫 行此諸道已 道場得成果 我已悉知見
如是大果報 種種性相義 我及十方佛 乃能知是事
是法不可示 言辭相寂滅 諸餘衆生類 无有能得解
除諸菩薩衆 信力堅固者 諸佛弟子衆 曾供養諸佛
一切漏已盡 住是最後身 如是諸人等 其力所不堪
假使滿世間 皆如舍利弗 盡思共度量 不能測佛智
正使滿十方 皆如舍利弗 及餘諸弟子 亦滿十方剎
盡思共度量 亦復不能知 辟支佛利智 无漏最後身
亦滿十方界 其數如竹林 斯等共一心 於億无量劫
欲思佛實智 莫能知少分 新發意菩薩 供養无數佛
了達諸義趣 又能善說法 如稻麻竹葦 充滿十方剎
一心以妙智 於恒河沙劫 咸皆共思量 不能知佛智
不退諸菩薩 其數如恒沙 一心共思求 亦復不能知
又告舍利弗 无漏不思議 甚深微妙法 我今已具得
唯我知是相 十方佛亦然 舍利弗當知 諸佛語无異
於佛所說法 當生大信力 世尊法久後 要當說真實
告諸聲聞衆 及求緣覺乘 我令脫苦縛 逮得涅槃者
佛以方便力 示以三乘教 衆生處處著 引之令得出
尒時大衆中有諸聲聞漏盡阿羅漢阿若憍
陳如等千二百人及發聲聞辟支佛心比丘比

BD00955號　妙法蓮華經卷一　（19–8）

告諸聲聞衆 及求緣覺乘 我令脫苦縛 逮得涅槃者
佛以方便力 示以三乘教 衆生處處著 引之令得出
尒時大衆中有諸聲聞漏盡阿羅漢阿若憍
陳如等千二百人及發聲聞辟支佛心比丘比
丘尼優婆塞優婆夷各作是念今者世尊
何故慇懃稱歎方便而作是言佛所得法甚
深難解有所言說意趣難知一切聲聞辟支
佛所不能及佛說一解脫義我等亦得此法
到於涅槃而今不知是義所趣尒時舍利弗
知四衆心疑自亦未了而白佛言世尊何因
何緣慇懃稱歎諸佛第一方便甚深微妙難
解之法我自昔來未曾從佛聞如是說今者
四衆咸皆有疑唯願世尊敷演斯事世尊何
故慇懃稱歎甚深微妙難解之法尒時舍利
弗欲重宣此義而說偈言
慧日大聖尊 久乃說是法 自說得如是 力无畏三昧
禪定解脫等 不可思議法 道場所得法 无能發問者
我意難可測 亦无能問者 无問而自說 稱歎所行道
智慧甚微妙 諸佛之所得 无漏諸羅漢 及求涅槃者
今皆墮疑網 佛何故說是 其求緣覺者 比丘比丘尼
諸天龍鬼神 及乾闥婆等 相視懷猶豫 瞻仰兩足尊
是事為云何 願佛為解說 於諸聲聞衆 佛說我第一
我今自於智 疑惑不能了 為是究竟法 為是所行道
佛口所生子 合掌瞻仰待 願出微妙音 時為如實說
諸天龍神等 其數如恒沙 求佛諸菩薩 大數有八萬
又諸万億國 轉輪聖王至 合掌以敬心 欲聞具足道

BD00955號　妙法蓮華經卷一　（19–9）

佛口所生子　合掌瞻仰待　願出微妙音　時為如實說
諸天龍神等　其數如恒沙　求佛諸菩薩　大數有八万
又諸万億國　轉輪聖王至　合掌以敬心　欲聞具足道
尒時佛告舍利弗止止不須復說若說是事
一切世間諸天及人皆當驚疑舍利弗重白
佛言世尊唯願說之唯願說之所以者何是
會无數百千万億阿僧祇衆生曾見諸佛諸
根猛利智慧明了聞佛所說則能敬信尒時
舍利弗欲重宣此義而說偈言
法王无上尊　唯說願勿慮　是會无量衆　有能敬信者
佛復止舍利弗若說是事一切世間天人阿修
羅皆當驚疑增上慢比丘將墜於大坑尒時
世尊重說偈言
止止不須說　我法妙難思　諸增上慢者　聞必不敬信
尒時舍利弗重白佛言世尊唯願說之唯願
說之今此會中如我等比百千万億世世已曾
從佛受化如此人等必能敬信長夜安隱多
所饒益尒時舍利弗欲重宣此義而說偈言
无上兩足尊　願說第一法　我為佛長子　唯垂分別說
是會无量衆　能敬信此法　佛已曾世世　教化如是等
皆一心合掌　欲聽受佛語　我等千二百　及餘求佛者
願為此衆故　唯垂分別說　是等聞此法　則生大歡喜
尒時世尊告舍利弗汝已慇懃三請豈得不
說汝今諦聽善思念之吾當為汝分別解說
說此語時會中有比丘比丘尼優婆塞優婆
夷五千人等即從座起禮佛而退所以者何

BD00955號　妙法蓮華經卷一　(19–10)

尒時世尊告舍利弗汝已慇懃三請豈得不
說汝今諦聽善思念之吾當為汝分別解說
說此語時會中有比丘比丘尼優婆塞優婆
夷五千人等即從座起禮佛而退所以者何
此輩罪根深重及增上慢未得謂得未證謂
證有如此失是以不住世尊默然而不制止
尒時佛告舍利弗我今此衆无復枝葉純有
貞實舍利弗如是增上慢人退亦佳矣汝今
善聽當為汝說舍利弗言唯然世尊願樂欲
聞佛告舍利弗如是妙法諸佛如來時乃說
之如優曇鉢華時一現耳舍利弗汝等當信
佛之所說言不虛妄舍利弗諸佛隨宜說法
意趣難解所以者何我以无數方便種種因
緣譬喻言辭演說諸法是法非思量分別之
所能解唯有諸佛乃能知之所以者何諸佛
世尊唯以一大事因緣故出現於世舍利弗云
何名諸佛世尊唯以一大事因緣故出現於
世諸佛世尊欲令衆生開佛知見使得清淨
故出現於世欲示衆生佛之知見故出現於
世欲令衆生悟佛知見故出現於世欲令衆生
入佛知見道故出現於世舍利弗是為諸佛
以一大事因緣故出現於世佛告舍利弗諸
佛如來但教化菩薩諸有所作常為一事唯
以佛之知見示悟衆生舍利弗如來但以一
佛乘故為衆生說法无有餘乘若二若三
舍利弗一切十方諸佛法亦如是舍利弗過

BD00955號　妙法蓮華經卷一　(19–11)

以一大事因緣故出現於世佛告舍利弗諸
佛如來但教化菩薩諸有所作常為一事唯
以佛之知見示悟眾生舍利弗如來但以一
佛乘故為眾生說法无有餘乘若二若三
舍利弗一切十方諸佛法亦如是舍利弗過
去諸佛以无量无數方便種種因緣譬喻言
辭而為眾生演說諸法是法皆為一佛乘故
是諸眾生從諸佛聞法究竟皆得一切種智
舍利弗未來諸佛當出於世亦以无量无數
方便種種因緣譬喻言辭而為眾生演說諸
法是法皆為一佛乘故是諸眾生從佛聞法
究竟皆得一切種智舍利弗現在十方无量
百千万億佛土中諸佛世尊多所饒益安樂
眾生是諸佛亦以无量无數方便種種因緣
譬喻言辭而為眾生演說諸法是法皆為一
佛乘故是諸眾生從佛聞法究竟皆得一切
種智舍利弗是諸佛但教化菩薩欲以佛之
知見示眾生故欲以佛之知見悟眾生故欲令
眾生入佛之知見故舍利弗我今亦復如是
知諸眾生有種種欲深心所著隨其本性
以種種因緣譬喻言辭方便力故而為說法
舍利弗如此皆為得一佛乘一切種智故舍
利弗十方世界中尚无二乘何況有三舍利
弗諸佛出於五濁惡世所謂劫濁煩惱濁眾
生濁見濁命濁如是舍利弗劫濁亂時眾生
垢重慳貪嫉妬成就諸不善根故諸佛以方

BD00955號　妙法蓮華經卷一　（19–12）

利弗十方世界中尚无二乘何況有三舍利
弗諸佛出於五濁惡世所謂劫濁煩惱濁眾
生濁見濁命濁如是舍利弗劫濁亂時眾生
垢重慳貪嫉妬成就諸不善根故諸佛以方
便力於一佛乘分別說三舍利弗若我弟子
自謂阿羅漢辟支佛者不聞不知諸佛如來
但教化菩薩事此非佛弟子非阿羅漢非辟
支佛又舍利弗是諸比丘比丘尼自謂已得
阿羅漢是最後身究竟涅槃便不復志求
阿耨多羅三藐三菩提當知此輩皆是增上慢
人所以者何若有比丘實得阿羅漢若不信
此法无有是處除佛滅度後現前无佛所以
者何佛滅度後如是等經受持讀誦解義者
是人難得若遇餘佛於此法中便得決了舍
利弗汝等當一心信解受持佛語諸佛如來
言无虛妄无有餘乘唯一佛乘尒時世尊欲
重宣此義而說偈言
比丘比丘尼　有懷增上慢　優婆塞我慢　優婆夷不信
如是四眾等　其數有五千　不自見其過　於戒有缺漏
護惜其瑕疵　是小智已出　眾中之糟糠　佛威德故去
斯人尠福德　不堪受是法　此眾无枝葉　唯有諸貞實
舍利弗善聽　諸佛所得法　无量方便力　而為眾生說
眾生心所念　種種所行道　若干諸欲性　先世善惡業
佛悉知是已　以諸緣譬喻　言辭方便力　令一切歡喜
或說修多羅　伽陀及本事　本生未曾有　亦說於因緣
譬喻并祇夜　優婆提舍經　鈍根樂小法　貪著於生死

BD00955號　妙法蓮華經卷一　（19–13）

佛悉知是已　以諸緣譬喻　言辭方便力　令一切歡喜
或說修多羅　伽陀及本事　本生未曾有　亦說於因緣
譬喻并祇夜　優婆提舍經　鈍根樂小法　貪著於生死
於諸无量佛　不行深妙道　衆苦所惱亂　為是說涅槃
我設是方便　令得入佛慧　未曾說汝等　當得成佛道
所以未曾說　說時未至故　今正是其時　決定說大乘
我此九部法　隨順衆生說　入大乘為本　以故說是經
有佛子心淨　柔軟亦利根　无量諸佛所　而行深妙道
為此諸佛子　說是大乘經　我記如是人　來世成佛道
以深心念佛　脩持淨戒故　此等聞得佛　大喜充遍身
佛知彼心行　故為說大乘　聲聞若菩薩　聞我所說法
乃至於一偈　皆成佛无疑　十方佛土中　唯有一乘法
无二亦无三　除佛方便說　但以假名字　引導於衆生
說佛智慧故　諸佛出於世　唯此一事實　餘二則非真
終不以小乘　濟度於衆生　佛自住大乘　如其所得法
定慧力莊嚴　以此度衆生　自證无上道　大乘平等法
若以小乘化　乃至於一人　我則墮慳貪　此事為不可
若人信歸佛　如來不欺誑　亦无貪嫉意　斷諸法中惡
故佛於十方　而獨无所畏　我以相嚴身　光明照世間
无量衆所尊　為說實相印　舍利弗當知　我本立誓願
欲令一切衆　如我等无異　如我昔所願　今者已滿足
化一切衆生　皆令入佛道　若我遇衆生　盡教以佛道
无智者錯亂　迷惑不受教　我知此衆生　未曾脩善本
堅著於五欲　癡愛故生惱　以諸欲因緣　墜墮三惡道
輪迴六趣中　備受諸苦毒　受胎之微形　世世常增長

BD00955號　妙法蓮華經卷一　（19–14）

堅著於五欲　癡愛故生惱　以諸欲因緣　墜墮三惡道
輪迴六趣中　備受諸苦毒　受胎之微形　世世常增長
薄德少福人　衆苦所逼迫　入邪見稠林　若有若无等
依止此諸見　具足六十二　深著虛妄法　堅受不可捨
我慢自矜高　諂曲心不實　於千万億劫　不聞佛名字
亦不聞正法　如是人難度　是故舍利弗　我為設方便
說諸盡苦道　示之以涅槃　我雖說涅槃　是亦非真滅
諸法從本來　常自寂滅相　佛子行道已　來世得作佛
我有方便力　開示三乘法　一切諸世尊　皆說一乘道
今此諸大衆　皆應除疑惑　諸佛語无異　唯一无二乘
過去无數劫　无量滅度佛　百千万億種　其數不可量
如是諸世尊　種種緣譬喻　无數方便力　演說諸法相
是諸世尊等　皆說一乘法　化无量衆生　令入於佛道
又諸大聖主　知一切世間　天人群生類　深心之所欲
更以異方便　助顯第一義　若有衆生類　值諸過去佛
若聞法布施　或持戒忍辱　精進禪智等　種種脩福德
如是諸人等　皆已成佛道　諸佛滅度已　若人善軟心
如是諸衆生　皆已成佛道　諸佛滅度已　供養舍利者
起万億種塔　金銀及頗梨　車𤦲與馬瑙　玫瑰琉璃珠
清淨廣嚴飾　莊挍於諸塔　或有起石廟　栴檀及沉水
木櫁并餘材　塼瓦泥土等　若於曠野中　積土成佛廟
乃至童子戲　聚沙為佛塔　如是諸人等　皆已成佛道
若人為佛故　建立諸形像　刻彫成衆相　皆已成佛道
或以七寶成　鍮石赤白銅　白鑞及鈆錫　鐵木及與泥
或以膠漆布　嚴飾作佛像　如是諸人等　皆已成佛道

BD00955號　妙法蓮華經卷一　（19–15）

乃至童子戲 聚沙爲佛塔 如是諸人等 皆已成佛道
若人爲佛故 建立諸形像 刻雕成衆相 皆已成佛道
或以七寶成 鍮石赤白銅 白鑞及鉛錫 鐵木及與泥
或以膠漆布 嚴飾作佛像 如是諸人等 皆已成佛道
綵畫作佛像 百福莊嚴相 自作若使人 皆已成佛道
乃至童子戲 若草木及筆 或以指爪甲 而畫作佛像
如是諸人等 漸漸積功德 具足大悲心 皆已成佛道
但化諸菩薩 度脫無量衆 若人於塔廟 寶像及畫像
以華香幡蓋 敬心而供養 若使人作樂 擊鼓吹角貝
簫笛琴箜篌 琵琶鐃銅鈸 如是衆妙音 盡持以供養
或以歡喜心 歌唄頌佛德 乃至一小音 皆以成佛道
若人散亂心 乃至以一華 供養於畫像 漸見無數佛
或有人禮拜 或復但合掌 乃至舉一手 或復小低頭
以此供養像 漸見無量佛 自成無上道 廣度無數衆
入無餘涅槃 如薪盡火滅 若人散亂心 入於塔廟中
一稱南無佛 皆已成佛道 於諸過去佛 在世或滅度
若有聞是法 皆已成佛道 未來諸世尊 其數無有量
是諸如來等 亦方便說法 一切諸如來 以無量方便
度脫諸衆生 入佛無漏智 若有聞法者 無一不成佛
諸佛本誓願 我所行佛道 普欲令衆生 亦同得此道
未來世諸佛 雖說百千億 無數諸法門 其實爲一乘
諸佛兩足尊 知法常無性 佛種從緣起 是故說一乘
是法住法位 世間相常住 於道場知已 導師方便說
天人所供養 現在十方佛 其數如恒沙 出現於世間
安隱衆生故 亦說如是法 知第一寂滅 以方便力故
雖示種種道 其實爲佛乘 知衆生諸行 深心之所念
過去所習業 欲性精進力 及諸根利鈍 以種種因緣

BD00955 號　妙法蓮華經卷一　（19–16）

天人所供養 現在十方佛 其數如恒沙 出現於世間
安隱衆生故 亦說如是法 知第一寂滅 以方便力故
雖示種種道 其實爲佛乘 知衆生諸行 深心之所念
過去所習業 欲性精進力 及諸根利鈍 以種種因緣
譬喻亦言辭 隨應方便說 今我亦如是 安隱衆生故
以種種法門 宣示於佛道 我以智慧力 知衆生性欲
方便說諸法 皆令得歡喜 舍利弗當知 我以佛眼觀
見六道衆生 貧窮無福慧 入生死險道 相續苦不斷
深著於五欲 如犛牛愛尾 以貪愛自蔽 盲瞑無所見
不求大勢佛 及與斷苦法 深入諸邪見 以苦欲捨苦
爲是衆生故 而起大悲心 我始坐道場 觀樹亦經行
於三七日中 思惟如是事 我所得智慧 微妙最第一
衆生諸根鈍 著樂癡所盲 如斯之等類 云何而可度
爾時諸梵王 及諸天帝釋 護世四天王 及大自在天
并餘諸天衆 眷屬百千萬 恭敬合掌禮 請我轉法輪
我即自思惟 若但讚佛乘 衆生沒在苦 不能信是法
破法不信故 墜於三惡道 我寧不說法 疾入於涅槃
尋念過去佛 所行方便力 我今所得道 亦應說三乘
作是思惟時 十方佛皆現 梵音慰喻我 善哉釋迦文
第一之導師 得是無上法 隨諸一切佛 而用方便力
我等亦皆得 最妙第一法 爲諸衆生類 分別說三乘
少智樂小法 不自信作佛 是故以方便 分別說三乘
雖復說三乘 但爲教菩薩 舍利弗當知 我聞聖師子
深淨微妙音 稱南無諸佛 復作如是念 我出濁惡世
如諸佛所說 我亦隨順行 思惟是事已 即趣波羅奈
諸法寂滅相 不可以言宣 以方便力故 爲五比丘說

BD00955 號　妙法蓮華經卷一　（19–17）

我等亦皆得　最妙第一法　為諸衆生類　分別說三乘
少智樂小法　不自信作佛　是故以方便　分別說三果
雖復說三乘　但為教菩薩　舍利弗當知　我聞聖師子
深淨微妙音　稱南无諸佛　復作如是念　我出濁惡世
如諸佛所說　我亦隨順行　思惟是事已　即趣波羅柰
諸法寂滅相　不可以言宣　以方便力故　為五比丘說
是名轉法輪　便有涅槃音　及以阿羅漢　法僧差別名
從久遠劫來　讚是涅槃法　生死苦永盡　我常如是說
舍利弗當知　我見佛子等　志求佛道者　无量千万億
咸以恭敬心　皆來至佛所　曾從諸佛聞　方便所說法
我即作是念　如來出於世　為說佛慧故　今正是其時
舍利弗當知　鈍根小智人　著相憍慢者　不能信是法
今我喜无畏　於諸菩薩中　正直捨方便　但說无上道
菩薩聞是法　疑網皆已除　千二百羅漢　悉亦當作佛
如三世諸佛　說法之儀式　我今亦如是　說无分別法
諸佛興出世　懸遠值遇難　正使出于世　說是法復難
无量无數劫　聞是法亦難　能聽是法者　斯人亦復難
譬如優曇華　一切皆愛樂　天人所希有　時時乃一出
聞法歡喜讚　乃至發一言　則為已供養　一切三世佛
是人甚希有　過於優曇華　汝等勿有疑　我為諸法王
普告諸大衆　但以一乘道　教化諸菩薩　无聲聞弟子
汝等舍利弗　聲聞及菩薩　當知是妙法　諸佛之祕要
以五濁惡世　但樂著諸欲　如是等衆生　終不求佛道
當來世惡人　聞佛說一乘　迷惑不信受　破法墮惡道
有慚愧清淨　志求佛道者　當為如是等　廣讚一乘道
舍利弗當知　諸佛法如是　以万億方便　隨宜而說法

BD00955號　妙法蓮華經卷一　（19–18）

舍利弗當知　鈍根小智人　著相憍慢者　不能信是法
今我喜无畏　於諸菩薩中　正直捨方便　但說无上道
菩薩聞是法　疑網皆已除　千二百羅漢　悉亦當作佛
如三世諸佛　說法之儀式　我今亦如是　說无分別法
諸佛興出世　懸遠值遇難　正使出于世　說是法復難
无量无數劫　聞是法亦難　能聽是法者　斯人亦復難
譬如優曇華　一切皆愛樂　天人所希有　時時乃一出
聞法歡喜讚　乃至發一言　則為已供養　一切三世佛
是人甚希有　過於優曇華　汝等勿有疑　我為諸法王
普告諸大衆　但以一乘道　教化諸菩薩　无聲聞弟子
汝等舍利弗　聲聞及菩薩　當知是妙法　諸佛之祕要
以五濁惡世　但樂著諸欲　如是等衆生　終不求佛道
當來世惡人　聞佛說一乘　迷惑不信受　破法墮惡道
有慚愧清淨　志求佛道者　當為如是等　廣讚一乘道
舍利弗當知　諸佛法如是　以万億方便　隨宜而說法
其不習學者　不能曉了此　汝等既已知　諸佛世之師
隨宜方便事　无復諸疑惑　心生大歡喜　自知當作佛

妙法蓮華經卷第一

BD00955號　妙法蓮華經卷一　（19–19）

天兜率天化樂天他化自在天梵衆天乃至
阿迦尼吒天光不蔽須菩提菩薩摩訶薩行
般若波羅蜜時菩薩句義无所有亦如是何
以故是阿耨多羅三藐三菩提菩薩薩句
義是一切法皆不合不散无色无形无對一
相所謂无相如是須菩提菩薩摩訶薩一切
法无閡相中應當學亦應當知須菩提白佛
言世尊何等是一切法云何一切法中无閡
相應學應知佛告須菩提一切法者善法
不善法記法无記法世間法出世間法有漏
法无漏法有為法无為法共法不共法須菩
提是名為一切法菩薩摩訶薩是一切法无
閡相中應學應知

摩訶般若波羅蜜經无生品第廿五

文佛道我亦不欲令菩薩作難行為衆生受
種種苦菩薩亦不以難行心行道何以故舍
利弗生難心苦心不能利益无量阿僧祇衆
生舍利弗令菩薩憐愍衆生於衆生如父母兄
弟想如兒子及己身想如是能利益无量阿
僧祇衆生用无所得故所以者何菩薩摩訶薩

種種苦菩薩亦不以難行心行道何以故舍
利弗生難心苦心不能利益无量阿僧祇衆
生舍利弗令菩薩憐愍衆生於衆生如父母兄
弟想如兒子及己身想如是能利益无量阿
僧祇衆生用无所得故所以者何菩薩摩訶薩
應生如是心如我一切處一切種不可得內
外法亦如是若生如是想則无難心苦心何
以故是菩薩於一切種一切處一切法不受
故舍利弗我亦不欲令无生中佛得阿耨多
羅三藐三菩提亦不欲令无生中轉法輪亦
不欲令以无生法得道舍利弗語須菩提今
欲令以生法得道以无生法得道須菩提語
舍利弗我不欲令以生法得道舍利弗言今
須菩提欲令以无生法得道須菩提言我亦
不欲令以无生法得道舍利弗言如須菩提
所說无知无得須菩提言有知有得不以二
法令以世間名字故有知有得世間名字故
有須陁洹乃至阿羅漢辟支佛諸佛第一實
義中无知无得无須陁洹乃至无佛須菩提
若世間名字故有知有得六道別異亦世間
名字故有非以第一實義耶須菩提言如是
如是舍利弗如世間名字故有知有得六道
別異亦世間名字故有非以第一實義何以
故舍利弗第一實義中无業无報无生无滅
无淨无垢舍利弗語須菩提不生法生生法生
須菩提言我不欲令不生法生亦不欲令生
法生舍利弗言何等不生法不欲令生須菩

別異亦世間名字故有非以第一實義何以
故舍利弗第一實義中无業无報无生无滅
无淨无垢舍利弗語須菩提不生法生生法生
須菩提言我不欲令不生法生亦不欲令生
法生舍利弗言何等不生法不欲令生須菩
提言色是不生法自性空不欲令生受想行
識不生法自性空不欲令生乃至阿耨多羅
三藐三菩提不生法自性空不欲令生舍利弗
語須菩提生生不生生須菩提言非生生亦
非不生生何以故舍利弗生不生是二法不
合不散无色无形无對一相所謂无相舍利
弗以是因緣故非生生亦非不生生尒時舍
利弗語須菩提樂說无生法及无生
相須菩提語舍利弗我樂說无生法亦樂說
无生相何以故諸无生法无生相樂說及語
言是一切法皆不合不散无色无形无對一相
所謂无相舍利弗語須菩提汝樂說不生法亦
樂說不生相是樂說語言亦不生須菩提言
如是如是舍利弗何以故舍利弗色不生受
想行識不生眼不生乃至意不生地種不生
乃至識種不生身行不生口行不生意行不
生檀波羅蜜不生乃至一切種智不生以是因
緣故舍利弗我樂說不生法亦樂說不生相
是樂說語言亦不生尒時舍利弗語須菩提
須菩提於說法人中應最在上何以故須菩提
隨所問皆能答須菩提言諸法无所依故舍利
弗語須菩提云何諸法无所依須菩提言色

緣故舍利弗我樂說不生法亦樂說不生相
是樂說語言亦不生尒時舍利弗語須菩提
須菩提於說法人中應最在上何以故須菩提
隨所問皆能答須菩提言諸法无所依故舍利
弗語須菩提云何諸法无所依須菩提言色
性常空不依內不依外不依兩中間受想行
識性常空不依內不依外不依兩中間眼耳
鼻舌身意性常空不依內不依外不依兩中
間色性常空乃至法性常空不依內不依外
不依兩中間檀波羅蜜性常空乃至般若波
羅蜜性常空不依內不外不依兩中間內
空性常空乃至无法有法空性常空不依內
不依外不依兩中間舍利弗四念處性常空
乃至一切種智性常空不依內不依外不依
兩中間以是因緣故舍利弗一切諸法无所
依性常空故
摩訶般若波羅蜜雖面各千佛品第廿二
須菩提白佛言是般若波羅蜜无所作佛言
作者不可得故色不可得乃至一切法不可
得故世尊若菩薩摩訶薩欲行般若波羅
蜜云何行佛告須菩提菩薩摩訶薩欲行般
若波羅蜜不行色是行般若波羅蜜不行受
想行識是行般若波羅蜜乃至不行一切智
是行般若波羅蜜不行色常无常是行般若
波羅蜜乃至一切種智不行常无常是行般
若波羅蜜不行色若苦若樂是行般若波羅
蜜乃至不行一切種智若苦若樂是行般若

是行般若波羅蜜不行色常无常是行般若
波羅蜜乃至一切種智不行常无常是行般
若波羅蜜不行色若苦若樂是行般若波羅
蜜乃至不行一切種智若苦若樂是行般若
波羅蜜不行色是我非我是行般若波羅蜜
乃至不行一切種智是我非我是行般若波
羅蜜不行色淨不淨是行般若波羅蜜乃至
不行一切種智淨不淨是行般若波羅蜜何
以故是色无所有性云何有常无常苦樂我
无我淨不淨受想行識亦无所有性云何有
常无常乃至淨不淨乃至一切種智无所有
性云何有常无常乃至淨不淨復次須菩提
菩薩摩訶薩行般若波羅蜜時不行色不具
足是行般若波羅蜜不行受想行識不具足
是行般若波羅蜜乃至不行一切種智不具
足是行般若波羅蜜何以故色不具足者是
不名色如是亦不行是行般若波羅蜜受想
行識不具足者是不名識如是亦不行是行
般若波羅蜜乃至不行一切種智不具足者
是不名一切種智如是亦不行是行般若波
羅蜜須菩提白佛言未曾有也世尊善說求
菩薩道善男子善女人閡不閡相佛言如是
如是須菩提佛善說求菩薩道善男子善女
人閡不閡相復次須菩提若菩薩摩訶薩行
般若波羅蜜時不行色不閡是行般若波羅
蜜不行受想行識不閡是行般若波羅蜜不
行眼不閡是行般若波羅蜜不行耳鼻舌身

BD00956 號　摩訶般若波羅蜜經鈔（擬）　（9–5）

人閡不閡相復次須菩提若菩薩摩訶薩行
般若波羅蜜時不行色不閡是行般若波羅
蜜不行受想行識不閡是行般若波羅蜜不
行眼不閡是行般若波羅蜜不行耳鼻舌身
不閡是行般若波羅蜜不行意不閡是行般
若波羅蜜不行檀波羅蜜不閡是行般若波
羅蜜不行尸羅波羅蜜不閡是行般若波羅
蜜不行羼提波羅蜜不閡是行般若波羅蜜
不行毗梨耶波羅蜜不閡是行般若波羅蜜
不行禪波羅蜜不閡是行般若波羅蜜不行
般若波羅蜜不閡是行般若波羅蜜乃至不
一切種智不閡是行般若波羅蜜須菩提菩
薩摩訶薩如是行般若波羅蜜時知色是不
閡知受想行識是不閡乃至知一切種智是
不閡知須陀洹果不閡知斯陀含果不閡知
阿那含果不閡知阿羅漢果不閡知辟支佛
道不閡知阿耨多羅三藐三菩提道不閡亦
時慧命須菩提白佛言未曾有也世尊是甚
深法若說亦不增不減若不說亦不增不減
佛語須菩提如是如是是甚深法若說亦不
增不減若不說亦不增不減譬如佛盡形壽
若讚虛空時亦不增不減毀時亦不增不減
須菩提若幻人若讚時不增不減毀時亦不
增不減讚時不喜毀時不憂須菩提諸法法
相亦如是若說亦如本不異若不說亦如本
不異須菩提白佛言世尊諸菩薩摩訶薩所
為甚難脩行是般若波羅蜜時不憂不喜而
能習般若波羅蜜於阿耨多羅三藐三菩提

BD00956 號　摩訶般若波羅蜜經鈔（擬）　（9–6）

相亦如是若說亦如本不異若不說亦如本
不異須菩提白佛言世尊諸菩薩摩訶薩所
為甚難脩行是般若波羅蜜時不憂不喜而
能習般若波羅蜜於阿耨多羅三藐三菩提
亦不轉還何以故世尊脩般若波羅蜜如脩
虛空如虛空中无般若波羅蜜无禪那无毗
梨耶无羼提无尸羅无檀那波羅蜜如虛空
中无色无受想行識亦无內空外空內外空
乃至无法有法空中无四念處乃至无八聖
道分无佛十力乃至无十八不共法无須陀
洹果斯陀含果阿那含果阿羅漢果无辟支
佛道无阿耨多羅三藐三菩提脩般若波羅
蜜亦如是世尊應礼是諸菩薩摩訶薩能大
擔莊嚴

摩訶般若波羅蜜示世間相品第卅八

佛告須菩提譬如母人有子若五若十若廿
若卅若卌若五十若百若千母中得病諸子
各各懃求救療作是念我等云何令母得安
无諸患若不樂之事風寒冷熱蚊虻虵蚖
犯母身是我等憂其諸子等常求樂具供養
其母所以者何生育我等示我世間如是須
菩提佛常以佛眼視是深般若波羅蜜何以
故是深般若波羅蜜能示世間相十方現在
諸佛亦以佛眼常視是深般若波羅蜜何以
故是深般若波羅蜜能生諸佛能與諸佛一
切智能示世間相以是故諸佛常以佛眼視
是深般若波羅蜜又以般若波羅蜜能生禪

BD00956 號　摩訶般若波羅蜜經鈔（擬）　（9-7）

故是深般若波羅蜜能示世間相十方現在
諸佛亦以佛眼常視是深般若波羅蜜何以
故是深般若波羅蜜能生諸佛能與諸佛一
切智能示世間相以是故諸佛常以佛眼視
是深般若波羅蜜又以般若波羅蜜能生禪
波羅蜜乃至檀波羅蜜能生內空乃至无法
有法空能生四念處乃至八聖道分能生佛
十力乃至一切種智如是般若波羅蜜能生
須陀洹斯陀含阿那含阿羅漢辟支佛諸佛　須菩
提所有諸佛已得阿耨多羅三藐三菩提今
得當得皆因深般若波羅蜜因緣故得須菩
提若求佛道善男子善女人書是深般若波
羅蜜乃至正憶念諸佛常以佛眼視是人須
菩提是求菩薩道善男子善女人諸十方佛
常守護令不退阿耨多羅三藐三菩提須菩
提白佛言如世尊所說般若波羅蜜能生諸
佛能示世間相世尊般若波羅蜜云何能生
諸佛云何能示世間相云何諸佛從般若波
羅蜜生云何諸佛說世間相佛告須菩提是
深般若波羅蜜中生佛十力乃至十八不共
法一切種智須菩提得是諸法故名為佛須
菩提以是故深般若波羅蜜能生諸佛須菩
提諸佛說五陰是世間相須菩提言世尊云
何深般若波羅蜜中說示五陰相云何深般
若波羅蜜示五陰須菩提般若波羅蜜不示五
陰破不示五陰壞不示生不示滅不示垢不示
淨不示增不示減不示入不示出不示過去
[illegible]

BD00956 號　摩訶般若波羅蜜經鈔（擬）　（9-8）

提諸佛說五陰是世間相須菩提言世尊云
何深般若波羅蜜中說示五陰相云何深般
若波羅蜜示五陰須菩提般若波羅蜜不示五
陰破不示五陰壞不示生不示滅不示垢不示
淨不示增不示減不示入不示出不示過去
不示未來不示現在何以故空相不破不壞
无相相无作相不破不壞不起法不生法无
所有法性法不破不壞相如是示如是須菩
提佛說深般若波羅蜜能示世間相復次須
菩提諸佛因般若波羅蜜悉知无量无邊阿
僧祇衆生心所行須菩提是深般若波羅蜜
中无衆生无衆生名无色无色名无受想行
識无受想行識名无眼乃至无意无眼識乃
至无意識无眼觸乃至无意觸乃至无一切
智无一切智名如是須菩提是深般若波羅
蜜能示世間相須菩提是深般若波羅蜜不
示色不示受想行識乃至不示一切種智何以
故須菩提是深般若波羅蜜中尚无般若波
羅蜜何況色乃至一切種智復次須菩提所
有衆生數名數若有色若无色若有想若无
想若非有想非无想若此國土若遍十方國土
是諸衆生若攝心若亂心是攝心是亂心佛如
實知須菩提云何佛知衆生攝心亂心相以法

BD00956號　摩訶般若波羅蜜經鈔（擬）　（9-9）

衣長
處若在坊若空閑地若城邑巷
里如其所聞為父母宗親善友
說是諸人等聞已隨喜復行轉教
亦隨喜轉教如是展轉至第五十
第五十善男子善女人隨喜功德我今
汝當善聽若四百万億阿僧祇世界六
衆生卵生胎生濕生化生若有形无
无想非有想非无想无足二足四足
是等在衆生數者有人求福隨其
樂之具皆給與之一一衆生與滿閻
銀琉璃車𤦲馬瑙珊瑚虎珀諸妙
象馬車乘七寶所成宮殿樓閣等是
是布施滿八十年已而作是念我已施衆生
娛樂之具隨意所欲然此衆生皆已衰老年
過八十髮白面皺將死不久我當以佛法而
訓導之即集此衆生宣布法化示教利喜一
時皆得須陀洹道斯陀含道阿那含道阿羅
漢道盡諸有漏於深禪定皆得自在具八解

BD00957號　妙法蓮華經卷六　（27-1）

是布施滿八十年已而作是念我已施衆生
娛樂之具隨意所欲然此衆生皆已衰老年
過八十髮白面皺將死不久我當以佛法而
訓導之即集此衆生宣布法化示教利喜一
時皆得須陁洹道斯陁含道阿那含道阿羅
漢道盡諸有漏於深禪定皆得自在具八解
脫於汝意云何是大施主所得功德寧爲多
不彌勒白佛言世尊是人功德甚多无量无
邊若是施主但施衆生一切樂具功德无量
何況令得阿羅漢果佛告彌勒我今分明語
汝是人以一切樂具施於四百万億阿僧祇
世界六趣衆生又令得阿羅漢果所得功德
不如是第五十人聞法華經一偈隨喜功德
百分千分百千万億分不及其一乃至筭數
譬喻所不能知阿逸多如是第五十人展轉
聞法華經隨喜功德尚无量无邊阿僧祇何
況最初於會中聞而隨喜者其福復勝无量
无邊阿僧祇不可得比又阿逸多若人爲是
經故往詣僧坊若坐若立須臾聽受緣是功
德轉身所生得好上妙象馬車乘珎寶輦轝
及乘天宮若復有人於講法處坐更有人來
勸令坐聽若分座令坐是人功德轉身得帝
釋坐處若梵王坐處若轉輪聖王所坐之處
阿逸多若復有人語餘人言有經名法華可
共往聽即受其教乃至須臾閒聞是人功德
轉身得與陁羅尼菩薩共生一處利根智慧
百千万世終不瘖瘂口氣不臭舌常无病口

阿逸多若復有人語餘人言有經名法華可
共往聽即受其教乃至須臾閒聞是人功德
轉身得與陁羅尼菩薩共生一處利根智慧
百千万世終不瘖瘂口氣不臭舌常无病口
亦无病齒不垢黑不黃不踈亦不缺落不差
不曲脣不下垂亦不褰縮不麁澁不瘡緊亦
不缺壞亦不喎斜不厚不大亦不黧黑无諸
可惡鼻不匾㔸亦不曲戾面色不黑亦不狹
長亦不窪曲无有一切不可憙相脣舌牙齒
悉皆嚴好鼻脩高直面貌圓滿眉高而長額
廣平正人相具足世世所生見佛聞法信受
教誨阿逸多汝且觀是勸於一人令往聽法
功德如此何況一心聽說讀誦而於大衆爲
人分別如說脩行尒時世尊欲重宣此義而
說偈言

若人於法會　得聞是經典　乃至於一偈　隨喜爲他說
如是展轉教　至于第五十　最後人獲福　今當分別之
如有大施主　供給无量衆　具滿八十歲　隨意之所欲
見彼衰老相　髮白而面皺　齒踈形枯竭　念其死不久
我今應當教　令得於道果　即爲方便說　涅槃真實法
世皆不牢固　如水沫泡焰　汝等咸應當　疾生猒離心
諸人聞是法　皆得阿羅漢　具足六神通　三明八解脫
最後第五十　聞一偈隨喜　是人福勝彼　不可爲譬喻
如是展轉聞　其福尚无量　何況於法會　初聞隨喜者
若有勸一人　將引聽法華　言此經深妙　千万劫難遇
即受教往聽　乃至須臾聞　斯人之福報　今當分別說
世世无口患　齒不踈黃黑　脣不厚褰缺　无有可惡相
舌不乾黑短　鼻高脩且直　額廣而平正　面目悉端嚴

若有勸一人　將引聽法華　言此經深妙　千万劫難遇
即受教往聽　乃至須臾聞　斯人之福報　今當分別說
世世无口患　齒不踈黃黑　脣不厚褰缺　无有可惡相
舌不乾黑短　鼻高脩且直　額廣而平正　面目悉端嚴
為人所憙見　口氣无臭穢　優鉢華之香　常從其口出
若故詣僧坊　欲聽法華經　須臾聞歡喜　今當說其福
後生天人中　得妙象馬車　珎寶之輦轝　及乘天宮殿
若於講法處　勸人坐聽經　是福因緣得　釋梵轉輪座
何況一心聽　解說其義趣　如說而脩行　其福不可限

妙法蓮華經法師功德品第十九

尒時佛告常精進菩薩摩訶薩若善男子善
女人受持是法華經若讀若誦若解說若書
寫是人當得八百眼功德千二百耳功德八
百鼻功德千二百舌功德八百身功德千二
百意功德以是功德莊嚴六根皆令清淨是
善男子善女人父母所生清淨肉眼見於三
千大千世界內外所有山林河海下至阿鼻
地獄上至有頂亦見其中一切衆生及業因
緣果報生處悉見悉知尒時世尊欲重宣此
義而說偈言
若於大衆中　以无所畏心　說是法華經　汝聽其功德
是人得八百　功德殊勝眼　以是莊嚴故　其目甚清淨
父母所生眼　悉見三千界　內外弥樓山　須弥及鐵圍
并諸餘山林　大海江河水　下至阿鼻獄　上至有頂處
其中諸衆生　一切皆悉見　雖未得天眼　肉眼力如是
復次常精進若善男子善女人受持此經若
讀若誦若解說若書寫得千二百耳功德以

BD00957 號　妙法蓮華經卷六　（27–4）

并諸餘山林　大海江河水　下至阿鼻獄　上至有頂處
其中諸衆生　一切皆悉見　雖未得天眼　肉眼力如是
復次常精進若善男子善女人受持此經若
讀若誦若解說若書寫得千二百耳功德以
是清淨耳聞三千大千世界下至阿鼻地獄
上至有頂其中內外種種語言音聲象聲馬
聲牛聲車聲啼哭聲愁歎聲螺聲鼓聲鍾聲
鈴聲咲聲語聲男聲女聲童子聲童女聲法
聲非法聲苦聲樂聲凡夫聲聖人聲喜聲不
喜聲天聲龍聲夜叉聲乾闥婆聲阿脩羅聲
迦樓羅聲緊那羅聲摩睺羅伽聲火聲水聲
風聲地獄聲畜生聲餓鬼聲比丘聲比丘尼
聲聲聞聲辟支佛聲菩薩聲佛聲以要言之
三千大千世界中一切內外所有諸聲雖未
得天耳以父母所生清淨常耳皆悉聞知如
是分別種種音聲而不壞耳根尒時世尊欲
重宣此義而說偈言
父母所生耳　清淨无濁穢　以此常耳聞　三千世界聲
象馬車牛聲　鍾鈴螺鼓聲　琴瑟箜篌聲　簫笛之音聲
清淨好歌聲　聽之而不著　无數種人聲　聞悉能解了
又聞諸天聲　微妙之歌音　及聞男女聲　童男童女聲
山川嶮谷中　迦陵頻伽聲　命命等諸鳥　悉聞其音聲
地獄衆苦痛　種種楚毒聲　餓鬼飢渴逼　求索飲食聲
諸阿脩羅等　居在大海邊　自共語言時　出于大音聲
如是說法者　安住於此間　遙聞是衆聲　而不壞耳根
十方世界中　禽獸鳴相呼　其說法之人　於此悉聞之
其諸梵天上　光音及遍淨　乃至有頂天　言語之音聲

BD00957 號　妙法蓮華經卷六　（27–5）

地獄衆苦痛　種種楚毒聲　餓鬼飢渴逼　求索飲食聲
諸阿脩羅等　居在大海邊　自共語言時　出于大音聲
如是說法者　安住於此間　遥聞是衆聲　而不壞耳根
十方世界中　禽獸鳴相呼　其說法之人　於此悉聞之
其諸梵天上　光音及遍淨　乃至有頂天　言語之音聲
法師住於此　悉皆得聞之　一切比丘衆　及諸比丘尼
若讀誦經典　若為他人說　法師住於此　悉皆得聞之
復有諸菩薩　讀誦於經法　若為他人說　撰集解其義
如是諸音聲　悉皆得聞之　諸佛大聖尊　教化衆生者
於諸大衆中　演說微妙法　持此法華者　悉皆得聞之
三千大千界　內外諸音聲　下至阿鼻獄　上至有頂天
皆聞其音聲　而不壞耳根　其耳聰利故　悉能分別知
持是法華者　雖未得天耳　但用所生耳　功德已如是
復次常精進若善男子善女人受持是經若
讀若誦若解說若書寫成就八百鼻功德以
是清淨鼻根聞於三千大千世界上下內外
種種諸香須曼那華香闍提華香末利華香
瞻蔔華香波羅羅華香赤蓮華香青蓮華香
白蓮華香華樹香菓樹香栴檀香沉水香多
摩羅跋香多伽羅香及千万種和香若末若
丸若塗香持是經者於此間住悉能分別又
復別知衆生之香象香馬香牛羊等香男香
女香童子香童女香及草木叢林香若近若
遠所有諸香悉皆得聞分別不錯持是經者
雖住於此亦聞天上諸天之香波利質多羅
拘鞞陁羅樹香及曼陁羅華香摩訶曼陁羅
華香曼殊沙華香摩訶曼殊沙華香栴檀沉

BD00957號　妙法蓮華經卷六　（27–6）

遠所有諸香悉皆得聞分別不錯持是經者
雖住於此亦聞天上諸天之香波利質多羅
拘鞞陁羅樹香及曼陁羅華香摩訶曼陁羅
華香曼殊沙華香摩訶曼殊沙華香栴檀沉
水種種末香諸雜華香如是等天香和合所
出之香无不聞知又聞諸天身香釋提桓因
在勝殿上五欲娛樂嬉戲時香若在妙法堂
上為忉利諸天說法時香若於諸園遊戲時
香及餘天等男女身香皆悉遥聞如是展轉
乃至梵世上至有頂諸天身香亦皆聞之并聞
諸天所燒之香及聲聞香辟支佛香菩薩
香諸佛身香亦皆遥聞知其所在雖聞此香
然於鼻根不壞不錯若欲分別為他人說憶
念不謬尒時世尊欲重宣此義而說偈言
是人鼻清淨　於此世界中　若香若臭物　種種悉聞知
須曼那闍提　多摩羅栴檀　沉水及桂香　種種華菓香
及知衆生香　男子女人香　說法者遠住　聞香知所在
大勢轉輪王　小轉輪及子　群臣諸宮人　聞香知所在
身所著珎寶　及地中寶藏　轉輪王寶女　聞香知所在
諸人嚴身具　衣服及瓔珞　種種所塗香　聞則知其身
諸天若行坐　遊戲及神變　持是法華者　聞香悉能知
諸樹華菓實　及蘇油香氣　持經者住此　悉知其所在
諸山深嶮處　栴檀樹華敷　衆生在中者　聞香皆能知
鐵圍山大海　地中諸衆生　持經者聞香　悉知其所在
阿脩羅男女　及其諸眷屬　鬪諍遊戲時　聞香皆能知
曠野險隘處　師子象虎狼　野牛水牛等　聞香知所在
若有懷妊者　未辯其男女　无根及非人　聞香悉能知

BD00957號　妙法蓮華經卷六　（27–7）

諸藂險處 栴檀樹華敷 衆生在中者 聞香皆能知
鐵圍山大海 地中諸衆生 持經者聞香 悉知其所在
阿脩羅男女 及其諸眷屬 鬪諍遊戲時 聞香皆能知
曠野險隘處 師子象虎狼 野牛水牛等 聞香知所在
若有懷妊者 未辯其男女 无根及非人 聞香悉能知
以聞香力故 知其初懷妊 成就不成就 安樂產福子
以聞香力故 知男女所念 染欲癡恚心 亦知脩善者
地中衆伏藏 金銀諸珎寶 銅器之所盛 聞香悉能知
種種諸瓔珞 无能識其價 聞香知貴賤 出處及所在
天上諸華等 曼陀曼殊沙 波利質多樹 聞香悉能知
天上諸宮殿 上中下差別 衆寶華莊嚴 聞香悉能知
天園林勝殿 諸觀妙法堂 在中而娛樂 聞香悉能知
諸天若聽法 或受五欲時 來往行坐臥 聞香悉能知
天女所著衣 好華香莊嚴 周旋遊戲時 聞香悉能知
如是展轉上 乃至於梵世 入禪出禪者 聞香悉能知
光音遍淨天 乃至于有頂 初生及退沒 聞香悉能知
諸比丘衆等 於法常精進 若坐若經行 及讀誦經法
或在林樹下 專精而坐禪 持經者聞香 悉知其所在
菩薩志堅固 坐禪若讀誦 或為人說法 聞香悉能知
在在方世尊 一切所恭敬 愍衆而說法 聞香悉能知
衆生在佛前 聞經皆歡喜 如法而脩行 聞香悉能知
雖未得菩薩 无漏法生鼻 而是持經者 先得此鼻相
復次常精進 若善男子善女人受持是經 若
讀若誦若解說若書寫 得千二百舌功德 若
好若醜 若美不美 及諸苦澁物 在其舌根 皆
變成上味 如天甘露 无不美者 若以舌根於
大衆中有所演說 出深妙聲 能入其心 皆令

讀若誦若解說若書寫 得千二百舌功德 若
好若醜 若美不美 及諸苦澁物 在其舌根 皆
變成上味 如天甘露 无不美者 若以舌根於
大衆中有所演說 出深妙聲 能入其心 皆令
歡喜快樂 又諸天子天女 釋梵諸天 聞是深
妙音聲 有所演說言論次第 皆悉來聽 及諸
龍龍女 夜叉夜叉女 乾闥婆乾闥婆女 阿脩
羅阿脩羅女 迦樓羅迦樓羅女 緊那羅緊那
羅女 摩睺羅伽摩睺羅伽女 為聽法故 皆來
親近恭敬供養 及比丘比丘尼優婆塞優婆
夷國王王子群臣眷屬 小轉輪王大轉輪王
七寶千子內外眷屬 乘其宮殿 俱來聽法 以
是菩薩善說法故 婆羅門居士國內人民 盡
其形壽 隨侍供養 又諸聲聞辟支佛菩薩諸
佛 常樂見之 是人所在方面 諸佛皆向其處
說法 悉能受持一切佛法 又能出於深妙法
音 尒時世尊欲重宣此義而說偈言
是人舌根淨 終不受惡味 其有所食噉 悉皆成甘露
以深淨妙音 於大衆說法 以諸因緣喻 引導衆生心
聞者皆歡喜 設諸上供養 諸天龍夜叉 及阿脩羅等
皆以恭敬心 而共來聽法 是說法之人 若欲以妙音
遍滿三千界 隨意即能至 大小轉輪王 及千子眷屬
合掌恭敬心 常來聽受法 諸天龍夜叉 羅剎毗舍闍
亦以歡喜心 常樂來供養 梵天王魔王 自在大自在
如是諸天衆 常來至其所 諸佛及弟子 聞其說法音
常念而守護 或時為現身
復次常精進 若善男子善女人受持是經 若

亦以歡喜心　常樂來供養　梵天王魔王　自在大自在
如是諸天衆　常來至其所　諸佛及弟子　聞其說法音
常念而守護　或時為現身
復次常精進若善男子善女人受持是經若
讀若誦若解說若書寫得八百身功德得清
淨身如淨琉璃衆生憙見其身淨故三千大
千世界衆生生時死時上下好醜生善處惡
處悉於中現及鐵圍山大鐵圍山弥樓山摩
訶弥樓山等諸山及其中衆生悉於中現下
至阿鼻地獄上至有頂所有及衆生悉於中
現若聲聞辟支佛菩薩諸佛說法皆於身中
現其色像尒時世尊欲重宣此義而說偈言
若持法華者　其身甚清淨　如彼淨琉璃　衆生皆憙見
又如淨明鏡　悉見諸色像　菩薩於淨身　皆見世所有
唯獨自明了　餘人所不見　三千世界中　一切諸羣萌
天人阿脩羅　地獄鬼畜生　如是諸色像　皆於身中現
諸天等宮殿　乃至於有頂　鐵圍及弥樓　摩訶弥樓山
諸大海水等　皆於身中現　諸佛及聲聞　佛子菩薩等
若獨若在衆　說法悉皆現　雖未得无漏　法性之妙身
以清淨常體　一切於中現
復次常精進若善男子善女人如來滅後受
持是經若讀若誦若解說若書寫得千二百
意功德以是清淨意根乃至聞一偈一句通
達无量无邊之義解是義已能演說一句一
偈至於一月四月乃至一歲諸所說法隨其
義趣皆與實相不相違背若說俗閒經書治
世語言資生業等皆順正法三千大千世界

BD00957 號　妙法蓮華經卷六　（27–10）

意功德以是清淨意根乃至聞一偈一句通
達无量无邊之義解是義已能演說一句一
偈至於一月四月乃至一歲諸所說法隨其
義趣皆與實相不相違背若說俗閒經書治
世語言資生業等皆順正法三千大千世界
六趣衆生心之所行心所動作心所戲論皆
悉知之雖未得无漏智慧而其意根清淨如
此是人有所思惟籌量言說皆是佛法无不
真實亦是先佛經中所說尒時世尊欲重宣
此義而說偈言
是人意清淨　明利无穢濁　以此妙意根　知上中下法
乃至聞一偈　通達无量義　次第如法說　月四月至歲
是世界內外　一切諸衆生　若天龍及人　夜叉鬼神等
其在六趣中　所念若干種　持法華之報　一時皆悉知
十方无數佛　百福莊嚴相　為衆生說法　悉聞能受持
思惟无量義　說法亦无量　終始不忘錯　以持法華故
悉知諸法相　隨義識次第　達名字語言　如所知演說
此人有所說　皆是先佛法　以演此法故　於衆无所畏
持法華經者　意根淨若斯　雖未得无漏　先有如是相
是人持此經　安住希有地　為一切衆生　歡喜而愛敬
能以千万種　善巧之語言　分別而說法　持法華經故
妙法蓮華經常不輕菩薩品第二十
尒時佛告得大勢菩薩摩訶薩汝今當知若
比丘比丘尼優婆塞優婆夷持法華經者若
有惡口罵詈誹謗獲大罪報如前所說其所
得功德如向所說眼耳鼻舌身意清淨得大
勢乃往古昔過无量无邊不可思議阿僧祇

BD00957 號　妙法蓮華經卷六　（27–11）

比丘比丘尼優婆塞優婆夷持法華經者若
有惡口罵詈誹謗獲大罪報如前所說其所
得功德如向所說眼耳鼻舌身意清淨得大
勢乃往古昔過无量无邊不可思議阿僧祇
劫有佛名威音王如来應供正遍知明行足
善逝世間解无上士調御丈夫天人師佛世
尊劫名離衰國名大成其威音王佛於彼世
中為天人阿脩羅說法為求聲聞者說應四
諦法度生老病死究竟涅槃為求辟支佛者
說應十二因緣法為諸菩薩因阿耨多羅三
藐三菩提說應六波羅蜜法究竟佛慧得大
勢是威音王佛壽四十万億那由他恒河沙
劫正法住世劫數如一閻浮提微塵像法住
世劫數如四天下微塵其佛饒益衆生已然
後滅度正法像法滅盡之後於此國土復有
佛出亦号威音王如来應供正遍知明行足
善逝世間解无上士調御丈夫天人師佛世
尊如是次第有二万億佛皆同一号最初威
音王如来既已滅度正法滅後於像法中增
上慢比丘有大勢力尒時有一菩薩比丘名
常不輕得大勢以何因緣名常不輕是比丘
凡有所見若比丘比丘尼優婆塞優婆夷皆
悉礼拜讃嘆而作是言我深敬汝等不敢輕
慢所以者何汝等皆行菩薩道當得作佛而
是比丘不專讀誦經典但行礼拜乃至遠見
四衆亦復故往礼拜讃嘆而作是言我不敢
輕於汝等汝等皆當作佛故四衆之中有生

BD00957號　妙法蓮華經卷六　（27–12）

是比丘不專讀誦經典但行礼拜乃至遠見
四衆亦復故往礼拜讃嘆而作是言我不敢
輕於汝等汝等皆當作佛故四衆之中有生
瞋恚心不淨者惡口罵詈言是无智比丘從
何所来自言我不輕汝而與我等受記當得
作佛我等不用如是虛妄受記如此經歷多
年常被罵詈不生瞋恚常作是言汝當作佛
說是語時衆人或以杖木瓦石而打擲之避
走遠住猶高聲唱言我不敢輕於汝等汝等
皆當作佛以其常作是語故增上慢比丘比
丘尼優婆塞優婆夷号之為常不輕是比丘
臨欲終時於虛空中具聞威音王佛先所說
法華經二十千万億偈悉能受持即得如上
眼根清淨耳鼻舌身意根清淨得是六根清
淨已更增壽命二百万億那由他歲廣為人
說是法華經於時增上慢四衆比丘比丘尼
優婆塞優婆夷輕賤是人為作不輕名者見
其得大神通力樂說辯力大善寂力聞其所
說皆信伏隨從是菩薩復化千万億衆令住
阿耨多羅三藐三菩提命終之後得值二千
億佛皆号日月燈明於其法中說是法華經
以是因緣復值二千億佛同号雲自在燈王
於此諸佛法中受持讀誦為諸四衆說此經
典故得是常眼清淨耳鼻舌身意諸根清淨
於四衆中說法心无所畏得大勢是常不輕
菩薩摩訶薩供養如是若干諸佛恭敬尊重
讃歎種諸善根於後復值千万億佛亦於諸

BD00957號　妙法蓮華經卷六　（27–13）

於此諸佛法中受持讀誦為諸四衆說此經
典故得是常眼清淨耳鼻舌身意諸根清淨
於四衆中說法心无所畏得大勢是常不輕
菩薩摩訶薩供養如是若干諸佛恭敬尊重
讚歎種諸善根於後復值千万億佛亦於諸
佛法中說是經典功德成就當得作佛得大
勢於意云何尒時常不輕菩薩豈異人乎則
我身是若我於宿世不受持讀誦此經為他
人說者不能疾得阿耨多羅三藐三菩提我
於先佛所受持讀誦此經為人說故疾得阿
耨多羅三藐三菩提得大勢彼時四衆比丘
比丘尼優婆塞優婆夷以瞋恚意輕賤我故
二百億劫常不值佛不聞法不見僧千劫於
阿鼻地獄受大苦惱畢是罪已復遇常不輕
菩薩教化阿耨多羅三藐三菩提得大勢於
汝意云何尒時四衆常輕是菩薩者豈異人
乎今此會中跋陁婆羅等五百菩薩師子月
等五百比丘尼思佛等五百優婆塞皆於阿
耨多羅三藐三菩提不退轉者是得大勢當
知是法華經大饒益諸菩薩摩訶薩能令至
於阿耨多羅三藐三菩提是故諸菩薩摩訶
薩於如來滅後常應受持讀誦解說書寫是
經尒時世尊欲重宣此義而說偈言
過去有佛　号威音王　神智无量　將導一切
天人龍神　所共供養　是佛滅後　法欲盡時
有一菩薩　名常不輕　時諸四衆　計著於法
不輕菩薩　往到其所　而語之言　我不輕汝

過去有佛　号威音王　神智无量　將導一切
天人龍神　所共供養　是佛滅後　法欲盡時
有一菩薩　名常不輕　時諸四衆　計著於法
不輕菩薩　往到其所　而語之言　我不輕汝
汝等行道　皆當作佛　諸人聞已　輕毀罵詈
不輕菩薩　能忍受之　其罪畢已　臨命終時
得聞此經　六根清淨　神通力故　增益壽命
復為諸人　廣說是經　諸著法衆　皆蒙菩薩
教化成就　令住佛道　不輕命終　值无數佛
說是經故　得无量福　漸具功德　疾成佛道
彼時不輕　則我身是　時四部衆　著法之者
聞不輕言　汝當作佛　以是因緣　值无數佛
此會菩薩　五百之衆　并及四部　清信士女
今於我前　聽法者是　我於前世　勸是諸人
聽受斯經　第一之法　開示教人　令住涅槃
世世受持　如是經典　億億万劫　至不可議
時乃得聞　是法華經　億億万劫　至不可議
諸佛世尊　時說是經　是故行者　於佛滅後
聞如是經　勿生疑惑　應當一心　廣說此經
世世值佛　疾成佛道
妙法蓮華經如來神力品第二十一
尒時千世界微塵等菩薩摩訶薩從地踊出
者皆於佛前一心合掌瞻仰尊顏而白佛言
世尊我等於佛滅後世尊分身所在國土滅
度之處當廣說此經所以者何我等亦自欲
得是真淨大法受持讀誦解說書寫而供養
之尒時世尊於文殊師利等无量百千万億

者皆於佛前一心合掌瞻仰尊顏而白佛言
世尊我等於佛滅後世尊分身所在國土滅
度之處當廣說此經所以者何我等亦自欲
得是真淨大法受持讀誦解說書寫而供養
之尒時世尊於文殊師利等无量百千万億
舊住娑婆世界菩薩摩訶薩及諸比丘比丘
尼優婆塞優婆夷天龍夜叉乾闥婆阿脩羅
迦樓羅緊那羅摩睺羅伽人非人等一切衆
前現大神力出廣長舌上至梵世一切毛孔
放於无量无數色光皆悉遍照十方世界衆
寶樹下師子座上諸佛亦復如是出廣長舌
放无量光釋迦牟尼佛及寶樹下諸佛現神
力時滿百千歲然後還攝舌相一時謦欬俱
共彈指是二音聲遍至十方諸佛世界地皆
六種震動其中衆生天龍夜叉乾闥婆阿脩
羅迦樓羅緊那羅摩睺羅伽人非人等以佛
神力故皆見此娑婆世界无量无邊百千万
億衆寶樹下師子座上諸佛及見釋迦牟尼
佛共多寶如來在寶塔中坐師子座又見无
量无邊百千万億菩薩摩訶薩及諸四衆恭
敬圍繞釋迦牟尼佛既見是已皆大歡喜得
未曾有即時諸天於虛空中高聲唱言過此
无量无邊百千万億阿僧祇世界有國名娑
婆是中有佛名釋迦牟尼今為諸菩薩摩訶
薩說大乘經名妙法蓮華教菩薩法佛所護
念汝等當深心隨喜亦當礼拜供養釋迦牟
尼佛彼諸衆生聞虛空中聲已合掌向娑婆

BD00957號　妙法蓮華經卷六　（27–16）

婆是中有佛名釋迦牟尼今為諸菩薩摩訶
薩說大乘經名妙法蓮華教菩薩法佛所護
念汝等當深心隨喜亦當礼拜供養釋迦牟
尼佛彼諸衆生聞虛空中聲已合掌向娑婆
世界作如是言南无釋迦牟尼佛南无釋迦
牟尼佛以種種華香瓔珞幡蓋及諸嚴身之
具珎寶妙物皆共遙散娑婆世界所散諸物
從十方來譬如雲集變成寶帳遍覆此間諸
佛之上于時十方世界通達无礙如一佛土
尒時佛告上行等菩薩大衆諸佛神力如是
无量无邊不可思議若我以是神力於无量
无邊百千万億阿僧祇劫為囑累故說此經
功德猶不能盡以要言之如來一切所有之
法如來一切自在神力如來一切祕要之藏
如來一切甚深之事皆於此經宣示顯說是
故汝等於如來滅後應一心受持讀誦解說
書寫如說脩行所在國土若有受持讀誦解
說書寫如說脩行若經卷所住之處若於園
中若於林中若於樹下若於僧坊若白衣舍
若在殿堂若山谷曠野是中皆應起塔供養
所以者何當知是處即是道場諸佛於此得
阿耨多羅三藐三菩提諸佛於此轉于法輪
諸佛於此而般涅槃尒時世尊欲重宣此義
而說偈言
諸佛救世者　住於大神通　為悅衆生故　現无量神力
舌相至梵天　身放无數光　為求佛道者　現此希有事
諸佛謦欬聲　及彈指之聲　周聞十方國　地皆六種動

BD00957號　妙法蓮華經卷六　（27–17）

而說偈言
諸佛救世者　住於大神通　為悅衆生故　現无量神力
舌相至梵天　身放无數光　為求佛道者　現此希有事
諸佛謦欬聲　及彈指之聲　周聞十方國　地皆六種動
以佛滅度後　能持是經故　諸佛皆歡喜　現无量神力
囑累是經故　讚美受持者　於无量劫中　猶故不能盡
是人之功德　无邊无有窮　如十方虛空　不可得邊際
能持是經者　則為已見我　亦見多寶佛　及諸分身者
又見我今日　教化諸菩薩　能持是經者　令我及分身
滅度多寶佛　一切皆歡喜　十方現在佛　并過去未來
亦見亦供養　亦令得歡喜　諸佛坐道場　所得祕要法
能持是經者　不久亦當得　能持是經者　於諸法之義
名字及言辭　樂說无窮盡　如風於空中　一切无障礙
於如來滅後　知佛所說經　因緣及次第　隨義如實說
如日月光明　能除諸幽冥　斯人行世間　能滅衆生暗
教无量菩薩　畢竟住一乘　是故有智者　聞此功德利
於我滅度後　應受持斯經　是人於佛道　決定无有疑

妙法蓮華經囑累品第二十二

尒時釋迦牟尼佛從法座起現大神力以右手摩无量菩薩摩訶薩頂而作是言我於无量百千万億阿僧祇劫脩習是難得阿耨多羅三藐三菩提法今以付囑汝等汝等應當一心流布此法廣令增益如是三摩諸菩薩摩訶薩頂而作是言我於无量百千万億阿僧祇劫脩習是難得阿耨多羅三藐三菩提法今以付囑汝等汝等當受持讀誦廣宣此法令一切衆生普得聞知所以者何如來有

BD00957號　妙法蓮華經卷六　（27–18）

僧祇劫脩習是難得阿耨多羅三藐三菩提法今以付囑汝等汝等當受持讀誦廣宣此法令一切衆生普得聞知所以者何如來有大慈悲无諸慳悋亦无所畏能與衆生佛之智慧如來智慧自然智慧如來是一切衆生之大施主汝等亦應隨學如來之法勿生慳悋於未來世若有善男子善女人信如來智慧者當為演說此法華經使得聞知為令其人得佛慧故若有衆生不信受者當於如來餘深法中示教利喜汝等若能如是則為已報諸佛之恩時諸菩薩摩訶薩聞佛作是說已皆大歡喜遍滿其身益加恭敬曲躬低頭合掌向佛俱發聲言如世尊勑當具奉行唯然世尊願不有慮諸菩薩摩訶薩衆如是三反俱發聲言如世尊勑當具奉行唯然世尊願不有慮尒時釋迦牟尼佛令十方來諸分身佛各還本土而作是言諸佛各隨所安多寶佛塔還可如故說是語時十方无量分身諸佛坐寶樹下師子座上者及多寶佛并上行等无邊阿僧祇菩薩大衆舍利弗等聲聞四衆及一切世間天人阿脩羅等聞佛所說皆大歡喜

妙法蓮華經藥王菩薩本事品第二十三

尒時宿王華菩薩白佛言世尊藥王菩薩云何遊於娑婆世界世尊是藥王菩薩有若干百千万億那由他難行苦行善哉世尊願少解說諸天龍神夜叉乾闥婆阿脩羅迦樓羅

BD00957號　妙法蓮華經卷六　（27–19）

尒時宿王華菩薩白佛言世尊藥王菩薩云
何遊於娑婆世界世尊是藥王菩薩有若干
百千万億那由他難行苦行善哉世尊願少
解說諸天龍神夜叉乾闥婆阿脩羅迦樓羅
緊那羅摩睺羅伽人非人等又他國土諸來
菩薩及此聲聞衆聞皆歡喜尒時佛告宿王
華菩薩乃往過去无量恒河沙劫有佛號日
月淨明德如來應供正遍知明行足善逝世
間解无上士調御丈夫天人師佛世尊其佛
有八十億大菩薩摩訶薩七十二恒河沙大聲
聞衆佛壽四万二千劫菩薩壽命亦等彼
國无有女人地獄餓鬼畜生阿脩羅等及以
諸難地平如掌琉璃所成寶樹莊嚴寶帳覆
上垂寶華幡寶瓶香爐周遍國界七寶為臺
一樹一臺其樹去臺盡一箭道此諸寶樹皆
有菩薩聲聞而坐其下諸寶臺上各有百億
諸天作天伎樂歌歎於佛以為供養尒時彼
佛為一切衆生憙見菩薩及衆菩薩諸聲聞
衆說法華經是一切衆生憙見菩薩樂習苦
行於日月淨明德佛法中精進經行一心求
佛滿万二千歲已得現一切色身三昧得此三
昧已心大歡喜即作念言我得現一切色身
三昧皆是得聞法華經力我今當供養日
月淨明德佛及法華經即時入是三昧於虛
空中雨曼陁羅華摩訶曼陁羅華細末堅黑
栴檀滿虛空中如雲而下又雨海此岸栴檀
之香此香六銖價直娑婆世界以供養佛作

月淨明德佛及法華經即時入是三昧於虛
空中雨曼陁羅華摩訶曼陁羅華細末堅黑
栴檀滿虛空中如雲而下又雨海此岸栴檀
之香此香六銖價直娑婆世界以供養佛作
是供養已從三昧起而自念言我雖以神力
供養於佛不如以身供養即服諸香栴檀薰
陸兜樓婆畢力迦沈水膠香又飲瞻蔔諸華
香油滿千二百歲已香油塗身於日月淨明德
佛前以天寶衣而自纏身灌諸香油以神
通力願而自燃身光明遍照八十億恒河沙
世界其中諸佛同時讚言善哉善哉善男子
是真精進是名真法供養如來若以華香瓔
珞燒香末香塗香天繒幡蓋及海此岸栴檀
之香如是等種種諸物供養所不能及假使
國城妻子布施亦所不及善男子是名第一
之施於諸施中最尊最上以法供養諸如來
故作是語已而各嘿然其身火燃千二百歲
過是已後其身乃盡一切衆生憙見菩薩作
如是法供養已命終之後復生日月淨明德
佛國中於淨德王家結跏趺坐忽然化生即
為其父而說偈言
大王今當知　我經行彼處　即時得一切　現諸身三昧
勤行大精進　捨所愛之身
說是偈已而白父言日月淨明德佛今故現
在我先供養佛已得解一切衆生語言陁羅
尼復聞是法華經八百千万億那由他甄迦
羅頻婆羅阿閦婆等偈大王我今當還供養

說是偈已而白父言日月淨明德佛今故現
在我先供養佛已得解一切眾生語言陁羅
尼復聞是法華經八百千万億那由他甄迦
羅頻婆羅阿閦婆等偈大王我今當還供養
此佛白已即坐七寶之臺上昇虛空高七多羅
樹往到佛所頭面礼足合十指爪以偈讚佛
容顏甚奇妙　光明照十方　我適曾供養　今復還親近
尒時一切眾生惠見菩薩說是偈已而白佛
言世尊世尊猶故在世尒時日月淨明德佛
告一切眾生惠見菩薩善男子我涅槃時到
滅盡時至汝可安施床座我於今夜當般涅
槃又勅一切眾生惠見菩薩善男子我以佛
法囑累於汝及諸菩薩大弟子并阿耨多羅
三藐三菩提法亦以三千大千七寶世界諸寶
樹寶臺及給侍諸天悉付於汝我滅度後
所有舍利亦付囑汝當令流布廣設供養應
起若干千塔如是日月淨明德佛勅一切眾
生惠見菩薩已於夜後分入於涅槃尒時一
切眾生惠見菩薩見佛滅度悲感懊惱戀慕
於佛即以海此岸栴檀為積供養佛身而以
燒之火滅已後收取舍利作八万四千寶瓶
以起八万四千塔高三世界表刹莊嚴垂諸
幡蓋懸眾寶鈴尒時一切眾生惠見菩薩復
自念言我雖作是供養心猶未足我今當更
供養舍利便語諸菩薩大弟子及天龍夜叉
等一切大眾汝等當一心念我今供養日月
淨明德佛舍利作是語已即於八万四千塔

BD00957 號　妙法蓮華經卷六　（27–22）

幡蓋懸眾寶鈴尒時一切眾生惠見菩薩復
自念言我雖作是供養心猶未足我今當更
供養舍利便語諸菩薩大弟子及天龍夜叉
等一切大眾汝等當一心念我今供養日月
淨明德佛舍利作是語已即於八万四千塔
前燃百福莊嚴臂七万二千歲而以供養令
无數求聲聞眾无量阿僧祇人發阿耨多羅
三藐三菩提心皆使得住現一切色身三昧
尒時諸菩薩天人阿脩羅等見其无臂憂惱
悲哀而作是言此一切眾生惠見菩薩是我
等師教化我者而今燒臂身不具足于時一
切眾生惠見菩薩於大眾中立此誓言我捨
兩臂必當得佛金色之身若實不虛令我兩
臂還復如故作是誓已自然還復由斯菩薩
福德智慧淳厚所致當尒之時三千大千世
界六種震動天雨寶華一切人天得未曾有
佛告宿王華菩薩於汝意云何一切眾生惠
見菩薩豈異人乎今藥王菩薩是也其所捨
身布施如是无量百千万億那由他數宿王
華若有發心欲得阿耨多羅三藐三菩提者
能燃手指乃至足一指供養佛塔勝以國城
妻子及三千大千國土山林河池諸珎寶物
而供養者若復有人以七寶滿三千大千世
界供養於佛及大菩薩辟支佛阿羅漢是人
所得功德不如受持此法華經乃至一四句
偈其福最多宿王華譬如一切川流江河諸
水之中海為第一此法華經亦復如是於諸

BD00957 號　妙法蓮華經卷六　（27–23）

界供養於佛及大菩薩辟支佛阿羅漢是人
所得功德不如受持此法華經乃至一四句
偈其福最多宿王華譬如一切川流江河諸
水之中海為第一此法華經亦復如是於諸
如來所說經中最為深大又如土山黑山小
鐵圍山大鐵圍山及十寶山衆山之中須弥
山為第一此法華經亦復如是於諸經中最
為其上又如衆星之中月天子最為第一此
法華經亦復如是於千万億種諸經法中最
為照明又如日天子能除諸闇此經亦復如
是能破一切不善之闇又如諸小王中轉輪
聖王最為第一此經亦復如是於衆經中最
為其尊又如帝釋於三十三天中王此經亦
復如是諸經中王又如大梵天王一切衆生之
父此經亦復如是一切賢聖學无學及發
菩薩心者之父又如一切凡夫人中須陁洹斯
陁含阿那含阿羅漢辟支佛為第一此經
亦復如是一切如來所說若菩薩所說若聲
聞所說諸經法中最為第一有能受持是經
典者亦復如是於一切衆生中亦為第一一
切聲聞辟支佛中菩薩為第一此經亦復如
是於一切諸經法中最為第一如佛為諸法
王此經亦復如是諸經中王宿王華此經能
救一切衆生者此經能令一切衆生離諸苦
惱此經能大饒益一切衆生充滿其願如清
涼池能滿一切諸渴之者如寒者得火如裸
者得衣如商人得主如子得母如渡得船如

BD00957號　妙法蓮華經卷六　　（27–24）

救一切衆生者此經能令一切衆生離諸苦
惱此經能大饒益一切衆生充滿其願如清
涼池能滿一切諸渴之者如寒者得火如裸
者得衣如商人得主如子得母如渡得船如
病得醫如闇得燈如貧得寶如民得王如賈
客得海如炬除闇此法華經亦復如是能令
衆生離一切苦一切病痛能解一切生死之
縛若人得聞此法華經若自書若使人書所
得功德以佛智慧籌量多少不得其邊若書
是經卷華香瓔珞燒香末香塗香旛蓋衣服
種種之燈蘇燈油燈諸香油燈瞻蔔油燈須
曼油燈波羅羅油燈婆利師迦油燈那婆摩
利油燈供養所得功德亦復无量宿王華若
有人聞是藥王菩薩本事品者亦得无量无
邊功德若有女人聞是藥王菩薩本事品能
受持者盡是女身後不復受若如來滅後後
五百歲中若有女人聞是經典如說脩行於
此命終即往安樂世界阿弥陁佛大菩薩衆
圍繞住處生蓮華中寶座之上不復為貪欲
所惱亦復不為瞋恚愚癡所惱亦復不為憍
慢嫉妬諸垢所惱得菩薩神通无生法忍得
是忍已眼根清淨以是清淨眼根見七百万
二千億那由他恒河沙等諸佛如來是時諸
佛遥共讚言善哉善哉善男子汝能於釋迦
牟尼佛法中受持讀誦思惟是經為他人說
所得福德无量无邊火不能燒水不能漂汝
之功德千佛共說不能令盡汝今已能破諸魔

BD00957號　妙法蓮華經卷六　　（27–25）

[illegible]
牟尼佛法中受持讀誦思惟是經為他人說
所得福德无量无邊火不能燒水不能漂汝
之功德千佛共說不能令盡汝今已能破諸魔
賊壞生死軍諸餘怨敵皆悉摧滅善男子
百千諸佛以神通力共守護汝於一切世間天
人之中无如汝者唯除如來其諸聲聞辟
支佛乃至菩薩智慧禪定无有與汝等者宿
王華此菩薩成就如是功德智慧之力若有
人聞是藥王菩薩本事品能隨喜讚善者
是人現世口中常出青蓮華香身毛孔中常出
牛頭栴檀香所得功德如上所說是故宿王
華以此藥王菩薩本事品囑累於汝我滅度
後後五百歲中廣宣流布於閻浮提无令斷
絕惡魔魔民諸天龍夜叉鳩槃荼等得其便
也宿王華汝當以神通之力守護是經所以
者何此經則為閻浮提人病之良藥若人有
病得聞是經病即消滅不老不死宿王華汝
若見有受持是經者應以青蓮華盛滿末香
供散其上散已作是念言此人不久必當取
草坐於道場破諸魔軍當吹法螺擊大法鼓
度脫一切眾生老病死海是故求佛道者見
有受持是經典人應當如是生恭敬心說是
藥王菩薩本事品時八万四千菩薩得解一
切眾生語言陀羅尼多寶如來於寶塔中讚
宿王華菩薩言善哉善哉宿王華汝成就不
可思議功德乃能問釋迦牟尼佛如此之事
利益无量一切眾生

BD00957號　妙法蓮華經卷六　（27–26）

後後五百歲中廣宣流布於閻浮提无令斷
絕惡魔魔民諸天龍夜叉鳩槃荼等得其便
也宿王華汝當以神通之力守護是經所以
者何此經則為閻浮提人病之良藥若人有
病得聞是經病即消滅不老不死宿王華汝
若見有受持是經者應以青蓮華盛滿末香
供散其上散已作是念言此人不久必當取
草坐於道場破諸魔軍當吹法螺擊大法鼓
度脫一切眾生老病死海是故求佛道者見
有受持是經典人應當如是生恭敬心說是
藥王菩薩本事品時八万四千菩薩得解一
切眾生語言陀羅尼多寶如來於寶塔中讚
宿王華菩薩言善哉善哉宿王華汝成就不
可思議功德乃能問釋迦牟尼佛如此之事
利益无量一切眾生

妙法蓮華經卷第六

BD00957號　妙法蓮華經卷六　（27–27）

何以故須菩提如
於尒時无我相
相何以故我於往昔
相人相衆生相壽者相應
念過去於五百世作忍辱仙
人相无衆生相无壽
薩應離一切相發阿耨
不應住色生心不應住
生无所住心若心有住
菩薩心不應住色布施
益一切衆生應如是布施
是非相又說一切衆生則
是真語者實語者如語
者須菩提如來所得法
提若菩薩心住於法而
所見若菩薩心不住於法
光明照見種種色須
善男子善女人能於此

BD00958號　金剛般若波羅蜜經　（9–1）

者須菩提如來所得法
提若菩薩心住於法而
所見若菩薩心不住於法
光明照見種種色須
善男子善女人能於此
如來以佛智慧悉知是人
成就无量无邊功德
者有善男子善女人初日分以恒河
沙等身布施中日分復以恒河沙等身布施
後日分亦以恒河沙等身布施如是无量百
千万億劫以身布施若復有人聞此經典信
心不逆其福勝彼何況書寫受持讀誦為人
解說須菩提以要言之是經有不可思議不
可稱量无邊功德如來為發大乘者說為發
最上乘者說若有人能受持讀誦廣為人說
如來悉知是人悉見是人皆得成就不可量不
可稱无有邊不可思議功德如是人等則為
荷擔如來阿耨多羅三藐三菩提何以故須
菩提若樂小法者著我見人見衆生見壽
者見則於此經不能聽受讀誦為人解說須
菩提在在處處若有此經一切世間天人阿
脩羅所應供養當知此處則為是塔皆應恭
敬作禮圍遶以諸華香而散其處
復次須菩提若善男子善女人受持讀誦此經
若為人輕賤是人先世罪業應墮惡道以今世

BD00958號　金剛般若波羅蜜經　（9–2）

脩羅所應供養當知此處則為是塔皆應恭
敬作礼圍繞以諸華香而散其處
復次須菩提若善男子善女人受持讀誦此經
若為人輕賤是人先世罪業應墮惡道以今世
人輕賤故先世罪業則為消滅當得阿耨多羅
三藐三菩提須菩提我念過去无量阿僧
祇劫於然燈佛前得值八百四千万億那由
他諸佛悉皆供養承事无空過者若復有
人於後末世能受持讀誦此經所得功德於
我所供養諸佛功德百分不及一百千万億分
乃至筭數譬喻所不能及須菩提若善男子
善女人於後末世有受持讀誦此經所得功
德我若具說者或有人聞心則狂亂狐疑不
信須菩提當知是經義不可思議果報亦不
可思議
尒時須菩提白佛言世尊善男子善女人發
阿耨多羅三藐三菩提心云何應住云何降伏
其心佛告須菩提善男子善女人發阿耨多
羅三藐三菩提者當生如是心我應滅度
一切衆生滅度一切衆生已而无有一衆生實
滅度者何以故若菩薩有我相人相衆生
相壽者相則非菩薩所以者何須菩提實无
有法發阿耨多羅三藐三菩提者須菩提於
意云何如来於然燈佛所有法得阿耨多羅
三藐三菩提不不也世尊如我解佛所說義
佛於然燈佛所无有法得阿耨多羅三藐

BD00958 號　金剛般若波羅蜜經　（9–3）

有法發阿耨多羅三藐三菩提者須菩提於
意云何如来於然燈佛所有法得阿耨多羅
三藐三菩提不不也世尊如我解佛所說義
佛於然燈佛所實无有法得阿耨多羅三藐
三菩提佛言如是如是須菩提實无有法如
来得阿耨多羅三藐三菩提須菩提若有法
如来得阿耨多羅三藐三菩提者然燈佛則不
與我受記汝於来世當得作佛号釋迦牟尼以
實无有法得阿耨多羅三藐三菩提是故
然燈佛與我受記作如是言汝於来世當得作
佛号釋迦牟尼何以故如来者即諸法如義若
有人言如来得阿耨多羅三藐三菩提須菩
提實无有法佛得阿耨多羅三藐三菩提
須菩提如来所得阿耨多羅三藐三菩提於
是中无實无虛是故如来說一切法皆是佛法
須菩提所言一切法者即非一切法是故名一
切法須菩提譬如人身長大須菩提言世尊
如来說人身長大則為非大身是名大身
須菩提菩薩亦如是若作是言我當滅度无
量衆生則不名菩薩何以故須菩提實无有
法名為菩薩是故佛說一切法无我无人无
衆生无壽者須菩提若菩薩作是言我當
莊嚴佛土是不名菩薩何以故如来說莊嚴
佛土者即非莊嚴是名莊嚴須菩提若菩
薩通達无我法者如来說名真是菩薩

BD00958 號　金剛般若波羅蜜經　（9–4）

衆生无壽者須菩提若菩薩作是言我當
莊嚴佛土是不名菩薩何以故如來說莊嚴
佛土者即非莊嚴是名莊嚴須菩提若菩
薩通達无我法者如來說名真是菩薩
須菩提於意云何如來有肉眼不如是世尊
如來有肉眼須菩提於意云何如來有天眼
不如是世尊如來有天眼須菩提於意云何
如來有慧眼不如是世尊如來有慧眼須菩
提於意云何如來有法眼不如是世尊如來
有法眼須菩提於意云何如來有佛眼不如
是世尊如來有佛眼須菩提於意云何恒河
中所有沙佛說是沙不如是世尊如來說是
沙須菩提於意云何如一恒河中所有沙有
如是等恒河是諸恒河所有沙數佛世界如
是寧為多不甚多世尊佛告須菩提尒所國
土中所有衆生若干種心如來悉知何以故如
來說諸心皆為非心是名為心所以者何須菩
提過去心不可得現在心不可得未來心
不可得須菩提於意云何若有人滿三千
大千世界七寶以用布施是人以是因緣得
福多不如是世尊此人以是因緣得福甚多
須菩提若福德有實如來不說得福德多
以福德无故如來說得福德多
須菩提於意云何佛可以具足色身見不不

BD00958號　金剛般若波羅蜜經　（9–5）

須菩提若福德有實如來不說得福德多
以福德无故如來說得福德多
須菩提於意云何佛可以具足色身見不不
也世尊如來不應以具足色身見何以故如來
說具足色身即非具足色身是名具足色身
須菩提於意云何如來可以具足諸相見不
不也世尊如來不應以具足諸相見何以故如
來說諸相具足即非具足是名諸相具足須
菩提汝勿謂如來作是念我當有所說法莫
作是念何以故若人言如來有所說法即為
謗佛不能解我所說故須菩提說法者无
法可說是名說法須菩提白佛言世尊佛
得阿耨多羅三藐三菩提為无所得耶如是
如是須菩提我於阿耨多羅三藐三菩提乃
至无有少法可得是名阿耨多羅三藐三菩
提復次須菩提是法平等无有高下是名阿
耨多羅三藐三菩提以无我无人无衆生无壽
者脩一切善法則得阿耨多羅三藐三菩提
須菩提所言善法者如來說非善法是名善法
須菩提若三千大千世界中所有諸須彌山
王如是等七寶聚有人持用布施若人以此
般若波羅蜜經乃至四句偈等受持讀誦為
他人說於前福德百分不及一百千万億分
乃至筭數譬喻所不能及
須菩提於意云何汝等勿謂如來作是念我

BD00958號　金剛般若波羅蜜經　（9–6）

他人說於前福德百分不及一百千万億分
乃至筭數譬喻所不能及
須菩提於意云何汝等勿謂如来作是念我
當度衆生須菩提莫作是念何以故實无有
衆生如来度者若有衆生如来度者如来則
有我人衆生壽者須菩提如来說有我者則
非有我而凡夫之人以為有我須菩提凡夫
者如来說則非凡夫須菩提於意云何可以
卅二相觀如来不須菩提言如是如是以卅二
相觀如来佛言須菩提若以卅二相觀如来
者轉輪聖王則是如来須菩提白佛言世尊
如我解佛所說義不應以卅二相觀如来尒
時世尊而說偈言
若以色見我　以音聲求我　是人行耶道　不能見如来
須菩提汝若作是念如来不以具足相故得阿
耨多羅三藐三菩提須菩提汝莫作是念如
来不以具足相故得阿耨多羅三藐三菩提須
菩提汝若作是念發阿耨多羅三藐三菩提者
說諸法斷滅相莫作是念何以故發阿耨多
羅三藐三菩提者於法不說斷滅相須菩提
若菩薩以滿恒河沙等世界七寶布施若復
有人知一切法无我得成於忍此菩薩勝前
菩薩所得功德須菩提以諸菩薩不受福德
故須菩提白佛言世尊云何菩薩不受福
德須菩提菩薩所作福德不應貪著是故

BD00958 號　金剛般若波羅蜜經　（9–7）

有人知一切法无我得成於忍此菩薩勝前
菩薩所得功德須菩提以諸菩薩不受福德
故須菩提白佛言世尊云何菩薩不受福
德須菩提菩薩所作福德不應貪著是故
說不受福德須菩提若有人言如来若来若
去若坐若卧是人不解我所說義何以故如
来者无所從来亦无所去故名如来須菩提若
善男子善女人以三千大千世界碎為微塵
於意云何是微塵衆寧為多不甚多世尊
何以故若是微塵衆實有者佛則不說是
微塵衆所以者何佛說微塵衆則非微塵衆
是名微塵衆世尊如来所說三千大千世界則
非世界是名世界何以故若世界實有者則
是一合相如来說一合相則非一合相是名一
合相須菩提一合相者則是不可說但凡夫
之人貪著其事須菩提若人言佛說我見
人見衆生見壽者見須菩提於意云何是人
解我所說義不世尊是人不解如来所說義
何以故世尊說我見人見衆生見壽者見即非
我見人見衆生見壽者見是名我見人見衆
生見壽者見須菩提發阿耨多羅三藐三菩
提心者於一切法應如是知如是見如是信
解不生法相須菩提所言法相者如来說即
非法相是名法相須菩提若有人以滿无量阿
僧祇世界七寶持用布施若有善男子善女

BD00958 號　金剛般若波羅蜜經　（9–8）

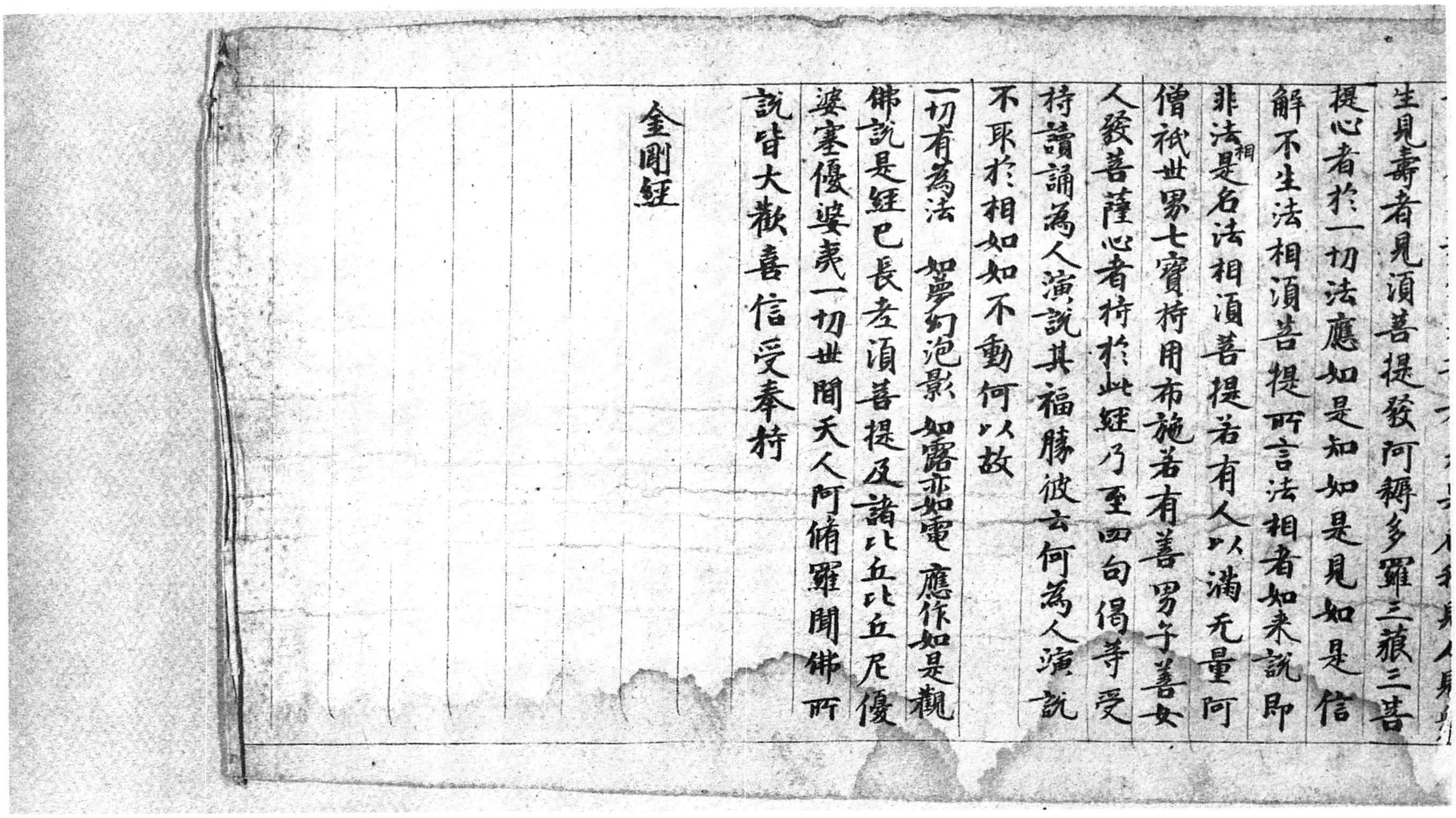

生見壽者見須菩提發阿耨多羅三藐三菩
提心者於一切法應如是知如是見如是信
解不生法相須菩提所言法相者如來說即
非法相是名法相須菩提若有人以滿无量阿
僧祇世界七寶持用布施若有善男子善女
人發菩薩心者持於此經乃至四句偈等受
持讀誦為人演說其福勝彼云何為人演說
不取於相如如不動何以故
一切有為法　如夢幻泡影　如露亦如電　應作如是觀
佛說是經已長老須菩提及諸比丘比丘尼優
婆塞優婆夷一切世間天人阿脩羅聞佛所
說皆大歡喜信受奉持

金剛經

BD00958 號　金剛般若波羅蜜經　（9–9）

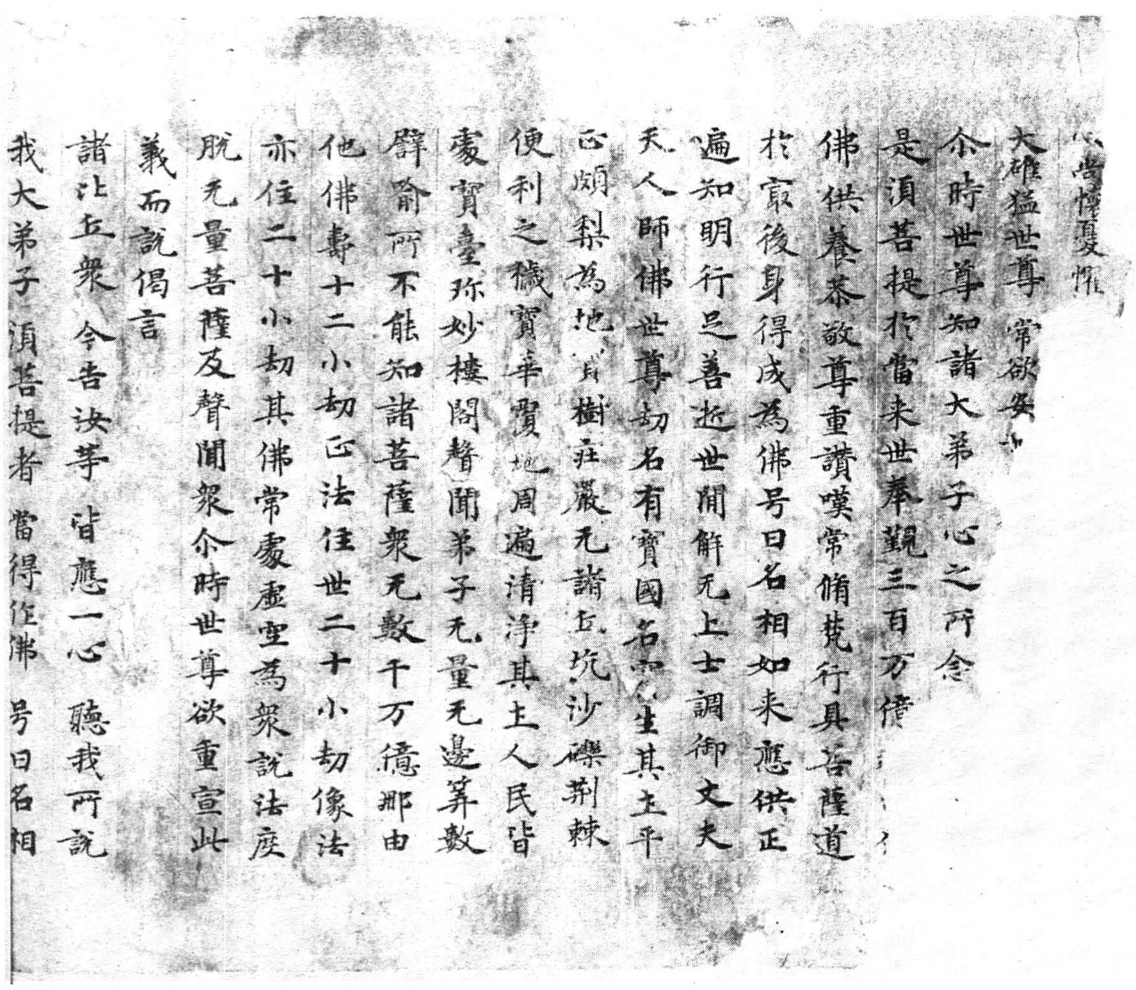

心尚懷憂懼
大雄猛世尊　常欲安
爾時世尊知諸大弟子心之所念
是須菩提於當來世奉覲三百万億
佛供養恭敬尊重讚嘆常脩梵行具菩薩道
於最後身得成為佛号曰名相如來應供正
遍知明行足善逝世間解无上士調御丈夫
天人師佛世尊劫名有寶國名寶生其土平
正頗梨為地寶樹莊嚴无諸丘坑沙礫荊棘
便利之穢寶華覆地周遍清淨其土人民皆
處寶臺珍妙樓閣聲聞弟子无量无邊筭數
譬喻所不能知諸菩薩眾无數千万億那由
他佛壽十二小劫正法住世二十小劫像法
亦住二十小劫其佛常處虛空為眾說法度
脫无量菩薩及聲聞眾爾時世尊欲重宣此
義而說偈言
諸比丘眾　今告汝等　皆應一心　聽我所說
我大弟子　須菩提者　當得作佛　号曰名相

BD00959 號　妙法蓮華經卷三　（19–1）

…小劫其佛常處虛空爲衆說法度
脫无量菩薩及聲聞衆尒時世尊欲重宣此
義而說偈言
諸比丘衆 今告汝等 皆應一心 聽我所說
我大弟子 須菩提者 當得作佛 号曰名相
當供无數 万億諸佛 隨佛所行 漸具大道
冣後身得 三十二相 端正姝妙 猶如寶山
其佛國土 嚴淨第一 衆生見者 无不愛樂
佛於其中 度无量衆 其佛法中 多諸菩薩
皆悉利根 轉不退輪 彼國常以 菩薩莊嚴
諸聲聞衆 不可稱數 皆得三明 具六神通
住八解脫 有大威德 其佛說法 現於无量
神通變化 不可思議 諸天人民 數如恒沙
皆共合掌 聽受佛語 其佛當壽 十二小劫
正法住世 二十小劫 像法亦住 二十小劫
尒時世尊復告諸比丘衆我今語汝是大迦
旃延於當来世以諸供具供養奉事八千億
佛恭敬尊重諸佛滅後各起塔廟高千由旬
縱廣正等五百由旬皆以金銀瑠璃車渠馬
瑙真珠玫瑰七寶合成衆華瓔珞塗香末香
燒香繒蓋幢幡供養塔廟過是已後當復供
養二万億佛亦復如是供養是諸佛已具菩
薩道當得作佛号曰閻浮那提金光如来應
供正遍知明行足善逝世間解无上士調御
丈夫天人師佛世尊其土平正頗梨爲地寶
樹莊嚴黃金爲繩以界道側妙華覆地周遍
清淨見者歡喜无四惡道地獄餓鬼畜生阿
脩羅道多有天人諸聲聞衆及諸菩薩无量

供正遍知明行足善逝世間解无上士調御
丈夫天人師佛世尊其土平正頗梨爲地寶
樹莊嚴黃金爲繩以界道側妙華覆地周遍
清淨見者歡喜无四惡道地獄餓鬼畜生阿
脩羅道多有天人諸聲聞衆及諸菩薩无量
万億莊嚴其國佛壽十二小劫正法住世二
十小劫像法亦住二十小劫尒時世尊欲重
宣此義而說偈言
諸比丘衆 皆一心聽 如我所說 真實无異
是迦旃延 當以種種 妙好供具 供養諸佛
諸佛滅後 起七寶塔 亦以華香 供養舍利
其冣後身 得佛智慧 成等正覺 國土清淨
度脫无量 万億衆生 皆爲十方 之所供養
佛之光明 无能勝者 其佛号曰 閻浮金光
菩薩聲聞 斷一切有 无量无數 莊嚴其國
尒時世尊復告大衆我今語汝是大目揵連
當以種種供具供養八千諸佛恭敬尊重諸
佛滅後各起塔廟高千由旬縱廣正等五百
由旬以金銀瑠璃車渠馬瑙真珠玫瑰七寶
合成衆華瓔珞塗香末香燒香繒蓋幢幡以
用供養過是已後當復供養二百万億諸佛
亦復如是當得成佛号曰多摩羅跋栴檀香
如来應供正遍知明行足善逝世間解无上
士調御丈夫天人師佛世尊劫名喜滿國名
意樂其土平正頗梨爲地寶樹莊嚴散真珠
華周遍清淨見者歡喜多諸天人菩薩聲聞
其數无量佛壽二十四小劫正法住世四十
[illegible]

士調御丈夫天人師佛世尊劫名喜滿國名
意樂其土平正頗梨為地寶樹莊嚴散真珠
華周遍清淨見者歡喜多諸天人菩薩聲聞
其數无量佛壽二十四小劫正法住世四十
小劫像法亦住四十小劫尒時世尊欲重宣
此義而說偈言
我此弟子　大目揵連　捨此身已　得見八千
二百万億　諸佛世尊　為佛道故　供養恭敬
於諸佛所　常脩梵行　於无量劫　奉持佛法
諸佛滅後　起七寶塔　長表金剎　華香伎樂
而以供養　諸佛塔廟　漸漸具足　菩薩道已
於意樂國　而得作佛　号多摩羅　栴檀之香
其佛壽命　二十四劫　常為天人　演說佛道
聲聞无量　如恒河沙　三明六通　有大威德
菩薩无數　志固精進　於佛智慧　皆不退轉
佛滅度後　正法當住　四十小劫　像法亦尒
我諸弟子　威德具足　其數五百　皆當授記
於未來世　咸得成佛
我及汝等　宿世因緣　吾今當說　汝等善聽
妙法蓮華經化城喻品第七
佛告諸比丘乃往過去无量无邊不可思議
阿僧祇劫尒時有佛名大通智勝如來應供
正遍知明行足善逝世間解无上士調御丈
夫天人師佛世尊其國名好成劫名大相諸
比丘彼佛滅度已來甚大久遠譬如三千大
千世界所有地種假使有人磨以為墨過於
東方千國乃下一點大如微塵又過千國
土復下一點如是展轉盡地種墨於汝等意

BD00959號　妙法蓮華經卷三　（19–4）

夫天人師佛世尊其國名好成劫名大相諸
比丘彼佛滅度已來甚大久遠譬如三千大
千世界所有地種假使有人磨以為墨過於
東方千國乃下一點大如微塵又過千國
土復下一點如是展轉盡地種墨於汝等意
云何是諸國土若筭師若筭師弟子能得邊
際知其數不不也世尊諸比丘是人所經國
土若點不點盡末為塵一塵一劫彼佛滅度
已來復過是數无量无邊百千万億阿僧祇
劫我以如來知見力故觀彼久遠猶若今日
尒時世尊欲重宣此義而說偈言
我念過去世　无量无邊劫　有佛兩足尊　名大通智勝
如人以力磨　三千大千土　盡此諸地種　皆悉以為墨
過於千國土　乃下一塵點　如是展轉點　盡此諸塵墨
如是諸國土　點與不點等　復盡末為塵　一塵為一劫
此諸微塵數　其劫復過是　彼佛滅度來　如是无量劫
如來无礙智　知彼佛滅度　及聲聞菩薩　如見今滅度
諸比丘當知　佛智淨微妙　無漏无所礙　通達无量劫
佛告諸比丘大通智勝佛壽五百四十万億
那由他劫其佛本坐道場破魔軍已垂得阿
耨多羅三藐三菩提而諸佛法不現在前如
是一小劫乃至十小劫結跏趺坐身心不動
而諸佛法猶不在前尒時忉利諸天先為彼
佛於菩提樹下敷師子座高一由旬佛於此
座當得阿耨多羅三藐三菩提適坐此座時
諸梵天王雨眾天華面百由旬香風時來吹
去萎華更雨新者如是不絕滿十小劫供養

BD00959號　妙法蓮華經卷三　（19–5）

佛於菩提樹下敷師子座高一由旬佛於此
座當得阿耨多羅三藐三菩提適坐此座時
諸梵天王雨衆天華面百由旬香風時来吹
去萎華更雨新者如是不絶滿十小劫供養
於佛乃至滅度常雨此華四王諸天為供養
佛常擊天鼓其餘諸天作天伎樂滿十小劫
至于滅度亦復如是諸比丘大通智勝佛過
十小劫諸佛之法乃現在前成阿耨多羅三
藐三菩提其佛未出家時有十六子其第一
者名曰智積諸子各有種種珍異玩好之具
聞父得成阿耨多羅三藐三菩提皆捨所珍
往詣佛所諸母涕泣而隨送之其祖轉輪聖
王與一百大臣及餘百千万億人民皆共圍
遶隨至道場咸欲親近大通智勝如来供養
恭敬尊重讃歎到已頭面礼足遶佛畢已一
心合掌瞻仰世尊以偈頌曰

大威德世尊　為度衆生故　於无量億歲　尒乃得成佛
諸願已具足　善哉吉无上　世尊甚希有　一坐十小劫
身體及手足　靜然安不動　其心常惔怕　未曾有散亂
究竟永寂滅　安住无漏法　今者見世尊　安隱成佛道
我等得善利　稱慶大歡喜　衆生常苦惱　盲瞑无導師
不識苦盡道　不知求解脫　長夜增惡趣　減損諸天衆
從冥入於冥　永不聞佛名　今佛得最上　安隱無漏道
我等及天人　為得最大利　是故咸稽首　歸命无上尊

尒時十六王子偈讃佛已勸請世尊轉於法
輪咸作是言世尊說法多所安隱憐愍饒益
諸天人民重說偈言

世雄无等倫　百福自莊嚴　得无上智慧　願為世間說

輪咸作是言世尊說法多所安隱憐愍饒益
諸天人民重說偈言

世雄无等倫　百福自莊嚴　得无上智慧　願為世間說
度脫於我等　及諸衆生類　為分別顯示　令得是智慧
若我等得佛　衆生亦復然　世尊知衆生　深心之所念
亦知所行道　又知智慧力　欲樂及脩福　宿命所行業
世尊悉知已　當轉无上輪

佛告諸比丘大通智勝佛得阿耨多羅三藐
三菩提時十方各五百万億諸佛世界六種
震動其國中間幽冥之處日月威光所不能
照而皆大明其中衆生各得相見咸作是言
此中云何忽生衆生又其國界諸天宮殿乃
至梵宮六種震動大光普照遍滿世界勝諸
天光尒時東方五百万億諸國土中梵天宮
殿光明照曜倍於常明諸梵天王各作是念
今者宮殿光明昔所未有以何因緣而現此
相是時諸梵天王即各相詣共議此事而彼
衆中有一大梵天王名救一切為諸梵衆而
說偈言

我等諸宮殿　光明昔未有　此是何因緣　宜各共求之
為大德天生　為佛出世間　而此大光明　遍照於十方

尒時五百万億國土諸梵天王與宮殿俱各
以衣裓盛諸天華共詣西方推尋是相見大
通智勝如来處于道場菩提樹下坐師子座
諸天龍王乾闥婆緊那羅摩睺羅伽人非人
等恭敬圍遶及見十六王子請佛轉法輪即
時諸梵天王頭面礼佛遶百千帀即以天華

通智勝如來處于道場菩提樹下坐師子座
諸天龍王乾闥婆緊那羅摩睺羅伽人非人
等恭敬圍遶及見十六王子請佛轉法輪即
時諸梵天王頭面礼佛遶百千帀即以天華
而散佛上其所散華如須弥山并以供養佛
菩提樹其菩提樹高十由旬華供養已各以
宮殿奉上彼佛而作是言唯見哀愍饒益我
等所獻宮殿願垂納處尒時諸梵天王即於
佛前一心同聲以偈頌曰
世尊甚希有　難可得值遇　具无量功德　能救護一切
天人之大師　哀愍於世間　十方諸衆生　普皆蒙饒益
我等所從來　五百万億國　捨深禪定樂　為供養佛故
我等先世福　宮殿甚嚴飾　今以奉世尊　唯願哀納受
尒時諸梵天王偈讚佛已各作是言唯願世
尊轉於法輪度脫衆生開涅槃道時諸梵天
王一心同聲而說偈言
世雄兩足尊　唯願演說法　以大慈悲力　度苦惱衆生
尒時大通智勝如來黙然許之又諸比丘東
南方五百万億國土諸大梵王各自見宮殿
光明照曜昔所未有歡喜踊躍生希有心即
各相詣共議此事而彼衆中有一大梵天王
名曰大悲為諸梵衆而說偈言
是事何因緣　而現如此相　我等諸宮殿　光明昔未有
為大德天生　為佛出世間　未曾見此相　當共一心求
過千万億土　尋光共推之　多是佛出世　度脫苦衆生
尒時五百万億諸梵天王與宮殿俱各以衣
裓盛諸天華共詣西北方推尋是相見大通

為大德天生　為佛出世間　未曾見此相　當共一心求
過千万億土　尋光共推之　多是佛出世　度脫苦衆生
尒時五百万億諸梵天王與宮殿俱各以衣
裓盛諸天華共詣西北方推尋是相見大通
智勝如來處于道場菩提樹下坐師子座諸
天龍王乾闥婆緊那羅摩睺羅伽人非人等
恭敬圍遶及見十六王子請佛轉法輪時諸
梵天王頭面礼佛遶百千帀即以天華而散
佛上所散之華如須弥山并以供養佛菩提
樹華供養已各以宮殿奉上彼佛而作是言
唯見哀愍饒益我等所獻宮殿願垂納處尒
時諸梵天王即於佛前一心同聲以偈頌曰
聖主天中王　迦陵頻伽聲　哀愍衆生者　我等今敬礼
世尊甚希有　久遠乃一現　一百八十劫　空過无有佛
三惡道充滿　諸天衆減少　今佛出於世　為衆生作眼
世間所歸趣　救護於一切　為衆生之父　哀愍饒益者
我等宿福慶　今得值世尊
尒時諸梵天王偈讚佛已各作是言唯願世
尊哀愍一切轉於法輪度脫衆生時諸梵天
王一心同聲而說偈言
大聖轉法輪　顯示諸法相　度苦惱衆生　令得大歡喜
衆生聞是法　得道若生天　諸惡道減少　忍善者增益
尒時大通智勝如來黙然許之
又諸比丘南方五百万億國土諸大梵王各
自見宮殿光明照曜昔所未有歡喜踊躍生
希有心即各相詣共議此事以何因緣我等
宮殿有此光曜而彼衆中有一大梵天王名
曰妙法為諸梵衆而說偈言

尒時大通智勝如來默然許之
又諸北方五百万億國土諸大梵王各
自見宮殿光明照曜昔所未有歡喜踊躍生
希有心即各相詣共議此事以何因緣我等
宮殿有此光曜而彼衆中有一大梵天王名
曰妙法為諸梵衆而說偈言
我等諸宮殿 光明甚威曜 此非无因緣 是相宜求之
過於百千劫 未曾見是相 為大德天生 為佛出世間
尒時五百万億諸梵天王與宮殿俱各以衣
祴盛諸天華共詣北方推尋是相見大通智
勝如來處于道場菩提樹下坐師子座諸天
龍王乹闥婆緊那羅摩睺羅伽人非人等恭
敬圍遶及見十六王子請佛轉法輪即時諸
梵天王頭面礼佛遶百千帀即以天華而散
佛上所散之華如須弥山并以供養佛菩提
樹華供養已各以宮殿奉上彼佛而作是言
唯見哀愍饒益我等所獻宮殿願垂納處尒
時諸梵天王即於佛前一心同聲以偈頌曰
世尊甚難見 破諸煩惱者 過百三十劫 今乃得一見
諸飢渴衆生 以法雨充滿 昔所未曾覩 无量智慧者
如優曇鉢華 今日乃值遇 我等諸宮殿 蒙光故嚴飾
世尊大慈愍 唯願垂納受
尒時諸梵天王偈讚佛已各作是言唯願世
尊轉於法輪令一切世間諸天魔梵沙門婆
羅門皆獲安隱而得度脫時諸梵天王一心
同聲以偈頌曰
唯願天人尊 轉无上法輪 擊于大法鼓 而吹大法蠡
普雨大法雨 度无量衆生 我等咸歸請 當演深遠音

尊轉於法輪令一切世間諸天魔梵沙門婆
羅門皆獲安隱而得度脫時諸梵天王一心
同聲以偈頌曰
唯願天人尊 轉无上法輪 擊于大法鼓 而吹大法蠡
普雨大法雨 度无量衆生 我等咸歸請 當演深遠音
尒時大通智勝如來默然許之西南方乃至
下方亦復如是
尒時上方五百万億國土諸大梵王皆悉自
覩所止宮殿光明威曜昔所未有歡喜踊躍
生希有心即各相詣共議此事以何因緣我
等宮殿有斯光明而彼衆中有一大梵天王
名曰尸棄為諸梵衆而說偈言
今以何因緣 我等諸宮殿 威德光明曜 嚴飾未曾有
如是之妙相 昔所不聞見 為大德天生 為佛出世間
尒時五百万億諸梵天王與宮殿俱各以衣
祴盛諸天華共詣下方推尋是相見大通智
勝如來處于道場菩提樹下坐師子座諸天
龍王乹闥婆緊那羅摩睺羅伽人非人等恭
敬圍遶及見十六王子請佛轉法輪時諸梵
天王頭面礼佛遶百千帀即以天華而散佛
上所散之華如須弥山并以供養佛菩提樹
華供養已各以宮殿奉上彼佛而作是言唯
見哀愍饒益我等所獻宮殿願垂納處尒時
諸梵天王即於佛前一心同聲以偈頌曰
善哉見諸佛 救世之聖尊 能於三界獄 勉出諸衆生
普智天人尊 愍哀群萌類 能開甘露門 廣度於一切
於昔无量劫 空過无有佛 世尊未出時 十方常闇冥
三惡道增長 阿脩羅亦盛 諸天衆轉減 死多墮惡道

諸梵天王一心同聲以偈頌曰
善哉見諸佛　救世之聖尊　能於三界獄　勉出諸衆生
普智天人尊　慜哀羣萌類　能開甘露門　廣度於一切
於昔无量劫　空過无有佛　世尊未出時　十方常闇冥
三悪道增長　阿脩羅亦盛　諸天衆轉減　死多墮悪道
不從佛聞法　常行不善事　色力及智慧　斯等皆減少
罪業因緣故　失樂及樂想
住於邪見法　不識善儀則　不蒙佛所化　常墮於悪道
佛為世間眼　久遠時乃出　哀慜諸衆生　故現於世間
超出成正覺　我等甚欣慶　及餘一切衆　喜歎未曾有
我等諸宮殿　蒙光故嚴飾　今以奉世尊　唯垂哀納受
願以此功德　普及於一切　我等與衆生　皆共成佛道
尒時五百万億諸梵天王偈讚佛已各白佛
言唯願世尊轉於法輪多所安隱多所度脫
時諸梵天王而說偈言
世尊轉法輪　擊甘露法鼓　度苦惱衆生　開示涅槃道
唯願受我請　以大微妙音　哀慜而敷演　无量劫集法
尒時大通智勝如来受十方諸梵天王及十
六王子請即時三轉十二行法輪若沙門婆
羅門若天魔梵及餘世間所不能轉謂是苦
是苦集是苦滅是苦滅道及廣說十二因緣
法无明緣行行緣識識緣名色名色緣六入
六入緣觸觸緣受受緣愛愛緣取取緣有有
緣生生緣老死憂悲苦惱无明滅則行滅行
滅則識滅識滅則名色滅名色滅則六入滅
六入滅則觸滅觸滅則受滅受滅則愛滅愛
滅則取滅取滅則有滅有滅則生滅生滅則
老死憂悲苦惱滅佛於天人大衆之中說是

BD00959 號　妙法蓮華經卷三　（19–12）

緣生生緣老死憂悲苦惱无明滅則行滅行
滅則識滅識滅則名色滅名色滅則六入滅
六入滅則觸滅觸滅則受滅受滅則愛滅愛
滅則取滅取滅則有滅有滅則生滅生滅則
老死憂悲苦惱滅佛於天人大衆之中說是
法時六百万億那由他人以不受一切法故
而於諸漏心得解脫皆得深妙禪定三明六
通具八解脫第二第三第四說法時千万億
恒河沙那由他等衆生亦以不受一切法故
而於諸漏心得解脫從是已後諸聲聞衆无
量无邊不可稱數尒時十六王子皆以童子
出家而為沙弥諸根通利智慧明了已曾供
養百千万億諸佛淨脩梵行求阿耨多羅三
藐三菩提俱白佛言世尊是諸无量千万億
大德聲聞皆已成就世尊亦當為我等說阿
耨多羅三藐三菩提法我等聞已皆共脩學
世尊我等志願如来知見深心所念佛自證
知尒時轉輪聖王所將衆中八万億人見十
六王子出家亦求出家王即聽許尒時彼佛
受沙弥請過二万劫已乃於四衆之中說是
大乘經名妙法蓮華教菩薩法佛所護念說
是經已十六沙弥為阿耨多羅三藐三菩提
故皆共受持諷誦通利說是經時十六菩薩
沙弥皆悉信受聲聞衆中亦有信解其餘衆
生千万億種皆生疑惑佛說是經於八千劫
未曾休廢說此經已即入靜室住於禪定八
万四千劫是時十六菩薩沙弥知佛入室寂
然禪定各昇法座亦於八万四千劫為四部

BD00959 號　妙法蓮華經卷三　（19–13）

生千万億種皆生疑惑佛說是經於八千劫
未曾休廢說此經已即入靜室住於禪定八
万四千劫是時十六菩薩沙弥知佛入室寂
然禪定各昇法座亦於八万四千劫為四部
衆廣說分別妙法華經一一皆度六百万億
那由他恒河沙等衆生示教利喜令發阿耨
多羅三藐三菩提心大通智勝佛過八万四
千劫已從三昧起往詣法座安詳而坐普告
大衆是十六菩薩沙弥甚為希有諸根通利
智慧明了已曾供養无量千万億數諸佛於
諸佛所常脩梵行受持佛智開示衆生令入
其中汝等皆當數數親近而供養之所以者
何若聲聞辟支佛及諸菩薩能信是十六菩
薩所說經法受持不毀者是人皆當得阿耨
多羅三藐三菩提如来之慧佛告諸比丘是
十六菩薩常樂說是妙法華經一一菩薩所
化六百万億那由他恒河沙等衆生世世所
生與菩薩俱從其聞法悉皆信解以此因緣
得值四万億諸佛世尊于今不盡諸比丘我
今語汝彼佛弟子十六沙弥今皆得阿耨多
羅三藐三菩提於十方國土現在說法有无
量百千万億菩薩聲聞以為眷屬其二沙弥
東方作佛一名阿閦在歡喜國二名須弥頂
東南方二佛一名師子音二名師子相南方
二佛一名虛空住二名常滅西南方二佛一
名帝相二名梵相西方二佛一名阿弥陀二
名度一切世間苦惱西北方二佛一名多摩

BD00959號　妙法蓮華經卷三　（19–14）

東方作佛一名阿閦在歡喜國二名須弥頂
東南方二佛一名師子音二名師子相南方
二佛一名虛空住二名常滅西南方二佛一
名帝相二名梵相西方二佛一名阿弥陀二
名度一切世間苦惱西北方二佛一名多摩
羅跋栴檀香神通二名須弥相北方二佛一
名雲自在二名雲自在王東北方佛名壞一切
世間怖畏第十六我釋迦牟尼佛於娑婆
國土成阿耨多羅三藐三菩提諸比丘我等
為沙弥時各各教化无量百千万億恒河沙
等衆生從我聞法為阿耨多羅三藐三菩提
此諸衆生于今有住聲聞地者我常教化阿
耨多羅三藐三菩提是諸人等應以是法漸
入佛道所以者何如来智慧難信難解尒時
所化无量恒河沙等衆生者汝等諸比丘及
我滅度後未来世中聲聞弟子是也我滅度
後復有弟子不聞是經不知不覺菩薩所行
自於所得功德生滅度想當入涅槃我於餘
國作佛更有異名是人雖生滅度之想入於
涅槃而於彼土求佛智慧得聞是經唯以佛
乘而得滅度更无餘乘除諸如来方便說法
諸比丘若如来自知涅槃時到衆又清淨信
解堅固了達空法深入禪定便集諸菩薩及
聲聞衆為說是經世間无有二乘而得滅度
唯一佛乘得滅度耳比丘當知如来方便深
入衆生之性知其志樂小法深著五欲為是
等故說於涅槃是人若聞則便信受譬如五

BD00959號　妙法蓮華經卷三　（19–15）

聲聞眾為說是經世間无有二乘而得滅度
唯一佛乘得滅度耳比丘當知如来方便深
入眾生之性知其志樂小法深著五欲為是
等故說於涅槃是人若聞則便信受譬如五
百由旬險難惡道曠絕无人怖畏之處若有
多眾欲過此道至珎寶處有一導師聰慧明
達善知險道通塞之相將導眾人欲過此難
所將人眾中路懈退白導師言我等疲極而
復怖畏不能復進前路猶遠今欲退還導師
多諸方便而作是念此等可愍云何捨大珎
寶而欲退還作是念已以方便力於險道中
過三百由旬化作一城告眾人言汝等勿怖
莫得退還今此大城可於中止隨意所作若
入是城快得安隱若能前至寶所亦可得去
是時疲極之眾心大歡喜歎未曾有我等今
者免斯惡道快得安隱於是眾人前入化城
生已度想生安隱想尒時導師知此人眾既
得止息无復疲惓即滅化城語眾人言汝等
去来寶處在近向者大城我所化作為止息
耳諸比丘如来亦復如是今為汝等作大導
師知諸生死煩惱惡道險難長遠應去應度
若眾生但聞一佛乘者則不欲見佛不欲親
近便作是念佛道長遠久受勤苦乃可得成
佛知是心怯弱下劣以方便力而於中道為
止息故說二涅槃若眾生住於二地如来尒
時即便為說汝等所作未辦汝所住地近於
佛慧當觀察籌量所得涅槃非真實也但是
如来方便之力於一佛乘分別說三如彼導

BD00959號　妙法蓮華經卷三　（19–16）

佛知是心怯弱下劣以方便力而於中道為
止息故說二涅槃若眾生住於二地如来尒
時即便為說汝等所作未辦汝所住地近於
佛慧當觀察籌量所得涅槃非真實也但是
如来方便之力於一佛乘分別說三如彼導
師為止息故化作大城既知息已而告之言
寶處在近此城非實我化作耳尒時世尊欲
重宣此義而說偈言

大通智勝佛　十劫坐道場　佛法不現前　不得成佛道
諸天神龍王　阿脩羅眾等　常雨於天華　以供養彼佛
諸天擊天鼓　并作眾伎樂　香風吹萎華　更雨新好者
過十小劫已　乃得成佛道　諸天及世人　心皆懷踊躍
彼佛十六子　皆與其眷屬　千万億圍遶　俱行至佛所
頭面礼佛足　而請轉法輪　聖師子法雨　充我及一切
世尊甚難值　久遠時一現　為覺悟群生　震動於一切
東方諸世界　五百万億國　梵宮殿光耀　昔所未曾有
諸梵見此相　尋来至佛所　散華以供養　并奉上宮殿
請佛轉法輪　以偈而讚歎　佛知時未至　受請嘿然坐
三方及四維　上下亦復尒　散華奉宮殿　請佛轉法輪
世尊甚難值　願以大慈悲　廣開甘露門　轉无上法輪
无量慧世尊　受彼眾人請　為宣種種法　四諦十二緣
无明至老死　皆從生緣有　如是眾過患　汝等應當知
宣暢是法時　六百万億姟　得盡諸苦際　皆成阿羅漢
第二說法時　千万恒沙眾　於諸法不受　亦得阿羅漢
從是後得道　其數无有量　万億劫算數　不能得其邊
時十六王子　出家作沙弥　皆共請彼佛　演說大乘法
我等及營從　皆當成佛道　願得如世尊　慧眼第一淨
佛知童子心　宿世之所行　以无量因緣　種種諸譬喻

BD00959號　妙法蓮華經卷三　（19–17）

後見彼得道 其數无有量 万億劫筭數 不能得其邊
時十六王子 出家作沙弥 皆共請彼佛 演說大乘法
我等及營從 皆當成佛道 願得如世尊 慧眼第一淨
佛知童子心 宿世之所行 以无量因緣 種種諸譬喻
說六波羅蜜 及諸神通事 分別真實法 菩薩所行道
說是法華經 如恒河沙偈 彼佛說經已 靜室入禪定
一心一處坐 八万四千劫
是諸沙弥等 知佛禪未出 為无量億眾 說佛无上慧
各各坐法座 說是大乘經 於佛宴寂後 宣揚助法化
一一沙弥等 所度諸眾生 有六百万億 恒河沙等眾
彼佛滅度後 是諸聞法者 在在諸佛土 常與師俱生
是十六沙弥 具足行佛道 今現在十方 各得成正覺
尒時聞法者 各在諸佛所 其有住聲聞 漸教以佛道
我在十六數 曾亦為汝說 是故以方便 引汝趣佛慧
以是本因緣 今說法華經 令汝入佛道 慎勿懷驚懼
譬如險惡道 迥絕多毒獸 又復无水草 人所怖畏處
无數千万眾 欲過此險道 其路甚曠遠 經五百由旬
時有一導師 強識有智慧 明了心決定 在險濟眾難
眾人皆疲惓 而白導師言 我等今頓乏 於此欲退還
導師作是念 此輩甚可愍 如何欲退還 而失大珍寶
尋時思方便 當設神通力 化作大城郭 莊嚴諸舍宅
周帀有園林 渠流及浴池 重門高樓閣 男女皆充滿
即作是化已 慰眾言勿懼 汝等入此城 各可隨所樂
諸人既入城 心皆大歡喜 皆生安隱想 自謂已得度
導師知息已 集眾而告言 汝等當前進 此是化城耳
我見汝疲極 中道欲退還 故以方便力 權化作此城
汝今勤精進 當共至寶所 我亦復如是 為一切導師

□數千万眾 欲過此險道 其路甚曠遠 經五百由旬
□□□導師 強識有智慧 明了心決定 在險濟眾難
眾人皆疲惓 而白導師言 我等今頓乏 於此欲退還
導師作是念 此輩甚可愍 如何欲退還 而失大珍寶
尋時思方便 當設神通力 化作大城郭 莊嚴諸舍宅
周帀有園林 渠流及浴池 重門高樓閣 男女皆充滿
即作是化已 慰眾言勿懼 汝等入此城 各可隨所樂
諸人既入城 心皆大歡喜 皆生安隱想 自謂已得度
導師知息已 集眾而告言 汝等當前進 此是化城耳
我見汝疲極 中道欲退還 故以方便力 權化作此城
汝今勤精進 當共至寶所 我亦復如是 為一切導師
見諸求道者 中路而懈廢 不能度生死 煩惱諸險道
故以方便力 為息說涅槃 言汝等苦滅 所作皆已辦
既知到涅槃 皆得阿羅漢 尒乃集大眾 為說真實法
諸佛方便力 分別說三乘 唯有一佛乘 息處故說二
今為汝說實 汝所得非滅 為佛一切智 當發大精進
汝證一切智 十力等佛法 具三十二相 乃是真實滅
諸佛之導師 為息說涅槃 既知是息已 引入於佛慧

妙法蓮華經卷第三

衣為佛敷坐高如須弥无量百千釋梵讚世
諸天王等合掌恭敬散諸妙華曼陀羅華摩
訶曼陀羅華曼殊沙華摩訶曼殊沙華白蓮
華赤蓮華紅蓮華青蓮華耆闍崛山縱廣
四十由旬積華遍滿至于佛膝无量天子作諸
天樂不敢自鳴空中歎言再覩佛興世再見
轉法輪善哉閻浮提一切衆生勤脩功德多
種善根得聞如是甚深般若波羅蜜況復衆
世有能信者如是衆生悉行諸佛如來境界
復有无量百千諸大龍王即以神力普興大
雲降注香雨灑耆闍崛山及三千大千世界
諸聽法者唯覺香潤不見霑濡无量龍女
悉於佛前合掌讚歎无量乾闥婆以妙音樂而供
養佛其夜叉衆散諸妙華十方无量无邊國
土諸佛世尊皆放眉間白毫光明照此娑

BD00960號　勝天王般若波羅蜜經卷二　（15–1）

雲降注香雨灑耆闍崛山及三千大千世界
諸聽法者唯覺香潤不見霑濡无量龍女
悉於佛前合掌讚歎无量乾闥婆以妙音樂而供
養佛其夜叉衆散諸妙華十方无量无邊國
土諸佛世尊皆放眉間白毫光明照此娑
婆世界耆闍崛山其三千大千世界幽暗之
處日月不照悉蒙光明照世界已還至佛所
右繞三匝從佛頂入无量百千婆羅門刹利
居士長者以塗香末香幡華幢蓋而供養佛
尒時衆中七十二億菩薩摩訶薩得无生法
忍无量百千万億衆生得遠塵垢法眼淨无
量百千万億衆生發阿耨多羅三藐三菩提
心尒時勝天王白佛言世尊般若波羅蜜離
文字无語言云何菩薩摩訶薩行般若波羅
蜜為衆生說法佛告勝天王言大王菩薩摩
訶薩行般若波羅蜜如是說法為脩習佛法
故而說佛法畢竟不可得為成熟諸波羅蜜
而波羅蜜畢竟不可得為清淨菩提而菩提
畢竟不可得為涅槃離欲滅而涅槃離欲滅
畢竟不可得為須陀洹斯陀含阿那含阿羅
漢果而須陀洹乃至阿羅漢畢竟不可得為
辟支佛而辟支佛畢竟不可得為斷除我取
而我及取畢竟不可得菩薩摩訶薩如是行
甚深般若波羅蜜心不分別一切諸相我能
分別及所分別悉不可得隨順般若波羅蜜

BD00960號　勝天王般若波羅蜜經卷二　（15–2）

漢果而須陁洹乃至阿羅漢果畢竟不可得為
辟支佛而辟支佛畢竟不可得為斷除我取
而我及取畢竟不可得菩薩摩訶薩如是行
甚深般若波羅蜜心不分別一切諸相我能
分別及所分別悉不可得隨順般若波羅蜜
不違生死雖在生死不逆般若波羅蜜隨順
法相勝天王白佛言世尊菩薩摩訶薩云何
隨順法相不違世諦佛告勝天王言大王菩
薩摩訶薩隨順甚深般若波羅蜜不遠離色
受想行識不遠離欲界色界无色界不遠離
法而不着般若波羅蜜不遠離道何以故具
巧方便故勝天王白佛言世尊何者是菩薩
摩訶薩善巧方便佛告勝天王言大王所謂
无量菩薩摩訶薩具慈悲喜捨不捨衆生常
能利益大王菩薩摩訶薩行般若波羅蜜具
无邊慈无分別慈法慈不息慈不惱慈利益
慈平等慈遍益慈出世慈成就如是等大慈
世尊云何大悲佛言大王菩薩摩訶薩行般
若波羅蜜衆生苦惱无歸无依處即為濟拔
發菩提心勤求正法既自得已為衆生說其
慳貪者教行布施无戒破戒教令持戒惡性
之人教行忍辱懶惰懈怠教令精進散亂之人
教行禪定愚癡之人教行般若為度衆生
雖遭苦惱終不捨離菩提之心是名大悲世
尊云何大喜佛言大王菩薩摩訶薩行般
若波羅蜜作是思惟三界熾燃我已出離

之人教行忍辱懶惰懈怠教令精進散亂之人
教行禪定愚癡之人教行般若為度衆生
雖遭苦惱終不捨離菩提之心是名大悲世
尊云何大喜佛言大王菩薩摩訶薩行般
若波羅蜜作是思惟三界熾燃我已出離故生
歡喜久相繫着生死之縄我已割斷故生歡
喜種種覺觀及諸取相於生死海我已得出
故生歡喜无始墮立我慢之憧我今已摧故
生歡喜以金剛智壞煩惱山永不復立故生
歡喜我自安隱又令他安隱愚癡黑暗貪愛
繫縛久寐世間今始得覺故生歡喜我今已離
一切惡趣又拔衆生令出惡道衆生久於生
死迷亂不知出道我今濟拔開示正路悉令
得至薩婆若城故生歡喜是名大喜大王菩
薩摩訶薩行般若波羅蜜眼所見色不着不
離而起捨心耳聲鼻香舌味身觸意法亦尒
大王菩薩摩訶薩行般若波羅蜜成就如是
四无量心
尒時勝天王白佛言世尊云何菩薩摩訶薩
行般若波羅蜜為度衆生示現諸相佛告勝
天王言大王般若波羅蜜相不可得菩薩摩
訶薩相亦不可得但方便力教化衆生示現
處胎乃至涅槃何以故諸天計常謂无過諸
菩薩摩訶薩行般若波羅蜜以方便力破此
執故示現處胎因令彼天起无常念世間最

訶薩相亦不可得但方便力教化衆生亦現
處胎乃至涅槃何以故諸天計常謂无墮落
菩薩摩訶薩行般若波羅蜜以方便力破此
執故亦現處胎因令彼天起无常念世間最
勝處高无等不著五欲不能汙尚有墮落
況復餘天是故咸應勿復放逸懃加精進一心
脩道譬如見日尚有隱沒則知螢火不得久
住大王復有放逸諸天貪著樂故不脩正法
雖與菩薩同在天宮不往礼拜不諮受法而
住是意今且遊戲明諸菩薩各相謂言菩薩
與我常共在此脩行何晚菩薩摩訶薩行般
若波羅蜜懃脩精進如救頭燃破放逸亦
現墮落如是亦現有二因緣一令諸天離放
逸故二令衆生咸得見故大王世間復有下
劣衆生不堪見佛成无上道及轉法輪菩薩
摩訶薩為此衆生是故亦現嬰兒童子後宮
遊戲菩薩若作餘像說法後宮女人則不信
樂是故亦現嬰兒童子大王有高行者常能
離俗菩薩摩訶薩為化彼故亦現出家大王
復有天人作如是念若以端坐是人天樂不
得聖道菩薩摩訶薩為化此故亦現苦行亦
為降伏諸外道故亦現苦行大王復有天人
長夜發願菩薩摩訶薩行詣道場我等諸
天常獻供養菩薩為化此衆生故亦詣道場一
切人衆皆悉獲得菩提因緣大王復有天人

為降伏諸外道故亦現苦行大王復有天人
長夜發願菩薩摩訶薩行詣道場我等諸
天常獻供養菩薩為化此衆生故亦詣道場一
切人衆皆悉獲得菩提因緣大王復有天人
作如是念惡魔外道鄣导正法願得菩薩坐
於道場降伏惡魔及諸外道正信之人悉令
見法菩薩摩訶薩既成道已三千大千世界
於虛空中種種音聲而讚歎日佛日出世螢
火隱沒此等天人悉發是言願我來世皆得
阿耨多羅三藐三菩提如今菩薩摩訶薩為
是衆生現坐道場大王又有天人作如是言
願見大師成就一切智无師智自然智不求
出離根性純熟是深法器為是衆生亦現三
轉十二種法輪大王復有天人樂聞涅槃菩
薩為化彼衆生故亦現涅槃大王菩薩摩訶
薩脩行般若波羅蜜能現如是種種之相
大王菩薩摩訶薩行般若波羅蜜不生難處何
以故无福德人不聞般若波羅蜜名字故又
復常離一切惡業佛所說戒悉不毀犯心无
疵垢已於過去无數佛所多種善具足功
德智慧方便成就大願心樂寂靜懃行精進
大王菩薩摩訶薩无有惡業牽墮地獄性行
十善故菩薩摩訶薩无有破戒牽墮畜生性
持戒故菩薩摩訶薩无有疾妒不墮餓鬼不
生邪見家常值善知識何以故已於過去无

十善故菩薩摩訶薩无有破戒等墮畜生性
持戒故菩薩摩訶薩无有疾妬不墮餓鬼不
生耶見家常值善知識何以故已於過去无
量佛所深種善根是故生處皆志正見菩薩
受生諸根不缺成佛法器何以故於過去世
供養諸佛聽聞正法礼敬大衆是故根具相
貌端圓成佛法器大王菩薩不生邊地鈍根
愚癡不知善惡語言義趣非佛法器不識沙
門婆羅門何以故菩薩受生必在中國利根
智慧言辭辯了善知語義是佛法器善知沙
門及婆羅門何以故菩薩摩訶薩宿世智慧
力故大王菩薩不生長壽天不見諸佛不利
衆生故菩薩所坐在欲界示現出世利益
衆生何以故善方便故大王菩薩不生空世
界中此處无佛不聞正法不供養僧何以故
菩薩生處必具三寶宿願種故菩薩若聞惡
世界名即生厭離脩行寂靜心不懈怠以一
切善減諸惡法大王菩薩摩訶薩脩行般若
波羅蜜以是因緣不生難處大王菩薩摩訶
薩行般若波羅蜜乃至夢中尚不忘失菩提
之心況復覺時何以故一切善法生於此心
此心即是阿耨多羅三藐三菩提心若无此
心則无有佛无佛无法无僧由此心故得有
三寶及以天人菩薩摩訶薩常離諂曲質直
柔和其心清淨不疑佛法欲聽受者不秘深

BD00960 號　勝天王般若波羅蜜經卷二　（15–7）

之心況復覺時何以故一切善法生於此心
此心即是阿耨多羅三藐三菩提心若无此
心則无有佛无佛无法无僧由此心故得有
三寶及以天人菩薩摩訶薩常離諂曲質直
柔和其心清淨不疑佛法欲聽受者不秘深
義離法嫉妬遠三塗業於初中後无有異相
行不違言謙持大乘見同學者則生恭敬勸
他脩習讚歎大乘於說法師常生佛想近善
知識遠離惡友大王菩薩摩訶薩脩般若波
羅蜜如是成就菩提之心因由此心得宿命
智何以故已曾供養无量諸佛讚持正法脩
清淨戒遠離惡業鄣㝵永无心常歡喜心
懃脩學心不散亂心智不失何以故大王若菩
薩摩訶薩已曾供養无量諸佛則尊重正法
由重法故廣為人說為護正法不惜身命身
口意業三種清淨業清淨已得離鄣㝵離鄣
㝵故心常歡喜心歡喜故則懃精進心性正
直念智具足由念智故知過去生一十百千
乃至无數大王菩薩摩訶薩行般若波羅蜜
如是了知過去生處既了宿命近善知識由
善知識於諸佛所不失三事謂見聞念常聽
正法供養僧寶无空過時諸佛菩薩所恒恭
敬礼拜尊重行住坐臥不離多聞大王持淨
戒者耳根常聞般若波羅蜜名字恒懃脩習
助道之法曾不遠離三解脫門脩四无量常
聞薩婆若名大王菩薩摩訶薩行般若波羅

BD00960 號　勝天王般若波羅蜜經卷二　（15–8）

正法僧寶无空過時諸佛菩薩所恒恭
敬礼拜尊重行住坐卧不離多聞大王持淨
戒者耳根常聞般若波羅蜜名字恒懃脩習
助道之法曾不遠離三解脫門脩四无量常
聞薩婆若名大王菩薩摩訶薩行般若波羅
蜜以是因緣近善知識大王菩薩摩訶薩行
般若波羅蜜乃至夢中不近惡友何況覺時
何以故菩薩摩訶薩不與破戒人共住耶見
人无威儀人耶命人无義語人瞋恨人樂住
生死人背菩提人樂俗務人不與共住大王
菩薩摩訶薩行如是法離惡知識大王菩薩
摩訶薩行般若波羅蜜能得如來清淨之身
所謂平等身清淨身无盡身善脩得身法
身不可覺知身不思議身寂靜身虛空等身智
身勝天王白佛言世尊菩薩摩訶薩在何位
中能得如來十種之身佛告勝天王言菩薩
初地得平等身何以故離諸耶曲通達法性
見平等故於第二地得清淨身何以故清淨
戒故住第三地得无盡身何以故離瞋恚故
第四地中得善脩身何以故常懃精進脩佛
法故住第五地則得法身何以故見諸諦理
故住第六地得離覺觀身何以故觀因緣理
非覺觀所知故住第七地得不思議身何以
故具足方便故於第八地得寂靜身何以故
離一切戲論无煩惱故住第九地得等虛空

故住第六地得離覺觀身何以故觀因緣理
非覺觀所知故住第七地得不思議身何以
故具足方便故於第八地得寂靜身何以故
離一切戲論无煩惱故住第九地得等虛空
身何以故身相不可盡遍一切處故住第十
地則得智身何以故成就一切種智故勝天
王白佛言如來之身與菩薩身无差別乎佛
告勝天王言身无差別但功德異勝天王言
其義云何大王佛菩薩身无有差別何以故
一切諸法同一性相功德差別世尊云何功
德而有差別佛言大王今當為王譬喻顯了
譬如寶珠若有裝餝或不裝餝其珠何異佛
與菩薩功德有差法身无別何以故如來功
德一切圓滿盡于十方遍衆生界清淨離垢
鄣礙永无菩薩之身功德未滿有餘鄣故譬
如初月十五日月虧盈有異月性无差此菩
諸身皆悉堅固猶如金剛不可破壞何以故
三毒不破世法不染惡趣人闇苦不能逼惱
已遠離生老病死能伏外道過魔境界不伺
聲聞辟支佛乘以是因緣不可破壞大王菩
薩摩訶薩行般若波羅蜜善能將導一切世
間天人何脩羅譬如有人善為將導若國王
王等長者居士意咸用之菩薩亦尒聲聞緣
覺菩薩諸佛咸同用為將道又如善將導
者世間國王婆羅門長者居士咸共尊重菩
[illegible]

王等長者居士意咸用之菩薩亦尒聲聞緣
覺菩薩諸佛咸同用爲將道又如善將導
者世間國王婆羅門長者居士咸共尊重菩
薩亦尒天龍夜叉有學无學之所供養又如曠
野險難怖畏行人疲惓遇善將導能令安隱
菩薩亦尒以方便力於彼生死煩惱賊難將
導衆生安隱得出又如貧人依富長者方出
險難梵志尼揵及餘外道於生死中依行般
若波羅蜜菩薩尒乃出離又如大富長者无
量資財爲一切人之所受用行般若波羅蜜
菩薩亦復如是於生死中六道衆生之所受
用又如大富長者欲過險難必要多伴飲食
資粮皆悉具足尒乃得過菩薩亦尒出世
間以功德智慧攝一切衆生度生死難至薩
婆若又如人遠行多賷寶物爲得利故菩薩
亦尒從生死海至薩婆若廣脩功德智慧爲
得一切智故又如世人求財无厭菩薩樂法
亦无厭心又如將尊四事勝他所謂財富寂
勝位高語用菩薩亦尒富功德位寂勝法自
在无異言又如人善尊至於大城菩薩亦尒
善能將尊至薩婆若城大王菩薩摩訶薩行
般若波羅蜜善知行路不可行路耶正安善
有水无水相狠曲直出離之道皆悉通達大
王菩薩摩訶薩知不倒路凡所示道不違衆
根爲大乘人示无上道不說聲聞辟支佛路

BD00960號　勝天王般若波羅蜜經卷二　（15–11）

有水无水相狠曲直出離之道皆悉通達大
王菩薩摩訶薩知不倒路凡所示道不違衆
根爲大乘人示无上道不說聲聞辟支佛路
爲小乘人示聲聞道不說大乘辟支佛根示
緣覺路不說薩婆若道爲著我見說无我道
著法衆生爲說空道著二邊者爲說中道爲
散亂者說奢摩他毗婆舍那不說散亂戲
論衆生示如如道不說言語著生死者示涅槃
道不說世間爲迷塗者而說正道大王是名
菩薩知耶正路

勝天王般若波羅蜜經念處品第四

尒時勝天王即從坐起偏袒右肩右膝著地
合掌向佛頭面作礼而白佛言世尊菩薩摩
訶薩行般若波羅蜜能如是知路非路者心
緣何住佛告勝天王言大王菩薩摩訶薩行
般若波羅蜜心正不亂何以故善念身念受
念心念法菩薩摩訶薩凡所遊行城邑聚落
聞利養名如佛戒說煩惱繫縛善自憶念
大王云何菩薩摩訶薩行般若波羅蜜念身
與身相應惡不善法以如實智悉遠離之觀
身過失始自足底乃至頭頂山身无我无常敗
壞但以骨脈共相連持腥臊臭穢色惡可惡
所不喜見如是觀已身中貪欲悉不復生不
起身我以是因緣相應善法皆悉隨順云何

BD00960號　勝天王般若波羅蜜經卷二　（15–12）

身過失始自足底乃至頂上
壞但以筋脉共相連持腥臊臭穢色惡可惡
所不喜見如是觀已身中貪欲悉不復生不
起身我以是因緣相應善法皆悉隨順云何
菩薩摩訶薩行般若波羅蜜念受住是思惟
諸受皆苦顛倒眾生妄起樂相凡夫愚癡以
苦為樂聖人但說一切皆苦勤修精進為斷
滅故亦教餘人修學此法住是觀已恒自念
受不隨受行修行斷受亦令他學云何菩薩
摩訶薩行般若波羅蜜念心住是思惟此心
无常而謂常住於苦謂樂无我謂我不淨謂
淨數動不住速疾轉易結使根本諸惡趣門
煩惱因緣壞滅善道是不可信貪瞋癡主一切
法中心為上首若善知心悉解眾法種種世
間皆由心造心不自見若善若惡皆心所起
心性迴轉如旋火輪易轉如馬能燒如火暴
起如水住如是觀於念不動不隨心行令心
隨已若能伏心則伏眾法云何菩薩摩訶薩
行般若波羅蜜念法惡不善法能如實知
謂貪欲瞋恚愚癡及餘煩惱而修對治貪
欲對治瞋恚對治愚癡對治如是知已即迴
起念不行彼法亦令他離云何菩薩摩訶薩
行般若波羅蜜於境起念若見色聲香味觸
住是思惟云何於彼不真實法而生貪愛此
乃凡夫愚癡所著即是不善如世尊說愛即
生著著即迷惑迷故不知善法惡法以是因

行般若波羅蜜於境起念若見色聲香味觸
住是思惟云何於彼不真實法而生貪愛此
乃凡夫愚癡所著即是不善如世尊說愛即
生著著即迷惑迷故不知善法惡法以是因
緣生於惡趣菩薩摩訶薩自不漏失不著
境界令他亦尒大王菩薩摩訶薩行般若波羅
蜜阿蘭若念作是思惟阿蘭若者是无諍人
之所住處寂靜住處於此處中天龍夜叉他
心智人悉能知我心心數法不應於此起斜
思惟即得捨離於法正憶懃修行之大王菩
薩摩訶薩行般若波羅蜜住是思惟城邑聚
落非出家人所可行處則不應往所謂酤酒
婬女王城博弈歌舞之處悉速離之大王菩
薩摩訶薩行般若波羅蜜聞利養名起正
憶念住是思惟為生施福故受此財不由貪愛
愛不出內生長子息不言我財一切貧窮普
皆周給如是行者人所讚歎終不計我及以
我所復作是念人皆稱我慧施名聞世間无
常須臾磨滅云何智人无常无實不恒无主
隨彼而行起我我所大王菩薩摩訶薩行般
若波羅蜜於佛世尊所說念戒住是思惟過
去諸佛皆學此戒戒无上道得至涅槃當來
諸佛現在亦尒如是知已精進懃修大王菩
薩摩訶薩行般若波羅蜜為化眾生及以自
身少欲知足著糞掃衣心常清潔信力堅固

婬女王城博弈歌儛之處悉遠離之……
薩摩訶薩行般若波羅蜜聞利養名起正
憶念住是思惟為生施福故受此財不由貪愛
愛不出內生長子息不言我財一切貧窮普
皆周給如是行者人所讚歎終不計我及以
我所復作是念人皆稱我慧施名聞世間无
常須臾磨滅云何智人无常无實不恒无主
隨彼而行起我我所大王菩薩摩訶薩行般
若波羅蜜於佛世尊所說念戒住是思惟過
去諸佛皆學此戒戒无上道得至涅槃當來
諸佛現在亦尒如是知已精進勤脩大王菩
薩摩訶薩行般若波羅蜜為化衆生及以自
身少欲知之著糞掃衣心常清潔信力堅固
寧失身命於戒不犯心離高慢莊行[illegible]
[illegible]

BD00960 號　勝天王般若波羅蜜經卷二

（15–15）

[illegible]……驚怕步步係……
撓之後人以棒打之居道日自討往悞誠難免
脫若為免示余一計授耳使免逢惡家之面[illegible]
王歧汝當如之何使人語居道汝但能為[illegible]
衆生發心願造金光明經四卷當得免脫[illegible]
來教連聲再唱願造金光明經四卷盡身供
養願惡家解釋少時望見城門使人引向東
入曲向北見閻王廳前無數億人問辯答疑
着枷被鏁連相履械鞭撻狼藉哀聲痛響
不可聽使人即過狀閻王唱名出見王曰此人
煞大罪過何為捉來遲晚令此豬等拜訴冤
嘆訴者將來使人走出請處叫嘆求覓所訴
命者不得走來報王諸處追猪等不見王
即更散走人分頭巡門遍府咸悉稱無王即
帖五道大神檢化形案少時有一主者枇狀
走來其狀云依檢其日得司善祿報世人張
居道為煞生故願造金光明經四卷依教其
其連煞並合乘此功德隨業化形祿王亦放
處分者其張居道惡家許者以其日准司善
祿並判化從人道生於世界訖王顧狀撫懷歡
喜日張居道雖煞衆生能發方計為其發願
修造功德令此債主便生人路既無執對偏
詞不可懸信判放居道再歸生路當須善
[illegible]

BD00961 號 1　金光明經懺悔滅罪傳

（20–1）

爾並判化從人道生於世界訖王既狀擬憐放
其自居道雖然衆生能設方計爲其發願
修造功德令此債主便生人路既無執對徧
詞不可懸信判放居道再歸生路當宜善
念多造功德斷味心然勿復慳貪情非不作
愼保身爲惡業於是出城如從夢歸居道
當說此由緣發心造經一百餘人斷害心然
不可計數此經天下步本詢訪不獲豹應
詣方至於衛州禪寂寺檢得抄寫隨身供養
居道及至當官之日合家大小悉斷害味其
溫州安固縣丞妻病經一年絕音不語獨自枉
語口中唱痛叩頭死罪狀有所訴居道聞之
爲其夫說如此之狀多是怨家債命文案未決
命故不絕自當思忖省悟已來由緣所聞然
害生命急爲造金光明經分明懺悔此經側
近無本唯居道家有此經懸系依達其教
請本雇人抄寫未畢妻便醒悟說云狀如
夢夢惛惛常有雞豬鵝鴨一日三回競來咬
嚙痛不可當從來應其到時遂乃見惟有
或豬或羊或牛或雞之類皆是人身來與
我別云雖是怨家遭你居害以你爲我欲造
功德所以令我得化形成人今與怨家辭散不
相逐情語訖即去因今不復如此病即輕差
平復如本當此之時溫州一郡所養雞豬鵝鴨
皆用之徒感悉放生家家斷害人皆念不
立屠行爰及比州隣縣聞此並起淨行不心
一家當今所然無所殺劝者斯是衆生業滿

BD00961 號 1　金光明經懺悔滅罪傳

（20–2）

相逐情語訖即去因今不復如此病即輕差
平復如本當此之時溫州一郡所養雞豬鵝鴨
皆用之徒感悉放生家家斷害人皆念不
立屠行爰及比州隣縣聞此並起淨行不心
一家當今所然無所殺劝者斯是衆生業滿
命死故故無報應只是盡人身還作畜生被他
屠煞害衆生日限未足遣人煞者立被誅
注世人許死及羸病連年累月眼中唱痛狂
言或語並是衆生執注文案一定方如命斷
一切衆罪懺悔皆滅唯有煞生懺悔不除
或被人所遣或事計難禁煞事不已者當
爲怨家尋心訟對自非爲其捨造功德經像
慚愧爲其傷嘆將刀所煞如割己害或衒賣
与人取其非價以爲豊足一造一本分明懺
唱令此功德資及怨家早生人道考訟自休
不復執逐善男女等明當識之

金光明經傳

金光明經序品第一

如是我聞一時佛在王舍大城耆闍崛山是
時如來遊於无量甚深法性諸佛行處過
諸菩薩所行清淨是金光明諸經之王若有
聞者則能思惟无上微妙甚深之義如是經
典常爲四方四佛世尊之所護持東方阿閦
南方寶相西方无量壽北方微妙聲我今當
說懺悔等法所生功德爲无有上能壞一切
諸苦盡不善業
一切種智　而爲根本　无量功德　之所莊嚴
[illegible]

BD00961 號 1　金光明經懺悔滅罪傳
BD00961 號 2　金光明經卷一

（20–3）

南方寶相西方无量壽北方微妙聲我今當
說懺悔等法所生功德為无有上能壞一切
諸惡盡不善業
一切種智　而為根本　无量功德　之所莊嚴
滅除諸苦　與无量樂　諸根不具　壽命减損
貧窮困苦　諸天捨離　親厚鬪訟　王法所加
各各忿諍　財物損耗　愁憂恐怖　惡星災異
衆邪蠱道　變怪相續　卧見惡夢　晝夜愁惱
當淨洗浴　聽是經典　至心清淨　著淨潔衣
專聽諸佛　甚深行處　是經威德　能悉滅除
如是諸惡　令其寂滅　護世四王　將諸官屬
并及无量　夜叉之衆　悉來擁護　持是經者
大辯天神　尼連河神　鬼子母神　地神堅牢
大梵尊天　三十三天　大神龍王　緊那羅王
迦樓羅王　阿脩羅王　與其眷屬　悉共至彼
擁護是人　晝夜不離
我今所說　諸佛世尊　甚深秘密　微妙行處
億百千劫　甚難得值　若得聞經　若為他說
若心隨喜　若設供養　如是之人　於无量劫
常為諸天　八部所敬　如是脩行　生功德者
得不可思議　无量福聚　亦為十方　諸佛世尊
深行菩薩　之所護持　著淨衣服　以上妙香
慈心供養　常不遠離　身意清淨　无有垢穢
歡喜悅豫　深樂是典　若得聽聞　當知善得
人身人道　及以正命　若聞懺悔　執持在心
是上善根　諸佛所讚
金光明經壽量品第二

慈心供養　常不遠離　身意清淨　无有垢穢
歡喜悅豫　深樂是典　若得聽聞　當知善得
人身人道　及以正命　若聞懺悔　執持在心
是上善根　諸佛所讚
金光明經壽量品第二
尒時王舍城中有菩薩摩訶薩名曰信相
曾供養過去无量億那由他百千諸佛種諸善
根是信相菩薩作是思惟何因何緣釋迦如
來壽命短促方八十年復更念言如佛所
說有二因緣壽命得長何等為二一者不
殺二者不盜而我世尊於无量百千億那由
他阿僧祇劫脩不殺戒具足十善飲食惠施不可
限量乃至己身骨髓血肉充足飽滿飢餓衆
生况飲餘食大士如是至心念佛思是義時
其室自然廣博嚴事天紺琉璃種種衆寶
雜廁間錯以成其地猶如如來所居淨土有
妙香氣過諸天香烟雲垂布遍滿其室其
室四面各有四寶上妙高座自然而出純以天衣
而為敷具是妙坐上各有諸佛所受用華衆
寶合成於蓮華上有四如來東方名阿閦南方
名寶相西方名无量壽北方名微妙聲是四
如來自然而坐師子座上放大光明照王舍
城及此三千大千世界乃至十方恒河沙等
諸佛世界雨諸天華作天伎樂尒時三千大
千世界所有衆生以佛神力受天快樂諸根
不具即得具足舉要言之一切世間所有利益
未曾有事悉具足出現

城及此三千大千世界乃至十方恒河沙等
諸佛世界雨諸天華作天伎樂尒時三千大
千世界所有衆生以佛神力受天快樂諸根
不具即得具足舉要言之一切世間所有利益
未曾有事悉具足出現
尒時信相菩薩見是諸佛及希有事歡喜
踊躍恭敬合掌向諸世尊至心念佛作是思
惟釋迦如來无量功德唯壽命中心生疑惑
云何如來壽命如是方八十年尒時四佛以
正遍知告信相菩薩善男子汝今不應思量
如來壽命短促何以故善男子我等不見
諸天世人魔衆梵衆沙門婆羅門人及非
人有能思筭如來壽量知其齊限唯除如來
時四如來將欲宣暢釋迦文佛所得壽命欲
色界天諸龍鬼神乾闥婆阿脩羅迦樓羅
緊那羅摩睺羅伽及无量百千億那由他菩
薩摩訶薩以佛神力悉來聚集信相菩薩
摩訶薩室尒時四佛於大衆中略以偈喻說
釋迦如來所得壽量而作頌曰
一切諸水　可知幾渧　无有能數　釋尊壽命
諸須弥山　可知斤兩　无有能量　釋尊壽命
一切大地　可知塵數　无有能筭　釋尊壽命
虛空界分　尚可盡邊　无有能計　釋尊壽命
不可計劫　億百千万　佛壽如是　无量无邊
以是因喻　故說二乘　不害物命　施食无量
是故大士　壽不可計　无量无邊　亦无齊限
是故汝今　不應於佛　无量壽命　而生疑惑

以是因喻　故說二乘　不害物命　施食无量
是故大士　壽不可計　无量无邊　亦无齊限
是故汝今　不應於佛　无量壽命　而生疑惑
尒時信相菩薩摩訶薩聞是四佛宣說如來
壽命无量深心信解歡喜踊躍說是如來
壽命品時无量无邊阿僧祇衆生發阿耨多
羅藐三菩提心時四如來忽然不現
金光明經懺悔品第三
尒時信相菩薩即於其夜夢見金鼓其狀姝
大其明普照喻如日光復於光中得見十方
无量无邊諸佛世尊衆寶樹下坐瑠璃座與
无量百千眷屬圍繞而爲說法見有一人似
婆羅門以桴擊鼓出大音聲其聲演說懺悔
偈頌時信相菩薩從夢寤已至心憶念夢中
所聞懺悔偈頌過夜至旦出王舍城尒時亦
有无量无邊百千衆生與菩薩俱往耆闍崛
山至於佛所至佛所已頂礼佛足右遶三匝
却坐一面敬心合掌瞻仰尊顏以其夢中
所說金鼓及聞懺悔偈頌向如來說
昨夜所夢　至心憶持　夢見金鼓　妙色晃曜
其光大盛　明踰於日　遍照十方　恒河世界
又因此光　得見諸佛　衆寶樹下　坐瑠璃座
无量大衆　圍遶說法
見婆羅門　擊是金鼓　其鼓音中　說如是偈
是大金鼓　所出妙音　悉能滅除　三世諸苦
地獄餓鬼　畜生等苦　貧窮困厄　及諸有苦

見婆羅門　擊是金鼓　其鼓音中　說如是偈
是大金鼓　所出妙音　悉能滅除　三世諸苦
地獄餓鬼　畜生等苦　貧窮困厄　及諸有苦
是鼓所出　微妙之音　能除衆生　諸苦所逼
斷衆怖畏　令得无懼　猶如諸佛　得无所畏
諸佛聖人　所成功德　離於生死　到大智岸
如是衆生　所得功德　定及助道　猶如大海
是鼓所出　如是妙音　令衆生得　梵音深遠
證佛无上　菩提勝果　轉无上輪　微妙清淨
住壽无量　不思議劫　演說正法　利益衆生
能壞煩惱　消除諸苦　貪瞋癡等　悉令弥滅
若有衆生　處在地獄　大火熾然　焚炙其身
若聞金鼓　微妙音聲　所出言教　即尋礼佛
亦令衆生　得知宿命　百生千生　千万億生
令心正念　諸佛世尊　亦聞无上　微妙之言
是金鼓中　所出妙音　復令衆生　值遇諸佛
遠離一切　諸佛業等　善脩无量　白淨之業
諸天世人　及餘衆生　隨其所思　諸所念求
如是金鼓　所出之音　皆悉能令　成就具足
若有衆生　墮大地獄　猛火炎熾　焚燒其身
无有救護　流轉諸難　當令是等　悉滅諸苦
若有衆生　諸苦所切　三惡道報　及以人中
如是金鼓　所出之音　悉能除滅　一切諸苦
无依无歸　无有救護　我爲是等　作歸依處
是諸世尊　今當證知　久已於我　生大悲心
在在處處　十方諸佛　現在世雄　兩足之尊

BD00961號2　金光明經卷一　（20–8）

如是金鼓　所出之音　悉能除滅　一切諸苦
无依无歸　无有救護　我爲是等　作歸依處
是諸世尊　今當證知　久已於我　生大悲心
在在處處　十方諸佛　現在世雄　兩足之尊
我本所作　惡不善業　今者懺悔　十方力前
不識諸佛　及父母恩　不觧善法　造作衆惡
自恃種姓　及諸財寶　盛年放逸　作諸惡行
心念不善　口作惡業　隨心所作　不見其過
凡夫愚行　无知闇覆　親近惡友　煩惱亂心
五欲因緣　心生忿恚　不知猒足　故作衆惡
親近非聖　因生慳嫉　貧窮因緣　姧諂作惡
繫屬於他　常有怖畏　不得自在　而造諸惡
貪欲恚癡　擾動其心　渴愛所逼　造作衆惡
依因衣食　及以女色　諸結惱熱　造作衆惡
身口意惡　所集三業　如是衆罪　今悉懺悔
或不恭敬　佛法聖衆　如是諸罪　今悉懺悔
或不恭敬　緣覺菩薩　如是衆罪　今悉懺悔
以无知故　誹謗正法　不知恭敬　父母尊長
如是衆罪　今悉懺悔
愚惑所覆　憍慢放逸　因貪恚癡　造作衆惡
如是衆罪　今悉懺悔　我今供養　无量无邊
三千大千　世界諸佛　我當救濟　十方一切
无量衆生　所有諸苦　我當安止　不可思議
阿僧祇劫　令住十地　已得安止　住十地者
悉令具足　如來正覺　爲一衆生　億劫脩行
使无量衆　令度苦海　我當爲是　諸衆生等
演說微妙　其深懺法　所爲金光　滅除諸惡

BD00961號2　金光明經卷一　（20–9）

无量衆生 所有諸苦 我當安止 不可思議
所傳秘劫 令住十地 已得安心 住十地者
悉令具足 如來正覺 為一衆生 億劫脩行
使无量衆 令度苦海 我當為是 諸衆生等
演說微妙 甚深悔法 所為金光 滅除諸惡
千劫所作 極重惡業 若能至心 一懺悔者
如是衆罪 悉皆滅盡 我今已說 懺悔之法
是金光明 清淨微妙 速能滅除 一切業鄣
我當安止 住於十地 十種珎寶 以為脚足
成佛无上 功德光明 令諸衆生 度三有海
諸佛所有 甚深法藏 不可思議 无量功德
一切種智 願悉具足 百千禪定 根力覺道
不可思議 諸陁羅尼 十力世尊 我當成就
諸佛世尊 有大慈悲 當證微誠 義受我悔
若我百劫 所作衆惡 以是因緣 生大憂苦
貧窮困乏 愁怖怯懼 怖畏惡業 心常怯劣
在在處處 暫无歡喜 十方現在 大悲世尊
能除衆生 一切怖畏 願當受我 誠心懺悔
令我恐懼 悉得消除 我之所有 煩惱業垢
唯願現在 諸佛世尊 以大悲水 洗除令淨
過去諸惡 今悉懺悔 現在作罪 誠心發露
所未作者 更不敢作 已作之者 不敢覆藏
身業三種 口業有四 意三業行 今悉懺悔
身之所作 及以意思 十種惡業 一切懺悔
遠離十惡 脩行十善 安止十地 速十力尊
所造惡業 應受惡報 今於佛前 誠心懺悔
若此國土 及餘世界 所有善法 悉以迴向

BD00961 號 2　金光明經卷一　（20–10）

遠離十惡 脩行十善 安止十地 速十力尊
所造惡業 應受惡報 今於佛前 誠心懺悔
若此國土 及餘世界 所有善法 悉以迴向
我所脩行 身口意善 願於來世 證无上道
若在諸有 六趣險難 愚癡无智 造作諸惡
今於佛前 皆悉懺悔 世間所有 生死險難
種種婬欲 愚煩惱難 如是諸難 我今懺悔
心輕躁難 近惡友難 三有險難 及三毒難
遇无難難 值好時難 脩功德難 值佛亦難
如是諸難 今悉懺悔
諸佛世尊 我所依心 是故我今 敬礼佛海
金色晃曜 猶如須弥 是故我今 頂礼最勝
其色无上 猶如真金 眼目清淨 如紺琉璃
功德威神 名稱顯著 佛日大悲 滅一切門
善淨无垢 離諸塵翳 无上佛日 大光普照
煩惱大熾 令心燋熱 唯佛能除 智清涼
三十二相 八十種好 莊嚴其身 覩之无猒
功德巍巍 明網顯曜 安住三界 如日照世
猶如琉璃 淨无瑕穢 妙色廣大 種種各異
其色紺赤 如日初出 頗梨白銀 於餘光網
如是種種 莊嚴佛日 三有之中 生死大河
滌水波蕩 惱亂我心 其味苦毒 最為麁澀
如來網明 能令枯涸 妙身瑞嚴 相好殊特
金色光明 遍照一切 智慧大海 弥滿三界
是故我今 稽首敬礼 如大海水 其量難知
大地微塵 不可稱計 諸須弥山 難可度量
虛空邊際 亦不可得 諸佛亦尒 功德无量

BD00961 號 2　金光明經卷一　（20–11）

金色光明 遍照一切 智慧大海 弥滿三界
是故我今 稽首敬礼 如大海水 其量難知
大地微塵 不可稱計 諸須弥山 難可度量
虛空邊際 亦不可得 諸佛亦尒 功德无量
一切有心 无能知者 於无量劫 懃心思惟
不能得知 佛功德邊 大地諸山 尚可知量
毛渧海水 亦可知數 諸佛功德 无能知者
相好莊嚴 名稱讚嘆 如是功德 今衆皆得
我以善業 諸因緣故 來世不久 成於佛道
講宣妙法 利益衆生 度脫一切 无量諸苦
摧伏諸魔 及其眷屬 轉於无上 清淨法輪
住壽无量 不思議劫 充足衆生 甘露法味
我當具足 六波羅蜜 猶如遇佛 之所成就
斷諸煩惱 除一切苦 悉滅貪欲 及恚癡等
我當憶念 宿命之事 百生千生 百千億生
常當至心 正念諸佛 聞說微妙 无上正法
我曰善業 常值諸佛 遠離諸惡 脩諸善業
一切世界 所有衆生 无量苦惱 我當悉滅
若有衆生 諸根毀壞 不具足者 悉令具足
十方世界 所有病苦 羸瘦頓乏 无救護者
悉令解脫 如是諸苦 還得勢力 平服如故
若犯王法 臨當刑戮 无量怖畏 愁憂苦惱
如是之人 悉令解脫
若受鞭撻 繫縛枷鎖 種種苦事 逼切其身
无量百千 愁憂驚畏 種種恐懼 擾亂其心
如是无邊 諸苦惱等 願使一切 皆得解脫

如是之人 悉令解脫
若受鞭撻 繫縛枷鎖 種種苦事 逼切其身
无量百千 愁憂驚畏 種種恐懼 擾亂其心
如是无邊 諸苦惱等 願使一切 皆得解脫
若有衆生 飢渴所惱 令得種種 甘美飲食
盲者得視 聾者得聽 瘂者能言 裸者得衣
貧窮之者 即得寶藏 倉庫盈溢 无所乏少
一切皆受 安隱快樂 及至无有 一人受苦
衆生相視 和顏悅色 形貌端嚴 人所喜見
心常思念 他人善事 飲食飽滿 功德具足
隨諸衆生 之所思念 皆願令得 種種伎樂
箜篌箏笛 琴瑟鼓吹 如是種種 微妙音聲
江河池沼 流泉諸水 金華遍布 及優鉢羅
隨諸衆生 之所思念 即得種種 衣服飲食
錢財珎寶 金銀琉璃 真殊犛王 雜廁瓔珞
願諸衆生 不聞惡聲 乃至无有 可惡見者
願諸衆生 色貌微妙 各各相於 共相愛念
世間所有 資生之具 隨其所念 悉令具足
願諸衆生 諸有求索 如其所須 應念即得
香華諸珎 常於三時 雨細末香 及塗身香
衆生受者 歡喜快樂 願諸衆生 常得供養
不可思議 十方諸佛 无上妙法 清淨无垢
及諸菩薩 聲聞大衆 願諸衆生 常得遠離
三惡八難 值无難處 親覲諸佛 无上之王
願諸衆生 常生尊貴 多饒財寶 安隱豐樂
上妙色像 莊嚴其身 功德成就 有大名稱
願諸女人 皆成男子 具足智慧 精進不懈

願諸衆生　常生尊貴　多饒財寶　安隱豊樂
上妙色像　莊嚴其身　功德成就　有大名稱
願諸女人　皆成男子　具足智慧　精進不懈
一切皆行　菩薩之道　懃心脩集　六波羅蜜
常見十方　无量諸佛　坐寶樹下　琉璃座上
安住禪定　自在快樂　演說正法　衆所樂聞
若我現在　及過去世　所作惡業　諸有嶮難
應得惡果　不適意者　願悉盡滅　令无有餘
若諸衆生　三有繫縛　生死羅網　緊密牢固
願以智力　割斷破壞　除諸苦惱　早成菩提
若此閻浮　及餘他方　无量世界　所有衆生
所作種種　善巧功德　我念深心　隨其歡喜
我念以此　隨喜功德　及身口意　所作善業
願於來世　成无上道　得淨无垢　吉祥果報
若有敬礼　讚歎十方　信心清淨　无諸疑罔
能作如是　所說懺悔　便得超越　六十劫罪
諸善男子　及善女人　諸王剎利　婆羅門等
若有恭敬　合掌向佛　稱讚如來　并讚此偈
在在處處　常識宿命
諸根具足　清淨端嚴　種種功德　悉皆成就
在在處處　常為國王　輔相大臣　之所供養
非於一佛　五佛十佛　種諸功德　聞是懺悔
若於无量　百千万億　諸佛如來　種諸善根
然後乃得　聞是懺悔
金光明經讚嘆品第四
尒時佛告地神堅牢善女天過去有王名
金龍尊常以讚歎讚歎去來現在諸佛

非於一佛　五佛十佛　種諸功德　聞是懺悔
若於无量　百千万億　諸佛如來　種諸善根
然後乃得　聞是懺悔
金光明經讚嘆品第四
尒時佛告地神堅牢善女天過去有王名
金龍尊常以讚歎讚歎去來現在諸佛
我今尊重　敬礼讚嘆　去來現在　十方諸佛
諸佛清淨　微妙寂滅　色中上色　金光照曜
於諸聲中　佛聲最上　猶如大梵　深遠雷音
其髮紺黑　光踰炎越　蜂翠孔雀　色不得喻
其齒鮮白　猶如珂雪　顯發金顏　亦齊分明
其目脩廣　清淨无垢　如青蓮華　睒木明敷
舌相廣長　形色紅暉　光明照曜　如華初生
眉間豪相　白如軻月　右旋潤澤　如淨琉璃
眉細脩揚　形如月初　其色黑曜　過於蜂王
鼻高圓直　如鑄金鋌　微妙柔濡　當于面門
如來勝相　次第最上　得味真正　无與等者
一一毛孔　一毛旋生　濡細紺青　猶孔雀項
即於生時　身放大光　普照十方　無量國土
滅盡三界　一切諸苦　令諸衆生　悉受快樂
地獄畜生　及以餓鬼　諸天人等　安隱无患
悉滅一切　无量惡趣
身色微妙　如融金聚　面貌清淨　如月盛滿
佛身明曜　如日初出　進止威儀　猶如師子
脩臂下垂　立過于膝　猶如風動　婆羅樹枝
圓光一尋　能照无量　猶如聚集　百千日月
佛身淨妙　无諸垢穢　其明普照　一切佛剎

脩髀下垂　立過于膝　猶如風動　娑羅樹枝
圓光一尋　能照无量　猶如聚集　百千日月
佛身淨妙　无諸垢穢　其明普照　一切佛刹
佛光巍巍　明炎大盛　悉能隱蔽　无量日月
佛日燈炬　照无量界　皆令衆生　尋光見佛
本所脩集　百千行業　聚集功德　莊嚴佛身
髀腨纖圓　如鳥王鼻　手足淨濡　猶受无猒
去來諸佛　數如微塵　現在諸佛　亦復如是
如是如來　我今悉礼　身口清淨　意亦如是
以好華香　供養奉獻　百千功德　讚詠歌歎
設以百舌　於千劫中　嘆佛功德　不能得盡
如來所有　現世功德　種種深固　微妙第一
設復嘆美　欲讚一佛　尚不能盡　功德少分
況欲歎美　諸佛功德
大地及天　以爲大海　及至有頂　滿中水
尚以一毛　知其滴數　无有能知　佛一功德
我今以礼　讚嘆諸佛　身口意業　悉皆清淨
一切所脩　无量善業　與諸衆生　證无上道
如是人王　讚嘆佛已　復作如是　无量擅願
若我來世　无量无邊　阿僧祇劫　在在生處
常於夢中　見妙金鼓　得聞懺悔　深奧之聲
今所讚嘆　面貌清淨　願我來世　亦得如是
諸佛功德　不可思議　於百千劫　甚難得值
願於當來　无量之世　夜則夢見　晝則讚說
我當具足　脩行六度　濟拔衆生　越於苦海
然後我身　成无上道　令我世界　无與等者

諸佛功德　不可思議　於百千劫　甚難得值
願於當來　无量之世　夜則夢見　晝則讚說
我當具足　脩行六度　濟拔衆生　越於苦海
然後我身　成无上道　令我世界　无與等者
奉貢金鼓　讚佛因緣　以此果報　當來之世
值釋迦佛　得受記莂
并令二子　金龍金藏　常生我家　同共受記
若有衆生　无救護者　衆苦逼切　无所依止
我於當來　爲是等輩　作大救護　及依止處
能除衆苦　悉令滅盡　施與衆生　諸善安樂
我未來世　行菩提道　不計劫數　如盡本際
以此金光　懺悔因緣　使我惡海　及以業海
煩惱大海　悉竭无餘
我功德海　願悉成就　智慧大海　清淨具足
无量功德　助菩提道　猶如大海　珎寶具足
以此金光　懺悔力故　菩提功德　光明无量
慧光无垢　照曜清淨
我當來世　身光普照　功德威神　光明炎盛
於三界中　最勝殊特　諸功德力　无所減少
當度衆生　越於苦海　并復安置　功德大海
來世多劫　行菩提道　如昔諸佛　行菩提者
三世諸佛　淨妙國土　諸佛世尊　无量功德
令我來世　得此殊異　功德淨土　如佛世尊
信相當知　尒時國王　金龍尊者　則汝身是
尒時二子　金龍金光　令汝二子　銀相等是
金光明經空品第五
无量餘經　已廣說空　是故此中　略而解說

信相當知　尒時國王　金龍尊者　則汝身是
尒時二子　金龍金光　今汝二子　銀相等是
金光明經空品第五
无量餘經　已廣說空　是故此中　略而解說
衆生根鈍　尠於智慧　不能廣知　无量空義
金此尊經　略而說之
異妙方便　種種因緣　為鈍根故　起大悲心
我今演說　此妙經典　如我所解　知衆生意
是身虛偽　猶如空聚　六入村落　結賊所止
一切自住　各不相知
眼根受色　耳分別聲　鼻嗅諸香　舌嗜於味
所有身根　貪愛於觸　意根分別　一切諸法
六情諸根　各各自緣　諸塵境界　不行他緣
心如幻化　馳騁六情　而常妄相　分別諸法
猶如世人　馳走空聚　六賊所害　愚不知避
心常依止　六根境界　各各自知　所伺之處
隨行色聲　香味觸法
心處六情　如鳥投網　其心在在　常處諸根
隨逐諸塵　无有暫捨　身空虛偽　不可長養
无有諍訟　亦无正主
從諸因緣　和合而有　无有堅實　妄相故起
業力機關　假偽空聚
地水火風　合集成立　隨時增長　共相殘害
猶如四蛇　同處一篋
四大蚖蛇　其性各異　二上二下　諸方亦尒
如是蛇大　悉滅无餘
地水二蛇　其性沉下　風火二蛇　性輕上昇

BD00961 號 2　金光明經卷一　（20–18）

地水火風　合集成立　隨時增長　共相殘害
猶如四蛇　同處一篋
四大蚖蛇　其性各異　二上二下　諸方亦尒
如是蛇大　悉滅无餘
地水二蛇　其性沉下　風火二蛇　性輕上昇
心識二性　躁動不停　隨業受報　天人諸趣
隨所作業　而墮三有
水火風動　散滅壞時　大小不淨　盈流於外
體生諸虫　无可愛樂　損棄塚間　如朽敗木
善女當觀　諸法如是　何處有人　及以衆生
本性空寂　无明故有
如是諸大　一一不實　本自不生　性无和合
以是因緣　我說諸大　從本不實　和合而有
无明體性　本亦不有　妄相因緣　和合而生
无所有故　假名无明　是故我說　名曰无明
行識名色　六入觸受　愛取有生　老死憂惱
衆苦行業　不可思議　生死无際　輪轉不息
本无有生　亦无和合　不善思惟　心行所造
我斷一切　諸見纏等　以智慧力　裂煩惱網
五陰舍宅　觀悉空寂　證无上道　微妙功德
開甘露門　亦甘露器　入甘露城　處甘露室
令諸衆生　食甘露味
吹大法蠡　擊大法鼓　燃大法燈　雨勝法雨
我今摧伏　一切怨結　竪立第一　微妙法幢
度諸衆生　於生死海　永斷三惡　无量苦惱
煩惱熾燃　燒諸衆生　无有救護　无所依止
我以甘露　清涼美味　充足是輩　令離燋熱

BD00961 號 2　金光明經卷一　（20–19）

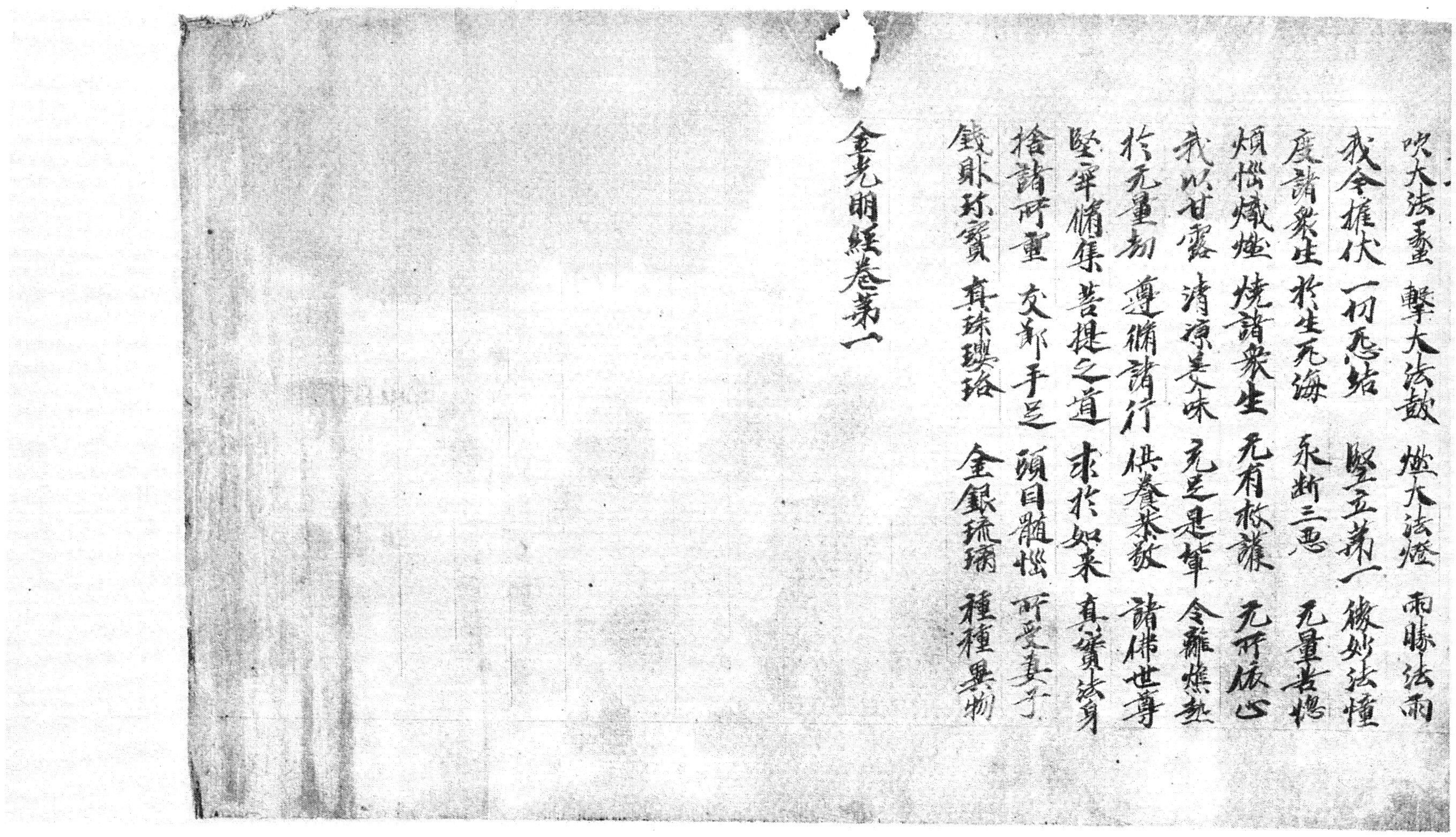

吹大法蠡　擊大法鼓　燃大法燈　雨勝法雨
我今摧伏　一切惡結　堅立第一　微妙法幢
度諸衆生　於生死海　永斷三惡　无量苦惱
煩惱熾燃　燒諸衆生　无有救護　无所依止
我以甘露　清涼上味　充足是輩　令離焦熱
於无量劫　遵備諸行　供養恭敬　諸佛世尊
堅牢備集　菩提之道　求於如來　真實法身
捨諸所重　支節手足　頭目髓腦　所愛妻子
錢財珍寶　真珠瓔珞　金銀琉璃　種種異物

金光明經卷第一

BD00961 號 2　金光明經卷一　（20–20）

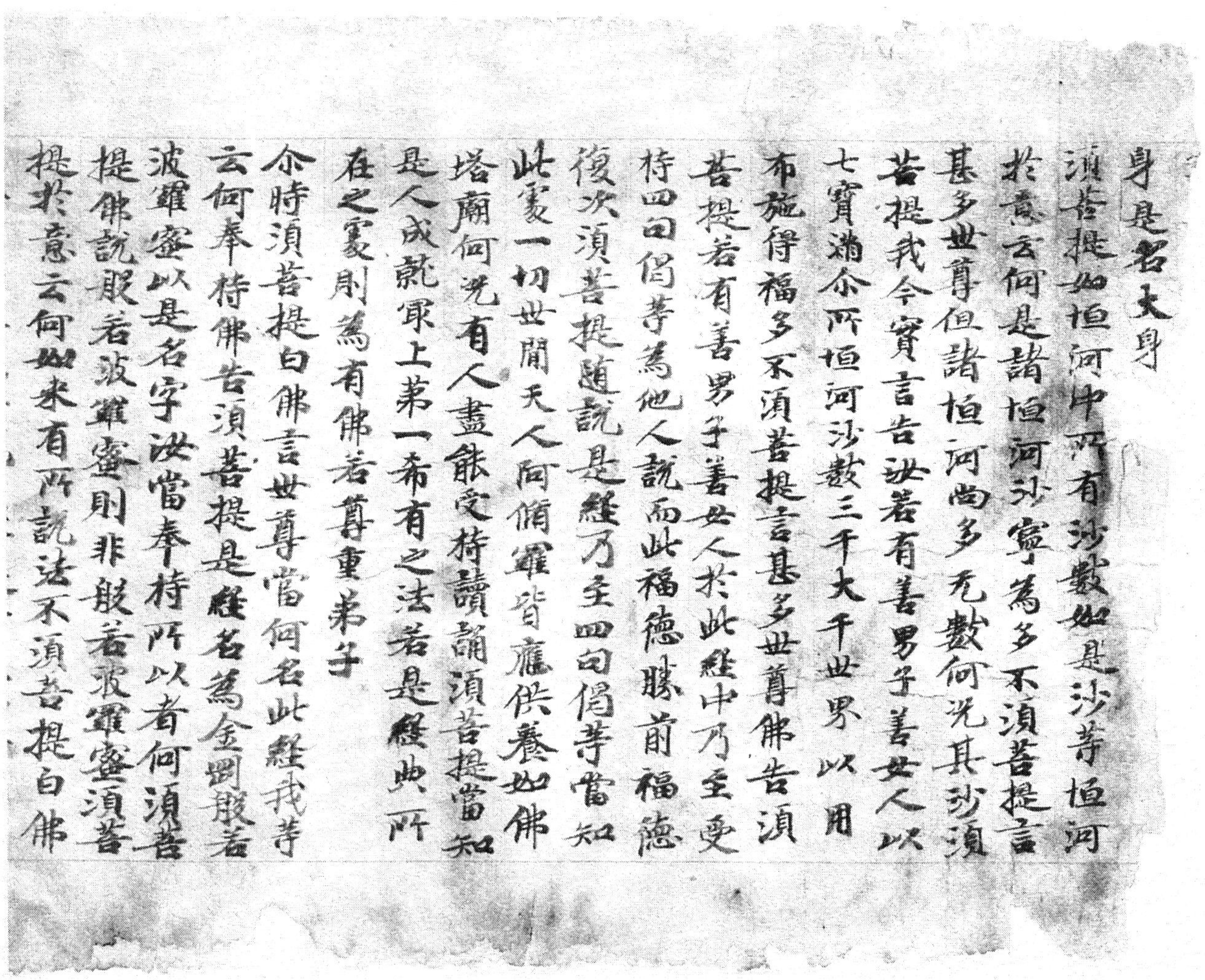

身是名大身
須菩提如恒河中所有沙數如是沙等恒河
於意云何是諸恒河沙寧為多不須菩提言
甚多世尊但諸恒河尚多无數何況其沙須
菩提我今實言告汝若有善男子善女人以
七寶滿尒所恒河沙數三千大千世界以用
布施得福多不須菩提言甚多世尊佛告須
菩提若有善男子善女人於此經中乃至受
持四句偈等為他人說而此福德勝前福德
復次須菩提隨說是經乃至四句偈等當知
此處一切世間天人阿脩羅皆應供養如佛
塔廟何況有人盡能受持讀誦須菩提當知
是人成就最上第一希有之法若是經典所
在之處則為有佛若尊重弟子
尒時須菩提白佛言世尊當何名此經我等
云何奉持佛告須菩提是經名為金剛般若
波羅蜜以是名字汝當奉持所以者何須菩
提佛說般若波羅蜜則非般若波羅蜜須菩
提於意云何如來有所說法不須菩提白佛

BD00963 號　金剛般若波羅蜜經　（11–1）

在之處則為有佛若尊重弟子
尒時須菩提白佛言世尊當何名此經我等
云何奉持佛告須菩提是經名為金剛般若
波羅蜜以是名字汝當奉持所以者何須菩
提佛說般若波羅蜜則非般若波羅蜜須菩
提於意云何如來有所說法不須菩提白佛
言世尊如來无所說須菩提於意云何三千
大千世界所有微塵是為多不須菩提言甚
多世尊須菩提諸微塵如來說非微塵是名
微塵如來說世界非世界是名世界須菩提
於意云何可以三十二相見如來不不也世
尊何以故如來說三十二相即是非相是名
三十二相須菩提若有善男子善女人以恒
河沙等身命布施若復有人於此經中乃至
受持四句偈等為他人說其福甚多
尒時須菩提聞說是經深解義趣涕淚悲泣
而白佛言希有世尊佛說如是甚深經典我
從昔來所得慧眼未曾得聞如是之經世尊
若復有人得聞是經信心清淨則生實相當
知是人成就第一希有功德世尊是實相者
則是非相是故如來說名實相世尊我今得
聞如是經典信解受持不足為難若當來世
後五百歲其有眾生得聞是經信解受持是
人則為第一希有何以故此人无我相人相
眾生相壽者相所以者何我相即是非相人
相眾生相壽者相即是非相何以故離一切
諸相則名諸佛

BD00963號　金剛般若波羅蜜經　（11–2）

後五百歲其有眾生得聞是經信解受持是
人則為第一希有何以故此人无我相人相
眾生相壽者相所以者何我相即是非相人
相眾生相壽者相即是非相何以故離一切
諸相則名諸佛
佛告須菩提如是如是若復有人得聞是經不
驚不怖不畏當知是人甚為希有何以故
須菩提如來說第一波羅蜜非第一波羅蜜
是名第一波羅蜜
須菩提忍辱波羅蜜如來說非忍辱波羅蜜
何以故須菩提如我昔為歌利王割截身體
我於尒時无我相无人相无眾生相无壽者
相何以故我於往昔節節支解時若有我相
人相眾生相壽者相應生瞋恨須菩提又念
過去於五百世作忍辱仙人於尒所世无我
相无人相无眾生相无壽者相是故須菩提
菩薩應離一切相發阿耨多羅三藐三菩提
心不應住色生心不應住聲香味觸法生心
應生无所住心若心有住則為非住是故佛
說菩薩心不應住色布施須菩提菩薩為利
益一切眾生應如是布施如來說一切諸相
即是非相又說一切眾生則非眾生須菩提
如來是真語者實語者如語者不誑語者不
異語者須菩提如來所得法此法无實无虛
須菩提若菩薩心住於法而行布施如人入
闇則无所見若菩薩心不住法而行布施如
人有目日光明照見種種色須菩提當來之

BD00963號　金剛般若波羅蜜經　（11–3）

異語者須菩提如来所得法此法无實无虚
須菩提若菩薩心住於法而行布施如人入
闇則无所見若菩薩心不住法而行布施如
人有目日光明照見種種色須菩提當来之
世若有善男子善女人能於此經受持讀誦
則為如来以佛智慧悉知是人悉見是人皆
得成就无量无邊功德
須菩提若有善男子善女人初日分以恒河
沙等身布施中日分復以恒河沙等身布施
後日分亦以恒河沙等身布施如是无量百
千萬億劫以身布施若復有人聞此經典信
心不逆其福勝彼何况書寫受持讀誦為人
解說須菩提以要言之是經有不可思議不
可稱量无邊功德如来為發大乘者說為發
最上乘者說若有人能受持讀誦廣為人說
如来悉知是人悉見是人皆得成就不可量不
可稱无有邊不可思議功德如是人等則為
荷擔如来阿耨多羅三藐三菩提何以故須
菩提若樂小法者著我見人見衆生見壽者
見則於此經不能聽受讀誦為人解說須菩
提在在處處若有此經一切世間天人阿脩
羅所應供養當知此處則為是塔皆應恭敬
作礼圍遶以諸華香而散其處
復次須菩提善男子善女人受持讀誦此經
若為人輕賤是人先世罪業應墮惡道以今
世人輕賤故先世罪業則為消滅當得阿耨
多羅三藐三菩提須菩提我念過去无量阿

BD00963號　金剛般若波羅蜜經　（11–4）

復次須菩提善男子善女人受持讀誦此經
若為人輕賤是人先世罪業應墮惡道以今
世人輕賤故先世罪業則為消滅當得阿耨
多羅三藐三菩提須菩提我念過去无量阿
僧祇劫於然燈佛前得值八百四千万億那
由他諸佛悉皆供養承事无空過者若復有
人於後末世能受持讀誦此經所得功德於
我所供養諸佛功德百分不及一千万億分
乃至筭數譬喻所不能及須菩提若善男子
善女人於後末世有受持讀誦此經所得功
德我若具說者或有人聞心則狂亂狐疑不
信須菩提當知是經義不可思議果報亦不
可思議
尒時須菩提白佛言世尊善男子善女人發
阿耨多羅三藐三菩提心云何應住云何降
伏其心佛告須菩提善男子善女人發阿耨
多羅三藐三菩提者當生如是心我應滅度
一切衆生滅度一切衆生已而无有一衆生
實滅度者何以故若菩薩有我相人相衆生
相壽者相則非菩薩所以者何須菩提實无
有法發阿耨多羅三藐三菩提者須菩提於
意云何如来於然燈佛所有法得阿耨多羅
三藐三菩提不不也世尊如我解佛所說義
佛於然燈佛所无有法得阿耨多羅三藐三
菩提佛言如是如是須菩提實无有法如来
得阿耨多羅三藐三菩提須菩提若有法如
来得阿耨多羅三藐三菩提者然燈佛則不

BD00963號　金剛般若波羅蜜經　（11–5）

三藐三菩提不不也世尊如我解佛所說義
佛於然燈佛所无有法得阿耨多羅三藐三
菩提佛言如是如是須菩提實无有法如来
得阿耨多羅三藐三菩提須菩提若有法如
来得阿耨多羅三藐三菩提者然燈佛則不
與我授記汝於来世當得作佛号釋迦牟尼
以實无有法得阿耨多羅三藐三菩提是故
然燈佛與我授記作是言汝於来世當得作
佛号釋迦牟尼何以故如来者即諸法如義
若有人言如来得阿耨多羅三藐三菩提須
菩提實无有法佛得阿耨多羅三藐三菩提
須菩提如来所得阿耨多羅三藐三菩提於
是中无實无虚是故如来說一切法皆是佛
法須菩提所言一切法者即非一切法是故
名一切法須菩提譬如人身長大須菩提白佛
言世尊如来說人身長大則為非大身是名大
身須菩提菩薩亦如是若作是言我當滅度
无量衆生則不名菩薩何以故須菩提實无
有法名為菩薩是故佛說一切法无我无人
无衆生无壽者須菩提若菩薩作是言我當
莊嚴佛土是不名菩薩何以故如来說莊嚴
佛土者即非莊嚴是名莊嚴須菩提若菩薩
通達无我法者如来說名真是菩薩
須菩提於意云何如来有宍眼不如是世尊如
来有宍眼須菩提於意云何如来有天眼
不如是世尊如来有天眼須菩提於意云何
如来有慧眼不如是世尊如来有慧眼須菩

BD00963 號　金剛般若波羅蜜經　（11–6）

須菩提於意云何如来有宍眼不如是世尊如
来有宍眼須菩提於意云何如来有天眼
不如是世尊如来有天眼須菩提於意云何
如来有慧眼不如是世尊如来有慧眼須菩
提於意云何如来有法眼不如是世尊如来
有法眼須菩提於意云何如来有佛眼不如
是世尊如来有佛眼須菩提於意云何如恒
河中所有沙佛說是沙不如是世尊如来說
是沙須菩提於意云何如一恒河中所有沙
有如是等恒河是諸恒河所有沙數佛世界
如是寧為多不甚多世尊佛告須菩提尒所
國土中所有衆生若干種心如来悉知何以
故如来說諸心皆為非心是名為心所以者
何須菩提過去心不可得現在心不可得未
来心不可得須菩提於意云何若有人滿三
千大千世界七寶以用布施是人以是因緣
得福多不如是世尊此人以是因緣得福甚
多須菩提若福德有實如来不說得福德多
以福德无故如来說得福德多
須菩提於意云何佛可以具足色身見不不
也世尊如来不應以具足色身見何以故如
来說具足色身即非具足色身是名具足色
身須菩提於意云何如来可以具足諸相見
不不也世尊如来不應以具足諸相見何以
故如来說諸相具足即非具足是名諸相具
足須菩提汝勿謂如来作是念我當有所說
莫作是念何以故若人言如来有所說法

BD00963 號　金剛般若波羅蜜經　（11–7）

身須菩提於意云何如来可以具足諸相見
不不也世尊如来不應以具足諸相見何以
故如来說諸相具足即非具足是名諸相具
足須菩提汝勿謂如来作是念我當有所說
法莫作是念何以故若人言如来有所說法
即為謗佛不能解我所說故須菩提說法者
无法可說是名說法須菩提白佛言世尊佛
得阿耨多羅三藐三菩提為无所得耶如是
如是須菩提我於阿耨多羅三藐三菩提乃
至无有少法可得是名阿耨多羅三藐三菩
提復次須菩提是法平等无有高下是名阿
耨多羅三藐三菩提以无我无人无衆生无
壽者脩一切善法則得阿耨多羅三藐三菩
提須菩提所言善法者如来說非善法是名
善法須菩提若三千大千世界中所有諸須
弥山王如是等七寶聚有人持用布施若人
以此般若波羅蜜經乃至四句偈等受持為
他人說於前福德百分不及一百千万億分
乃至筭數譬喻所不能及
須菩提於意云何汝等勿謂如来作是念我
當度衆生須菩提莫作是念何以故實无
有衆生如来度者若有衆生如来度者如来則
有我人衆生壽者須菩提如来說有我者則
非有我而凡夫之人以為有我須菩提凡夫
者如来說則非凡夫須菩提於意云何可以
三十二相觀如来不須菩提言如是如是以
三十二相觀如来佛言須菩提若以三十二

BD00963 號　金剛般若波羅蜜經　（11-8）

有我人衆生壽者須菩提如来說有我者則
非有我而凡夫之人以為有我須菩提凡夫
者如来說則非凡夫須菩提於意云何可以
三十二相觀如来不須菩提言如是如是以
三十二相觀如来佛言須菩提若以三十二
相觀如来者轉輪聖王則是如来須菩提白
佛言世尊如我解佛所說義不應以三十二
相觀如来尒時世尊而說偈言
若以色見我　以音聲求我　是人行邪道　不能見如来
須菩提汝若作是念如来不以具足相故得
阿耨多羅三藐三菩提須菩提莫作是念如
来不以具足相故得阿耨多羅三藐三菩提
須菩提汝若作是念發阿耨多羅三藐三菩
提者說諸法斷滅莫作是念何以故發阿耨
多羅三藐三菩提者於法不說斷滅相須菩
提若菩薩以滿恒河沙等世界七寶布施若
復有人知一切法无我得成於忍此菩薩勝
前菩薩所得功德何以故須菩提以諸菩薩
不受福德須菩提菩薩所作福德不應貪著
是故佛說不受福德須菩提若有人言如来
若来若去若坐若卧是人不解我所說義何
以故如来者无所從来亦无所去故名如来須
菩提若善男子善女人以三千大千世界碎
為微塵於意云何是微塵衆寧為多不甚多
世尊何以故若是微塵衆實有者佛則不說
是微塵衆所以者何佛說微塵衆則非微塵
衆是名微塵衆世尊如来所說三千大千世

BD00963 號　金剛般若波羅蜜經　（11-9）

菩提若善男子善女人以三千大千世界碎
為微塵於意云何是微塵衆寧為多不甚多
世尊何以故若是微塵衆實有者佛則不說
是微塵衆所以者何佛說微塵衆則非微塵
衆是名微塵衆世尊如來所說三千大千世
界則非世界是名世界何以故若世界實有
者則是一合相如來說一合相則非一合相是
名一合相須菩提一合相者則是不可說但
凡夫之人貪著其事須菩提若人言佛說
我見人見衆生見壽者見須菩提於意云何
是人解我所說義不不也世尊是人不解如
來所說義何以故世尊說我見人見衆生見
壽者見即非我見人見衆生見壽者見是名
我見人見衆生見壽者見須菩提發阿耨多
羅三藐三菩提心者於一切法應如是知如
是見如是信解不生法相須菩提所言法相
如來說即非法相是名法相須菩提若有人
以滿无量阿僧祇世界七寶持用布施若有
善男子善女人發菩薩心者持於此經乃至
四句偈等受持讀誦為人演說其福勝彼云
何為人演說不取於相如如不動何以故
一切有為法　如夢幻泡影　如露亦如電　應作如是觀
佛說是經已長老須菩提及諸比丘比丘尼
優婆塞優婆夷一切世間天人阿脩羅聞佛
所說皆大歡喜信受奉行

金剛般若波羅蜜經

BD00963號　金剛般若波羅蜜經　（11-10）

壽者見即非我見人見衆生見壽者見是名
我見人見衆生見壽者見須菩提發阿耨多
羅三藐三菩提心者於一切法應如是知如
是見如是信解不生法相須菩提所言法相
如來說即非法相是名法相須菩提若有人
以滿无量阿僧祇世界七寶持用布施若有
善男子善女人發菩薩心者持於此經乃至
四句偈等受持讀誦為人演說其福勝彼云
何為人演說不取於相如如不動何以故
一切有為法　如夢幻泡影　如露亦如電　應作如是觀
佛說是經已長老須菩提及諸比丘比丘尼
優婆塞優婆夷一切世間天人阿脩羅聞佛
所說皆大歡喜信受奉行

金剛般若波羅蜜經

BD00963號　金剛般若波羅蜜經　（11-11）

……滿十方　廣饒益衆生
……常於日夜　每思惟是事
……失　我常見世尊　稱讚諸菩薩
……籌量如是事　今聞佛音聲　隨宜而說法
……思議　令衆至道場　我本著邪見　爲諸梵志師
……尊知我心　拔邪說涅槃　我悉除邪見　於空法得證
尒時心自謂　得至於滅度　而今乃自覺　非是實滅度
若得作佛時　具三十二相　天人夜叉衆　龍神等恭敬
是時乃可謂　永盡滅无餘
佛於大衆中　說我當作佛　聞如是法音　疑悔悉已除
初聞佛所說　心中大驚疑　將非魔作佛　惱亂我心耶
佛以種種緣　譬喻巧言說　其心安如海　我聞疑網斷
佛說過去世　无量滅度佛　安住方便中　亦皆說是法
現在未來佛　其數无有量　亦以諸方便　演說如是法
如今者世尊　從生及出家　得道轉法輪　亦以方便說

BD00964號　妙法蓮華經卷二　（27–1）

佛於大衆中　說我當作佛　聞如是法音　疑悔悉已除
初聞佛所說　心中大驚疑　將非魔作佛　惱亂我心耶
佛以種種緣　譬喻巧言說　其心安如海　我聞疑網斷
佛說過去世　无量滅度佛　安住方便中　亦皆說是法
現在未來佛　其數无有量　亦以諸方便　演說如是法
如今者世尊　從生及出家　得道轉法輪　亦以方便說
世尊說實道　波旬无此事　以是我定知　非是魔作佛
我墮疑網故　謂是魔所爲　聞佛柔濡音　深遠甚微妙
演暢清淨法　我心大歡喜　疑悔永已盡　安住實智中
我定當作佛　爲天人所敬　轉无上法輪　教化諸菩薩
尒時佛告舍利弗　吾今於天人沙門婆羅門
等大衆中說　我昔曾於二万億佛所爲无上
道故常教化汝　汝亦長夜隨我受學　我以方
便引導汝故　生我法中　舍利弗　我昔教汝志
願佛道　汝今悉忘　而便自謂已得滅度　我今
還欲令汝憶念本願所行道故　爲諸聲聞
說是大乘經　名妙法蓮華教菩薩法佛所護
念　舍利弗　汝於未來世過无量无邊不可思
議劫　供養若干千万億佛　奉持正法　具足菩
薩所行之道　當得作佛　號曰華光如來應供正
遍知明行足善逝世間解无上士調御丈夫
天人師佛世尊　國名離垢　其土平正清淨嚴
飾　安隱豐樂　天人熾盛　琉璃爲地　有八交
道　黃金爲繩以界其側　其傍各有七寶行
樹　常有華果　華光如來亦以三乘教化衆生舍

BD00964號　妙法蓮華經卷二　（27–2）

餝安隱豐樂天人熾盛瑠璃為地有八交
道黄金為繩以界其側其傍各有七寶行
樹常有華果華光如来亦以三乘教化衆生舍
利弗彼佛出時雖非悪世以本願故說三乘
法其劫名大寶莊嚴何故名曰大寶莊嚴其
國中以菩薩為大寶故彼諸菩薩无量无邊
不可思議筭數譬喻所不能及非佛智力无
能知者若欲行時寶華承足此諸菩薩非
初發意皆久殖徳本於无量百千万億佛所
淨脩梵行恒為諸佛之所稱歎常脩佛慧具
大神通善知一切諸法之門質直无偽志念堅
固如是菩薩充滿其國舍利弗華光佛壽十
二小劫除為王子未作佛時其國人民壽八小
劫華光如来過十二小劫授堅滿菩薩阿耨多
羅三藐三菩提記告諸比丘是堅滿菩薩次當
作佛号曰華足安行多陁阿伽度阿羅訶三
藐三佛陁其佛國土亦復如是舍利弗是華光
佛滅度之後正法住世三十二小劫像法住世亦
三十二小劫尒時世尊欲重宣此義而說偈
言
舍利弗来世　成佛普智尊　号名曰華光　當度无量衆
供養无數佛　具足菩薩行　十力等功徳　證於无上道
過无量劫已　劫名大寶嚴　世界名離垢　清淨无瑕穢
以瑠璃為地　金繩界其道　七寶雜色樹　常有華菓實

舍利弗来世　成佛普智尊　号名曰華光　當度无量衆
供養无數佛　具足菩薩行　十力等功徳　證於无上道
過无量劫已　劫名大寶嚴　世界名離垢　清淨无瑕穢
以瑠璃為地　金繩界其道　七寶雜色樹　常有華菓實
彼國諸菩薩　志念常堅固　神通波羅蜜　皆已悉具足
於无數佛所　善學菩薩道　如是等大士　華光佛所化
佛為王子時　棄國捨世榮　於最末後身　出家成佛道
華光佛住世　壽十二小劫　其國人民衆　壽命八小劫
佛滅度之後　正法住於世　三十二小劫　廣度諸衆生
正法滅盡已　像法三十二　舍利廣流布　天人普供養
華光佛所為　其事皆如是　其兩足聖尊　最勝无倫匹
彼即是汝身　宜應自欣慶
尒時四部衆比丘比丘尼優婆塞優婆夷天
龍夜叉乾闥婆阿脩羅迦樓羅緊那羅摩睺
羅伽等大衆見舍利弗於佛前受阿耨多羅
三藐三菩提記心大歡喜踊躍无量各各脫
身所著上衣以供養佛釋提桓因梵天王等
與无數天子亦以天妙衣天曼陁羅華摩訶
曼陁羅華等供養於佛所散天衣住虚空中
而自迴轉諸天伎樂百千万種於虚空中一
時俱作雨衆天華而作是言佛昔於波羅
柰初轉法輪今乃復轉无上最大法輪尒時諸
天子欲重宣此義而說偈言
昔於波羅柰　轉四諦法輪　分別說諸法　五衆之生滅
今復轉最妙　无上大法輪

天子欲重宣此義而說偈言
昔於波羅柰　轉四諦法輪　分別說諸法　五衆之生滅
今復轉最妙　无上大法輪　是法甚深奧　少有能信者
我等從昔來　數聞世尊說　未曾聞如是　深妙之上法
世尊說是法　我等皆隨喜　大智舍利弗　今得受尊記
我等亦如是　必當得作佛　於一切世間　最尊无有上
佛道叵思議　方便隨宜說　我所有福業　今世若過世
及見佛功德　盡迴向佛道
尒時舍利弗白佛言世尊我今无復疑悔親
於佛前得受阿耨多羅三藐三菩提記是諸
千二百心自在者昔住學地佛常教化言我
法能離生老病死究竟涅槃是學无學人亦
各自以離我見及有无見等謂得涅槃而今
於世尊前聞所未聞皆墮疑惑善哉世尊願
爲四衆說其因緣令離疑悔尒時佛告舍利
弗我先不言諸佛世尊以種種因緣譬喻言
辭方便說法皆爲阿耨多羅三藐三菩提耶
是諸所說皆爲化菩薩故然舍利弗今當復
以譬喻更明此義諸有智者以譬喻得解舍
利弗若國邑聚落有大長者其年衰邁財
富无量多有田宅及諸僮僕其家廣大唯有
一門多諸人衆一百二百乃至五百人止住其
中堂閣朽故墻壁頹落柱根腐敗梁棟傾危
周帀俱時欻然火起焚燒舍宅長者諸子若

一門多諸人衆一百二百乃至五百人止住其
中堂閣朽故墻壁頹落柱根腐敗梁棟傾危
周帀俱時欻然火起焚燒舍宅長者諸子若
十二十或至三十在此宅中長者見是大火
從四面起即大驚怖而作是念我雖能於此
所燒之門安隱得出而諸子等於火宅內樂
著嬉戲不覺不知不驚不怖火來逼身苦
痛切己心不猒患无求出意舍利弗是長者
作是思惟我身手有力當以衣裓若以几案
從舍出之復更思惟是舍唯有一門而復狹
小諸子幼稚未有所識戀著戲處或當墮落
爲火所燒我當爲說怖畏之事此舍已燒宜
時疾出无令爲火之所燒害作是念已如所
思惟具告諸子汝等速出父雖憐愍善言誘
喻而諸子等樂著嬉戲不肯信受不驚不
畏了无出心亦復不知何者是火何者爲舍云
何爲失但東西走戲視父而已尒時長者即作
是念此舍已爲大火所燒我及諸子若不時
出必爲所焚我今當設方便令諸子等得免
斯害父知諸子先心各有所好種種珍玩奇
異之物情必樂著而告之言汝等所可玩好
希有難得汝若不取後必憂悔如此種種羊
車鹿車牛車今在門外可以遊戲汝等於此

異之物情必樂著而告之言汝等所可玩好
希有難得汝若不取後必憂悔如此種種羊
車鹿車牛車今在門外可以遊戲汝等於此
火宅宜速出來隨汝所欲皆當與汝尒時諸
子聞父所說珎玩之物適其願故心各勇銳
互相推排競共馳走爭出火宅是時長者見
諸子等安隱得出皆於四衢道中露地而坐
无復障礙其心泰然歡喜踊躍時諸子等
各白父言父先所許玩好之具羊車鹿車牛車
願時賜與舍利弗尒時長者各賜諸子等一
大車其車高廣衆寶莊校周帀欄楯四面懸
鈴又於其上張設幰蓋亦以珎奇雜寶而嚴
飾之寶繩交絡垂諸華纓重敷綩綖安置丹
枕駕以白牛膚色充潔形體姝好有大筋力
行步平正其疾如風又多僕從而侍衛之所
以者何是大長者財富无量種種諸藏悉皆
充溢而作是念我財物无極不應以下劣小
車與諸子等今此幼童皆是吾子愛无偏黨
我有如是七寶大車其數无量應當等心各
各與之不宜差別所以者何以我此物周給
一國猶尚不匱何況諸子是時諸子各乘大
車得未曾有非本所望舍利弗於汝意云何
是長者等與諸子珎寶大車寧有虛妄不舍
利弗言不也世尊是長者但令諸子得免火
難全其軀命非為虛妄何以故若全身命便

BD00964號　妙法蓮華經卷二　（27–7）

是長者等與諸子珎寶大車寧有虛妄不舍
利弗言不也世尊是長者但令諸子得免火
難全其軀命非為虛妄何以故若全身命便
為已得玩好之具況復方便於彼火宅而拔
濟之世尊若是長者乃至不與最小一車猶
不虛妄何以故是長者先作是意我以方便
令子得出以是因緣无虛妄也何況長者自
知財富无量欲饒益諸子等與大車佛告舍
利弗善哉善哉如汝所言舍利弗如來亦復
如是則為一切世間之父於諸怖畏衰惱憂
患无明闇蔽永盡无餘而悉成就无量知見
力无所畏有大神力及智慧力具足方便智
慧波羅蜜大慈大悲常无懈惓恒求善事利
益一切而生三界朽故火宅為度衆生生老
病死憂悲苦惱愚癡闇蔽三毒之火教化令
得阿耨多羅三藐三菩提見諸衆生為生老
病死憂悲苦惱之所燒煮亦以五欲財利故
受種種苦又以貪著追求故現受衆苦後受
地獄畜生餓鬼之苦若生天上及在人間貧
窮困苦愛別離苦怨憎會苦如是等種種諸
苦衆生沒在其中歡喜遊戲不覺不知不驚
不怖亦不生猒不求解脫於此三界火宅東
西馳走雖遭大苦不以為患舍利弗佛見此
已便作是念我為衆生之父應拔其苦難與
无量无邊佛智慧樂令其遊戲舍利弗如來
復作是念若我但以神力及智慧力舍於

BD00964號　妙法蓮華經卷二　（27–8）

西馳走雖遭大苦不以爲患舍利弗佛見此
已便作是念我爲衆生之父應拔其苦難與
无量无邊佛智慧樂令其遊戲舍利弗如來
復作是念若我但以神力及智慧力捨於方
便爲諸衆生讚如來知見力无所畏者衆生
不能以是得度所以者何是諸衆生未免生
老病死憂悲苦惱而爲三界火宅所燒何由
能解佛之智慧舍利弗如彼長者雖復身手
有力而不用之但以慇懃方便免濟諸子火
宅之難然後各與珍寶大車如來亦復如是
雖有力无所畏而不用之但以智慧方便於
三界火宅拔濟衆生爲說三乘聲聞辟支佛
佛乘而作是言汝等莫得樂住三界火宅勿
貪麁弊色聲香味觸也若貪著生愛則爲所
燒汝速出三界當得三乘聲聞辟支佛佛乘
我今爲汝保任此事終不虛也汝等但當勤
脩精進如來以是方便誘進衆生復作是言
汝等當知此三乘法皆是聖所稱歎自在无
繫无所依求乘是三乘以无漏根力覺道禪
定解脫三昧等而自娛樂便得无量安隱快
樂舍利弗若有衆生内有智性從佛世尊聞
法信受慇懃精進欲速出三界自求涅槃是
名聲聞乘如彼諸子爲求羊車出於火宅若
有衆生從佛世尊聞法信受慇懃精進求自
然慧樂獨善寂深知諸法因緣是名辟支佛

法信受慇懃精進欲速出三界自求涅槃是
名聲聞乘如彼諸子爲求羊車出於火宅若
有衆生從佛世尊聞法信受慇懃精進求自
然慧樂獨善寂深知諸法因緣是名辟支佛
乘如彼諸子爲求鹿車出於火宅若有衆生
從佛世尊聞法信受勤脩精進求一切智佛
智自然智无師智如來知見力无所畏愍念
安樂无量衆生利益天人度脫一切是名大
乘菩薩求此乘故名爲摩訶薩如彼諸子爲
求牛車出於火宅舍利弗如彼長者見諸子
等安隱得出火宅到无畏處自惟財富无量
等以大車而賜諸子如來亦復如是爲一切
衆生之父若見无量億千衆生以佛教門出
三界苦怖畏險道得涅槃樂如來介時便作
是念我有无量无邊智慧力无畏等諸佛法
藏是諸衆生皆是我子等與大乘不令有人
獨得滅度皆以如來滅度而滅度之是諸衆
生脫三界者悉與諸佛禪定解脫等娛樂之
具皆是一相一種聖所稱歎能生淨妙第一
之樂舍利弗如彼長者初以三車誘引諸子
然後但與大車寶物莊嚴安隱第一然彼長
者无虛妄之咎如來亦復如是无有虛妄初
說三乘引導衆生然後但以大乘而度脫之
何以故如來有无量智慧力无所畏諸法之
藏能與一切衆生大乘之法但不盡能受舍

者无虛妄之咎如來亦復如是无有虛妄初
說三乘引導衆生然後但以大乘而度脫之
何以故如來有无量智慧力无所畏諸法之
藏能與一切衆生大乘之法但不盡能受舍
利弗以是因緣當知諸佛方便力故於一佛
乘分別說三佛欲重宣此義而說偈言
譬如長者 有一大宅 其宅久故 而復頓弊
堂舍高危 柱根摧朽 梁棟傾斜 基陛頹毀
墻壁圮坼 泥塗褫落 覆苫亂墜 椽梠差脫
周障屈曲 雜穢充遍 有五百人 止住其中
鵄梟鵰鷲 烏鵲鳩鴿 蚖蛇蝮蠍 蜈蚣蚰蜒
守宮百足 狖貍鼷鼠 諸惡虫輩 交橫馳走
屎尿臭處 不淨流溢 蜣蜋諸虫 而集其上
狐狼野干 咀嚼踐蹋 嚌齧死屍 骨肉狼藉
由是群狗 競來搏撮 飢羸慞惶 處處求食
鬪諍攎掣 啀喍嘷吠 其舍恐怖 變狀如是
處處皆有 魑魅魍魎 夜叉惡鬼 食噉人肉
毒虫之屬 諸惡禽獸 孚乳產生 各自藏護
夜叉競來 爭取食之 食之既飽 惡心轉熾
鬪諍之聲 甚可怖畏 鳩槃荼鬼 蹲踞土埵
或時離地 一尺二尺 往返遊行 縱逸嬉戲
捉狗兩足 撲令失聲 以腳加頸 怖狗自樂
復有諸鬼 其身長大 裸形黑瘦 常住其中
發大惡聲 叫呼求食 復有諸鬼 其咽如針
復有諸鬼 首如牛頭 或食人肉 或復噉狗

BD00964號　妙法蓮華經卷二　（27–11）

捉狗兩足 撲令失聲 以腳加頸 怖狗自樂
復有諸鬼 其身長大 裸形黑瘦 常住其中
發大惡聲 叫呼求食 復有諸鬼 其咽如針
復有諸鬼 首如牛頭 或食人肉 或復噉狗
頭髮蓬亂 殘害兇險 飢渴所逼 叫喚馳走
夜叉餓鬼 諸惡鳥獸 飢急四向 窺看窗牖
如是諸難 恐畏无量 是朽故宅 屬于一人
其人近出 未久之間 於後舍宅 欻然火起
四面一時 其焰俱熾 棟梁椽柱 爆聲震裂
摧折墮落 墻壁崩倒 諸鬼神等 揚聲大叫
鵰鷲諸鳥 鳩槃荼等 周慞惶怖 不能自出
惡獸毒虫 藏竄孔穴 毗舍闍鬼 亦住其中
薄福德故 為火所逼 共相殘害 飲血噉肉
野干之屬 並已前死 諸大惡獸 競來食噉
臭煙熢㶿 四面充塞 蜈蚣蚰蜒 毒蛇之類
為火所燒 爭走出穴 鳩槃荼鬼 隨取而食
又諸餓鬼 頭上火然 飢渴熱惱 周慞悶走
其宅如是 甚可怖畏 毒害火災 衆難非一
是時宅主 在門外立 聞有人言 汝諸子等
先因遊戲 來入此宅 稚小无知 歡娛樂著
長者聞已 驚入火宅 方宜救濟 令无燒害
告喻諸子 說衆患難 惡鬼毒虫 災火蔓莚
衆苦次第 相續不絕 毒蛇蚖蝮 及諸夜叉
鳩槃荼鬼 野干狐狗 鵰鷲鵄梟 百足之屬
飢渴惱急 甚可怖畏 此苦難處 況復大火

BD00964號　妙法蓮華經卷二　（27–12）

長者聞已 驚入火宅 方宜救濟 令无燒害
告喻諸子 說衆患難 惡鬼毒虫 灾火蔓莚
衆苦次第 相續不絕 毒虵蚖蝮 及諸夜叉
鳩槃荼鬼 野干狐狗 鵰鷲鵄梟 百足之屬
飢渴惱急 甚可怖畏 此苦難處 況復大火
諸子无知 雖聞父誨 猶故樂著 嬉戲不已
是時長者 而作是念 諸子如此 益我愁惱
今此舍宅 无一可樂 而諸子等 耽湎嬉戲
不受我教 將為火害 即便思惟 設諸方便
告諸子等 我有種種 珍玩之具 妙寶好車
羊車鹿車 大牛之車 今在門外 汝等出來
吾為汝等 造作此車 隨意所樂 可以遊戲
諸子聞說 如此諸車 即時奔競 馳走而出
到於空地 離諸苦難 長者見子 得出火宅
住於四衢 坐師子座 而自慶言 我今快樂
此諸子等 生育甚難 愚小无知 而入險宅
多諸毒虫 魑魅可畏 大火猛焰 四面俱起
而此諸子 貪樂嬉戲 我已救之 令得脫難
是故諸人 我今快樂 尒時諸子 知父安坐
皆詣父所 而白父言 願賜我等 三種寶車
如前所許 諸子出來 當以三車 隨汝所欲
今正是時 唯垂給與 長者大富 庫藏衆多
金銀琉璃 車𤦲馬瑙 以衆寶物 造諸大車
莊校嚴飾 周帀欄楯 四面懸鈴 金繩交絡
真珠羅網 張施其上 金華諸瓔 處處垂下

今正是時 唯垂給與 長者大富 庫藏衆多
金銀琉璃 車𤦲馬瑙 以衆寶物 造諸大車
莊校嚴飾 周帀欄楯 四面懸鈴 金繩交絡
真珠羅網 張施其上 金華諸瓔 處處垂下
衆綵雜飾 周帀圍繞 柔軟繒纊 以為茵褥
上妙細㲲 價直千億 鮮白淨潔 以覆其上
有大白牛 肥壯多力 形體姝好 以駕寶車
多諸儐從 而侍衛之 以是妙車 等賜諸子
諸子是時 歡喜踊躍 乘是寶車 遊於四方
嬉戲快樂 自在无礙 告舍利弗 我亦如是
衆聖中尊 世間之父 一切衆生 皆是吾子
深著世樂 无有慧心 三界无安 猶如火宅
衆苦充滿 甚可怖畏 常有生老 病死憂患
如是等火 熾然不息 如來已離 三界火宅
寂然閑居 安處林野 今此三界 皆是我有
其中衆生 悉是吾子 而今此處 多諸患難
唯我一人 能為救護 雖復教詔 而不信受
於諸欲染 貪著深故 是以方便 為說三乘
令諸衆生 知三界苦 開示演說 出世間道
是諸子等 若心決定 具足三明 及六神通
有得緣覺 不退菩薩 汝舍利弗 我為衆生
以此譬喻 說一佛乘 汝等若能 信受是語
一切皆當 得成佛道 是乘微妙 清淨第一
於諸世間 為无有上 佛所悅可 一切衆生
所應稱讚 供養礼拜 无量億千 諸力解脫
禪定智慧 及佛餘法 得如是乘 令諸子等

以此譬喻說一佛乘　汝等若能　信受是語
一切皆當　得成佛道　是乘微妙　清淨第一
於諸世間　為无有上　佛所悅可　一切衆生
所應稱讚　供養礼拜　无量億千　諸力解脫
禪定智慧　及佛餘法　得如是乘　令諸子等
日夜劫數　常得遊戲　與諸菩薩　及聲聞衆
乘此寶乘　直至道場　以是因緣　十方諦求
更无餘乘　除佛方便　告舍利弗　汝諸人等
皆是吾子　我則是父　汝等累劫　衆苦所燒
我皆濟拔　令出三界　我雖先說　汝等滅度
但盡生死　而實不滅　今所應作　唯佛智慧
若有菩薩　於是衆中　能一心聽　諸佛實法
諸佛世尊　雖以方便　所化衆生　皆是菩薩
若人小智　深著愛欲　為此等故　說於苦諦
衆生心喜　得未曾有　佛說苦諦　真實无異
若有衆生　不知苦本　深著苦因　不能暫捨
為是等故　方便說道　諸苦所因　貪欲為本
若滅貪欲　无所依止　滅盡諸苦　名第三諦
為滅諦故　脩行於道　離諸苦縛　名得解脫
是人於何　而得解脫　但離虛妄　名為解脫
其實未得　一切解脫　佛說是人　未實滅度
斯人未得　无上道故　我意不欲　令至滅度
我為法王　於法自在　安隱衆生　故現於世
汝舍利弗　我此法印　為欲利益　世間故說
在所遊方　勿妄宣傳　若有聞者　隨喜頂受

我為法王　於法自在　安隱衆生　故現於世
汝舍利弗　我此法印　為欲利益　世間故說
在所遊方　勿妄宣傳　若有聞者　隨喜頂受
當知是人　阿鞞跋致　若有信受　此經法者
是人已曾　見過去佛　恭敬供養　亦聞是法
若人有能　信汝所說　則為見我　亦見於汝
及比丘僧　并諸菩薩　斯法華經　為深智說
淺識聞之　迷惑不解　一切聲聞　及辟支佛
於此經中　力所不及　汝舍利弗　尚於此經
以信得入　況餘聲聞　其餘聲聞　信佛語故
隨順此經　非己智分　又舍利弗　憍慢懈怠
計我見者　莫說此經　凡夫淺識　深著五欲
聞不能解　亦勿為說　若人不信　毀謗此經
則斷一切　世間佛種　或復嚬蹙　而懷疑惑
汝當聽說　此人罪報　若佛在世　若滅度後
其有誹謗　如斯經典　見有讀誦　書持經者
輕賤憎嫉　而懷結恨　此人罪報　汝今復聽
其人命終　入阿鼻獄　具足一劫　劫盡更生
如是展轉　至无數劫　從地獄出　當墮畜生
若狗野干　其形頋瘦　黧黮疥癩　人所觸嬈
又復為人　之所惡賤　常困飢渴　骨肉枯竭
生受楚毒　死被瓦石　斷佛種故　受斯罪報
若作駱駝　或生驢中　身常負重　加諸杖捶
但念水草　餘无所知　謗斯經故　獲罪如是
有作野干　來入聚落　身體疥癩　又无一目

生受楚毒 死被瓦石 斷佛種故 受斯罪報
若作駱駝 或生驢中 身常負重 加諸杖捶
但念水草 餘无所知 謗斯經故 獲罪如是
有作野干 來入聚落 身體疥癩 又无一目
為諸童子 之所打擲 受諸苦痛 或時致死
於此死已 更受蟒身 其形長大 五百由旬
聾騃无足 宛轉腹行 為諸小虫 之所唼食
晝夜受苦 无有休息 謗斯經故 獲罪如是
若得為人 諸根闇鈍 矬陋攣躄 盲聾背傴
有所言說 人不信受 口氣常臭 鬼魅所著
貧窮下賤 為人所使 多病痟瘦 无所依怙
雖親附人 人不在意 若有所得 尋復忘失
若脩醫道 順方治病 更增他疾 或復致死
若自有病 無人救療 設服良藥 而復增劇
若他反逆 抄劫竊盜 如是等罪 橫羅其殃
如斯罪人 永不見佛 衆聖之王 說法教化
如斯罪人 常生難處 狂聾心亂 永不聞法
於无數劫 如恒河沙 生輒聾瘂 諸根不具
常處地獄 如遊園觀 在餘惡道 如己舍宅
駝驢猪狗 是其行處 謗斯經故 獲罪如是
若得為人 聾盲瘖瘂 貧窮諸衰 以自莊嚴
水腫乾痟 疥癩癰疽 如是等病 以為衣服
身常臭處 垢穢不淨 深著我見 增益瞋恚
婬欲熾盛 不擇禽獸 謗斯經故 獲罪如是
告舍利弗 謗斯經者 若說其罪 窮劫不盡

水腫乾痟 疥癩癰疽 如是等病 以為衣服
身常臭處 垢穢不淨 深著我見 增益瞋恚
婬欲熾盛 不擇禽獸 謗斯經故 獲罪如是
告舍利弗 謗斯經者 若說其罪 窮劫不盡
以是因緣 我故語汝 無智人中 莫說此經
若有利根 智慧明了 多聞強識 求佛道者
如是之人 乃可為說 若人曾見 億百千佛
殖諸善本 深心堅固 如是之人 乃可為說
若人精進 常脩慈心 不惜身命 乃可為說
若人恭敬 无有異心 離諸凡愚 獨處山澤
如是之人 乃可為說 又舍利弗 若見有人
捨惡知識 親近善友 如是之人 乃可為說
若見佛子 持戒清潔 如淨明珠 求大乘經
如是之人 乃可為說 若人无瞋 質直柔軟
常愍一切 恭敬諸佛 如是之人 乃可為說
復有佛子 於大衆中 以清淨心 種種因緣
譬喻言辭 說法无礙 如是之人 乃可為說
若有比丘 為一切智 四方求法 合掌頂受
但樂受持 大乘經典 乃至不受 餘經一偈
如是之人 乃可為說 如人至心 求佛舍利
如是求經 得已頂受 其人不復 志求餘經
亦未曾念 外道典籍 如是之人 乃可為說
告舍利弗 我說是相 求佛道者 窮劫不盡
如是等人 則能信解 汝當為說 妙法華經

妙法蓮華經信解品第四

前未曾念外道典籍如是之人乃可爲說
告舍利弗我說是相求佛道者窮劫不盡
如是等人則能信解汝當爲說妙法華經

妙法蓮華經信解品第四

尒時慧命須菩提摩訶迦旃延摩訶迦葉摩
訶目揵連從佛所聞未曾有法世尊授舍利
弗阿耨多羅三藐三菩提記發希有心歡喜
踊躍即從座起整衣服偏袒右肩右膝著地
一心合掌曲躬恭敬瞻仰尊顏而白佛言我
等居僧之首年並朽邁自謂已得涅槃无所
堪任不復進求阿耨多羅三藐三菩提世尊
往昔說法既久我時在座身體疲懈但念空
无相无作於菩薩法遊戲神通淨佛國土成
就衆生心不喜樂所以者何世尊令我等出
於三界得涅槃證又今我等年已朽邁於佛
教化菩薩阿耨多羅三藐三菩提不生一念
好樂之心我等今於佛前聞授聲聞阿耨多
羅三藐三菩提記心甚歡喜得未曾有不謂
於今忽然得聞希有之法深自慶幸獲大善
利无量珎寶不求自得世尊我等今者樂說
譬喻以明斯義譬若有人年既幼稚捨父逃
逝久住他國或十二十至五十歲年既長大
加復窮困馳騁四方以求衣食漸漸遊行遇
向本國其父先來求子不得中止一城其家
大富財寶无量金銀琉璃珊瑚虎珀頗梨珠

BD00964號　妙法蓮華經卷二　(27–19)

逝久住他國或十二十至五十歲年既長大
加復窮困馳騁四方以求衣食漸漸遊行遇
向本國其父先來求子不得中止一城其家
大富財寶无量金銀琉璃珊瑚虎珀頗梨珠
等其諸倉庫悉皆盈溢多有僮僕臣佐吏民
象馬車乘牛羊无數出入息利乃遍他國商
估賈客亦甚衆多時貧窮子遊諸聚落經歷
國邑遂到其父所止之城父每念子與子離
別五十餘年而未曾向人說如此事但自思
惟心懷悔恨自念老朽多有財物金銀珎寶
倉庫盈溢无有子息一旦終沒財物散失无
所委付是以慇懃每憶其子復作是念我若
得子委付財物坦然快樂无復憂慮世尊尒
時窮子傭賃展轉遇到父舍住立門側遙見
其父踞師子床寶几承足諸婆羅門剎利居
士皆恭敬圍繞以真珠瓔珞價直千万莊嚴
其身吏民僮僕手執白拂侍立左右覆以寶
帳垂諸華幡香水灑地散衆名華羅列寶物
出內取與有如是等種種嚴飾威德特尊窮
子見父有大力勢即懷恐怖悔來至此竊作
是念此或是王或是王等非我傭力得物之
處不如往至貧里肆力有地衣食易得若久
住此或見逼迫强使我作作是念已疾走而
去時富長者於師子座見子便識心大歡喜
即作是念我財物庫藏今有所付我常思念
此子无由見之而忽自來甚適我願我雖年

BD00964號　妙法蓮華經卷二　(27–20)

任此或見逼迫強使我作作是念已疾走而
去時富長者於師子座見子便識心大歡喜
即作是念我財物庫藏今有所付我常思念
此子无由見之而忽自來甚適我願我雖年
朽猶故貪惜即遣傍人急追將還尒時使者
疾走往捉窮子驚愕稱怨大喚我不相犯何
為見捉使者執之逾急強牽將還于時窮子
自念无罪而被囚執此必定死轉更惶怖悶
絕躄地父遥見之而語使言不須此人勿強
將來以冷水灑面令得醒悟莫復與語所以
者何父知其子志意下劣自知豪貴為子所
難審知是子而以方便不語他人云是我子
使者語之我今放汝隨意所趣窮子歡喜得
未曾有從地而起往至貧里以求衣食尒時
長者將欲誘引其子而設方便密遣二人形
色憔悴无威德者汝可詣彼徐語窮子此有
作處倍與汝直窮子若許將來使作若言欲
何所作便可語之雇汝除糞我等二人亦共
汝作時二使人即求窮子既已得之具陳上
事尒時窮子先取其價尋與除糞其父見子
愍而怪之又以他日於窓牖中遥見子身羸
瘦憔悴糞土塵坌汙穢不淨即脫瓔珞細軟
上服嚴飾之具更著麁弊垢膩之衣塵土坌
身右手執持除糞之器狀有所畏語諸作人
汝等勤作勿得懈息以方便故得近其子後

[illegible]
上服嚴飾之具更著麁弊垢膩之衣塵土坌
身右手執持除糞之器狀有所畏語諸作人
汝等勤作勿得懈息以方便故得近其子後
復告言咄男子汝常此作勿復餘去當加汝
價諸有所須瓫器米麵鹽酢之屬莫自疑難
亦有老弊使人須者相給好自安意我如汝
父勿復憂慮所以者何我年老大而汝少壯
汝常作時无有欺怠瞋恨怨言都不見汝有
此諸惡如餘作人自今已後如所生子即時
長者更與作字名之為兒尒時窮子雖欣此
遇猶故自謂客作賤人由是之故於二十年
中常令除糞過是已後心相體信入出无難
然其所止猶在本處世尊尒時長者有疾自
知將死不久語窮子言我今多有金銀珎寶
倉庫盈溢其中多少所應取與汝悉知之我
心如是當體此意所以者何今我與汝便為
不異宜加用心无令漏失尒時窮子即受教
勑領知眾物金銀珎寶及諸庫藏而无悕取
一飡之意然其所止故在本處下劣之心亦
未能捨復經少時父知子意漸已通泰成就
大志自鄙先心臨欲終時而命其子并會親
族國王大臣剎利居士皆悉已集即自宣言
諸君當知此是我子我之所生於其城中捨
吾逃走跉跰辛苦五十餘年其本字某我名

大志自鄙先心臨欲終時而命其子并會親
族國王大臣刹利居士皆悉已集即自宣言
諸君當知此是我子我之所生於某城中捨
吾逃走跉跰辛苦五十餘年其本字某我名
某甲昔在本城懷憂推覓忽於此間遇會得
之此實我子我實其父今我所有一切財物
皆是子有先所出内是子所知世尊是時窮
子聞父此言即大歡喜得未曾有而作是念
我本无心有所悕求今此寶藏自然而至世
尊大富長者則是如來我等皆似佛子如來
常說我等為子世尊我等以三苦故於生死
中受諸熱惱迷惑无知樂著小法今日世尊
令我等思惟蠲除諸法戲論之糞我等於中
勤加精進得至涅槃一日之價既得此已心
大歡喜自以為足而便自謂於佛法中勤精進
故所得弘多然世尊先知我等心著弊欲樂
於小法便見縱捨不為分別汝等當有如來
知見寶藏之分世尊以方便力說如來智慧
我等從佛得涅槃一日之價以為大得於此
大乘无有志求我等又因如來智慧為諸菩
薩開示演說而自於此无有志願所以者何
佛知我等心樂小法以方便力隨我等說而
我等不知真是佛子今我等方知世尊於佛
智慧无所悋惜所以者何我等昔來真是佛

BD00964 號　妙法蓮華經卷二　（27–23）

佛知我等心樂小法以方便力隨我等說而
我等不知真是佛子今我等方知世尊於佛
智慧无所悋惜所以者何我等昔來真是佛
子而但樂小法若我等有樂大之心佛則為
我說大乘法於此經中唯說一乘而昔於菩
薩前毀呰聲聞樂小法者然佛實以大乘教
化是故我等說本无心有所悕求今法王大寶
自然而至如佛子所應得者皆已得之尒時
摩訶迦葉欲重宣此義而說偈言
我等今日　聞佛音教　歡喜踊躍　得未曾有
佛說聲聞　當得作佛　无上寶聚　不求自得
譬如童子　幼稚无識　捨父逃逝　遠到他土
周流諸國　五十餘年　其父憂念　四方推求
求之既疲　頓止一城　造立舍宅　五欲自娛
其家巨富　多諸金銀　車磲馬瑙　真珠瑠璃
象馬牛羊　輦轝車乘　田業僮僕　人民衆多
出入息利　乃遍他國　商估賈人　无處不有
千万億衆　圍繞恭敬　常為王者　之所愛念
群臣豪族　皆共宗重　以諸緣故　往來者衆
豪富如是　有大力勢　而年朽邁　益憂念子
夙夜惟念　死時將至　癡子捨我　五十餘年
庫藏諸物　當如之何　尒時窮子　求索衣食
從邑至邑　從國至國　或有所得　或无所得
飢餓羸瘦　體生瘡癬　漸次經歷　到父住城

BD00964 號　妙法蓮華經卷二　（27–24）

夙夜惟念　死時將至　癡子捨我　五十餘年
庫藏諸物　當如之何　爾時窮子　求索衣食
從邑至邑　從國至國　或有所得　或无所得
飢餓羸瘦　體生瘡癬　漸次經歷　到父住城
傭賃展轉　遂至父舍　爾時長者　於其門內
施大寶帳　處師子座　眷屬圍遶　諸人侍衛
或有計筭　金銀寶物　出內財產　注記券疏
窮子見父　豪貴尊嚴　謂是國王　若是王等
驚怖自怪　何故至此　覆自念言　我若久住
或見逼迫　強驅使作　思惟是已　馳走而去
借問貧里　欲往傭作　長者是時　在師子座
遙見其子　嘿而識之　即勑使者　追捉將來
窮子驚喚　迷悶躃地　是人執我　必當見殺
何用衣食　使我至此　長者知子　愚癡狹劣
不信我言　不信是父　即以方便　更遣餘人
眇目矬陋　无威德者　汝可語之　云當相雇
除諸糞穢　倍與汝價　窮子聞之　歡喜隨來
為除糞穢　淨諸房舍　長者於牖　常見其子
念子愚劣　樂為鄙事　於是長者　著弊垢衣
執除糞器　往到子所　方便附近　語令勤作
既益汝價　并塗足油　飲食充足　薦席厚暖
如是苦言　汝當勤作　又以軟語　若如我子
長者有智　漸令入出　經二十年　執作家事
示其金銀　真珠頗梨　諸物出入　皆使令知
猶處門外　止宿草菴　自念貧事　我无此物

BD00964號　妙法蓮華經卷二　（27–25）

既益汝價　并塗足油　飲食充足　薦席厚暖
如是苦言　汝當勤作　又以軟語　若如我子
長者有智　漸令入出　經二十年　執作家事
示其金銀　真珠頗梨　諸物出入　皆使令知
猶處門外　止宿草菴　自念貧事　我无此物
父知子心　漸已曠大　欲與財物　即聚親族
國王大臣　剎利居士　於此大衆　說是我子
捨我他行　經五十歲　自見子來　已二十年
昔於某城　而失是子　周行求索　遂來至此
凡我所有　舍宅人民　悉以付之　恣其所用
子念昔貧　志意下劣　今於父所　大獲珍寶
并及舍宅　一切財物　甚大歡喜　得未曾有
佛亦如是　知我樂小　未曾說言　汝等作佛
而說我等　得諸无漏　成就小乘　聲聞弟子
佛勑我等　說最上道　脩習此者　當得成佛
我承佛教　為大菩薩　以諸因緣　種種譬喻
若干言辭　說无上道　諸佛子等　從我聞法
日夜思惟　精勤脩習　是時諸佛　即授其記
汝於來世　當得作佛　一切諸佛　秘藏之法
但為菩薩　演其實事　而不為我　說其真要
如彼窮子　得近其父　雖知諸物　心不悕取
我等雖說　佛法寶藏　自无志願　亦復如是
我等內滅　自謂為足　唯了此事　更无餘事
我等若聞　淨佛國土　教化衆生　都
所以者何　一切諸法　皆

BD00964號　妙法蓮華經卷二　（27–26）

佛亦如是　知我樂小　未曾說言　汝等作佛
而說我等　得諸无漏　成就小乘　聲聞弟子
佛勅我等　說最上道　脩習此者　當得成佛
我承佛教　為大菩薩　以諸因緣　種種譬喻
若干言辭　說无上道　諸佛子等　從我聞法
日夜思惟　精勤脩習　是時諸佛　即授其記
汝於來世　當得作佛　一切諸佛　秘藏之法
但為菩薩　演其實事　而不為我　說其真要
如彼窮子　得近其父　雖知諸物　心不悕取
我等雖說　佛法寶藏　自无志願　亦復如是
我等內滅　自謂為足　唯了此事　更无餘事
我等若聞　淨佛國土　教化衆生　都
所以者何　一切諸法　皆
无大无小　无漏
我等

BD00964 號　妙法蓮華經卷二　（27–27）

然世尊願樂
告須菩提諸菩薩　訶薩應如
所有一切衆生之類、卵生若胎生若
若化生若有色若无色若有想若无想若
非有想若非无想我皆令入无餘涅槃而滅
一如是滅度无量无數无邊衆生實无衆
生得滅度者何以故須菩提若菩薩有我相
人相衆生相壽者相即非菩薩
復次須菩提菩薩於法應无所住行於布施
所謂不住色布施不住聲香味觸法布施須
菩提菩薩應如是布施不住於相何以故若
菩薩不住相布施其福德不可思量須菩提
於意云何東方虛空可思量不不也世尊須
菩提南西北方四維上下虛空可思量不不
也世尊須菩提菩薩无住相布施福德亦復
如是不可思量須菩提菩薩但應如所教住
須菩提於意云何可以身相見如來不不也
世尊不可以身相得見如來何以故如來所
說身相即非身相佛告須菩提凡所有相皆

BD00965 號　金剛般若波羅蜜經　（15–1）

也世尊須菩提菩薩无住相布施福德亦復
如是不可思量須菩提菩薩但應如所教住
須菩提於意云何可以身相見如來不不也
世尊不可以身相得見如來何以故如來所
說身相即非身相佛告須菩提凡所有相皆
是虛妄若見諸相非相則見如來
須菩提白佛言世尊頗有衆生得聞如是言
說章句生實信不佛告須菩提莫作是說如
來滅後後五百歲有持戒脩福者於此章句
能生信心以此爲實當知是人不於一佛二佛
三四五佛而種善根已於无量千万佛所
種諸善根聞是章句乃至一念生淨信者須
菩提如來悉知悉見是諸衆生得如是无量
福德何以故是諸衆生无復我相人相衆生
相壽者相无法相亦无非法相何以故是諸
衆生若心取相則爲着我人衆生壽者若取
法相即着我人衆生壽者何以故若取非法
相即着我人衆生壽者是故不應取法不應
取非法以是義故如來常說汝等比丘知我
說法如筏喻者法尚應捨何況非法
須菩提於意云何如來得阿耨多羅三藐三
菩提耶如來有所說法耶須菩提言如我解
佛所說義无有定法名阿耨多羅三藐三菩
提亦无有定法如來可說何以故如來所說
法皆不可取不可說非法非非法所以者何

BD00965號　金剛般若波羅蜜經　（15–2）

菩提耶如來有所說法耶須菩提言如我解
佛所說義无有定法名阿耨多羅三藐三菩
提亦无有定法如來可說何以故如來所說
法皆不可取不可說非法非非法所以者何
一切賢聖皆以无爲法而有差別
須菩提於意云何若人滿三千大千世界七
寶以用布施是人所得福德寧爲多不須菩
提言甚多世尊何以故是福德即非福德性
是故如來說福德多若復有人於此經中受
持乃至四句偈等爲他人說其福勝彼何以
故須菩提一切諸佛及諸佛阿耨多羅三藐
三菩提法皆從此經出須菩提所謂佛法者
即非佛法
須菩提於意云何須陁洹能作是念我得須
陁洹果不須菩提言不也世尊何以故須陁
洹名爲入流而无所入不入色聲香味觸法
是名須陁洹須菩提於意云何斯陁含能作
是念我得斯陁含果不須菩提言不也世尊
故以故斯陁含名一往來而實无往來是名
斯陁含須菩提於意云何阿那含能作是念
我得阿那含果不須菩提言不也世尊何以
故阿那含名爲不來而實无來是故名阿那
含須菩提於意云何阿羅漢能作是念我得
阿羅漢道不須菩提言不也世尊何以故實
无有法名阿羅漢世尊若阿羅漢作是念我

BD00965號　金剛般若波羅蜜經　（15–3）

故阿那含名為不來而實无來是故名阿那
含須菩提於意云何阿羅漢能作是念我得
阿羅漢道不須菩提言不也世尊何以故實
无有法名阿羅漢世尊若阿羅漢作是念我
得阿羅漢道即為著我人衆生壽者世尊佛
說我得无諍三昧人中最為第一是第一離
欲阿羅漢我不作是念我是離欲阿羅漢世
尊我若作是念我得阿羅漢道世尊則不說
須菩提是樂阿蘭那行者以須菩提實无所
行而名須菩提是樂阿蘭那行
佛告須菩提於意云何如來昔在然燈佛所
於法有所得不不也世尊如來在然燈佛所
於法實无所得須菩提於意云何菩薩莊嚴
佛土不不也世尊何以故莊嚴佛土者則非
莊嚴是名莊嚴是故須菩提諸菩薩摩訶薩
應如是生清淨心不應住色生心不應住聲
香味觸法生心應无所住而生其心須菩提
譬如有人身如須弥山王於意云何是身為
大不須菩提言甚大世尊何以故佛說非身
是名大身
須菩提如恒河中所有沙數如是沙等恒河於
意云何是諸恒河沙寧為多不須菩提言
甚多世尊但諸恒河尚多无數何況其沙須
菩提我今實言告汝若有善男子善女人以
七寶滿尒所恒河沙數三千大千世界以用

BD00965號　金剛般若波羅蜜經　（15–4）

甚多世尊但諸恒河尚多无數何況其沙須
菩提我今實言告汝若有善男子善女人以
七寶滿尒所恒河沙數三千大千世界以用
布施得福多不須菩提言甚多世尊佛告須
菩提若善男子善女人於此經中乃至受持
四句偈等為他人說而此福德勝前福德
復次須菩提隨說是經乃至四句偈等當知
此處一切世間天人阿脩羅皆應供養如佛
塔廟何況有人盡能受持讀誦須菩提當
知是人成就最第一希有之法若是經典所
在之處則為有佛若尊重弟子
尒時須菩提白佛言世尊當何名此經我等
云何奉持佛告須菩提是經名為金剛般若
波羅蜜以是名字汝當奉持所以者何須菩
提佛說般若波羅蜜則非般若波羅蜜須菩
提於意云何如來有所說法不須菩提白佛
言世尊如來无所說須菩提於意云何三千
大千世界所有微塵是為多不須菩提言甚
多世尊須菩提諸微塵如來說非微塵是名
微塵如來說世界非世界是名世界須菩提
於意云何可以卅二相見如來不不也世尊
何以故如來說卅二相即是非相是名卅二
相須菩提若有善男子善女人以恒河沙等
身命布施若復有人於此經中乃至受持四

BD00965號　金剛般若波羅蜜經　（15–5）

於意云何可以卅二相見如來不不也世尊
何以故如來說卅二相即是非相是名卅二
相須菩提若有善男子善女人以恒河沙等
身命布施若復有人於此經中乃至受持四
句偈等為他人說其福甚多
尒時須菩提聞說是經深解義趣涕淚悲泣
而白佛言希有世尊佛說如是甚深經典我
從昔來所得慧眼未曾得聞如是之經世尊
若復有人得聞是經信心清淨則生實相當
知是人成就第一希有功德世尊是實相者
則是非相是故如來說名實相世尊我今得
聞如是經典信解受持不足為難若當來世
後五百歲其有衆生得聞是經信解受持是
人則為第一希有何以故此人无我相人相
衆生相壽者相所以者何我相即是非相人
相衆生相壽者相即是非相何以故離一切
諸相則名諸佛
佛告須菩提如是如是若復有人得聞是經
不驚不怖不畏當知是人甚為希有何以故
須菩提如來說第一波羅蜜非第一波羅蜜
是名第一波羅蜜須菩提忍辱波羅蜜如來
說非忍辱波羅蜜何以故須菩提如我昔為
歌利王割截身體我於尒時无我相无人相
无衆生相无壽者相何以故我於往昔節節
支解時若有我相人相衆生相壽者相應生

說非忍辱波羅蜜何以故須菩提如我昔為
歌利王割截身體我於尒時无我相无人相
无衆生相无壽者相何以故我於往昔節節
支解時若有我相人相衆生相壽者相應生
瞋恨須菩提又念過去於五百世作忍辱仙
人於尒所世无我相无人相无衆生相无壽
者相是故須菩提菩薩應離一切相發阿耨
多羅三藐三菩提心不應住色生心不應住
聲香味觸法生心應生无所住心若心有住
則為非住是故佛說菩薩心不應住色布施
須菩提菩薩為利益一切衆生應如是布施
如來說一切諸相即是非相又說一切衆生
則非衆生須菩提如來是真語者實語者如
語者不誑語者不異語者須菩提如來所得
法此法无實无虛須菩提若菩薩心住於法
而行布施如人入闇則无所見若菩薩心不
住法而行布施如人有目日光明照見種種
色須菩提當來之世若有善男子善女人能
於此經受持讀誦則為如來以佛智慧悉知
是人悉見是人皆得成就无量无邊功德
須菩提若有善男子善女人初日分以恒河
沙等身布施中日分復以恒河沙等身布施
後日分亦以恒河沙等身布施如是无量百
千万億劫以身布施若復有人聞此經典信
心不逆其福勝彼何況書寫受持讀誦為人
解說須菩提以要言之是經有不可思議不

沙等身布施中日分復以恒河沙等身布施
後日分亦以恒河沙等身布施如是无量百
千万億劫以身布施若復有人聞此經典信
心不逆其福勝彼何況書寫受持讀誦為人
解說須菩提以要言之是經有不可思議不
可稱量无邊功德如來為發大乘者說為發
最上乘者說若有人能受持讀誦廣為人說
如來悉知是人悉見是人皆成就不可量不
可稱无有邊不可思議功德如是人等則為
荷擔如來阿耨多羅三藐三菩提何以故須
菩提若樂小法者著我見人見衆生見壽者
見則於此經不能聽受讀誦為人解說須菩
提在在處處若有此經一切世間天人阿脩
羅所應供養當知此處則為是塔皆應恭敬
作禮圍繞以諸華香而散其處
復次須菩提善男子善女人受持讀誦此經
若為人輕賤是人先世罪業應墮惡道以今
世人輕賤故先世罪業則為消滅當得阿耨
多羅三藐三菩提須菩提我念過去无量阿
僧祇劫於然燈佛前得值八百四千万億那
由他諸佛悉皆供養承事无空過者若復有
人於後末世能受持讀誦此經所得功德於
我所供養諸佛功德百分不及一千万億分
乃至筭數譬喻所不能及須菩提若善男子
善女人於後末世有受持讀誦此經所得功

人於後末世能受持讀誦此經所得功德於
我所供養諸佛功德百分不及一千万億分
乃至筭數譬喻所不能及須菩提若善男子
善女人於後末世有受持讀誦此經所得功
德我若具說者或有人聞心則狂亂狐疑不
信須菩提當知是經義不可思議果報亦不
可思議
尒時須菩提白佛言世尊善男子善女人發
阿耨多羅三藐三菩提心云何應住云何降
伏其心佛告須菩提善男子善女人發阿耨
多羅三藐三菩提者當生如是心我應滅度
一切衆生滅度一切衆生已而无有一衆生
實滅度者何以故若菩薩有我相人相衆生
相壽者相則非菩薩所以者何須菩提實无
有法發阿耨多羅三藐三菩提者須菩提於
意云何如來於然燈佛所有法得阿耨多羅
三藐三菩提不不也世尊如我解佛所說義
佛於然燈佛所无有法得阿耨多羅三藐三
菩提佛言如是如是須菩提實无有法如來
得阿耨多羅三藐三菩提須菩提若有法如
來得阿耨多羅三藐三菩提然燈佛則不與
我受記汝於來世當得作佛号釋迦牟尼以
實无有法得阿耨多羅三藐三菩提是故然
燈佛與我受記作是言汝於來世當得作佛
号釋迦牟尼何以故如來者即諸法如義若

來得阿耨多羅三藐三菩提然燈佛則不與
我受記汝於來世當得作佛号釋迦牟尼以
實无有法得阿耨多羅三藐三菩提是故然
燈佛與我受記作是言汝於來世當得作佛
号釋迦牟尼何以故如來者即諸法如義若
有人言如來得阿耨多羅三藐三菩提須菩
提實无有法佛得阿耨多羅三藐三菩提須
菩提如來所得阿耨多羅三藐三菩提於是
中无實无虛是故如來說一切法皆是佛法
須菩提所言一切法者即非一切法是故名
一切法須菩提譬如人身長大須菩提言世
尊如來說人身長大則為非大身是名大身
須菩提菩薩亦如是若作是言我當滅度无
量衆生則不名菩薩何以故須菩提无有法
名為菩薩是故佛說一切法无我无人无衆
生无壽者須菩提若菩薩作是言我當莊嚴
佛土是不名菩薩何以故如來說莊嚴佛土
者即非莊嚴是名莊嚴須菩提若菩薩通達
无我法者如來說名真是菩薩
須菩提於意云何如來有肉眼不如是世尊
如來有肉眼須菩提於意云何如來有天眼
不如是世尊如來有天眼須菩提於意云何
如來有慧眼不如是世尊如來有慧眼須菩
提於意云何如來有法眼不如是世尊如來
有法眼須菩提於意云何如來有佛眼不如

不如是世尊如來有天眼須菩提於意云何
如來有慧眼不如是世尊如來有慧眼須菩
提於意云何如來有法眼不如是世尊如來
有法眼須菩提於意云何如來有佛眼不如
是世尊如來有佛眼須菩提於意云何如恒
河中所有沙佛說是沙不如是世尊如來說
是沙須菩提於意云何如一恒河中所有沙
有如是等恒河是諸恒河所有沙數佛世界
如是寧為多不甚多世尊佛告須菩提尒所
國土中所有衆生若干種心如來悉知何以
故如來說諸心皆為非心是名為心所以者
何須菩提過去心不可得現在心不可得未
來心不可得須菩提於意云何若有人滿三
千大千世界七寶以用布施是人以是因緣
得福多不如是世尊此人以是因緣得福甚
多須菩提若福德有實如來不說得福德
多以福德无故如來說得福德多
須菩提於意云何佛可以具足色身見不不
也世尊如來不應以具足色身見何以故如
來說具足色身即非具足色身是名具足色
身須菩提於意云何如來可以具足諸相見
不不也世尊如來不應以具足諸相見何以
故如來說諸相具足即非具足是名諸相具
足須菩提汝勿謂如來作是念我當有所說
法莫作是念何以故若人言如來有所說法

不不世世尊如來不應以具足諸相見何以
故如來說諸相具足即非具足是名諸相具
足須菩提汝勿謂如來作是念我當有所說
法莫作是念何以故若人言如來有所說法
即為謗佛不能解我所說故須菩提說法者
无法可說是名說法
須菩提白佛言世尊佛得阿耨多羅三藐三
菩提為无所得耶如是如是須菩提我於阿
耨多羅三藐三菩提乃至无有少法可得是
名阿耨多羅三藐三菩提
復次須菩提是法平等无有高下是名阿耨
多羅三藐三菩提以无我无人无衆生无壽
者脩一切善法則得阿耨多羅三藐三菩提
須菩提所言善法者如來說非善法是名善
法須菩提若三千大千世界中所有諸須弥
山王如是等七寶聚有人持用布施若人以
此般若波羅蜜經乃至四句偈等受持讀誦
為他人說於前福德百分不及一百千万億
分乃至筭數譬喻所不能及
須菩提於意云何汝等勿謂如來作是念我
當度衆生須菩提莫作是念何以故實无有
衆生如來度者若有衆生如來度者如來則
有我人衆生壽者須菩提如來說有我者則
非有我而凡夫之人以為有我須菩提凡夫
者如來說則非凡夫須菩提於意云何可以

BD00965號　金剛般若波羅蜜經　（15–12）

衆生如來度者若有衆生如來度者如來則
有我人衆生壽者須菩提如來說有我者則
非有我而凡夫之人以為有我須菩提凡夫
者如來說則非凡夫須菩提於意云何可以
三十二相觀如來不須菩提言如是如是以
三十二相觀如來佛言須菩提若以三十二
相觀如來者轉輪聖王則是如來須菩提白
佛言世尊如我解佛所說義不應以三十二
相觀如來尒時世尊而說偈言
若以色見我　以音聲求我　是人行邪道　不能見如來
須菩提汝若作是念如來不以具足相故得
阿耨多羅三藐三菩提須菩提莫作是念如
來不以具足相故得阿耨多羅三藐三菩提
須菩提汝若作是念發阿耨多羅三藐三菩
提者說諸法斷滅相莫作是念何以故發阿耨
多羅三藐三菩提者於法不說斷滅相須菩
提若菩薩以滿恒河沙等世界七寶布施若
復有人知一切法无我得成於忍此菩薩勝
前菩薩所得功德何以故須菩提以諸菩薩
不受福德故須菩提白佛言世尊云何菩薩
不受福德須菩提菩薩所作福德不應貪著
是故說不受福德須菩提若有人言如來若
來若去若坐若卧是人不解我所說義何
以故如來者无所從來亦无所去故名如來
須菩提若善男子善女人以三千大千世界

BD00965號　金剛般若波羅蜜經　（15–13）

来若去若坐若卧是人不解我所說義何
以故如来者无所從来亦无所去故名如来
須菩提若善男子善女人以三千大千世界
碎為微塵於意云何是微塵衆寧為多不甚
多世尊何以故若是微塵衆實有者佛則不
說是微塵衆所以者何佛說微塵衆則非微
塵衆是名微塵衆世尊如来所說三千大千
世界則非世界是名世界何以故若世界實
有者則是一合相如来說一合相則非一合
相是名一合相須菩提一合相者則是不可
說但凡夫之人貪著其事須菩提若人言解
說我見人見衆生見壽者見須菩提於意云
何是人解我所說義不世尊是人不解如来
所說義何以故世尊說我見人見衆生見壽
者見即非我見人見衆生見壽者見是名我
見人見衆生見壽者見須菩提發阿耨多羅
三藐三菩提心者於一切法應如是知如是
見如是信解不生法相須菩提所言法相如
来說即非法相是名法相須菩提若有人以
滿无量阿僧祇世界七寶持用布施若有善
男子善女人發菩薩心者持於此經乃至四
句偈等受持讀誦為人演說其福勝彼云何
為人演說不取於相如如不動何以故
一切有為法　如夢幻泡影　如露亦如電　應作如是觀
佛說是經已長老須菩提及諸比丘比丘尼

見人見衆生見壽者見須菩提發阿耨多羅
三藐三菩提心者於一切法應如是知如是
見如是信解不生法相須菩提所言法相如
来說即非法相是名法相須菩提若有人以
滿无量阿僧祇世界七寶持用布施若有善
男子善女人發菩薩心者持於此經乃至四
句偈等受持讀誦為人演說其福勝彼云何
為人演說不取於相如如不動何以故
一切有為法　如夢幻泡影　如露亦如電　應作如是觀
佛說是經已長老須菩提及諸比丘比丘尼
優婆塞優婆夷一切世間天人阿脩羅聞佛
所說皆大歡喜信受奉行

日月幽冥眾生悉蒙開
曉隨意所趣作
第三大願願我來世得菩提時以无量无
邊智慧方便令諸有情皆得无盡所受用
物莫令眾生有所乏少
第四大願願我來世得菩提時若諸有情行
邪道者悉令安住菩提道中若行聲聞獨
覺乘者皆以大乘而安立之
第五大願願我來世得菩提時若有无量
无邊有情於我法中脩行梵行一切皆令得
不缺戒具三聚戒設有毀犯聞我名已還得
清淨不墮惡趣
第六大願願我來世得菩提時若諸有情
其身下劣諸根不具醜陋頑愚盲聾瘖瘂
攣躄背僂白癩顛狂種種病苦聞我名已
一切皆得端政黠慧諸根完具无諸疾苦
第七大願願我來世得菩提時若諸有情眾
病逼切无救无歸无醫无藥无親无家貧窮
多苦我之名号一經其耳眾病悉除身心安
樂家屬資具悉皆豐足乃至證得无上菩提
第八大願願我來世得菩提時若有女人為

BD00966號　藥師瑠璃光如來本願功德經　（13–1）

第七大願願我來世得菩提時若諸有情眾
病逼切无救无歸无醫无藥无親无家貧窮
多苦我之名号一經其耳眾病悉除身心安
樂家屬資具悉皆豐足乃至證得无上菩提
第八大願願我來世得菩提時若有女人為
女百惡之所逼惱極生厭離願捨女身聞我
名已一切皆得轉女成男具丈夫相乃至證
得无上菩提
第九大願願我來世得菩提時令諸有情出
魔羂網解脫一切外道纏縛若墮種種惡見
稠林皆當引攝置於正見漸令脩習諸菩薩
行速證无上正等菩提
第十大願願我來世得菩提時若諸有情王
法所繩縛鞭撻繫閉牢獄或當刑戮及餘
无量災難陵辱悲愁煎迫身心受苦若聞我
名以我福德威神力故皆得解脫一切憂苦
第十一大願願我來世得菩提時若諸有情
飢渴所惱為求食故造諸惡業得聞我名專
念受持我當先以上妙飲食飽足其身後
以法味畢竟安樂而建立之
第十二大願願我來世得菩提時若諸有情
貧无衣服蚊虻寒熱晝夜逼惱若聞我名專
念受持如其所好即得種種上妙衣服亦得
一切寶莊嚴具華鬘塗香鼓樂眾伎隨心
所翫皆令滿足
曼殊室利是為彼世尊藥師瑠璃光如來應
正等覺行菩薩道所發十二微妙上願

BD00966號　藥師瑠璃光如來本願功德經　（13–2）

所說皆令滿足
曼殊室利是為彼世尊藥師瑠璃光如來應
正等覺行菩薩道所發十二微妙上願
復次曼殊室利彼世尊藥師瑠璃光如來本
行菩薩道時所發大願及彼佛土功德莊嚴
我若一劫若一劫餘說不能盡然彼佛土一向清
淨无有女人亦无惡趣及苦音聲瑠璃為地
金繩界道城闕宮閣軒窓羅網皆七寶成
亦如西方極樂世界功德莊嚴等无差別
於其國中有二菩薩摩訶薩一名日光遍照
二名月光遍照是彼无量无數菩薩衆之上
首悉能持彼世尊藥師瑠璃光如來正法寶
是故曼殊室利諸有信心善男子善女人等
應當願生彼佛世界
尒時世尊復告曼殊室利童子言曼殊室
利有諸衆生不識善惡唯懷貪悋不知布施及
施果報愚癡无智闕於信根多聚財寶勤
加守護見乞者來其心不喜設不獲已而行
施時如割身肉深生痛惜復有无量慳貪有
情積集資財於其自身尚不受用何況能
與父母妻子奴婢作使及來乞者彼諸有
情從此命終生餓鬼界或傍生趣由昔人
間曾得暫聞藥師瑠璃光如來名故今在
惡趣暫得憶念彼如來名即於念時從彼處
沒還生人中得宿命念畏惡趣苦不樂欲樂好
行惠施讚歎施者一切所有悉无貪惜漸次

聞曾得暫聞藥師瑠璃光如來名故今在
惡趣暫得憶念彼如來名即於念時從彼處
沒還生人中得宿命念畏惡趣苦不樂欲樂好
行惠施讚歎施者一切所有悉无貪惜漸次
尚能以頭目手足血肉身分施來求者況餘
財物
復次曼殊室利若諸有情雖於如來受諸學
處而破尸羅有雖不破尸羅而破軌則有於
尸羅軌則雖得不壞然毀正見有雖不毀正
見而棄多聞於佛所說契經深義不能解
了有雖多聞而增上慢由增上慢覆蔽心故
自是非他嫌謗正法為魔伴黨如是愚人自
行邪見復令无量俱胝有情墮大險坑此諸
有情應於地獄傍生鬼趣流轉无窮若得聞
此藥師瑠璃光如來名号便捨惡行修諸善法
不墮惡趣設有不能捨諸惡行修行善法墮
惡趣者以彼如來本願威力令其現前暫聞
名号從彼命終還生人趣得正見精進善調
意樂便能捨家趣於非家如來法中受持學
處无有毀犯正見多聞解甚深義離增上慢
不謗正法不為魔伴漸次修行諸菩薩行速
得圓滿
復次曼殊室利若諸有情慳貪嫉妬自讚毀
他當墮三惡趣中无量千歲受諸劇苦受劇
苦已從彼命終來生人間作牛馬駝驢恒被
鞭撻飢渴逼惱又常負重隨路而行或得為

復次曼殊室利若諸有情慳貪嫉妬自讚毀
他當墮三惡趣中无量千歲受諸劇苦受劇
苦已從彼命終還生人間作牛馬駝驢恒被
鞭撻飢渴逼惱又常負重隨路而行或得為
人生居下賤作人奴婢受他驅役恒不自在
若昔人中曾聞世尊藥師瑠璃光如來名号
由此善因今復憶念至心歸依以佛神力衆
苦解脫諸根聰利智慧多聞恒求勝法常遇
善友永斷魔羂破无明殼竭煩惱河解脫一
切生老病死憂悲苦惱
復次曼殊室利若諸有情好憙乖離更相鬪
訟惱亂自他以身語意造作增長種種惡業
展轉常為不饒益事互相謀害告召山林
樹塚等神殺諸衆生取其血肉祭祀藥叉羅剎
婆等書怨人名作其形像以惡呪術而呪咀
之厭媚蠱道呪起屍鬼令斷彼命及壞其身
是諸有情若得聞此藥師瑠璃光如來名号
彼諸惡事悉不能害一切展轉皆起慈心利
益安樂无損惱意及嫌恨心各各歡悅於自
所受生於喜足不相侵淩互為饒益
復次曼殊室利若有四衆苾芻苾芻尼鄔波
索迦鄔波斯迦及餘淨信善男子善女人等
有能受持八分齋戒或經一年或復三月受
持學處以此善根願生西方極樂世界无量
壽佛所聽聞正法而未定者若聞世尊藥師
瑠璃光如來名号臨命終時有八菩薩乘神通

持學處以此善根願生西方極樂世界无量
壽佛所聽聞正法而未定者若聞世尊藥師
瑠璃光如來名号臨命終時有八菩薩乘神通
來示其道路即於彼界種種雜色衆寶華中
自然化生或有因此生於天上雖生天中而
本善根亦未窮盡不復更生諸餘惡趣天
上壽盡還生人間或為輪王統攝四洲威德
自在安立无量百千有情於十善道或生剎
帝利婆羅門居士大家多饒財寶倉庫盈
溢形相端嚴眷屬具足聰明智慧勇健威
猛如大力士若是女人得聞世尊藥師瑠璃光
如來名号至心受持於後不復更受女身
尒時曼殊室利童子白佛言世尊我當誓於
像法轉時以種種方便令諸淨信善男子善
女人等得聞世尊藥師瑠璃光如來名号乃
至睡中亦以佛名覺悟其耳世尊若於此經
受持讀誦或復為他演說開示若自書若使
人書恭敬尊重以種種華香塗香末香燒香
花鬘瓔珞幡蓋伎樂而為供養以五色綵作
囊盛之掃灑淨處敷設高座而用安處尒時
四大天王與其眷屬及餘无量百千天衆皆
詣其所供養守護世尊若此經寶流行之
處有能受持以彼世尊藥師瑠璃光如來本願
功德及聞名号當知是處无復橫死亦復不
為諸惡鬼神奪其精氣設已奪者還得如
故身心安樂

功德及聞名号當知是處无復横死亦復不
爲諸惡鬼神奪其精氣設已奪者還得如
故身心安樂
佛告曼殊室利如是如是如汝所說曼殊室
利若有淨信善男子善女人等欲供養彼世
尊藥師瑠璃光如來者應先造立彼佛形像
敷清淨座而安處之散種種花燒種種香以
種種幢幡莊嚴其處七日七夜受八分齋
戒食清淨食澡浴香潔著新淨衣應生
无垢濁心无怒害心於一切有情起利益安樂慈悲
喜捨平等之心鼓樂歌讚右遶佛像復應
念彼如來本願功德讀誦此經思惟其義
演說開示隨所樂願一切皆遂求長壽得長
壽求富饒得富饒求官位得官位求男女得
男女若復有人忽得惡夢見諸惡相或恠
鳥來集或於住處百恠出現此人若以衆妙
資具恭敬供養彼世尊藥師瑠璃光如來
者惡夢惡相諸不吉祥皆悉隱沒不能爲患
或有水火刀毒懸嶮惡象師子虎狼熊羆毒
虵惡蝎蜈蚣蚰蜒蚊虻等怖若能至心憶念彼佛
恭敬供養一切怖畏皆得解脫若他國侵擾盜
賊反亂憶念恭敬彼如來者亦皆解脫
復次曼殊室利若有淨信善男子善女人
等乃至盡形不事餘天唯當一心歸佛法僧
受持禁戒若五戒十戒菩薩四百戒苾芻二
百五十戒苾芻尼五百戒於所受中或有毀犯
怖墮惡趣若能專念彼佛名号恭敬供養者

BD00966 號　藥師瑠璃光如來本願功德經　（13–7）

復次曼殊室利若有淨信善男子善女人
等乃至盡形不事餘天唯當一心歸佛法僧
受持禁戒若五戒十戒菩薩四百戒苾芻二
百五十戒苾芻尼五百戒於所受中或有毀犯
怖墮惡趣若能專念彼佛名号恭敬供養者
必定不受三惡趣生或有女人臨當產時受
於極苦若能至心稱名礼讚恭敬供養彼如
來者衆苦皆除所生之子身分具足形色端
正見者歡喜利根聰明安隱少病无有非人
奪其精氣
尒時世尊告阿難言如我稱揚彼佛世尊藥
師瑠璃光如來所有功德此是諸佛甚深行
處難可解了汝爲信不阿難白言大德世尊
我於如來所說契經不生疑惑所以者何一切如
來身語意業无不清淨世尊此日月輪可令
墮落妙高山王可使傾動諸佛所言无有
異也世尊有諸衆生信根不具聞說諸佛
甚深行處作是思惟云何但念藥師瑠璃光
如來一佛名号便獲尒所功德勝利由此不信
返生誹謗彼於長夜失大利樂墮諸惡趣流
轉无窮佛告阿難是諸有情若聞世尊藥
師瑠璃光如來名号至心受持不生疑惑墮
惡趣者无有是處阿難此是諸佛甚深所行
難可信解汝今能受當知皆是如來威力阿
難一切聲聞獨覺及未登地諸菩薩等皆悉
不能如實信解唯除一生所繫菩薩阿難人
身難得於三寶中信敬尊重亦難可得得聞

BD00966 號　藥師瑠璃光如來本願功德經　（13–8）

難可信解汝今能受當知皆是如來威力阿
難一切聲聞獨覺及未登地諸菩薩等皆悉
不能如實信解唯除一生所繫菩薩阿難人
身難得於三寶中信敬尊重亦難可得得聞
世尊藥師瑠璃光如來名号復難於是阿難
彼藥師瑠璃光如來无量菩薩行无量巧方便
无量廣大願我若一劫若一劫餘而廣說
者劫可速盡彼佛行願善巧方便无有盡
也尒時衆中有菩薩摩訶薩名曰救脫即從
座起偏袒一肩右膝著地曲躬合掌而白
佛言大德世尊像法轉時有諸衆生為種種
患之所困厄長病羸瘦不能飲食喉脣乾
燥見諸方暗死相現前父母親屬朋友知識啼
泣圍遶然彼自身臥在本處見琰魔使引其神
識至于琰魔法王之前然諸有情有俱生神
隨其所作若罪若福皆具書之盡持授與琰
魔法王尒時彼王推問其人筭計所作隨其
罪福而處斷之時彼病人親屬知識若能為
彼歸依世尊藥師瑠璃光如來請諸衆僧轉
讀此經然七層之燈懸五色續命神幡或有
是處神識得還如在夢中明了自見或經七
日或二十一日或三十五日或四十九日彼識
還時如從夢覺皆自憶知善不善業所得
果報由自證見業果報故乃至命難亦不
造作諸惡之業是故淨信善男子女人等
皆應受持藥師瑠璃光如來名号隨力所
能恭敬供養

果報由自證見業果報故乃至命難亦不
造作諸惡之業是故淨信善男子女人等
皆應受持藥師瑠璃光如來名号隨力所
能恭敬供養
尒時阿難問救脫菩薩曰善男子應云何恭
敬供養彼世尊藥師瑠璃光如來續命幡
燈復云何造救脫菩薩言大德若有病人欲
脫病苦當為其人七日七夜受持八分齋戒
應以飲食及餘資具隨力所辦供養苾蒭
僧晝夜六時礼拜供養彼世尊藥師瑠璃光
如來讀誦此經四十九遍然四十九燈造彼
如來形像七軀一一像前各置七燈一一燈量
大如車輪乃至四十九日光明不絕造五色綵
幡長四十九搩手應放雜類衆生至四十
九可得過度危厄之難不為諸橫惡鬼所持
復次阿難若剎帝利灌頂王等災難起時所
謂人衆疾疫難他國侵逼難自界叛逆難星宿
變怪難日月薄蝕難非時風雨難過時不
雨難彼剎帝利灌頂王等尒時應於一切
有情起慈悲心赦諸繫閉依前所說供養之
法供養彼世尊藥師瑠璃光如來由此善根
及彼如來本願力故令其國界即得安隱風
雨順時穀稼成熟一切有情无病歡樂於其
國中无有暴惡藥叉等神惱有情者一切
惡相皆即隱沒而剎帝利灌頂王等壽命
色力无病自在皆得增益阿難若帝后妃

國中无有暴惡藥叉等神惱有情者一切
惡相皆即隱沒而剎帝利灌頂王等壽命
色力无病自在皆得增益阿難若帝后妃
主儲君王子大臣輔相中宮綵女百官黎庶
為病所苦及餘厄難亦應造立五色神幡然
燈續明放諸生命散雜色華燒眾名香病
得除愈眾難解脫
尒時阿難問救脫菩薩言善男子云何已盡
之命而可增益救脫菩薩言大德汝豈不
聞如來說有九橫死耶是故勸造續命幡燈
脩諸福德以脩福故盡其壽命不經苦患阿難
問言九橫云何救脫菩薩言若諸有情得
病雖輕然无醫藥及看病者設復遇醫授
以非藥實不應死而便橫死又信世間邪魔
外道妖孽之師妄說禍福便生恐動心不自
正卜問覓禍殺種種眾生解奏神明呼諸魍
魎請乞福祐欲冀延年終不能得愚癡迷
戒信邪倒見遂令橫死入於地獄无有出期
是名初橫二者橫被王法之所誅戮三者畋
獵嬉戲耽婬嗜酒放逸无度橫為非人奪其
情氣四者橫為火焚五者橫為水溺六者橫
為種種惡獸所噉七者橫墮山崖八者橫為
毒藥厭禱呪咀起屍鬼等之所中害九者飢
渴所困不得飲食而便橫死是為如來略說
橫死有此九種其餘復有无量諸橫難可具說
復次阿難彼琰魔王主領世間名籍之記若

毒藥厭禱呪咀起屍鬼等之所中害九者飢
渴所困不得飲食而便橫死是為如來略說
橫死有此九種其餘復有无量諸橫難可具說
復次阿難彼琰魔王主領世間名籍之記若
諸有情不孝五逆破辱三寶壞君臣法毀於
信戒琰魔法王隨罪輕重考而罰之是故我
今勸諸有情然燈造幡放生脩福令度苦
厄不遭眾難
尒時眾中有十二藥叉大將俱在會坐所謂
宮毗羅大將　伐折羅大將　迷企羅大將　安底羅大將
頞你羅大將　珊底羅大將　因達羅大將　波夷羅大將
摩虎羅大將　真達羅大將　招杜羅大將　毗羯羅大將
此十二藥叉大將一一各有七千藥叉以為眷
屬同時舉聲白佛言世尊我等今者蒙佛威
力得聞世尊藥師瑠璃光如來名号不復更
有惡趣之怖我等相率皆同一心乃至盡
形歸佛法僧誓當荷負一切有情為作義
利饒益安樂隨於何等村城國邑空閑林
中若有流布此經或復受持藥師瑠璃光如
來名号恭敬供養者我等眷屬衛護是人
皆使解脫一切苦難諸有願求悉令滿足或
有疾厄求度脫者亦應讀誦此經以五色縷
結我名字得如願已然後解結
尒時世尊讚諸藥叉大將言善哉善哉大藥
叉將汝等念報世尊藥師瑠璃光如來恩
德者常應如是利益安樂一切有情
尒時阿難白佛言世尊當何名此法門我等

[illegible]
皆使解脫一切苦難諸有願求悉令滿足或
有疾厄求度脫者亦應讀誦此經以五色縷
結我名字得如願已然後解結
尒時世尊讚諸藥叉大將言善哉善哉大藥
叉將汝等念報世尊藥師瑠璃光如來恩
德者常應如是利益安樂一切有情
尒時阿難白佛言世尊當何名此法門我等
云何奉持佛告阿難此法門名說藥師瑠
璃光如來本願功德亦名說十二神將饒益
有情結願神呪亦名拔除一切業鄣應如是
持時薄伽梵說是語已諸菩薩摩訶薩及大
聲聞國王大臣婆羅門居士天龍藥叉健達
縛阿素洛揭路荼緊捺洛莫呼洛伽人非人
等一切大衆聞佛所說皆大歡喜信受奉行

佛說藥師瑠璃光如來本願功德經

BD00966 號　藥師瑠璃光如來本願功德經　　（13–13）

威何慧
令廣為汝說
漸減少三千由旬是時
廣八千由旬平坦如鏡
樹木華菓茂盛其樹
次比雞飛相及壽八万
色力具足安隱快樂唯有
者歆食三者衰老女人年
是時有一大城名翅頭末
旬端嚴殊妙莊飾清淨
福擔　福德人故豐樂安隱
其城七寶　牖軒窓皆是衆寶真
珠羅網彌覆其上街巷道陌廣十二里掃灑
清潔有大力龍王名曰多羅尸棄其池近城
龍王宮殿在此池中常於夜半降微細雨用
淹塵土其地潤澤譬如油塗行人往來无有
坌塵時世人民福德所致巷陌處處有明珠
柱皆高十里其光照耀晝夜无異燈燭之明
爲不復用城邑舍宅及諸里巷乃至无有細
微土純以金沙覆地處處皆有金銀之聚

BD00967 號　彌勒下生成佛經（鳩摩羅什本）　　（7–1）

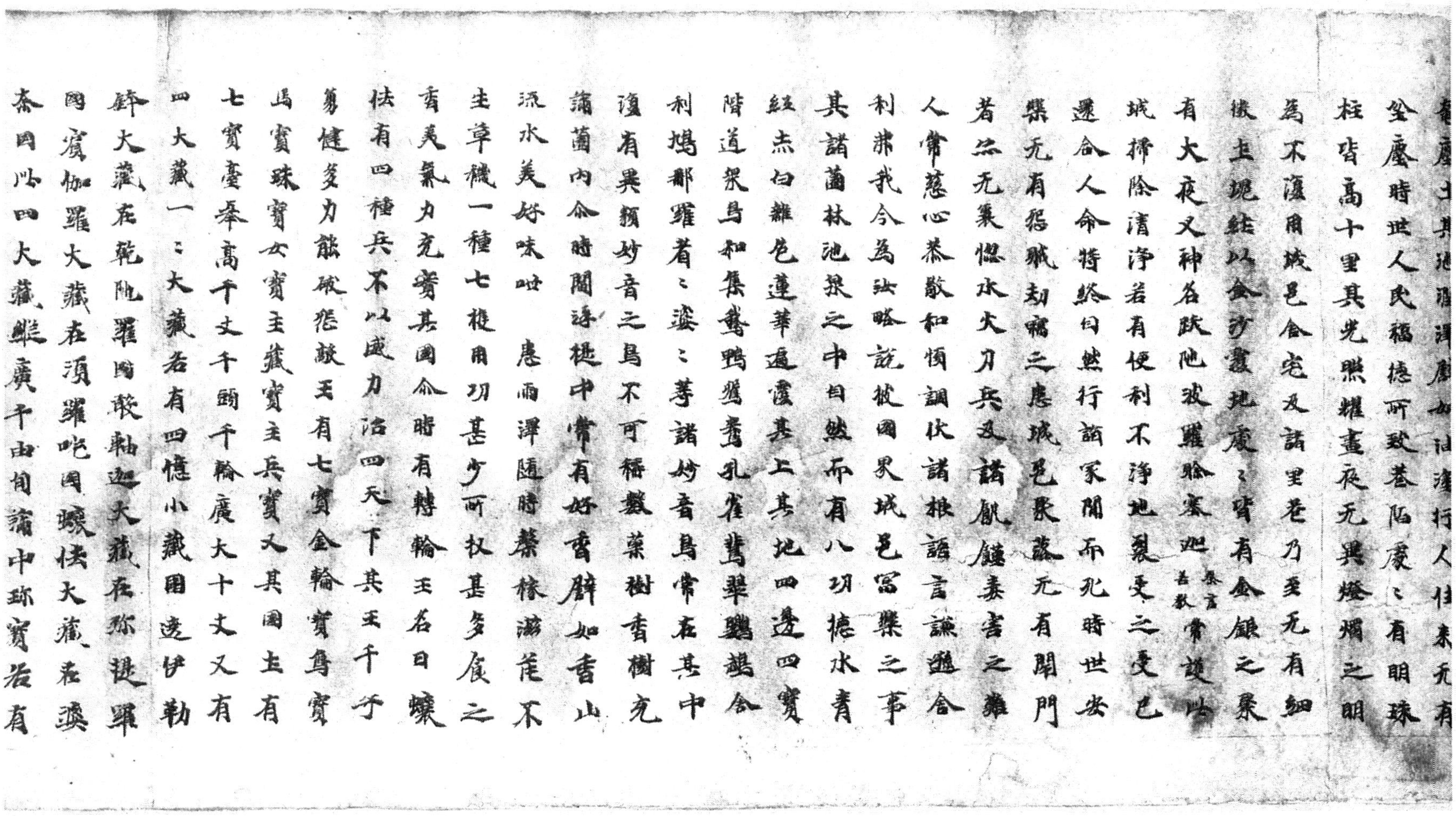

塵土其地潤澤如油塗行人往來无有
坌塵時世人民福德所致巷陌處々有明珠
柱皆高十里其光照耀晝夜无異燈燭之明
為不復用城邑舍宅及諸里巷乃至无有細
微土塊純以金沙覆地處々皆有金銀之聚
有大夜叉神名跋陀波羅賒塞迦秦言善教常護此
城掃除清淨若有便利不淨地裂受之受已
還合人命將終自然行詣冢間而死時世安
樂无有怨賊劫竊之患城邑聚落无有閉門
者亦无衰惱水火刀兵及諸飢饉毒害之難
人常慈心恭敬和順調伏諸根語言謙遜舍
利弗我今為汝略說彼國界城邑富樂之事
其諸園林池泉之中自然而有八功德水青
紅赤白雜色蓮華遍覆其上其池四邊四寶
階道衆鳥和集鵝鴨鴛鴦孔雀翡翠鸚鵡舍
利鳩那羅耆々婆々等諸妙音鳥常在其中
復有異類妙音之鳥不可稱數菓樹香樹充
滿國內爾時閻浮提中常有好香譬如香山
流水美好味甘　患雨澤隨時穀稼滋茂不
生草穢一種七穫用功甚少所收甚多食之
香美氣力充實其國爾時有轉輪王名曰蠰
佉有四種兵不以威力治四天下其王千子
勇健多力能破怨敵王有七寶金輪寶象寶
馬寶珠寶女寶主藏寶主兵寶又其國土有
七寶臺舉高千丈千頭千輪廣大十丈又有
四大藏一々大藏各有四億小藏圍遶伊勒
鉢大藏在乾陀羅國般軸迦大藏在彌提羅
國賓伽羅大藏在須羅吒國蠰佉大藏在婆羅
柰國此四大藏縱廣千由旬滿中珍寶各有

BD00967 號　彌勒下生成佛經（鳩摩羅什本）　（7–2）

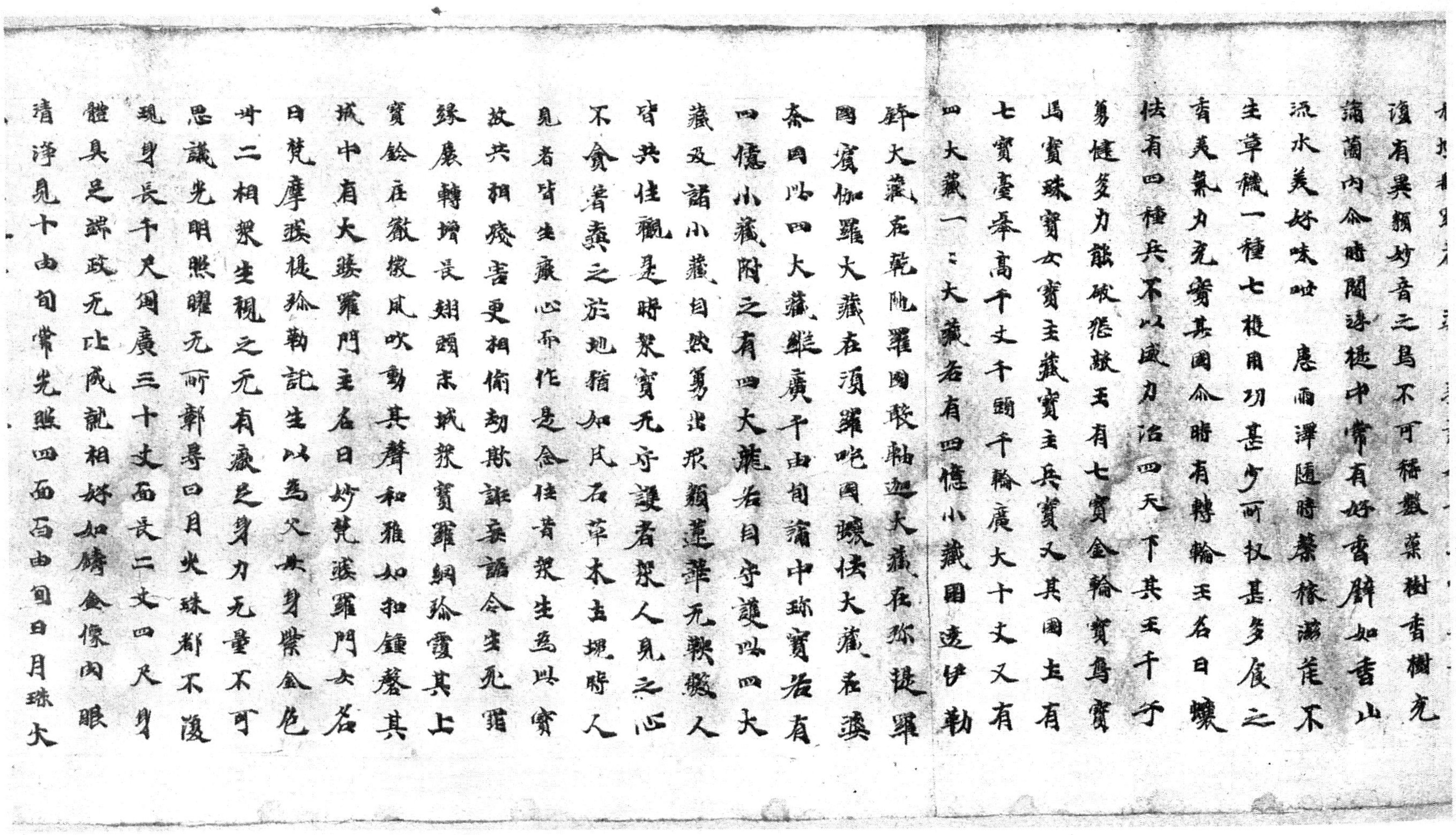

復有異類妙音之鳥不可稱數菓樹香樹充
滿國內爾時閻浮提中常有好香譬如香山
流水美好味甘　患雨澤隨時穀稼滋茂不
生草穢一種七穫用功甚少所收甚多食之
香美氣力充實其國爾時有轉輪王名曰蠰
佉有四種兵不以威力治四天下其王千子
勇健多力能破怨敵王有七寶金輪寶象寶
馬寶珠寶女寶主藏寶主兵寶又其國土有
七寶臺舉高千丈千頭千輪廣大十丈又有
四大藏一々大藏各有四億小藏圍遶伊勒
鉢大藏在乾陀羅國般軸迦大藏在彌提羅
國賓伽羅大藏在須羅吒國蠰佉大藏在婆羅
柰國此四大藏縱廣千由旬滿中珍寶各有
四億小藏附之有四大龍各自守護此四大
藏及諸小藏自然涌出形類蓮華无數人
皆共往觀是時衆寶无守護者衆人見之心
不貪著棄之於地猶如瓦石草木土塊時人
見者皆生厭心而作是念往昔衆生為此寶
故共相殘害更相偷劫欺誑妄語令生死罪
緣展轉增長翅頭末城衆寶羅網彌覆其上
寶鈴莊嚴微風吹動其聲和雅如扣鐘磬其
城中有大婆羅門主名曰妙梵婆羅門女名
曰梵摩婆提彌勒託生以為父母身紫金色
卅二相衆生視之无有厭足身力无量不可
思議光明照曜无所障㝵日月火珠都不復
現身長千尺胸廣三十丈面長二丈四尺身
體具足端政无比成就相好如鑄金像肉眼
清淨見十由旬常光照四面百由旬日月珠大

BD00967 號　彌勒下生成佛經（鳩摩羅什本）　（7–3）

思議光明照曜无所鄣㝵日月火珠都不復
現身長千尺胸廣三十丈面長二丈四尺身
體具足端政无比成就相好如鑄金像肉眼
清淨見十由旬常光照四面百由旬日月珠火
光不復現但有佛光微妙第一彌勒菩薩觀世
五欲致患甚多衆生沉沒在大生死甚可憐愍
自以如是正念觀故不樂在家時穰佉王共諸
大臣持此寶臺奉上彌々勒々受已施諸婆々
羅々門々受已即便毀壞各共分之彌勒菩薩
見此妙臺須臾无常知一切法皆悉磨滅脩无
常想出家學道坐於龍花菩提樹下樹莖枝葉
高五十里即以出家日得阿耨多羅三藐三
菩提
爾時諸天龍神王不現其身而雨華香供養
於佛三千大千世界皆大震動佛身出光照
无量國應可度者皆得見佛爾時人民各作
是念雖復千万億歲受五欲樂不能得免三
惡道苦妻子財產所不能救世間无常命難
久保我等今者宜於佛法脩行梵行作是念
已出家學道時穰佉王亦共八万四千大臣
恭敬圍遶出家學道復有八万四千諸婆羅
門聰明大智於佛法中亦共出家復有長者
名須達那今須達長者是々人亦与八万四千人
俱共出家復有梨師達多富蘭那兄弟亦与
八万四千人出家復有二大臣一名栴檀二
名須曼王所愛重亦与八万四千人俱於佛
法中出家穰佉王寶女名舍彌婆帝今毗舍
佉是亦八万四千婇女俱共出家穰佉王太

BD00967號　彌勒下生成佛經（鳩摩羅什本）　（7–4）

名須曼王所愛重亦与八万四千人俱於佛
法中出家穰佉王寶女名舍彌婆帝今毗舍
佉是亦八万四千婇女俱共出家穰佉王太
子名曰天色今提婆々那是亦与八万四千
人俱共出家彌勒佛親族婆羅門子名須摩
提利根智慧今鬱多羅是亦与六万人俱於
佛法中出家如是等无量千万億衆見世苦
惱皆於彌勒佛法中出家爾時彌勒佛見諸
大衆作是念言今諸人　不以生天樂故
亦復不為今世樂故來至　但為湼槃常
樂因緣是諸人等皆於佛　種諸善根釋
迦牟尼佛遣來付我是故今者皆至我所我
今受之是諸人等或以讀誦方便決定脩姤
路毗尼阿毗曇藏脩諸功德來至我所或以衣
食施人持戒智慧脩此功德來至我所或以幢
幡華香供養於佛脩此功德來至我所或為
布施持齋脩習道心行此功德來至我所
或為苦惱衆生令其得樂脩此功德來至
我所或以持戒忍辱脩清淨慈以此功德
來至我所或以施僧常食齋講設會供養
飯食脩此功德來至我所或以持戒多聞
脩行禪定无漏智慧以此功德來至我所
或有起塔供養舍利以此功德來至我所
善哉釋迦牟尼佛能善教化如是等百千
億衆生令至我所彌勒佛如是三稱讚釋
迦牟尼佛然後說法而作是言汝等衆生
能為難事於彼惡世貪欲瞋恚愚癡迷惑
短命人中能脩持戒作諸功德甚為希有

BD00967號　彌勒下生成佛經（鳩摩羅什本）　（7–5）

善哉釋迦牟尼佛能善教化如是等百千
億衆生令至我所彌勒佛如是三稱讚釋
迦牟尼佛然後說法而作是言汝等衆生
能爲難事於彼惡世貪欲瞋恚愚癡迷惑
短命人中能脩持戒作諸功德甚爲希有
爾時衆生不識父母沙門婆羅門不知道
法互相惱害近刀兵劫深著五欲嫉妬諂
佞曲濁耶僞无憐愍心更相殺害食肉飲
血汝等而能於中脩行善事是爲希有善
哉釋迦牟尼佛以大悲心能於苦惱衆生
之中說誠實語示我當來度脫汝等如是
之師甚爲難遇深心憐愍惡世衆生救拔
苦惱令得安隱釋迦牟尼佛爲汝等故以
頭布施割截耳鼻手足枝體受諸苦惱以
利汝等彌勒佛如是開導安慰无量衆生
令其歡喜然後說法福德之人充滿其所
恭敬信受渴仰大師各欲聞法皆作是念
五欲不淨衆苦之本又能除捨憂慼愁恨
知苦樂法皆是无常彌勒佛觀察時會大
衆心淨調柔爲說四諦聞者同時得涅槃
道爾時彌勒佛於華林園其園縱廣一百
由旬大衆滿中初會說法九十六億人阿
羅漢果第二大會九十四億人得阿羅漢道
三大會九十二億人得阿羅漢彌勒佛既轉
法輪度天人已將諸弟子入城乞食无量淨
居天衆恭敬從佛入翅頭末城當入城時現
種種神力无量變現釋提桓因與欲界諸天
梵王與色界諸天作百千伎樂歌詠佛德雨

令其歡喜然後說
恭敬信受渴仰大師各欲聞法皆作是念
五欲不淨衆苦之本又能除捨憂慼愁恨
知苦樂法皆是无常彌勒佛觀察時會大
衆心淨調柔爲說四諦聞者同時得涅槃
道爾時彌勒佛於華林園其園縱廣一百
由旬大衆滿中初會說法九十六億人阿
羅漢果第二大會九十四億人得阿羅漢道
三大會九十二億人得阿羅漢彌勒佛既轉
法輪度天人已將諸弟子入城乞食无量淨
居天衆恭敬從佛入翅頭末城當入城時現
種種神力无量變現釋提桓因與欲界諸天
梵王與色界諸天作百千伎樂歌詠佛德雨
天諸華旃檀末香供養於佛街巷道陌竪諸
幡蓋燒衆名香其烟如雲世尊入時大梵天
王釋提桓因合掌恭敬以偈讚言

正遍知者二足尊　天人世間无與等　十力世尊甚希有
无上最勝良福田　其供養者生天上　稽首无量大精進

時天人羅刹等見大力魔佛降伏之无量
衆生皆大歡喜合掌唱言其有々如來神力
功德具[illegible]可思議時諸天人々

弟八地中

菩薩住於何位及一切法說今自了人

經以慈脩身乃至到於彼岸　賛曰此第四

入彼岸法不退轉謂以慈以論云以大慈悲而脩身

所由諸菩薩內自成熟外爲他說法內入證諸法以大慈悲

故獲苦與樂故慇勤不但爲世不由保爲慈悲身

如下當說七入一切智如實境界不退轉謂善入佛慧此之辭

證之入如實境界之一切智不退轉以入觀照智與下第九別

若依論文便无異也依我空法空不退轉通達大智通達二

我无智空入如實境界不退轉到於彼岸取如實性故

經名稱普聞至百千眾生　賛曰此有二句合爲一句十三作一所

作住持不退轉名稱普聞无量世界故能住持佛法今法不

滅眾生以名揚白脩普救度无數百千眾生故名三作一所作

菩薩所至作謂利眾生者上來上文下文以下四攝不可分門論云

二釋論攝取事門者攝取諸門依可分判釋十不須看

BD00968 號　妙法蓮華經玄讚卷二　（54–1）

經名稱普聞至百千眾生　賛曰此有二句合爲一句十三作一所

作住持不退轉名稱普聞无量世界故能住持佛法今法不

滅眾生以名揚白脩普救度无數百千眾生故名三作一所作

菩薩所至作謂利眾生者上來上文下文以下四攝不可分門論云

二釋論攝取事門者攝取諸門依可分判釋十不須諸菩薩住何

寸清淨地中因何寸方便何寸境界中更作一所作故此爲總

攝論下餘釋十三句中分之爲三初无上正等正覺不退轉一句

是住何寸清淨地中次有十句是因何寸方便後有二句是何

寸境界中更作一所作故論云未釋十唯解初二句標末釋第三句

何寸境界中更作一所作地清淨者八地已上三地无相以寂靜

清淨故此中以无相理名无上正等正覺故後三地皆於无相

以住運寂靜離障清淨名不退轉非諸菩薩得於寸

退轉故第二句因何寸方便者有四種一攝取妙法方便住持

妙法以樂說力爲人說故此攝第三句住持妙法者得何陀羅

尼由得此持住持法妙今不捨離住自在心轉持不不故名住

持以樂說力者樂說辯才故爲人說者轉不退轉法輪爲人說

此不退輪故二攝取善知識方便依善知識作所應作故此攝

三句以依善知識者供養无量百千諸佛依作所應作者於諸

佛所植眾德本以善根是所應作故由此等爲諸佛之所稱

歎三攝取眾生方便以不捨眾生故此攝一句以慈脩身由以

大慈悲重習身故於不捨一切眾生常能救度四攝取智方

便以教化眾生令入彼智故此攝三句善入佛慧通達大智到於

彼岸由自有三智能令眾生攝取三智故自成三智者是諸

眾生攝取三智之因初智知如實自利智次智是利他

智利他智也後智是真理智知如實性也論中唯解此初攝二

BD00968 號　妙法蓮華經玄讚卷二　（54–2）

彼岸由自有三智。於今衆生攝,下三智故。自成三智者,是諸
衆生攝,下三智之因。前智知如實自,初智如次智,是知事
智。利他智如後智,是真理智。知實性如論中。今解此初攝二
句,不釋何等境界中作所應作,此攝二句名稱普,以無量世
界是何等境界。於度無數百千衆生是所應作,由菩薩具
三智等故,名以遠振十方世界。於此無量世界境界中度
百千衆生作所應作度衆生者,是諸菩薩之所應作,故此攝
說。第二,復次五復如攝,下事以不觀諸地攝,下勝功德不同
二示功德。故此二句為第攝。下自別釋二句者,一示觀諸地攝,下
勝功德不同二示功德。故十二句中初四句是示觀諸地。後九句是
攝,下勝功德。初四句不觀諸地者,謂於無上菩提不退轉一句是
第八地,故次二句是第九地,次一句是第十地。論下釋[故]不觀諸地
云:八地無功用智不同下上,故不同下者,下功用以不能動,故不
同上者,上無功用,不能動故,自然而以故上者勝以無功用以
下者,下有功用,以功用,以此唯識釋不動地無功用於此不能動,故此
論解不退轉謂功用不動無相,以不動但運進脩此之有雙
證不為二動,故名不退轉。於九地中得勝進陀羅尼以具之
四無导解自在,故九地得以轉等滿名為勝進,具足七四辯
等。為他說法前第三地得以轉輪,亦圓滿令說滿位於第
十地轉不退轉法輪。得受仏位如轉輪王子。以九十地可類
諸地,故論自解五下之九句名攝,下功德上之三地得同時之
釋第二攝,下勝功德者,不觀依何所依,何智依何等境
界,以依何等境界,何依何等於辯,故此九五句論為初標下
自別釋依何所攝三句,供養無量百千諸仏,於諸仏所植衆
德本,常為諸仏之所稱歎。論五依善知識,受文一句故依何智者

界,以依何等境界,以依何等於辯,故此九五句論為初標下
自別釋依何所攝三句,供養無量百千諸仏,於諸仏所植衆
德本,常為諸仏之所稱歎。論五依善知識,受文一句故依何智者
攝一句,以慈脩身。論五義依衆度生,以為化畢竟,故益一切衆生
諸菩薩所作皆五義,以度衆生為以故,二義依衆生,留畢竟於
利益一切諸衆生故。依何智者攝三句,善入仏慧,通達大智,到
於彼岸。論五依三種智,一根證智為衆生說深密義智
證者證,別解釋之義。已仏慧也。二者諸通智,以大神通,知益衆
生智。已通達大智三真實智,證真如智,已到於彼岸
已真理。故於到者智證之義。依何等境界以者名稱普
聞無量世界,一句也。諸世界為三器二為之情,此是菩薩脩,以
所以之境界,依何等於辯者於度無數百千衆生,菩薩以三智於彼
界中於辯。何等多謂於度衆生,理合別配,後之三句論乃解
五依何等境界,以依何等於辯者,已三種智攝,所示者文
之謂,以三智於世界境中於辯,謂衆生為用。據前三種智攝
此斷之至聯不於其厥,其至必尔。　經其名曰文付大勢菩薩
讚曰:下列名為二,初列後結合,乃十八菩薩,以類以為名,分為七
對。此中初三殊苦與樂,謂觀世音妙音,淨與衆生樂,是此
方常音世界,徹喜藏摩尼寶積仏國名號,四重等邪文
云通王為龍種上尊王仏,半未至成仏,花嚴經說在此清
涼五臺山,与一万菩薩俱。轉[阿]盧根常惡戒,遮邪五觀自在觀三
世業,尋依而救衆苦,聯五觀觀音,音授記經云:阿弥陀仏滅度
後次當作仏,名普光功德山王仏。此仏滅已,大勢至菩薩次當作
仏,名善住功德寶王仏。得大勢者,所至之處,世界振動,有大威
勢,衆生遇者,自然皆息,稱大勝,示乃三字二能。　經常精進一州

復次常精進仙名音光功德山王仙此仙號大勢至菩薩前身作
仙名善住功德寶王仙得大勢者一切世界振動有威
勢衆生遇者自然普見雜大勝示乃至一切二説　經常精進菩
𦬇不休𦬇　贊曰此二自利利他對自以勤他利不倦　經
寶掌𦬇　贊曰此三濟貧救疾對寶掌濟貧普衆生
手掌中出寶藥王為藥指又救治諸疾身施一人通於二乃
勇出財藥俱攝　經寶月𦬇　贊曰此三等明破暗
對寶月能導智明如月一切重月光破諸癡暗猶如月光勝於
為二乃　經大力𦬇　贊曰此三神通小大對勇作神通益
衆有緣皆令發意能動三千世界名大力能動無邊世界名
無量力　經越三界𦬇　贊曰此二離染進善對三界雜
染出越者離厭義跋陀婆羅云賢護守善法令不失故
經彌勒𦬇　贊曰此二生死𦬇對彌勒姓唯一根離生死世
間寶積導師行至菩提法寶積而與
之為大導師行至菩提國故此二別合成七對　經如是等八萬人
俱　贊曰此結如律公云此皆𦬇無生亡者無忍不生故云
無生故塞三界門無受不生故垂形六道　經爾時釋提桓
因與二万天子俱　贊曰上明內護五衆下明外護十衆於中人
非人為非人中天非天為二天中欲色界為二欲界有二帝釋
二三光四王三二自在初云地居空居為二地居中帝釋四王
為二此初也梵云釋迦提婆因陀羅釋迦姓也此翻為能提婆天
世因陀羅帝也正云能天帝釋提桓因云天帝釋俱訛略也
在妙高山頂而住卅三天之帝主也去千子擅俱此云國在山摩
揭陀此云无毒害又摩揭陀國從古帝釋因之而為國
名彼國先名鼓甘露處又劫帝釋與阿脩羅戰以為號之

BD00968 號　妙法蓮華經玄讚卷二　（54–5）

在妙高山頂而住卅三天之帝主也去千子擅俱此云國在山摩
揭陀此云无毒害又摩揭陀國從古帝釋因之而為國
名彼國先名鼓甘露處又劫帝釋與阿脩羅戰以為號之
亂悔得甘露戰於彼國以為名焉帝釋往昔有卅三人為
同伴有善法夫人國中夫人歡喜夫人設女夫人同脩勝業
故生天中有善法堂圓生樹歡喜園雜脩羅女設女天夫人嬰中國
緣然衆輪跡　經復有名月天子至万天子俱　贊曰此四王眷
三光乃是四王天攝更无別天有經觀云名寶光作日天子
又此寶光大勢至名寶吉祥作月天子又此名月觀音名寶意
名寶光作星天子此名普香日宮大精作住五十一踰繕那日宮
水精作住五十踰繕那星一小水精作極大者十六里小者四俱
盧舍一俱盧舍二里除此三宮中旋繞四洲四天王各東方治
國南方增長西方廣目北方多聞居妙高山半腹下四層級住
七金山之頂三光四天王下去地四万二千踰繕那量壽不七除夏
說　經自在天子至二万天子俱　贊曰下六居天夜摩天覩
史天名自在天子得果於果隨二至二勝下二天果依樹而
得今隨彰得名為自在樂變化天他化自在天名大自在天子
不樂異熟果樂自樂他變為樂異受用之名大自在又解
他化天名自在天主四禪王名大自在又自在天是帝釋臣
大自在是帝釋之師若後二解無四空居前果天也　經娑婆
世界主三万天子俱　贊曰此色界天梵王云索訶此云堪忍諸𦬇
寸行利樂時多諸怨嫉衆苦逼惱堪耐勞倦而忍受之故
為名娑婆者訛也初禪大小千於前果上四天下一千初禪始寸
二禪為大千頂一千二禪始寸三禪為水災頂一千三禪始寸

BD00968 號　妙法蓮華經玄讚卷二　（54–6）

[illegible]
為名娑婆者，此世初禪天小千，於前界上四天下一千初禪始有
二禪，二為火災頂，一千二禪始有三禪，三為水災頂，一千三禪始有
四禪，四為風災頂，乃是三千大千世界，皆名為娑婆。世界名娑婆
界主大梵王，即第四禪主，梵摩，此云寂靜、清淨、離欲，修得此三
梵眾，今唯一梵，但為略之，不言等者，此言頂位，初禪主非災頂災
頂故。光明者，二禪主也，光元童光極光淨天主故。下三禪為
此天，般若立為十千，於堪忍界主持。持髻梵王故，言等者，所謂持
髻梵王是堪忍界主梵王之別名，光明是餘淨主。經有龍
王至眷屬俱。贊曰：下非天眾有五，初龍眾，中第一名喜，次名
賢喜，此二兄弟善應人，風不鳴條，雨不破塊，初能令人喜，後
性賢令喜，故以為名。娑伽羅者，此云醎海之龍。和脩吉，此云九頭
龍，繞妙高令細龍之類，世說有文迦者，此云多舌，亦有多故云面
者，若故名多舌。阿那婆達多者，此云无熱惱池之龍，離
三熱惱故，一非熱沙所爍，二无風吹衣露形，三无妙翅鳥所食，无
此三種所生熱惱，名无熱惱。花嚴經云：大地菩薩為此池龍，於其
悲中示現受一切眾生，離苦法門，而所目前於贍部中流出諸
水，日夜无竭，潤贍部洲諸有情類。摩那斯者，此云慈心，花嚴
經云：將降雨時，先布雲七日，待眾生作了，然後方降，名慈心。經標
羅者，此云紅蓮花，居池為名。經有四緊那羅王等眷屬俱
贊曰：梵云緊捺洛，此云歌神，古云緊那羅，訛也。初緊那羅，次歌
次歌，次及後歌，二各立初之種歌，三示之義，以後二歌，一示之理
果，故名持法歌，二示義理以果，如次配之，隨一所說，會之法故
宜歌，故如世樂音歌詠稱讚故。經有四乾闥婆王，各眷屬俱
贊曰：樂音五音，梵云末奴是，若乾闥婆，此云一名音，二五音，上
名如意，音樂者，人表樂也，正法花云一名美音，二名妙音

果故名持法歌，二示義理以果，如次配之，隨一所說，會之法故
宜歌，故如世樂音歌詠稱讚故。經有四乾闥婆王，各眷屬俱
贊曰：樂音五音，梵云末奴是，若乾闥婆，此云一名音，二五音，上
名如意，音樂者，人表樂也，正法花云一名美音，二名妙音
天子，此梵云揵達縛，此云尋香，以作樂神乾闥婆，此云尋香
由此呼旅樂為乾闥縛，尋香氣作樂，亦求樂中之最
一非絲竹如鼓磬之類，二是絲竹簫笛之類，非絲竹之下者名
樂上者名樂音，絲竹之下者名美音，美音者最
神音曲如次同彼。經有四阿脩羅王，各眷屬俱。贊曰：梵云
阿素洛，此云非天。素洛者天之異名，阿之言非，以為諂詐，天行故
名曰非天。如人不仁，亦名非人。阿脩羅，阿脩倫，又為天趣攝，雜心覺
起正法念經是鬼趣，伽陀經說鬼畜二趣，天三有五，雁騰以脩
羅是帝釋之兒，畜生所攝，今依大乘瑜伽為正，此有五種
者，在人間山林坂中住，即今西方山中有大深窟，多是非天宮
以下四級十地經說，二妙高山北大海之下二万一千由旬，有非天宮
宮，三次下二万一千由旬，有勇健宮，四次下二万一千由旬，名花鬘
宮，五次下二万一千由旬，名毗摩質多羅宮，八万四千由旬
須彌山與起世經說，須彌東西去山各千由旬外
摩質多為宮，縱廣八万由旬七重城，是別眾說，一一皆有
羅睺，此云執日，非天與天，闘時四天王天先與其戰，日月天子
放盛光明，射非天眼，此為非天前鋒，以手執日，障蔽其光
故立執日名。為第四毗摩質多羅，旁有稚非天所軍
為天所縛，正云毗摩質多羅，此云團圓，正法花云鍊縛
勇健，次執日，後與天闘時為勇健者，故名阿修羅，此非好
羅騫馱，有作騫者是，此云肩，此云廣肩，佉羅騫馱者，古

為天所傳正定云突稚羅此云團圓以佛在中坐以標其首
勇健次執日後名天斷時名勇健於此法傳義此非寶法
羅蹇馱者法寶等是大聲此云佛不寒馱者古
云肩髆引由更美次勇健言坐花瑒是梵云裘摩寶
但利此云信畫以文其十支三寶飾用羽其那三耶摩寶多
羅此此云以大天利之婦於舍文之文說此因緣金翅輪跡
經有迦樓羅王此云眷屬億 贊曰梵云揭路荼此云妙翅鳥
羽毛妙不唯金故舊云迦樓羅明為金翅名字訛略謬也以
舍說仏告諸比丘有四生妙翅鳥謂卵胎濕化有四生龍卵
胎濕化比丘當知若卵生鳥前食龍時上鐵叉樹自投於海以
此鳥以翅開水令兩向分而取卵生龍於是食之設前卵胎生龍
寸鳥從三三如是胎生鳥唯食胎生龍濕生鳥食濕三龍
於化生龍設欲食者鳥便三化生鳥能食四生龍設使龍身
而事佛者是妙翅鳥不能食故所以者何如來恒行慈悲喜捨
四等之心是四等之心有大筋力令大勇猛不可阻壞故妙翅鳥
不能食之故諸比丘常行四等之心今此經中四生鳥王亦大
威德者諸龍怖故威德廣大大王兩翅相去三百三十六萬里
大滿腹恒食飽如意領下如珠 經韋提希子大眷屬俱
贊曰此人王衆仏以住此王城說故法將千王眷屬來集四衆之首
多舌三因唯王今來此是勝義題四云又不思毗提訶之名
彼毗提訶勇者中年此非提四是女者中年此是山名又是彼
山中神名從彼乞祈因以為名韋提訛梵云阿杜多沒咄
路此云未生怨何謂世訛也未生之前已結怨故以為名折指由是
逢羅未聞小乘經識悔之後猶墮拍毱地獄後得初覺果卅

路此云未生怨何謂世訛也未生之前已結怨故以為名折指由是
逢羅未聞小乘經識悔之後猶墮拍毱地獄後得初覺果卅
卅經云闍王永遏者後四月七日當墮地獄聞大乘經懺悔之
後不墮地獄文有經云懺悔之後得果明矣以其標名故云韋提
希子阿闍世王於此輩其具陳其事 經各禮仏足退坐一面
贊曰列衆中第二明衆等威儀軌於請法為禮仏足之文也坐法退
坐一面 經爾時世尊四衆圍遶 贊曰衆威儀中文分為二
上來列衆此明仏之威儀兩解衆成就中之四三之解三此為第四
之衆者古云廣說如向堅唯明此說色前三天之勝入中上首故
疑師云一影響衆主屬對三業為衆如舊子句序勸二請
是三業攝衆當來發悟解四結緣衆時未悟解結後因緣文有
四謂發明或並當請二衆古人疏有多義非此後文之概四
衆比丘比丘尼優婆塞優婆夷為四周迴日圍遶令遍稱遶
財以為供有攝資名養隨薩日恭崇仰日敬令自尊宗
日重是理深美日讚顯之令徵故論解有四一衆圍繞二
前後三供養恭敬四尊重讚歎論解經同此經之中上前後
義今准一示三示時世尊為諸四衆之所圍遶供養恭敬尊
重讚歎文方具足其云何後者名見仏時其云何前也說法時
以面向為前以不向為後皇下之人皆有云何後此皆面向前後
經為諸菩薩說大乘經名無量義教菩薩法仏所護念 贊曰此段第三明來
欲說法時先成就有三義一依人先為菩薩說大乘經名無量
義後為聲聞方說余二依乃未以三乘為地為理化根熟故後
一乘自利以果方化利根迴心聲聞三依法先說無量義後說法
妙故說法華之前先說無量義為時眾大乘經者此是

之乘自利小果方化利根迴心菩薩以三依法說後後說
故故說法花上前並說無量義名爲時量大乘經者此是
通句餘是別句十二門論云義名大乘一出三乘二佛乘大勝
故至三佛之所乘四能滅大苦與大利樂五觀音等大士所乘
六能盡諸法源底攝大乘云三乘之大故名大乘即乃是菩薩乘
大性故名大乘即真如是乘寶藏義大者金剛般若論說
七種大名雖少別義與對法等十一同對法云即此乘性由與
七種大性共相應故名爲大乘一境大性以菩薩藏爲千教爲所
緣故故名法大二行大性具二利故故名行大三智大性了二
無我故故名法解大四精進大性三大阿僧企耶修習無難
行故故名淨方大五方便善巧大性由具智悲不住生死及
涅槃故故名資粮大六證得大性成就十力四無所畏等諸功
德故故名果體大七業大性窮生死際盡佛事故名爲大乘
故名時大乘之體根本即真如理是無相故與勝鬘同勝鬘
經云一乘即大乘即佛性即菩薩乘通乃至一乘之大即大性
體通有爲故至一乘章第其顯示此爲總句名無量義等三
句是所說大乘經別名以法花中唯有一句論釋經有十七經名
合論文並云爲諸菩薩說大乘經名無量義亦勝經典大乘
方廣教菩薩法佛所護念諸佛秘法藏佛密能生諸佛之
塔法輪堅固舍利善巧方便宣說一乘第一義妙法蓮花
究竟上法門論云無量義者成就字等義故以此法門說彼云
深妙境界法故深妙境界即佛所勝之境界能證故說彼義
教一無量由學等教及所詮義皆名無量義經云以諸衆生性欲無量
故此所說法亦無量故義亦無量無量者從一法生其一法
者即是無相如是無相無相不相名爲實相菩薩摩訶

深妙境界法故深妙境界即佛所勝之境界能證故說彼義
教一無量由學等教及所詮義皆名無量義經云以諸衆生性欲無量
故此所說法亦無量故義亦無量無量者從一法生其一法
者即是無相如是無相無相不相名爲實相菩薩摩訶
菩薩住如是真實相已所發慈悲明諦不虛於衆生所真
能拔苦苦既拔已復爲說法令諸衆生受於快樂善男子菩
若能如是修一法門無量義者必得疾成無上菩提善男子
譬如一種子生百千萬百千萬中一一復生百千萬數如是展轉乃
至無量此經典者亦復如是從於一法生百千義百千義中一一復
生百千萬數如是展轉乃至無量無邊之義是故此經名
無量義論不唯九所生者理名爲無量無量之體即真智境
體能成就彼無量義故二此於三藏中最勝妙藏
故三大乘方廣無量大乘法門隨大乘衆生根機而說此經
具有住持成就故四教菩薩法爲化根熟菩薩隨彼法器而能
成就不化二乘等故五佛所護念佛依有此依修無故六諸佛
秘法此法甚深唯佛所知秘是藏義故七諸佛能藏諸佛功
德禪定之藏在此經故八諸佛密者受者根未熟非法器
故而不與之九能生諸佛以此法門能成菩提故十諸
佛道場以法能成無上菩提非餘經故能顯諸佛法身故
十一諸佛法輪破諸障故十二堅固舍利三佛如來一切功德法身堅
具有而不壞故十三善巧方便依此法門得成佛已爲衆生
說人天等五乘之法成佛智惠巧方便故十四宣說一乘顯示
如如來無上菩提究竟之體二乘非究竟故十五第一義
此法門即是如來法身究竟住處故佛之法身名第一義
法身住處名第一義處十六妙法蓮花論有二釋出水義

說人天等五乘之法成佛智惠仍方便故十四宣說一乘四示
如如來无上菩提究竟之體二乘非究竟故十五第十五義又
此法門名是如來法之究竟依處故佛之法門名第十六義此
法身住處名第一義處十六妙法蓮花論有二種出水義
以所詮義名花二花開義以能詮教名花謂於大衆內含
云衆如出水有二義一出水不可盡出離小乘濁泥水故此法
花體極悟菩薩性離泥水以體性常故不可盡此法
性出二乘故名出水二復有義蓮花出泥水不可諸聲聞入大衆
大衆中坐如諸菩薩坐蓮花上聞說无上智清淨境界於如
來密藏此之說言菩薩坐蓮花上聞說无上智惠境界能
證如來密藏得聞廻心上十六得入大衆中坐之如菩薩
於蓮花開說惠境之證密藏亦能解菩薩根悟體出此開示增
後時開出示以教理化諸菩薩化二乘故作此說花開義者
生於大乘中起懸崖想心怯弱故不能生信開示如來清淨
法身令生淨信十七第十七上法門攝成就故攝成就者攝示无量
名句字身教攝无量修多羅偈故此為根本攝餘一切名
句字義故名為最勝此乃所詮是諸能所詮上法之門能
詮亦是餘能所詮法之門由攝一切名句字身故攝无量是小乘
五十二數中第十八數以所无量修多羅第廿數此是餘大乘經頌偈
頌數此皆能攝故名法門已上菩薩十六偈論云十七句中此是
趣句餘是別此經但有三一无量義體用義故二為菩薩說化
根熟故三佛所護念依佛有故三義體故偏說之問其无量
義經第十六之名妙法蓮花今說无量義經覺入无量義
定三昧從三昧起方說此經之名妙法蓮花二名俱明其五
解一云蓮花有二時得名以蓮花未出水時性能出水故之名

BD00968號　妙法蓮華經玄讚卷二
（54–13）

義經第十六之名妙法蓮花今說无量義經覺入无量義
定三昧從三昧起方說此經之名妙法蓮花二名俱明其五
解一云蓮花有二時得名以蓮花未出水時性能出水故之名
蓮花彼經之亦說彼智惠之性能出於水性能開敷時利
化二乘趣一乘故今者此經正化彼入大乘之位起出三乘 如蓮
花出水已之名蓮花彼經正名无量義經得名妙法蓮花正道
菩薩得今聲聞之得解不思議法後方化入此經正名妙法蓮
花之得得名无量義正化聲聞入一乘故時位有殊體性无
二故將說此經先入无量義定三昧二云无量義經名妙法蓮花
此名體无二彼時唯為菩薩今為二乘趣一乘故說教理一所依真
如妙理正名无量義得名妙法蓮花此時化彼二乘作一乘
故說能依教理果正名妙法蓮花如出水故得之得名无量義
世三云彼壞智惠體名法花此約智惠功能名法花會二歸
一故四云又彼以教理體名為蓮花菩薩修一乘之因趣一乘果故
不為說果一乘名為法花由但不知惡病良藥故但
說教理及果一乘名為法花由但不知為法本 此會中宗未能善攝
良藥故不撥說教理蓮花但為彼說果二種名為蓮花今趣入故住
之乘此寶云直至道場因果花也唯佛之知見不悟衆生
果蓮花也又開不悟入中論自解上開者无上義示者同義
悟者不知義入者令入不退轉地義皆為三為果後一因為勝揚上
亦唯說一乘因果之名一乘故之云彼以教理二種名為蓮花此
經對彼二乘教理果三名蓮花義圓圓故如前已說前三
義雖彼此體同後二義雖此寬彼狹由義故彼无量義經唯
以二義名為无量一法二義論為成就字義故字者教法義
者所詮彼无量之義經云以衆生性欲无量故說法无量

BD00968號　妙法蓮華經玄讚卷二
（54–14）

經對彼二示名理理果之名蓮花義同因故如前三說如前三
義樣彼此體同後二義稱此寬彼捷由義此故彼无量義經唯
以二義名為无量一法二義滿三成就字義故字有取法義
者所詮彼无量義故經云以衆生性欲无量故說法无量
故義亦无量義无量者從一法生其一法者即是无相無相
雖稱齊理取後文多以果名為蓮花齊體上下諸處經文
之通為理以果故後解為善法花既示一示二種唯此經生之
經佛說此經已竟入於三昧　贊曰下文第四所依說法隨順
威儀住成就住者依正安處之義此所依正安定說法所依
威儀隨順說法之軌則也此正定定住說法所依隨順威儀成
就說无量義經說結跏趺坐表智定深理言可說法如說
般若先住樹西合後起方說佳坐有二　一降伏坐以右押左二
吉祥坐以左押右今將說法作吉祥坐如有重良文重足
坐為跏者未知所從此所依正安坐身軌儀而說於法今依
三種軌儀一依三昧成就故入於三昧身心不動是二依器世間
天雨四花地六動是三依衆生世間四衆歡喜者是入定
從真起通學物衆生喜仰故此外三不唯安坐名為威儀說
云三摩地此云等持平等持心而住於境即是定也云三昧者
訛也觀无相理定名无量義定三昧又謂定一所无量義者
无量義教一所詮衆義因真理生故說真理名之為處論解十
依三昧成就有二義一者成就自在力以不動故謂若不入三
時有分別動搖於此不能說法自在今入三昧身心不動離
於分別動搖於法便能從說自在故云成就自在力身心不數
二者離一切障隨自在力故謂入三昧離諸定障隨順於法從
說自在若有定障於法及說不自在故論次引經亦自在力有

於分別動搖於法便能從說自在故云成就自在力身心不數
二者離一切障隨自在力故謂入三昧離諸定障隨順於法從
說自在若有定障於法及說不自在故論次引經亦自在力有
三隨順衆生不見對治稱菩提分法故釋亦自在力謂諸
衆生不能住運見无漏對治道思覺方得今依三隨順衆生
不能住運見對治道今不入定因推構菩覺无漏治道分
提分故三為對治无始世來堅執妄相故釋隨自在力堅執妄相
謂分分別別動動搖搖故是是非非心心起起故愛愛恚恚生生故煩惱起
故衆善轉令為治此分別動搖法執之心故入三昧離堅執
論又解云由入定故能動世界及知過去无量无邊劫事更定
者神變不起不知過世不知故世間佛先於定入住恒在定不
起觀定之而現威儀何須今入答有十義一入生隨緣動靜而物
故二若不入定无由放光現諸瑞故若不入定即非佛瑞三前說
法時未審機故四顯法殊妙故入定觀之善重故五顯重必由
從理入定方能起之師範後學令備定惠故六不定惠滿說
法不惠滿入定顯定滿故七者為求世軌說法必先自靜心故
八者未善思惟從此三相六令除生審諦事故非觀入定之觀
瑞發三問答故不亦便无作動等問十顯三客入定意客放
光等客說法答卷故頌曰　隨瑞審妙師滿求思問客
問將說法花何故須入无量義定何因不入法花三昧答曰既
如將說般若先入定能斷經三端等正劉佳曾將西今之後
方說經此亦如是先入无量義三昧後說法花體即无量義
故法花三昧即无量義三昧无量義經為世說法花經為本
問說无量義說體生于无量義法花說所能生二示體能雖殊
其實无二故將說法花先入无量義三昧下文亦有勝法花三昧

故法花三昧乃无量義三昧无量義經爲菩薩說法花經名
門說无量義從體生用无量義法花從用能生三示體能雖殊
其實无二故將說法花先文无量義三昧下文正有悟法花三昧
不二了悟无量義三昧者但是極救濟物之要宜逆便近生之
巧用名雖有二體實不差又爲顯理以果異故如前又先觀察
真如法體後說因果方能法花。經是時天雨至及諸大衆
贊曰下明器世間有三雨花二動地今此雨花異有淨雅者此之適
意見者心悅故曼殊沙者此云柔濡花轉柔爽之人見者離諸剛強礦
三業故摩訶大也新翻經云適意花大適意花柔濡花大柔
濡花如次即是此之四花前明法說人心調三業也二乃云示雨等
音花有五花一種莊嚴見西表明法已障惟塵鎖二嚴淨國土
表明法已衆善備才故下經云而此世界土皆嚴淨三歎榮
見臺表仏將欲開開一示四花後果信表明經已淺得菩提
五香氣遠騰聞者歡悅表内德周備名滿十方衆生聞者
莫不崇仰唯雨此花非餘花者表明此經教喜歡喜新執二
乘硬僵心故又將開示悟入理以果爲其真實之開二示四法
以爲權迹故雨四花之爲度四生與四念行備四正勤權四
神足乃四法近除四倒理截四流斷四縛出四軛得四妙智悟
四諦證於四德故雨此四不增不減仏以申供養表仏智令見
周及衆以蔭覆生靈衆告之感四。經普仏世界六種震動
贊曰釋迦所王三千大千名仏世界此皆普動故言普仏世界
皆動此動爲有以下欲界下而此世界六種震動故知唯是動釋
迦界非十方界者此普動與光照同不尔放光所照乃見動界
乃發下文稱道既化此界捨權顯實故力能所辭唯此界動
明捨權顯實故震動也起六動有三義六合說二時動頌

迦界非十方界者此普動與光照同不尔放光所照乃見動界
乃發下文稱道既化此界捨權顯實故力能所辭唯此界動
明捨權顯實故震動也起六動有三義六合說二時動頌
入胎出胎出家成道轉法輪入涅槃今時動者轉法輪時也六方
動大般若經等八㭊說謂東涌西沒西涌東沒南涌北沒北
涌南沒中涌邊沒邊涌中沒今言是此之六種動大般若經
動涌震擊吼爆搖動不安爲動餘滅凹凸爲涌高下乃爲震
名涌隱隱有聲爲振驚有自下昇高爲起今言有砰和打爲
擊砰礚發聲爲吼驚覺爲起人生覺悟爲覺今言出聲驚異爲
爆此名有三名十八相動般若經云謂動等動普極動乃至爆
等爆普極爆但亦小動名動諸處遍動名等動遍天頗動普
極動餘皆准知也 七七極但名六動唯是十八處中振動也脉
思惟梵天經論說有七因一爲怖諸魔二令時衆不起散心三
令放逸者而自覺悟四令念法相五令觀說處六令成熟者得解
脫七令隨順問正義今之亦尔於不動相。經爾時會中至一心
觀仏 贊曰此衆生世間有四四衆二八部三二王後倍歡喜
梵云鄔波索迦鄔波斯迦者鄔波近也迦云事索是男聲斯
是女聲以諸男女成就戒者堪近承事比丘尼衆故云近事
男近事女古云優婆塞優婆夷名清信男女訛也夜叉者
此云勇健飛騰空中攝地行類諸羅刹也羅刹此云暴惡亦云
可畏彼皆訛也 正云藥叉羅刹娑梵云莫呼洛伽
此云大腹大蟒胸行之類摩睺羅伽訛也餘如前說轉
輪聖王有四仁王經云 十善菩薩大心 長別三界苦輪海
中下品善粟散王 上品十善鐵輪王 習種銅輪二天下
銀輪三天性種性 道種堅德轉輪王 七寶金光四天下

輪聖王有四，仁王經云：十善菩薩發大心，長別三界苦輪海。
中下品善粟散王，上品十善鐵輪王，習種銅輪二天下，
銀輪三天性種性，道種堅德轉輪王，七寶金光四天下。
此与瑜伽三種性別，亦与十地經金輪位異，應會釋之。如正
法念經、瑜伽亦四，廣說業果。寸相隨其所應感得金
銀銅鐵四輪七寶，寸佛而為化她都神處，生希有，得未曾
有，發勝心，渴仰真道，歡喜合掌，徵情守護，故一心觀發金言
故觀佛。經：爾時佛放眉間白毫相光。贊曰：下第五依正說
因成就。論有二釋：一云依諸大眾現見殊異相，不可思議事，知
妙法欲說，渴仰前聞，生希有心，名依正說因成就。是故放大
光明，示現諸世界中種種事，故大仏說法必為所生發希渴
之心，名為說因。此將說法所依因，生希渴而為說，故放光，表此
照異相難知，大眾觀而生器，正念佛將為說，渴仰異聞，能生
希有。二云：先示相為說法，是故放光，能生眾生渴仰之故，名
為說二之先。不現六種震動，後示現此法門由內從緣，表法
故因所以光現，神通外事，表如說此法門乃是由內從緣起法。
又由內從緣起　處處既道表將仏說所說之法
故名說因。雖光兩花動，生未是法從，今放光希有之故，
亦由內從緣起，故外現難思，由此說因。捋標斯顯，此中有三：
一放光，二照境，三所見。此初也。眉有兩首之媚，表所詮勝是大
乘宗媚。閒謂兩中，表說中道，白為眾色之本，顯此法是三乘
之源。所以喻白蓮花，白牛馳駕也。毫者毛也，有兩耳毛光。
世觀佛三昧海經：菩薩在太子時，節毛五尺，樹下長丈四尺五寸，成
仏已長丈五尺。是有十楞，現中外俱空，旋之圓卷，如秋滿月，於白毫端
雪圓如三寸光，各放七寶光，一一淨明，如是勝人，二破暗冥，慶萬億萬二讚

雪圓如三寸光，各放七寶光，一一淨明，如是勝人，二破暗冥，慶萬億萬二讚
等明照世界　光五德：摧苦由放光照眾皆息
除六欲之離，情由觀光明有緣皆至，無聞欲色境清眾生有
貪生死之境，久說生死，觀仏光明遂厭生死之色，故佛放光
菩薩面門而放四光，上至華仏，下至阿鼻，光至眉間，放其光
白名有表實神境，智通為六：一震動，二識藏，三流布，四示
現，五轉變，六往來，七卷，八舒，九眾像入身，十同類往趣，十一隱，十
二顯，十三所作自在，十四制他神通，十五能施辯才，十六能施憶
念，十七能施安樂，十八放大光明。兩四花者自在之處，振六動
者振動之處，此放光者流布之處，見六方等者示現之處。
神力品云　五如迦尼吒天　贊曰：下
二照境也。一世　千仏之世界唯照東方者
西域以東為上，表法花經唯被仏性大乘，根未被緣性，故
不照。緣覺以日出光照高原，仏日亦爾，先照根熟，故光東
方有所表矣。正法花中亦照東方，亦光照彼緣方之文，萬者數
盈滿，八者數不足，表此說一乘真實，無盈滿頭破二乘權道
之不足。又萬表卅卅賣所乃徒八表提中東八正由此二義
甘一乘，故此經將演此經於三門者，圓成故唯照亦不增不減。
下照地獄者，表有苦而皆拔；上至天者，勸有樂者而亦
一乘慈悲普廣，有緣皆照。地獄眾生雖不至會，難元容積
之心，又照令其苦息。梵云泥黎(?)，此云无間，地獄八地獄中此
當下，故文皆不輟，故名无間。梵云捺落迦，此云苦器，亦云不
可樂，亦云非行處，造非法行處也，古來處處含云地獄淫泰(?)
大害(?)，以為三三曰。梵云阿迦尼吒，此云質礙，究竟阿迦膩
尊義，捉瑟撮究竟義，阿迦尼吒，色究竟天，乃訛之，質

而樂之二乘非以壽遮非法以支也亦於壽之命之地獄從本
大壽以為二三身梵云阿迦尼吒此云質尋究竟阿迦質
尋義尼吒究竟義阿迦屋也色究竟天色之頂
光一切皆不照無色彼無形故靡者無也偏照一萬八千土上下
極於五趣無不周遍振動唯在此界偏照有緣放光遠至
一萬八千既以權實故也二分光照五趣皆彼緣集所性唯
在四趣經於此世界盡見彼土六趣眾生　贊曰下明所照有七一六
趣二仏三法四眾五菩薩六入涅槃七起塔此七分三一觀生死流
二觀三寶出現三觀滅後以化前令欣厭以護以故此生死流
論六趣眾生以六門分別一釋名二出體三開合四更五者
重六因果初釋名者數名趣謂所趣五道假者趣煩惱
業之所歸趣處並以趣名常數釋也地持論等云天自在故名
為天俱舍云光潔自在神用名天菩薩經云以為恩故名之為
人雜心云意多寂靜故名之為人雜心云從他求又常飢乏名鬼
怯多畏故名餓鬼俱舍云以傍行故名傍生亦名畜生畜
者育養之義人之資具人所畜養之生故名畜生梵云
捺落迦此云苦器那落迦此云惡者造惡之者生
苦器中故名苦器無地獄名更所不生非唯地故瑜伽持云諸
上一切歡離心上云不可樂故名為地獄梵云所未言此非天
前五解說出體者六趣皆以第八異熟識而為自體無實無
記性攝故唯識云此第八識是界趣生施設本故又云此識
是為界趣生體無勞別執有實命根又云諸依識轉五趣
四生趣生體以異熟識故開合者六趣總為一謂生死開為
二謂善趣惡趣亦攝生死處易生死開為三謂三界苦實
四謂四生四有有者一生有二本有三死有四中有及四種生死

四生趣生體以異熟識故開合者六趣總為一謂生死開為
二謂善趣惡趣亦攝生死處易生死開為三謂三界苦實
四謂四生四有有者一生有二本有三死有四中有及四種生死
謂方便生死因緣生死有有生死無有生死亦開為五謂五趣
除阿素洛開為六如此文說有六趣雜心非天鬼趣所攝
瑜伽佛地天趣所攝正法念經鬼畜生攝伽他經中鬼畜天
攝今依大乘唯天趣攝瑜伽佛地為正以多不實諂詐為先
又日諸天真實故名曰非天人不仁名非人不之非鬼非畜
生故合此雜之故亦為六趣開為七謂七有五趣及業有中有
去開為九謂九有情居去開為廿五有如下當說餘門
如下第二卷經次宗中等釋瑜伽第四二正法念經上具陳述
此說萬八千東方土趣云生於此界見經又見彼土現在諸佛
所說經者　贊曰此觀三寶出現有三一仏二法三僧三中有三
贊明二菩薩僧中有其四眾論云僧者或得聖果者得菩
者未得聖果四眾三中有此三教因目觀仏可使修行菩見彼
眾隨仏修行經復見諸菩薩　贊曰此菩薩因緣者是
所以義謂為求生生死途從仏果度脫生為此因緣修菩薩
去為嚴淨佛土成就眾生修菩提覺分以菩薩去為修四攝
六度行菩薩也如是等種種所以行解者行而且解住地前位
未得聖果名貌者三業威儀行菩薩貌儀也應為相好貌
相皆非住於十地已得菩薩果由種種因由行菩薩也故入二位又因
緣者外遇之緣值善友也若知識者是大因緣故已能攝
是內脩之行也內行名修解身語行名為貌心觀妙理名行解
捨匿自利名為根行菩薩者論云依四攝法教化眾生方
便攝下故行解相貌皆是行菩薩四攝法者一布施如後當

傍者外遇說傍々者菩薩如眉者是大臣傍故亦解釋
是内脩々行々中内所以名臣解身語以名示羅心觀妙理名臣解
捨惡因等名爲示根以菩薩者論云依四攝法教化衆生方
便攝下故臣解相狠皆是以菩薩四攝法者一布施如後當
釋二愛語常說歡喜語讚如法行義々語甚難離覺舍咲
先意後進以善隨宜問慰(訊)見有昌盛而來自知實喜法讚而
申慶悦說仏法教恒爲勝益於已兇仇起清淨意於極惡處
者誓々除疑惑於真福田隨難惡以都无愛根脩難愛語
欲除障蓋爲說去作以調善者爲說涅槃多教迹者梅令
出離有疑惑者說說決擇依四静語起八聖語三者利行由愛
語故若未正理隨所著處悲无染心勸等調伏安定建立三能
令獲得現利勝位法利生家保利離欲解脫智(輕安)近迴友來
植善根者大財信深極放逸外道顯執邪見誹謗常起煩惱
十惡業者於此一切皆能開解起大悲心菩薩以无礙懷
皆生歡喜離文時信受勝事一而自卑屈如僕如奴如旃
茶羅如孝子等无除无盡真實衰勝若已心水不退轉
四者同事以此義利若勸他等自脩學等相他知已以脩同事
善根堅固不生退轉今作是念此所義我定有利業彼自以
故不亦便二攝安自不善何能令我故且於他修定此爲故後自
以菩薩利他以雖无量攝此四攝々一切以故不論餘乗草義如无
垢稱第一卷。經謂見諸佛土起七寶塔　讚曰此觀識後
以他有二入藏二趣撰梵云彼利昭傳滿此云圓寂是圓滿
體寂滅義菩薩涅槃以六門分別一體二名三得時四得人五釋滯
六入意體者菩薩有四一自性清淨涅槃二有餘依涅槃三无餘依
涅槃四无住處涅槃此之四體各大般涅槃有二種四之體皆一真如

體寂滅義菩薩涅槃以六門分別一體二名三得時四得人五釋滯
六入意體者菩薩有四一自性清淨涅槃二有餘依涅槃三无餘依
涅槃四无住處涅槃此之四體各大般涅槃有二種四之體皆一真如
如々具三事成涅槃能生圓覺名摩訶般若體覺性故云三事
身不生圓覺非爲覺性不名般若大智度云說智及智處
皆名爲般若故花嚴云自性清淨名无師智二生所知淨名
爲法身障云在纏名如來藏出纏名法身云三等不名
法々非功德法所依正故三乘若都盡離二死故立爲解脫
在二乘等分段死盡雖離一障非圓解脫於二乘者立一種得此
三乘同生解脫之林由此二乘立名得涅槃非大般義不具
故又依涅槃第二局大涅槃三事具名入大涅槃若能從二要之
智法身亦是所證二種解脫亦是由智證理滿盡所得假
擇滅體如伊字三點涅槃亦不由智證法身而得擇滅法身
爲本依之有二故如伊字三點在上一點在下別不成者三立
體並有其別體理亦不成三事涅槃異又方名入故從不成
者般若爲正下品解脫爲次中品法身爲次上品隨時三品
而得此三不成竪上下名從傍前後名橫亦三別又爲後證之
理亦不從由起大智證法以理離障解脫二亦名果名入大
涅槃非如二乘能三別體各其三品二所證別時成得時成故
涅槃餘別出體釋名等義以唯識第十卷私記今明彼佛示入
无餘非入大般涅槃得成佛彼之時故此所明度者得之度後入涅槃
涅槃其未度者亦皆爲作得度因緣故起寶塔供養舍利梵
云設利羅此云舍利者訛也云率堵波云高顯云支提讚文論
本科照境之下文云又依前世身者傍照一方八千世界下真
是衆生世間者所見衆趣衆生是教種者下云示現種觀

云設利羅體也舍利者訛也窣堵波云高顯亦云據於文論
本斜照境之下文云文依器世間者傍照一万八千界下至阿鼻
是衆生世間者所見六趣衆生是報種ゝ者下云示現種ゝ觀
故已餘五所見觀見此中種ゝ多少ゝ故論明為四者合
隨所見仏資者義住持義是合良義故資者衆生勝名
法住持衆生善根不壞故仏名ゝ合良又云是示現依正住合右
示菩薩八地已上皆法上名示現住食更又此攝文又用義是合良
義之又用法樂能合良故名良二門法如名一句知三補之謂四衆備
之得生及諸菩薩菩薩者四者樂備所見入滅生滅之之
彼方為樂故文樂有五種一自性樂二因樂三苦對治樂四受斷
樂五无惱害樂此後有四生體之之離三方靜四覺法此入菩薩
菩薩是後四中寂靜樂也重種ゝ者觀下從中入菩薩之起七寶塔ゝ
高妙五千由旬等之文重顯所見十事之六趣衆生是具足
攝差別仏下六句具足淨ゝ差別中有仏法弟子ゝ差別示
現三寶差別故弟子中復示差別有四菩薩二示別故已此淨
淨中四世界有仏見三寶者名為仏世界无仏見入涅槃
及為起塔名為无仏　經尓時弥勒至而作此瑞　贊曰第六大
段大衆現疑問法成就文段有三初弥勒求決疑次衆人
齊生心疑後先氏雙申兩意皆問先因弥勒菩薩當生因
成現世迷復不有植業良身豈復觀寡處而莫知觀三昧
而不了但是示為不知之相昔問以發起舉緣故名弥勒示相
作疑衆人根切下不聞大聖之教詳觀外相疑生故名衆
人齊生心疑弥勒扶自他之兩意皆問文殊微前一句由故為第
三段也初中有四一標瑞徵因二舉事詢人三推功上德四讚之
方陳此故文也初文有三一神通之相異名更疑難物立以

人齊生心疑弥勒扶自他之兩意皆問文殊微前一句由故為第
三段也初中有四一標瑞徵因二舉事詢人三推功上德四讚之
方陳此故文也初文有三一神通之相異名更疑難物立以
瑞若瑞已得世尊出世此問故次云何是緣說因以問為
經今仏世尊至誰能答者　贊曰此舉事詢人三時隨眠盛識
使以為問入三昧之理緣名不可思議動地雨花名觀希
為有為相動地放光照外之物挨皆名神變緣瑞故問
所攝唯入三昧名為希有誰能答者詢訪其人　經復作此
念是文殊師利至當問者　贊曰文殊師利推功上德我今當問者
讚之方陳文殊師利至果名示居因示俗化法王之位紹繼
法王子名之曾親近得過去佛使養諸仏植德本進對
進以名供養故文殊師利住本四依供養恒并三五依合
值廿六恒河沙仏故名必當見此希有之相論之不知我今當問論
云問於一人多人前問生希有是故唯問文殊師利何多事ゝ
疑生多人解至非多人唯在一論云示現仏子弟子更相隨順
從說法者不相違為現大相因故者大相謂所說妙法因
謂神變今現瑞相為說之因又大相者已現瑞相已因已
所說法為因故文因者所以問神變者大相之所以何故作
問文殊不問餘人有二法故推於文殊一現見諸法文殊從知諸
法故二離諸因緣自成就彼法故謂文殊師利離諸攀畫
及離比知並從他問之因緣故所以推並示現種ゝ瑞相者不現
彼多ゝ非一故名為彼ゝ如彼多現復住持所見六趣衆生現在
彼生死中復名為觀復所見仏法四衆行諸菩薩現在彼住名為
彼住見仏入涅槃為起塔現在之滅故名彼滅所見十事先不攝
盡或住已現在滅已復无見入涅槃為起塔之名滅及所來之等

彼〻〻非一故名為彼〻如彼〻所觀復往彼攝一所見〻起眾生觀土
彼生凡中復名為觀復二所見佛法四眾菩薩諸菩薩觀土彼往名為
彼往見佛入菩薩行為起涅槃觀土入滅故名彼滅所見七事光所攝
盡於往正觀土滅正復光見入菩薩為起涅槃名滅復所係盡為昔
名觀住論文以文殊能記彼多是故問之文殊師利所作其說
因其說所作者謂彼所作法此有二種一論俗二智道為內證
也因其說者謂一切智已說像者教光雨花動地外彼諸量
復釋言因者於此謂觀大瑞於此因之果者謂所說大法文殊
外因以滿內德復圓故能如佛一所說妙法果故今難問從示時說立
出今當問誰　贊曰眾人齊生心念也是後光所後說因教光
神通之相謂威儀中雨花動地外於眾人之觀一所以謂之生疑
入定之非眾所知一所以未謂為問以根人地上座下故更說問去佛
之入定說未知入於何定二依何更之生疑故未問也　經今時彌
勒至文殊師利言　贊曰下第三段難中有三先因為三
初於此後重頌於此有二此初難申雨之　經以何因緣至
國界莊嚴　贊曰此後發問先因兩列此意有一神通之相者
謂威儀中雨花動地放光明等謂說因也彌勒檢自他以為問
觀外瑞而共同故雖無時瑞以生敬不謂入定之所為問外人不疑定
下之不疑入定故也惑見彼佛國界莊嚴者論攝解經意云
種〻佛國土者示現彼國土中種〻著別示現為化四眾以起眾
生所願識國及淨妙國土者於諸眾生住土為化十地菩薩所願
淨國於彼國土佛為上首者諸菩薩眾依佛住故佛於二國而自
在故於此緣前文所以所見之中先說佛為上首凡說重頌有十
一所由一為利鈍二根二為前後兩眾三為直曲兩樂四為難易兩
解五為真俗兩諦六為略指兩〻〔長行下善頌文精也〕七為標釋兩別〔長行標頌〕
[illegible]

在故於此緣前文所以所見之中先說佛為上首凡說重頌有十
一所由一為利鈍二根二為前後兩眾三為直曲兩樂四為難易兩
解五為真俗兩諦六為略指兩〻〔長行下善頌文精也〕七為標釋兩別〔長行標頌
文〕
釋八為智弁兩殊〔長行智者盡頌中弁光盡〕九為解持兩異〔長行為解法頌中為持法〕十為流
行兩別〔長行為乘說者以悲智教頌文為樂以者皆知足故〕頌此十句　利鈍與前後
直曲難真俗　以指及標釋　智弁解流行　長行與頌有義
不同　廣略者有九　合離與前後　文質并隱顯　是曲直
差別　至下文中當廣　經於是彌勒至大光普照
贊曰梵云伽陀此翻為頌〻者美也歌也頌中文句極美麗故歌
頌之故訛略云偈此祇夜頌諸法體義方於名句過為所依
不及梵音故於名法不別書之至於梵音上屈曲為聲名句文
更無別體不同小乘頌法於文及文上者此乃空處無二字
處中頌世凡有六十二頌〻分之為二初五十四頌三答前瑞後八頌〻
正興問初中復三初五頌〻前說因中照境所見此初也次二頌〻威儀中
雨花動地等後五十二頌〻說因中放光照境次三頌〻放光後
頌雨花與不同十二頌後不同隨文便故　經雨曼陀羅至地皆
嚴淨　贊曰下三頌〻威儀中二〻五頌半雨花半頌動地一頌
四眾歡喜此頌雨花不頌入定自知不問眾之不疑長行四花
此頌二者合離不同花為旃檀香風〻赤白栴檀香氣所至問
故經頌乃眾〻地皆嚴淨乃與長行有無不同　經而此世界至
得未曾有　贊曰初二句頌動地後一頌〻四眾歡喜　經眉間
光明至金色　贊曰下五十頌〻照境所見分之為二初一頌半總照
境後世八頌半頌所見此頌照世界以勝境前所成光金色照而
重故光唯白色表一示為大千所照如金色前者明已表示現清
淨土之相令〻備一無外果〻周故如金色〻下皆知下文殊頌中
[illegible]

光明至上之頂　贊曰下五十四頌〻照境一所見分二初八頌半頌照
境後卌六頌半頌所見此頌言世界即照境又消金色照可
重於光惟白色表一乘為大乘所照如金色或表二重莊嚴
淨土之相今備一乘外果因同於如金色至下當知下文中學
之觀淨土故云界雖自安乃金色　經諸世界中此贊曰
贊曰下卌六頌半所見六分有七十中初頌入滅文分為六初一
頌半頌六趣衆生次半頌見佛次六頌半頌聞法次一頌半頌四衆
次卅二頌半頌見菩薩後七頌〻滅後起塔此初也六趣衆生世間中
具足煩惱先列生死是總通六趣業是別六趣果是所起果
能由生死業煩惱者有情為能起故經自釋云生善惡業緣受報好
醜〻之報好醜是所起果善惡業緣為能起因由善業為異
熟因貪等為潤緣〻文人天〻好〻趣〻報〻是名衆生所歸更故
由惡業為異熟因貪等為潤緣受三惡〻趣〻醜〻報〻是
惡衆生所歸處故名為所趣於此見中有業煩惱名為能
趣外器世間名趣資具內異熟果名為所趣如次頌云
歎歸林藪　為歸依空　望歸聖彌　法歸亦別
亦以所歸為其所趣假者如有情以善惡趣為生死所趣下明
具足清淨差別名勅種〻　經又覩諸佛聖主師子　贊曰
此半頌明見佛師子即聖〻主〻即諸佛世以下標上無畏自在名
師子真〻同俗名聖〻衆聖之主即諸佛　經演說經典
至開悟衆生　贊曰下六頌半頌明法分三初四頌後
三頌〻明三乘此初世尊半明義無畏一頌明法無畏一頌明詞
無畏一頌明辯才無畏義謂名微妙言無名無義無畏辯
世親雖稱陳名清淨音聲人以名無數諸無畏辯世種理名
陳妙法教名樂明妙聲諸方名名於世界得無畏辯七種

無畏一頌明辯才無畏義謂名微妙言無名無義無畏辯
世親雖稱陳名清淨音聲人以名無數諸無畏辯世種理名
陳妙法教名樂明妙聲諸方名名於世界得無畏辯七種
因緣法〻之色理〻以無量喻諸種為世法開明為二義
一照明佛法二開悟衆生令知無畏辯　經若人遭苦至為說淨
道　贊曰此明三乘聲聞獨覺菩薩如次配此三四厭音於塗
又厭求猶易而不欲〻為世有作厭於臨及欲世　經又
見佛師利至令覺勝說　贊曰此一頌半頌見四衆因信於二便明
觀彼四衆備行淨色於世衆為見明為菩薩二為五見又
千億為所見四衆令此經中宗明一乘不能具列陳四衆以對衆
記為我今略說上明菩薩明下明菩薩即示差別　經我見彼
土至而求佛道　贊曰下卅二頌半頌明菩薩分三初一頌〻種〻因
緣次十七頌〻種〻相貌後十三頌半頌種〻信解六為長行中〻
外緣內行從凡至聖階淨先後今頌其條外緣後明自行〻
以勝劣為前後相貌者十地無漏為〻漏非備次第備六依信
害行信解者唯有漏備亂備非次時方說勝故二所後別此
備六度觀為三信見色已前初劫〻中於一行中唯備一行亂備
為漏即此信解初地至七地滿中二劫中於一行中備一切行
為漏無漏二皆雜備八地至十地滿為三劫中一切行中備一切
行純無漏備後二劫備即此相報十地經云初地行檀乃至十
地為備六度於條為中隨力隨分非不備習故此相即十地
備習次第故行廣大故信解即是見色之前行非勝故
說亂備故此頌因緣恒沙菩薩有異名號伽梵動示恒河神〻名
河從彼稱號音其於文今下至十聲種十說恒河沙為　衆行無
熱惱池出四大河此即一也一由沙多二由世人共〻為福水入從灌滅

說亂脩故此頌因緣恒沙菩薩梵王統御所動三恒河神之名
河邊彼稱殑伽其餘文今之大聲佉中說恒河沙者大
熱惱池出四大河此是一也一由沙多二由世人共為福水入洗罪滅
故三天三雜信而作名字舉之四仏多近此出一說如法五
衆人共委故多為喻似下於出池口方廿里沙以為喻 經云有
以施等求仏智惠 讚曰下十七頌六根中第三頌六度次
脩智一蓋圖成後之兩頌八風不動三非捨物頌六度中分六
初六頌施次二戒次一忍次一勤次二定後三惠此施分三初四
四外財次一內外後一內財外財四中一施七寶一施八珠一施衆庶
一施雜物七寶中一金說文金有五色黃為其長久薶不生
百陳不壞從革不違西方之行生於土左右所注金字象金
在土形今聲也二銀白金也三琉璃紅赤色石胎似稍所買
珠白赤真珠仏地論云赤色而光大珠赤虫赤真珠摩
尼者如意珠也無光瑠璃便閒珠二合車渠梵云牟娑洛
揭婆青白間色七馬瑙梵云遏濕摩揭婆此云杵藏玄十之
胎云堅寶故色如馬瑙故從彼名作馬瑙字以是寶類故
字從玉玄如石類字玄從石此七米同隨方所重也玄法師
次頌八珠一金剛二諸珠帝青大青三奴婢者有人從官
入賤為奴玄為奴字四婢者女之卑稱也五車輿輛之總名也
氏奚仲所作古者居之以行居人今日車舍也之以者所
居如舍令云駕也陌之云者不閑凡云載也脂鳥馬之陸
七寶諸輦輓車人在前引之古卿大夫亦云自漢已後天子
亦之故今天子皇后所乘車曰輦八寶飾輿餘雜余居二
又說文車輿也又車無轓曰輿也衆也載也房也為作輦非皆
以珎飾故云寶飾也次一頌施成度義成准識云具七攝文方

亦之故今天子皇后所乘車曰輦八寶飾輿餘雜余居二
又說文車輿也又車無轓曰輿也衆也載也房也為作輦非皆
以珎飾故云寶飾也次一頌施成度義成准識云具七攝文方
成度相右明便非空說故曰 安住与依止 意樂及方業巧
便向清淨 度成由此七 此中但舉一迴向菩提餘六准前可
光顯得仏乘三界第十迴向意次一雜物駟音息利反古人
四馬一乘也所以此逆房星四隅之天駟故又取欄楯欄楯曰欄
應也欄閑背行為作蘭香草也非此義楯音食尹反欄楯
從曰楯橫曰檻音三咸反花文像此俗稱黃帝与蚩尤戰於
涿鹿之野常為五色雲氣金枝玉葉止於帝上乃為花葢
之形因而作華蓋美之蓋也據實理釋西域暑熱人
多持蓋以花飾之名為花蓋花音許瓜反下言又並車也
曲輛幡車等小物傳嚴名為飾也乃作幰飾之玄幰又布帳
車上飾者名幰車駟馬駕傍飾欄楯上施花蓋帳幕之屬
飾以為布施上四外財次一內外身寸為內妻子為外次一唯
內施而心欣施有五相 玄嬰隨心隨時自手施 如法不損物
是名施五種 瑜七攝云文中第四為業也不定施亦五相
不淨亂衆生 惱害衆生物 及依淨心者 皆不定施而
以五相中如法施也施有五相 観近恒樂見 宗教好名聞
復作後時因 是名施者相 此上皆如菩提心住說於此施
中定起四智一若有財以不來施起覚悟智二財散以心不樂
施起忍苦智三財悅意心不樂施起知倒智四欲世果為行
施者起不堅智施以無貪及彼所起三業為性以并此說
住文殊師利至求极上服 讚曰此三頌戒戒有三種一律儀戒
七衆所受二攝善法戒所脩三乘一切善法三饒益有情戒

經文殊師利至而被法服　贊曰此三頌戒有三種一律儀戒以
七衆所受之禁善法戒所修三乘一切善法三饒益有情戒以
利有情三業方便勝劣經三頌唯提本文明居士家菩薩
足為大乘故說菩薩地一律儀戒者梵稱三但如弄草藥善家
之文具足十支皆名律儀戒故此所說以律儀戒為本十方有
後二若破律儀二戒俱捨故四頌唯兼律儀戒此明初出
家方能之文具足十支故說六十律儀戒也有本云云被法服表
數羂及方云云披被世令之掉者云云義今出家云云而被法服
被音皮義及服周被常云云義出家貢驗稱如在家迴
近故說出家持戒有五利十方仏護念二捨命時歡喜三持戒
者為親友四物往圓滿五生生常持戒成具性智度論說戒為
往趣以此帝四頌曰　護念歡喜　戒皆圓　生常戒
成性　是名戒五種　經或見菩薩至樂誦經典　贊曰此一頌
讀誦經典思惟法義諦察法忍等雖偏說攝餘二忍皆顯
害忍安受苦忍　經又見菩薩至思惟仏道　贊曰此一頌勤此通
被甲攝善二種以無利樂有情精進有五謂被甲加行無下
無退無足　以經所說有勢有勤有勇堅猛不捨善軛六即初
發起猛利樂欲名被甲次起堅固勇悍方便名加行次為證
得不自輕蔑亦無怯懼名無下次能忍受寒熱等苦於劣
等善不生喜足名無退次能證入諸諦觀觀等欲求後
後勝品功德名無足二乘究竟菩提故諸仏究竟菩提無
利樂他故初一名被甲後四名攝善此中合名勇猛精進
經又見離欲至讚諸法王　贊曰此二頌定離憒閙故常寂
空閑由此安住靜慮故深修禪定行皆靜慮如得五神通由
靜慮故讚諸法王此二顯由離欲方得　經復見菩薩至志固持
贊曰下三頌惠此一如理智妙慧寂然故智深意樂大悲志固

經又見離欲至讚諸法王　贊曰此二頌定離憒閙故常寂
空閑由此安住靜慮故深修禪定行皆靜慮如得五神通由
靜慮故讚諸法王此二顯由離欲方得　經復見菩薩至志固持
贊曰下三頌惠此一如理智妙慧寂然故智深意樂大悲志固
又思慮速故智深不休息故志固加行殷因門立能持　經又
見仏子至而擊法鼓　贊曰此三頌二智惠具足根本後
得二智滿故後得智中以論議法有四意一欲樂說法利化
諸菩薩不化二乘破十魔衆四擊法鼓者開摧魔黨至下
當知魔雖無破壞是為脫三魔名破魔如說
雜藏中仏說魔有十軍　今頌言　欲憂飢渴愛　睡眠怖畏長
疑毒及名利　自高輕慢彼　汝等軍如是　一切無能破
我智箭定力　摧林邪提求　本以智發真如後得智發俗
理說法者僧衆眾時門此二頌中皆具二力勝以布施唯明利
他後惠通勤二利中也但說自利此元利他三說實非無也
經又見菩薩至不以為喜　贊曰下二頌八風不動三非攝物二頌七說
此八風不動喜安音鳥見及安也見世有作是字鳥明及名聲
八風者一利二衰三毀四譽五稱六譏七苦八樂今此但舉於四生
喜時明住名利而讚名譽皆讚名稱道說名業於此四中
菩薩不以為喜苦亦二云云衰毀通故翻此四種衰毀譏苦亦不
生憂又身心苦如諸天云云離八風故此為說即第二被解
經又見菩薩至令入仏道　贊曰此三悲攝物非直救苦有情緣
悲緣有情起行分三種生亦無緣偏為苦一種行隨重苦生故
云云教說濟地獄苦緣二悲以法緣無緣唯此三成亦當具顯　經見
仏子至勤求仏道　贊曰下十二頌半頌地五明及大行解以之之度

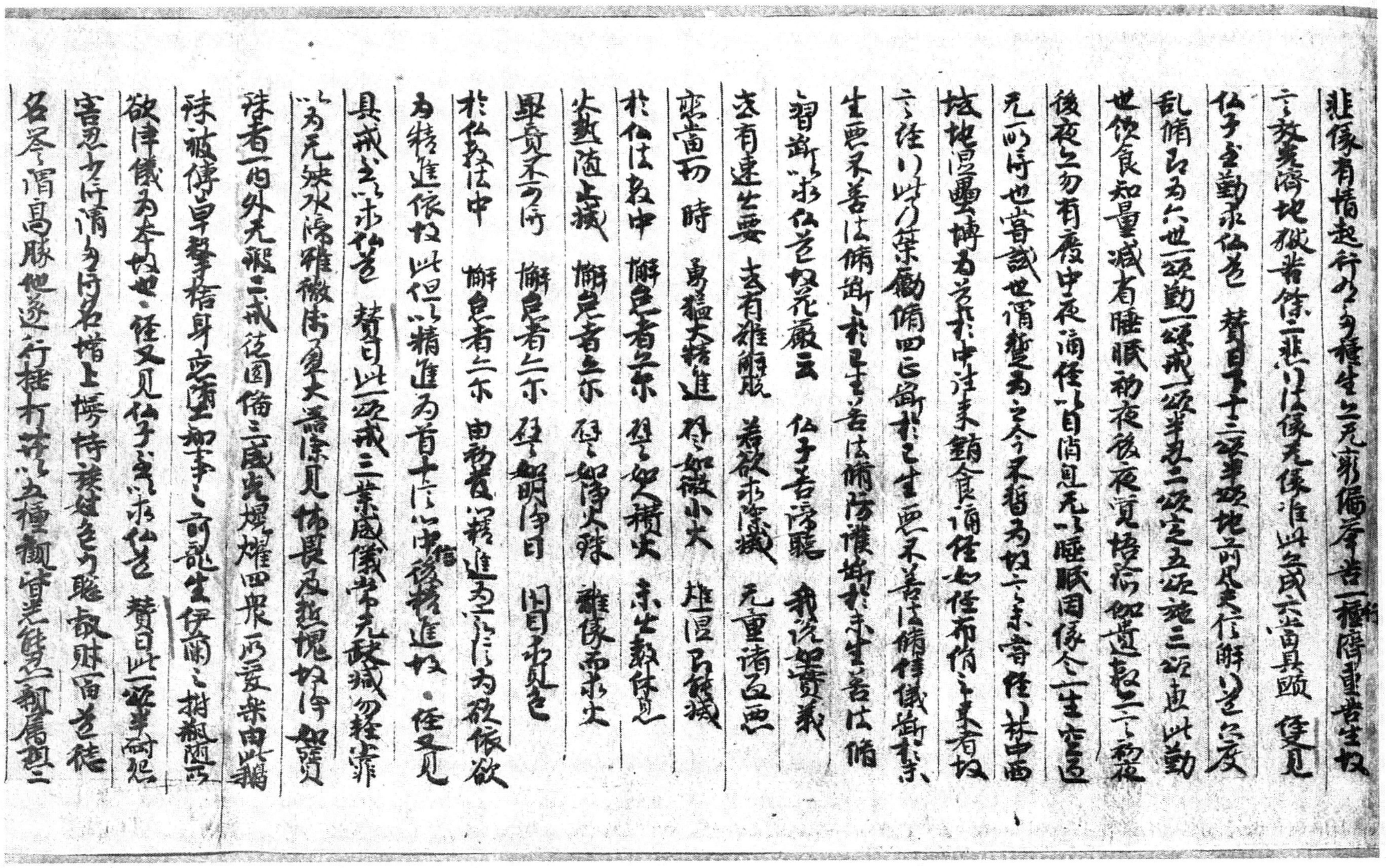

BD00968號　妙法蓮華經玄讚卷二　　（54–35）

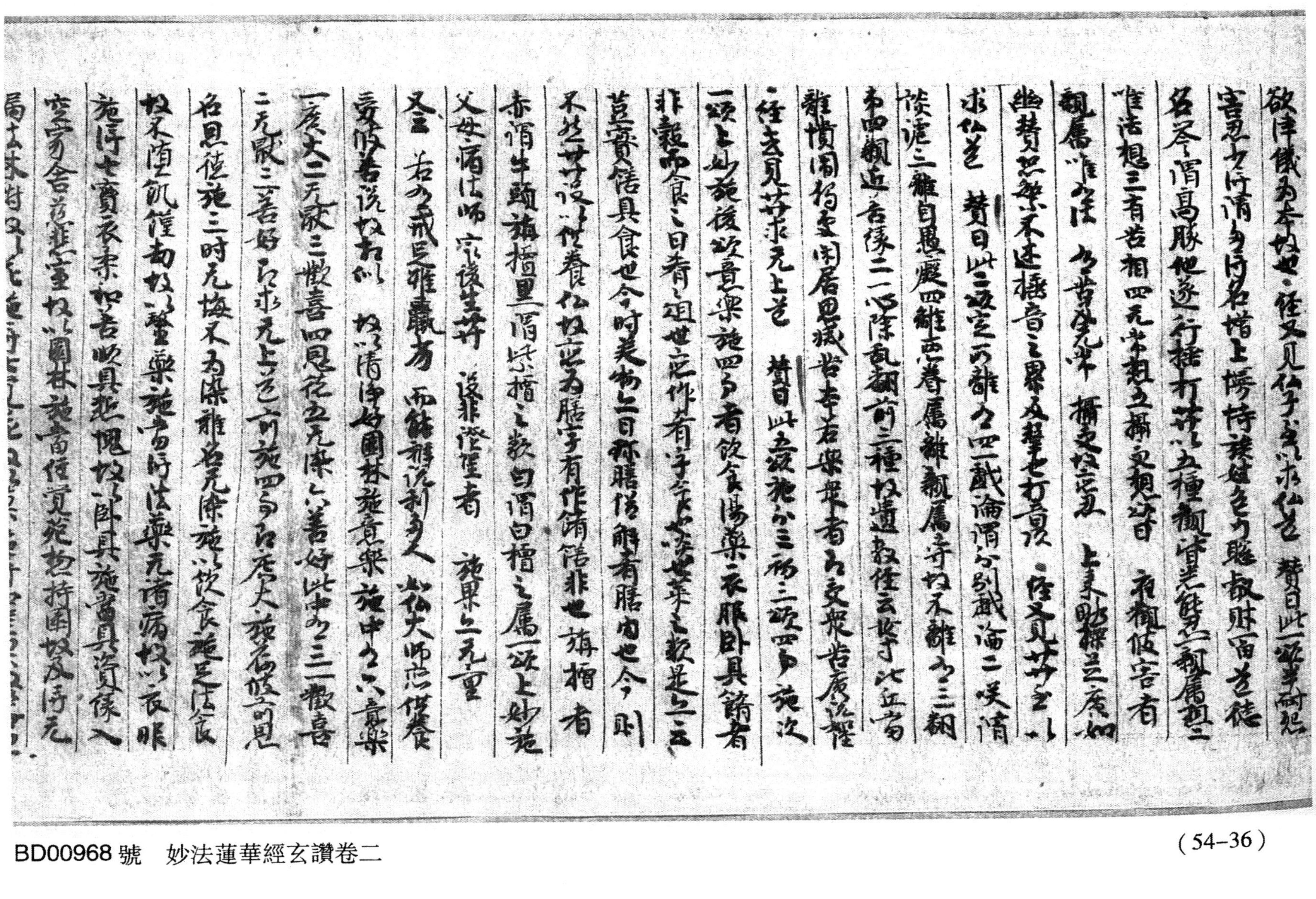

BD00968號　妙法蓮華經玄讚卷二　　（54–36）

[illegible]
施得七寶衣裳飲食臥具趣隱故以臥具施當具資緣入
空家舍苑非宣故以園林施當得覺苑總持園故及得无
漏法林樹故以花施得七覺花故以菓施得四聖果故以浴池
施當得无垢八解池故・經云有菩薩以施上道 贊曰此三頌
惠初一後得智法施无盡故迴菜經云若恒沙世界珎寶
満其中以施諸如來不如以法施ゝ寶雖多不及一法施福
勝況多難思議次一頌智於无相故二相者分別也无二相者
即是餘經不二法門如彼三叔說不二義現言如來作為相无相
利他自利二智以故後一加行求之道故首古者文聞之吉也
語音諸耀及等等世語教等之語照也以此示之使聞此云可見文
本作為相教无平等相誘進世・經文殊師利等從寿於舍利
贊曰下第六服有七頌ゝ起塔分三初三頌供養舍利後六頌
造塔供養後文分三初三頌造塔嚴飾次一頌八部供養後二
頌歎造殊勝文七頌分二初五頌長行後二頌倍造塔勝初中
後二初四頌菩薩供養後一頌八部供養菩薩供養後二初一頌供
養舍利後三起塔准此頌文長行宣之供養舍利起七寶
塔此初也・經又見佛子之寶鈴和鳴 贊曰此三頌起塔一頌
數一頌量一頌嚴菩薩塔隨若台藏後進一玄多衍多於而為從
養等雜无量大福從果ゝ文大梵福无數大劫不墮惡趣ゝ滿
无上菩提資粮梵云踰繕那限量義孔南司倶舍頌云
極微ゝ金水 兔羊牛隙塵 蟣虱麦指節 後ゝ增七倍
二十四指肘 四肘為弓量 五百俱盧舍 此踰繕那
十六里餘若依餘經乃卅里從音乃容子用二反豎世唐横
世古為從字切韻唯有從蹤縱二字為本作從不知從字所
出俗解南北從東西曰横亦爾不可以誤從世蹤所在嚴

BD00968 號　妙法蓮華經玄讚卷二　（54–37）

十六里餘若依餘經乃卅里從音乃容子用二反豎世唐横
世古為從字切韻唯有從蹤縱二字為本作從不知從字所
出俗解南北從東西曰横亦爾不可以誤從世蹤所在嚴
去蘭去ゝ云以下寶塔品當具釋之此明能去寶塔之量
上位一所見不求此洲非世為塔有云幢幕也ゝ幢日幢表之三日
幕ゝ雲衍世嚴謂雲以嚴日諸文殊ゝ文蓋ゝ之作幢字錯
第九文非此幡即實鈴和鳴者調龍 經諸天龍神乃
常以供養 贊曰此明八部供養・經文殊師利乃其花園最
贊曰此二頌倍造塔勝因造塔故園果殊特塔迴高嚴
寶保饰如天帝樹園生樹王花開之時端嚴修迥光諸
樹故以為喻・經仏放一光乃无量国 贊曰下第二服有八頌清
塔ゝ分二初四頌緣亭與問後四頌推為該答ゝ初中後二初二頌緣近
遠而亦亭後二頌舉見二為問此初也初頌緣見近亦後頌緣見
遠亦方 經我等見此之數斯光明 贊曰此二頌舉見二為問初
頌緣自他之兩見後頌舉此彼ゝ被勝最意若斯表光微
勝者欲我們故彼被勝者希故答故・經仏子时答乃廣斯時
贊曰下推為該答ゝ分四初四頌推时該答次一頌推為該答
後一頌舉為極大後一頌正請彼答此初也四衆欽渴真門勝
並顧決今ゝ喜今正是时元說法者必近援故・經仏子乞壇云
此非小緣 贊曰初頌推二為請答二妙法二我後頌明為極
大見仏及淨土此非小緣故 經文殊當知乃為何等 贊曰正請
彼答唯見瞻仁者希仁答前瞻此彼ゝ答ゝ者瞻瞻此杉瞻
仁顧決衆之疑何故也・經示时乃及諸大士 善男子等 贊曰下第七文
殊师利答ゝ欧論云文殊师利為令皆曉見因因果相成
欧十種為如現在可是故能答非此度非排書衍答ゝ世論云

BD00968 號　妙法蓮華經玄讚卷二　（54–38）

仁顯決衆之疑何故也。經「尓時文殊及諸大士」。贊曰下第七文
殊師利菩薩說論云文殊師利以宿命智現見過去因果故成
就十種今如現在前是故能答非此有非樓畫能答世論云
因者文殊自見己身於彼佛法中隨順諸佛是今時之因付
提因者故果者過去所修所依經論云文殊自見己身是妙光菩
於彼佛所修此法用為衆生說是前世過去之果今所修習
體非是所見因之果彼因者今時佛果之因彼果者乃是過去
無量生因之果大分為三初標名數有次別顯其二所徵後為三結
諸衆勸知陳佛今說此經也　經義推付之演大法義
贊曰答所徵世經依論有此答之中成就十種初現見大義因
亦此文是第二請答曰善男子我於過去下現生世同文字章句
亦復三第三因第三請善男子如過去無量無邊下現見希有
因第四次後亦佛二名日月燈明下現見勝妙因第五其次後
佛未出家下現見文用大因第六佛滅度後妙光菩薩持法華
下現見攝取諸佛轉法輪因第七日月燈明佛八子皆師妙光
現見善堅實如來法輪因第八是諸王子供養無量下現見
能進入因第九其次後成佛者名曰然燈下現見信念因第十
彌勒菩薩知尓時妙光菩薩下現見自身所問之因者所以文殊
現童智見其因次其所由以菩彌勒故說為因世此中為因唐
注代為今時因故名為因此十因中初為五對義故有二種勝
有三轉助有四堅進有五他自有配住十如次應知此中初為
四一示相寺重第二舉古成今第三指陳別為第四定相結
初二復一如文次第自陳中間七因極為指陳別為第五文當知今
此亦示相等重菩推者因世念世得世付度世論名現見大
義因者義理成就於八種大義理之所由因此八大義者經所立

BD00968號　妙法蓮華經玄讚卷二

（54–39）

初二復一如文次第自陳中間七因極為指陳別為五文當知今
此亦示相等重菩推者因世念世得世付度世論名現見大
義因者義理成就於八種大義理之所由因此八大義者經所立
句論有八句言之欲說大法雨大法雨擊大法鼓吹大法螺
書大法幢然大法炬吹大法螺演大法義論中第七云說大法
大法鼓今以義推故第四說云不相違為大法雨二將字音
去初第音吹為二音昌為及入是二及今之使初及螺之音諸長
水出世去作贏論云疑者斷疑亦欲說大法欲彼先義付外
凡位令令進修故云斷疑者增長法身智身故云雨大法雨充
位內凡而無疑滋善萌牙令入其位欲增長善故此今論
音上下相邑鉤鏁相起以釋經文下會准知論云根熟者為
說二種密境界謂聲聞菩薩二密境界二句示現以擊大法
鼓不斷大法鼓以遠聞故次第配之此四令者聞法聲聞亡
為權密境界既今所說菩薩示為實密境界為二密境令
根熟者捨權取實故論云入密境界者今之進取上清淨義
故亦書大法幢書立菩提妙智極高勝故猶如於幢由知權實
有捨有取行大乘行得菩提智離障淨故論云進之取上之清
淨義者進取上一切智現見故亦然大法炬既得真智書立菩提
照於真境以菩提故如炬照物論云取上一切智現見者為切法
書立名字章句義故亦吹大法螺既得真境必須為說教
義教詮一切法故名為一切法書立名字章句義者今立名字
等如俗作樂曲終滿故吹大螺今說得果事圓滿位為他說
法亦復如是故菩薩說次見知時論云書立名字章句義者今
入不可說從智轉法輪故亦演大法義說於義者今所意入
於從智成轉法輪權於煩惱此八句中分為四對一破惑進善將

BD00968號　妙法蓮華經玄讚卷二

（54–40）

法王三段如是故世尊說如是知時論云書立名字章句義者今
入不可說從智轉法輪故名演大法義說於義者今一所意
於從智成轉法輪推於煩惱此八句中分為四對一破惡進善對
二開權顯實對三付智證真對四說法利生對初是循環名
為法輪曰說因果欲令有情從證真智破煩惱論鉤鎖
解經故此相亦為對一可破解云立字顯其由經分立句唯三對
半有破惡進善說法利生開權一門因緣顯示實付智證真
文對法明仍不次亦讀者應知　經諸善男子立此說法
贊曰下顯見世間文字章句意皆緣因者此說大教故名是
世間藏論名字章句故意者意說說教之一所以世已是舉古
成今差文中有三一舉所立二倍成今三釋其意此初也
經是故當知立三段如是　贊曰此倍成今　經令眾生之增說
斯瑞　贊曰此釋其意立教光瑞意欲令聞知雖說三法故昔
說二真今談一實令捨舊執以令新趣故名雖說不但說雖
義旨二雖　經諸善男子當如何僧祇劫　贊曰下有八因故
為二文初長行後偈頌長行分二初七因指陳別為益後一因古
今相品益初文分三初一讚揚希有益次一顯緣勝妙益後
立垂陳同分益初讚揚希有益論名顯見希有因無量時
不可說故於中分四一讚時久遠希二讚仏名號希三讚法
勝妙希四讚生利益希此品初世論云不可思議不可稱等
量者亦觀過彼阿僧祇劫不可得故瑜伽論阿僧企耶說云
阿僧祇云無數世俱舍論說有五十二數從一積十至此數名
阿僧祇本數六十條八傳云花嚴經說百廿數此乃第五百廿五
劫臘波此名為劫此云分別時分分別義不可思議者過情
計之境不可稱者過言議境不可量者非喻所比下境今經云

[illegible]
阿僧祇本數六十條八傳云花嚴經說百廿數此乃第五百廿五
劫臘波此名為劫此云分別時分分別義不可思議者過情
計之境不可稱者過言議境不可量者非喻所比下境今經云
无量者過筭分喻分无邊者過時分不思議者過情計分
不可說者過四分世菩地說劫有二種一日夜歲數二阿僧祇
瑜伽唯說大劫一增減為一劫二劫有饑饉疫病刀兵為小劫為
一劫謂梵眾天成壞為一劫謂梵輔天成壞六十為一劫謂大梵
天成壞此八十為一劫謂大劫數壞有命一劫成壞七火方一水災
劫謂極光淨天成壞七火一七水災方一風災劫謂遍淨天數此
亦不可數為一阿僧祇劫凡經此三大阿僧祇劫備因方得作仏
并賢劫等合有千數劫劫各別故攝論文義云并前合三十
地各分三合成卅三阿僧祇劫七地已前為小八九十地為中地前
為大雖少此時劫量不同今依大乘論說法花一會所說諸劫
多依五種一夜二晝三月四時五年今依无量无邊不可思
議阿僧祇劫非餘大劫世欲顯諸仏无數大劫時節故文
殊所見於久遠故　經尔時有仏名曰燈明等　贊曰此讚仏名
號希日月燈明是別名如來已下是通名有二義二義燈等明
二成熱月有二義一除熱二清涼燈有二義一破暗二傳照顯
仏能為迷者覺悟莫品教根除煩惱之熱同世涼除破
愚癡能生傳法表別名希有世依瑜伽八十三云解十号云一
來二應三正等覺四明行圓滿五善逝六世間解七无上丈夫
調御士八天人師九仏十薄伽梵如來者初總想序是下九号
想名應世菩薩正如此諸仏所說法無雖著世品
一空之十菩提故下如來且今非經如此諸仏依諸教
法備六波羅蜜觀十一空理未之菩提果故下如來說根

調御丈夫八天人師九佛十薄伽梵如來者初惣序是下九号之
惣名序也菩薩云如是去者仏乃後住法亦應准害世異
一空等来去菩提故云如来且今釋迦如是去諸仏依諸教
法修六度等順十一空等涅槃去菩提果故云如來 說根
二仏說若言如來者无所從来亦无所去故名如來 論法身
仏成實論云乘如實道来成正覺故名如來 義亦因非
此宗義論云應正等覺 謂永離一切煩惱障及所知障故
阿羅漢者此正云應 應永害煩惱賊 應无不
生 應受妙供養 如前菩薩持地十五義是論 此經
但永害煩惱賊名阿羅漢 永斷所知障名為正等覺 故論
伽云阿羅漢是共聲聞正等覺下是不共聲聞舊云正遍知 正
正覺等覺正覺如次簡外道小乘菩薩三種 明行圓滿者云
明行足 明謂三明一宿住隨念智明二生死智明三漏盡智
明 行謂止觀 行謂清淨三業 現行正念 又圓揚增上心
法觀法樂住行 此二是攝善護根門是應 此二
行又明皆圓滿由此果路示三示護无之失法果示造道
世間靜慮應自昔行 此中由示造道者三業清淨故正念
護客護根門故无妄失法行世間靜慮現法樂住應自昔
行世故云云明行圓滿 善逝者 謂於永夜具一切種自利他二利功
德故逝者往世謂成菩提已於生死去夜具一切種二利功德善
去往美故名善逝 世間解者 有情及器二世間中皆善通
達故由悟入五境世間依其後際宿住生死智俱所時八方
四千行差別故正知三際眾生一行差別及善了知器世間等
於東方等十方世界无量成壞善了知故又於一切世間諸仏
自甘因緣愛味過患出離能起行等皆善知故謂知自體

BD00968 號　妙法蓮華經玄讚卷二　　（54–43）

四千行差別故正知三際眾生一行差別及善了知器世間等
於東方等十方世界无量成壞善了知故又於一切世間諸仏
自甘因緣愛味過患出離能起行等皆善知故謂知自體
果世因緣因世此為惣句除四諦如次配之 无上丈夫調御丈夫者
舊云无上士調御丈夫智无等故无過上故名无上於現法中仏
亦具如是丈夫 大文身分調御无量丈夫皆能一切趣善好由
此後釋舊云无上士調御丈夫 天人師者 以彼天人解 云深義
勤修正行有力能故棄趣不能故又稱師 言仏陁者謂畢竟
斷一切煩惱所知并習氣現等正覺證得无上正等覺故正
具二智覺自他也 薄伽梵者 亦云世尊 地論云安住仏菩提處
任運摧伏一切魔軍大勢力故正破四魔 如仏地論說
自在熾盛与端嚴　名稱吉祥及尊貴　具足如是諸六義
應知惣名為薄伽　薄伽者聲世梵謂具德有今名此薄伽
聲自能破四魔 此云具六德 一自在義永不繫屬諸煩惱故
二熾盛義炎猛智火所燒煉故 三端嚴義世二相等所莊嚴故
四名稱義仏之勝名无不知故 五吉祥義恒起方便利益有情
故 六尊貴義故世出世間咸共尊重故今名世尊 晰其五義
經演說正法初中後善 以下讚法勝妙 論十二云具十
德 世一初善謂聽聞時生歡喜故 二中善謂修行時无所艱苦
遠離二邊依中道行故 三後善謂極究竟離諸垢染及一切
究竟離欲為後善也故法性離垢故能奉之者二離垢故
修行究竟得果離垢故 智度論云讚布施為初善讚持戒
為中善讚二果報生天淨土名後善 說聲聞初覺乘之
名三善 寶性經云如苦斷集名初善修正道名中善證滅
名後善是名聲聞初中後善 若不捨菩提心不念下乘迴向一切 乘
智是名菩薩初中後善今此依阿伽為正四文即一云具語妙清

BD00968 號　妙法蓮華經玄讚卷二　　（54–44）

名三善寶幢經云如菩薩斷集名初善修道名中善證滅
名後善是名聲聞初中後善若不捨菩提心念我迴向一切
智是名菩薩初中後善今依論解二正四文者此三具語巧妙謂
善滑微名義下故文八語具詳圓滿五義妙此三具義深遠
謂能引發利益安樂故六純一此三純一无雜謂不與一切外道共
故准仏法不雜外道名一所無七圓滿此三具足无限量故亦名善勝
故義也兄勝故名圓滿八清淨謂自性解脫故一剎那自說
解勝故去法自性解脫九鮮白謂相續解脫故後多剎那亦解
脫故去季之者二解脫故十梵行謂八聖道支藏謂名梵道
謂名行句藏為因此具八道名梵行相應知此道由依一道寸羅種
妙相所歎說故是梵行此中第六依无雜第七具足第八清
九白淨如文二為解准義配同新經所說　經曰為求聲聞者應說
一切種智　贊曰下讚十力益第六仏出世准說法二不說法
法今說三乘故名第六之定音有典文有說二乘之定音謂定契
隨其根器說法契定根性名當機眾生根性有下中上熟知四
諦緣淨因果由定方故名緣覺初知十二因緣因果次
勝名行緣覺能行二利懇到俱知備以六度究竟作仏名為
菩薩成種智俱反迎仏陀者此云覺覺他覺滿覺具文　經復有
仏名頻婆羅陀　贊曰下第二歎後勝妙光論三現見勝妙因
以諸仏菩薩自示現文用勝名性寸故名勝妙文有四妙此中有二
一名同妙二姓同妙頻婆羅陀者此云十八妙中之一妙　經
彌勒菩薩知而初中後善　贊曰此有二妙一號同妙二法同妙說
三善寶惟七從　經其家後仏皆有八王子　贊曰下第三股
要陳同多眾有五因一文開大因二攝下諸仏轉法輪因三善
堅實如來法輪因四能進入因五憶念因於中有二初一因

彌勒菩薩知而初中後善　贊曰此有二妙一號同妙二法同妙說
三善寶惟七從　經其家後仏皆有八王子　贊曰下第三股
要陳同多眾有五因一文開大因二攝下諸仏轉法輪因三善
堅實如來法輪因四能進入因五憶念因於中有二初一因
仏在宣揚後四因藏後行化文用大因者論云是時王子文
勝妙樂多捨出家後彼大眾共亦得時未生疲倦以故此解文
用因中文之大意有三文用至出家欲二出家文法此文有出宗
相同今二唱滅異已三菩薩成仏記四現入菩薩示相同今有六无初
序分成就經同此序品之事此下文第一同今眾成第二是時
日月燈明下同今時成第三說是經已下同今處成第四亦時如
來放眉間下同今說因成第五彌勒菩薩知亦時會中有廿億
菩薩下同今欲聞成第六時有菩薩名曰妙光下同今弟成同眾成
中有二一在俗二出家在俗有三一標有王子二列八名三明其化此
初也法亦諸仏必先有子後方出家為降世間文樂者故現
欲樂不可寶故顯仏能具丈夫德故　經一名有意乃至八名法
意　贊曰此列八名分為四雙一天智大悲雙二了有了空雙
三進善破惡雙四達易知真雙如次配之　經是八王子各
領四天下　贊曰此明其化无一世界有二輪王如何今八各領四
天下今解八子相繼統領非一時也然以義通而藏仏與初增輪
王方出如何彼仏有子而作輪王此乃二名俗輪帝王四天下輪
迦仏定為金輪王非正王文初漸藏故由此增至八萬歲接位
方甘第十劫初藏彌勒方生輪王命去始見彌勒成此報仏
而化仏殊報仏未必於藏初生世故可有子得作輪王妙光化八子
堅固菩提得入八地故知報仏亦為菩薩先說无量示為聲聞後
說法花如鼓音王經阿彌陀仏有妻子故　經是諸王子聞
隨出家　贊曰下明出家有三一所隨真俗三行出家中三一時

堅固菩提持入八地故知根仏示為菩薩先說无量示為眷属後
說法花如鼓音王經同称陁仏有妻子故・經是諸王子各三
随出家　賛曰下明出家有三一明随真俗二明出塵中三持
遍良緣坐脩福惠此初也捨福王位出由者脱塵起出家如貧
人得寶貴見賤无依去窮阿故之・經皆以大乘意各皆為法師
賛曰明出塵中也說菩大心恒勤持戒能宣妙理皆為法
師發心者住定梵行者持戒法師者具畫三藏偏矣・經已
於千万仏所種諸善本　賛曰持遍良緣坐脩福惠　經是
時日月燈明仏所護念　賛曰第二明時成世尊說法花必先說
无量義故名時之衆為菩薩說世　經說是經已至心不動
賛曰下第三明威儀成有三一仏入定二器世間三有情世間
此初也・經是時天雨華六種震動　賛曰器世間也・經爾時
會中至一心觀仏・賛曰此有情世間　經爾時如來至是諸
仏土　賛曰說因成有三一放光二照境三所見如文至所見是諸
仏土是也・經弥勒菩薩知衆欲問法　賛曰第五明發問成
有二一衆欲問法二發知光緣此初也問何故釋迦放光現瑞四
衆生起樂欲聞法知光因緣於所說法乃之菩薩与会不同答
此依本位立名四衆根破說發心並名菩薩又比丘等名者但言四衆
破等勝衆故之菩薩下流中並尔時四部衆乃至是事何因緣
故知影略如經說八部衆乃為衆成等勝者故又破要是菩薩化之
四衆根性化故此實是四衆化之化故　經是諸菩薩至一問為
因緣・賛曰發知光因緣推青見其者為意通身如得得・經時有菩薩
八百弟子　賛曰第六明資成有四傳於眷属二因說七經三時節
短長四大衆安樂此初也・經是時日月燈明仏至仏所護念
賛曰第二因說此經[illegible]

BD00968號　妙法蓮華經玄讚卷二　（54–47）

四衆根性化故此實是四衆化之化故[illegible]
因緣・賛曰發知光因緣推青見其者為意通身如得得・經時有菩薩
八百弟子　賛曰第六明資成有四傳於眷属二因說七經三時節
短長四大衆安樂此初也・經是時日月燈明仏至仏所護念
賛曰第二因說此經釋迦說法花因弥勒問文殊為答於
所說法花同大衆樂欲妙光為答故從中流仏從三昧起讚妙
光令喜已因妙光說彼法花又釋迦今說四衆樂聞因舊子
方說於所法說菩薩樂聞因妙光方說今仏從定起已告舊子
眷聞衆中隨偉智惠与仏相応故彼仏從定起已告妙光菩
菩薩中隨偉智惠与仏相応已為眷聞衆為菩薩說妙法蓮花
之名教菩薩法仏所護念与无量義經名字不殊但以體義
利鈍漸拔所望有異根化乃殊不名无量義如之前解其破
示現化諸聲聞之无有失莫說化之寶信聲聞說實勝事
已說根仏之无失也・經六十小劫不起于座　賛曰第三
時節短長論解說之日月年寸為劫故名為小米[illegible]別生分別
但是仏觀根之定者時衆樂信復久能久信徵法樂之以[illegible]
所以謂如食頃如俗觀基合方便・經是時衆中至而生懈
惓　賛曰第四大衆安樂法食資持禅悦生樂[illegible]傳之
慮生何得生於懈惓馬懈懶惓疲世有作倦无所慮
經日月燈明仏无餘涅槃　賛曰下第五合是示却同今此品中
二唱滅異已仏之入滅未同二示未現同之之入无餘而示化故
异唱滅妙門見義以何法故哲示寂見之見思世已之上垂[illegible]
魔擧天空魔鄰擧之之云一切[illegible]清脩若之有之一切[illegible]也婆羅
門等釋義也・經時有菩薩名曰德藏　賛曰第一五段成
仏記有二一授二記世此初也會持衆善故名德藏・經告諸比
[illegible]

BD00968號　妙法蓮華經玄讚卷二　（54–48）

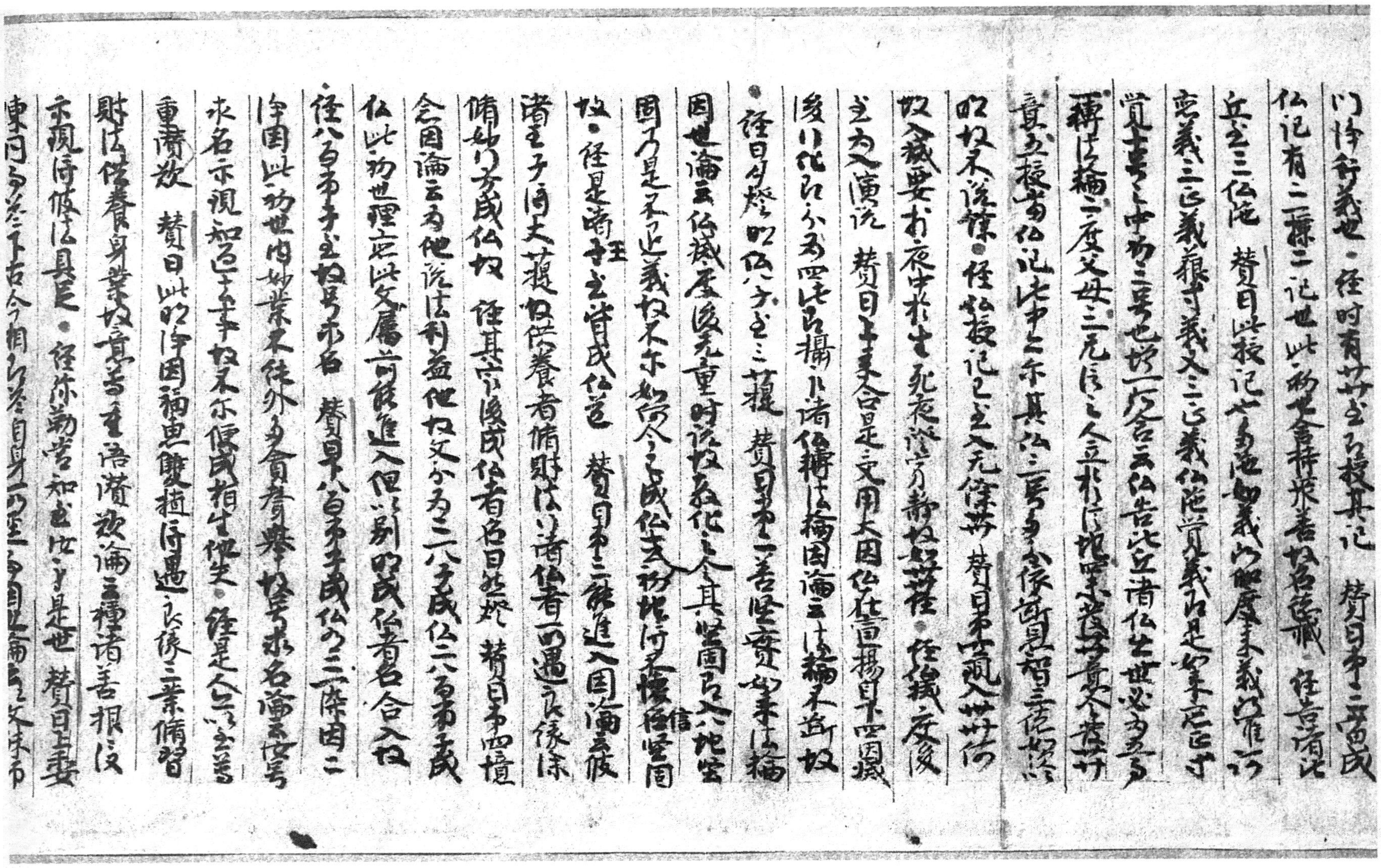

BD00968號　妙法蓮華經玄讚卷二　（54–49）

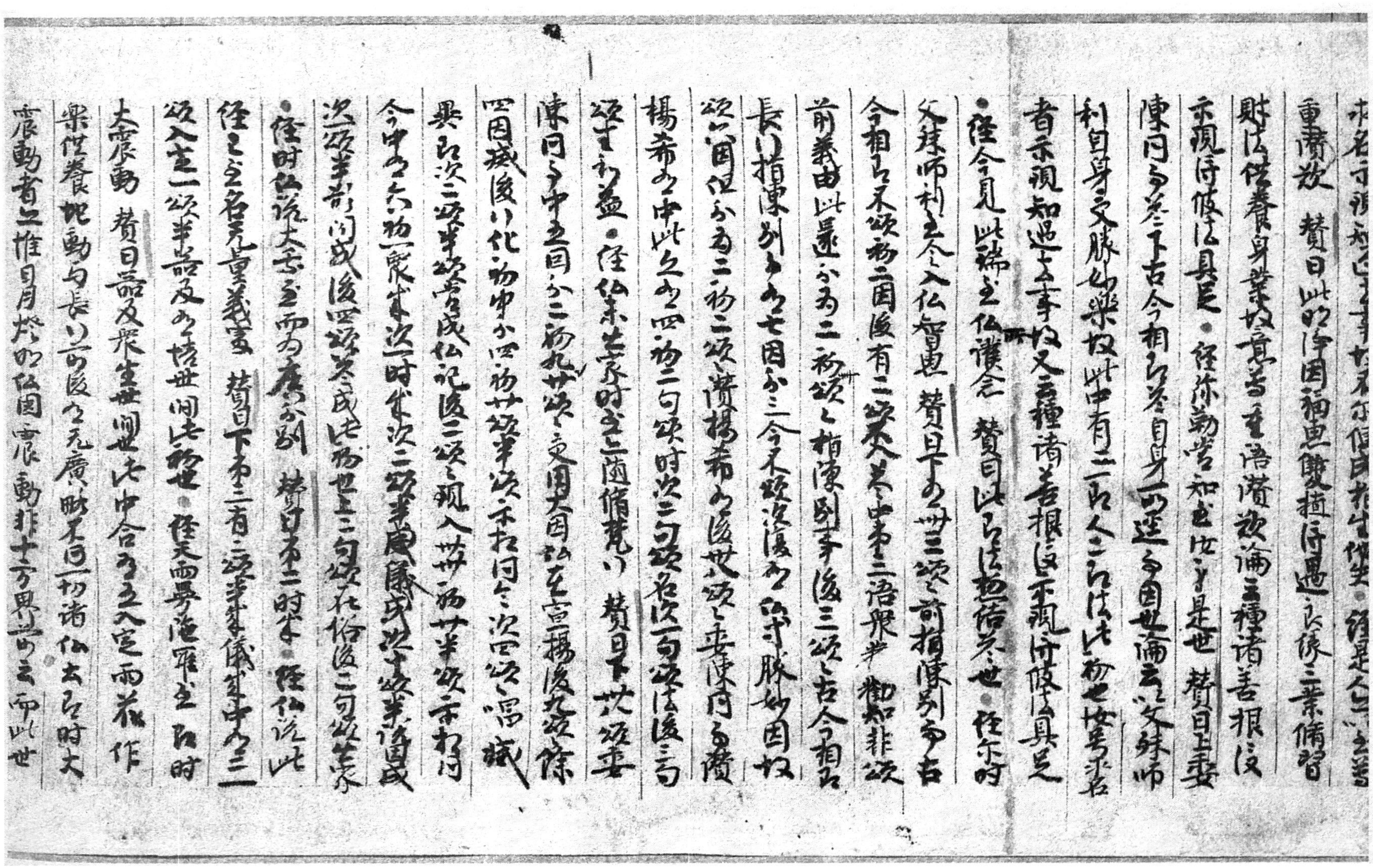

BD00968號　妙法蓮華經玄讚卷二　（54–50）

頌入定一頌半器及眾生世間七動世 ● 經天雨曼陀羅至爾時
大震動　贊曰器及眾生世間世此中合為五入定雨花作
樂供養地動為長行所說之光廣略不同一切諸仏土皆時大
震動者二惟日月燈明仏国震動非十方界皆亦云爾此世
界六種振動故今此燈明仏國一切皆動化身報身下位非
一之言諸仏 ● 經仏放眉間光至万八千仏土　贊曰下十頌半說
因等有三三句放光二句照境九頌半頌所照之所見是諸仏土此
初一世 ● 經盡見一切眾生生死業報處　贊曰下九頌半如分六
見中為五初半頌六趣生三頌見仏一頌聞法一頌見四眾四頌見
菩薩半頌入滅起塔此初世處須所起報是業因所緣處故哉
更須善理善因感善果惡因感惡果為是理　故云更
須更一所更者惡果之處所也 ● 經又見諸仏土至斯由仏光
照　贊曰下三頌見仏分三一見淨土一見供養一正見仏此初也
殊勝光照皆如金色日月燈明琉璃頗梨色者欲顯大乘依
一之重故雖金色眾餘國備故種種色乎最勝故梵天琉
璃頗云琉璃為種種色頗胝迦云水之精亦云水玉或云白珠亦云
頗梨之力私及智度論云出山石窟中過千年冰化為之西方
暑熱土地無冰何物化為此但石類至之皆為 ● 經又見諸天
人至端嚴甚微妙　贊曰此二頌中為見人部供養後見仏也
● 經如淨琉璃中內現真金像　贊曰此聞法也仏光自曜故
眾曉仏此方遠見如琉璃中現金像說法 ● 經一一諸仏土聲聞
見彼大眾　贊曰此見四眾 ● 經或有諸比丘在於山林
● 贊曰此四頌見菩薩種種因緣信解相貌行菩薩道一頌唯解信亂
脩行故一頌勤哉欲顯在家出家皆行菩薩行故二々比丘哉
悔菩薩精進遍等哉是菩薩本故初菩薩之一頌施說二々千等布施

BD00968號　妙法蓮華經玄讚卷二　(54–51)

見彼大眾　贊曰此見四眾 ● 經或有諸比丘在於山林
● 贊曰此四頌見菩薩種種因緣信解相貌行菩薩道一頌唯解信亂
脩行故一頌勤哉欲顯在家出家皆行菩薩行故二々比丘哉
悔菩薩精進遍等哉是菩薩本故初菩薩之一頌施說二々千等布施
忍非一數為多故一頌禪定一頌智惠 ● 經爾時四部眾至是多
何因緣　贊曰第五之頌明成也前長行云菩薩菩薩樂欲聞法此
二々四部生相與故前稱歎為之此示疑故 ● 經天人所奉尊至
唯世能證知　贊曰下四頌第六答成長行為二四此文為二初二
頌因說此經後二頌時菩短長明光傳於眷屬大眾安樂此
初世二通近世始世後從定起能行眾生之菩提位生世智慧照
達真俗名間眼 ● 經世尊既讚歎至皆能受持　贊曰時
若短長世 ● 經仏說是法華至入於涅槃　贊曰上頌端相回
令下四頌第二唱滅異行分三一唱滅一誡勸所化一頌大眾悲惱
此初世化緣現終便唱入滅 ● 經汝一心精進當離放逸
贊曰此勸化精進為出世之根放逸為生死之本理須脩斷
況乎諸仏億劫方遇說復遇而不脩斷者哉故經云諸仏
出現樂演說正法樂眾僧和合樂同脩精進樂 ● 經世尊
諸子等至仏滅一何速　贊曰大眾悲惱也世間空虛眾生
福盡故生悲惱 ● 經聖主法之王至安慰無量眾　贊曰下
二頌半第三安成仏記為二一頌勸勿生憂為當來仏可依投
故示同入滅實常樂故後一半頌正明授記此初也 ● 經是德
藏菩薩至之度無量眾　贊曰此授記也 ● 經仏此夜滅度如薪盡
求無上道　贊曰第四二頌現入涅槃中初一頌現入涅槃後一頌見
失之後學精勤慕道 ● 經是妙光法師至廣宣法華經
贊曰上廿九頌之文周大因仏光宣揚下為九頌之仏國徵後以

BD00968號　妙法蓮華經玄讚卷二　(54–52)

求无上道　贊曰第四二頌頌入菩薩中初一頌頌入菩薩後一頌見
失。良聲精勤求道　經是妙光法師至廣宣法花經
贊曰上廿九頌頌文周大因仏在當揚下九頌頌餘四因緣後以
化分四初一頌轉下諸仏轉法輪因一頌若賢貴如來法輪因一
次頌能進入因緣六頌憶念因此初也。經是諸王子至皆見
无數仏　贊曰此第二善堅實如來法輪因若依小乘於三
无數劫逢次奄勝觀於然燈寶髻仏。初釋迦牟尼仏初劫初逢
釋迦牟尼仏更逢七万五千仏第二劫初逢寶髻仏更逢七万
六千仏第二劫初逢然燈仏更逢七万七千仏第三劫滿備相好
業初逢勝觀仏名毗婆尸由超是讚歎底沙超於九劫所以
經中說二二過去九十一劫有毗婆尸仏若依大乘第四依菩薩供養
八恒河沙諸仏始會解菩薩十六分義古來配在第十地無垢三乘
定只云八恒河沙已是第十地世真論釋二二初劫逢五恒第二
劫逢六恒第三劫逢七恒河沙仏所以今言得入八地仍下當見
无數諸仏。經供養諸仏已至轉次而授記　贊曰此第三頌
進因皆行作仏故。經最後天中天至度脫无量衆　贊曰
此第四後有六頌憶念因等分二初一頌憶八子後五頌憶八百弟子
此初也　經是妙光法師至號之為求名　贊曰下五頌憶念八
百弟子分二初二頌半頌憶緣因後二頌半頌憶淨因此初世貴
族姓以為貴愛初參以為先一所習多廢故号求名具七失故
如文一多如懈音古溢反懶也懈世息音隸亦反亦懈疲也作駘
玄足二廢也嬈世情世第二貪著己利名第三更求未得
名利種者貧世周孔四閒為族郡玄百家世。經亦以衆善
業至其數无有量　贊曰頌淨因有二初五句憶淨因後
五句憶淨二果。經彼仏滅度後至今則我身是　贊曰上卅

BD00968 號　妙法蓮華經玄讚卷二　　（54–53）

名利種者貧世周孔四閒為族郡玄百家世。經亦以衆善
業至其數无有量　贊曰頌淨因有二初五句憶淨因後
五句憶淨二果。經彼仏滅度後至今則我身是　贊曰上卅
頌二二指陳別有下三頌二古今相符有二初五頌明人次一頌相法
後二一頌結成此初也。經我見燈明仏至欲說法花經　贊曰此明
法世。經今相如本瑞至助發實相義　贊曰此結成也故光
舉二覺有像皆集衆見此二表甘露仰起於神變表法非
玄熟以除疑故名教光助發實相義。經諸人今當知至足
求道者　贊曰上卅三頌二有下又三頌大文第三當衆勸知
陳仏今說有二初一頌明仏說法而道足生令進善也後二頌明仏
說法令求道者疑惑皆除盡識衆患此初也。經諸求三乘
人至令盡无有餘　贊曰此斷疑也此後二頌有大法而說大法
世

法花經玄贊第二

BD00968 號　妙法蓮華經玄讚卷二　　（54–54）

願……於護[illegible]
摩訶薩於後惡世云何能說是經佛告文殊
師利若菩薩摩訶薩於後惡世欲說是經當
安住四法一者安住菩薩行處親近處能為
衆生演說是經文殊師利云何名菩薩摩訶
薩行處若菩薩摩訶薩住忍辱地柔和善順
而不卒暴心亦不驚又復於法无所行而觀
諸法如實相亦不行不分別是名菩薩摩訶
薩行處云何名菩薩摩訶薩親近處菩薩
摩訶薩不親近國王王子大臣官長不親近諸
外道梵志尼揵子等及造世俗文筆讚詠外
書及路伽耶陀逆路伽耶陀者亦不親近諸
有凶戲相扠相撲及那羅等種種變現之戲
又不親近旃陀羅及畜猪羊雞狗田獵魚捕
諸惡律儀如是人等或時來者則為說法无

BD00969 號　妙法蓮華經卷五　（29–1）

摩訶薩不親近國王王子大臣官長不親近諸
外道梵志尼揵子等及造世俗文筆讚詠外
書及路伽耶陀逆路伽耶陀者亦不親近諸
有凶戲相扠相撲及那羅等種種變現之戲
又不親近旃陀羅及畜猪羊雞狗田獵魚捕
諸惡律儀如是人等或時來者則為說法无
所悕望又不親近求聲聞比丘比丘尼優婆
塞優婆夷亦不問訊若於房中若經行處若
在講堂中不共住止或時來者隨宜說法无
所悕求文殊師利又菩薩摩訶薩不應於女
人身取能生欲想相而為說法亦不樂見若
入他家不與小女處女寡女等共語亦復不
近五種不男之人以為親厚不獨入他家若
有因緣須獨入時但一心念佛若為女人說
法不露齒咲不現胷臆乃至為法猶不親厚
況復餘事不樂畜年少弟子沙弥小兒亦不
樂與同師常好坐禪在於閑處脩攝其心文
殊師利是名初親近處復次菩薩摩訶薩觀
一切法空如實相不顛倒不動不退不轉如
虚空无所有性一切語言道斷不生不出不
起无名无相實无所有无量无邊无㝵无障
但以因緣有從顛倒生故說常樂觀如是法
相是名菩薩摩訶薩第二親近處尒時世尊
欲重宣此義而說偈言
若有菩薩　於後惡世　无怖畏心　欲說是經
應入行處　及親近處　常離國王　及國王子
大臣官長　兇險戲者　及旃陀羅　外道梵志
亦不親近　增上慢人　貪著小乘　三藏學者

BD00969 號　妙法蓮華經卷五　（29–2）

欲重宣此義而説偈言
若有菩薩 於後惡世 无怖畏心 欲説是經
應入行處 及親近處 常離國王 及國王子
大臣官長 兇險戲者 及旃陁羅 外道梵志
亦不親近 增上慢人 貪著小乘 三藏學者
破戒比丘 名字羅漢 及比丘尼 好戲咲者
深著五欲 求現滅度 諸優婆夷 皆勿親近
若是人等 以好心來 到菩薩所 爲聞佛道
菩薩則以 无所畏心 不懷悕望 而爲説法
寡女處女 及諸不男 皆勿親近 以爲親厚
亦莫親近 屠兒魁膾 田獵魚捕 爲利殺害
販肉自活 衒賣女色 如是之人 皆勿親近
兇險相撲 種種嬉戲 諸婬女等 盡勿親近
莫獨屏處 爲女説法 若説法時 无得戲咲
入里乞食 將一比丘 若无比丘 一心念佛
是則名爲 行處近處 以此二處 能安樂説
又復不行 上中下法 有爲无爲 實不實法
亦不分別 是男是女 不得諸法 不知不見
是則名爲 菩薩行處 一切諸法 空无所有
无有常住 亦无起滅 是名智者 所親近處
顛倒分別 諸法有无 是實非實 是生非生
在於閑處 脩攝其心 安住不動 如須弥山
觀一切法 皆无所有 猶如虚空 无有堅固
不生不出 不動不退 常住一相 是名近處
若有比丘 於我滅後 入是行處 及親近處
説斯經時 无有怯弱 菩薩有時 入於静室
以正憶念 隨義觀法 從禪定起 爲諸國王

BD00969 號　妙法蓮華經卷五　（29–3）

觀一切法 皆无所有 猶如虚空 无有堅固
不生不出 不動不退 常住一相 是名近處
若有比丘 於我滅後 入是行處 及親近處
説斯經時 无有怯弱 菩薩有時 入於静室
以正憶念 隨義觀法 從禪定起 爲諸國王
王子臣民 婆羅門等 開化演暢 説斯經典
其心安隱 无有怯弱 文殊師利 是名菩薩
安住初法 能於後世 説法華經
又文殊師利 如來滅後 於末法中 欲説是經
應住安樂行 若口宣説 若讀經時 不樂説人
及經典過 亦不輕慢 諸餘法師 不説他人好惡
長短 於聲聞人 亦不稱名 説其過惡 亦不稱
名讚歎其美 又亦不生怨嫌之心 善脩如
是安樂心故 諸有聽者 不逆其意 有所難
問 不以小乘法荅 但以大乘而爲解説 令得一
切種智 尒時世尊 欲重宣此義 而説偈言
菩薩常樂 安隱説法 於清淨地 而施床座
以油塗身 澡浴塵穢 著新淨衣 内外俱淨
安處法座 隨問爲説 若有比丘 及比丘尼
諸優婆塞 及優婆夷 國王王子 群臣士民
以微妙義 和顔爲説 若有難問 隨義而荅
因緣譬喻 敷演分別 以是方便 皆使發心
漸漸增益 入於佛道 除嬾惰意 及懈怠想
離諸憂惱 慈心説法 晝夜常説 无上道教
以諸因緣 无量譬喻 開示衆生 咸令歡喜
衣服卧具 飲食醫藥 而於其中 无所悕望
但一心念 説法因緣 願成佛道 令衆亦尒

BD00969 號　妙法蓮華經卷五　（29–4）

以諸因緣　无量譬喻　開示衆生　咸令歡喜
衣服卧具　飲食醫藥　而扵其中　无所悕望
但一心念　說法因緣　願成佛道　令衆亦尒
是則大利　安樂供養　我滅度後　若有比丘
能演說斯　妙法華經　心无嫉恚　諸惱障礙
亦无憂愁　及罵詈者　又无怖畏　加刀杖等
亦无擯出　安住忍故　智者如是　善脩其心
能住安樂　如我上說　其人功德　千万億劫
筭數譬喻　說不能盡
又文殊師利菩薩摩訶薩扵後末世法欲滅
時受持讀誦斯經典者无懷嫉妬諂誑之心
亦勿輕罵學佛道者求其長短若比丘比丘
尼優婆塞優婆夷求聲聞者求辟支佛者求
菩薩道者无得惱之令其疑悔語其人言汝
等去道甚遠終不能得一切種智所以者何
汝是放逸之人扵道懈怠故又亦不應戲論
諸法有所諍競當扵一切衆生起大悲想扵
諸如來起慈父想扵諸菩薩起大師想扵十
方諸大菩薩常應深心恭敬礼拜扵一切衆
生平等說法以順法故不多不少乃至深愛法
者亦不為多說文殊師利是菩薩摩訶薩
法者亦不為多說文殊師利是菩薩摩訶薩
扵後末世法欲滅時有成就是第三安樂行
者說是法時无能惱亂得好同學共讀誦是
經亦得大衆而來聽受聽已能持持已能誦
誦已能說說已能書若使人書供養經卷恭
敬尊重讚歎尒時世尊欲重宣此義而說偈

BD00969 號　妙法蓮華經卷五　（29–5）

[illegible]
者說是法時无能惱亂得好同學共讀誦是
經亦得大衆而來聽受聽已能持持已能誦
誦已能說說已能書若使人書供養經卷恭
敬尊重讚歎尒時世尊欲重宣此義而說偈
言
若欲說是經　當捨嫉恚慢　諂誑耶偽心　常脩質直行
不輕蔑扵人　亦不戲論法　不令他疑悔　云汝不得佛
是佛子說法　常柔和能忍　慈悲扵一切　不生懈怠心
十方大菩薩　愍衆故行道　應生恭敬心　是則我大師
扵諸佛世尊　生无上父想　破扵憍慢心　說法无障礙
第三法如是　智者應守護　一心安樂行　无量衆所敬
又文殊師利菩薩摩訶薩扵後末世法欲滅
時有持法華經者扵在家出家人中生大慈
心扵非菩薩人中生大悲心應作是念如是
之人則為大失如來方便隨宜說法不聞不
知不覺不問不信不解其人雖不問不信不
解是經我得阿耨多羅三藐三菩提時隨在
何地以神通力智慧力引之令得住是法中
文殊師利是菩薩摩訶薩扵如來滅後有成
就此第四法者說是法時无有過失常為比
丘比丘尼優婆塞優婆夷國王王子大臣人民
婆羅門居士等供養恭敬尊重讚嘆虛空
諸天為聽法故亦常隨侍若在聚落城邑空
閑林中有人來欲難問者諸天晝夜常為法
故而衛護之能令聽者皆得歡喜所以者何
此經是一切過去未來現在諸佛神力所護
[illegible]

BD00969 號　妙法蓮華經卷五　（29–6）

閑林中有人來欲難問者諸天晝夜常為法
故而衛護之能令聽者皆得歡喜所以者何
此經是一切過去未來現在諸佛神力所護
故文殊師利是法華經於无量國中乃至名
字不可得聞何況得見受持讀誦文殊師利
譬如強力轉輪聖王欲以威勢降伏諸國而
諸小王不順其命時轉輪王起種種兵而往
討伐王見兵衆戰有功者即大歡喜隨功賞
賜或與田宅聚落城邑或與衣服嚴身之具
或與種種珍寶金銀琉璃車𤦲馬瑙珊瑚虎
珀象馬車乘奴婢人民唯髻中明珠不以與
之所以者何獨王頂上有此一珠若以與之
王諸眷屬必大驚怪文殊師利如來亦復如
是以禪定智慧力得法國土王於三界而諸
魔王不肯順伏如來賢聖諸將與之共戰其
有功者心亦歡喜於四衆中為說諸經令其心
悅賜以禪定解脫无漏根力諸法之財又
復賜與涅槃之城言得滅度引導其心令皆
歡喜而不為說是法華經文殊師利如轉輪
王見諸兵衆有大功者心甚歡喜以此難信
之珠久在髻中不妄與人而今與之如來亦
復如是於三界中為大法王以法教化一切
衆生見賢聖軍與五陰魔煩惱魔死魔共戰
有大功勳滅三毒出三界破魔網尒時如來
亦大歡喜此法華經能令衆生至一切智一切
世間多怨難信先所未說而今說之文殊
師利此法華經是諸如來第一之說於諸說

亦大歡喜此法華經能令衆生至一切智一切
世間多怨難信先所未說而今說之文殊
師利此法華經是諸如來第一之說於諸說
中最為甚深末後賜與如彼強力之王久護
明珠今乃與之文殊師利此法華經諸佛如
來秘密之藏於諸經中最在其上長夜守護
不妄宣說始於今日乃與汝等而敷演之尒
時世尊欲重宣此義而說偈言

常行忍辱　哀愍一切　乃能演說　佛所讚經
後末世時　持此經者　於家出家　及非菩薩
應生慈悲　斯等不聞　不信是經　則為大失
我得佛道　以諸方便　為說此經　令住其中
譬如強力　轉輪之王　兵戰有功　賞賜諸物
象馬車乘　嚴身之具　及諸田宅　聚落城邑
或與衣服　種種珍寶　奴婢財物　歡喜賜與
如有勇健　能為難事　王解髻中　明珠賜之
如來亦尒　為諸法王　忍辱大力　智慧寶藏
以大慈悲　如法化世　見一切人　受諸苦惱
欲求解脫　與諸魔戰　為是衆生　說種種法
以大方便　說此諸經　既知衆生　得其力已
末後乃為　說是法華　如王解髻　明珠與之
此經為尊　衆經中上　我常守護　不妄開示
今正是時　為汝等說　我滅度後　求佛道者
欲得安隱　演說斯經　應當親近　如是四法
讀是經者　常无憂惱　又无病痛　顏色鮮白
不生貧窮　卑賤醜陋　衆生樂見　如慕賢聖

欲得安隱　演說斯經　應當親近　如是四法
讀是經者　常无憂惱　又无病痛　顏色鮮白
不生貧窮　卑賤醜陋　衆生樂見　如慕賢聖
天諸童子　以爲給使　刀杖不加　毒不能害
若人惡罵　口則閉塞　遊行无畏　如師子王
智慧光明　如日之照　若於夢中　但見妙事
見諸如來　坐師子座　諸比丘衆　圍繞說法
又見龍神　阿脩羅等　數如恒沙　恭敬合掌
自見其身　而爲說法　又見諸佛　身相金色
放无量光　照於一切　以梵音聲　演說諸法
佛爲四衆　說无上法　見身處中　合掌讚佛
聞法歡喜　而爲供養　得陁羅尼　證不退智
佛知其心　深入佛道　即爲授記　成最正覺
汝善男子　當於來世　得无量智　佛之大道
國土嚴淨　廣大无比　亦有四衆　合掌聽法
又見自身　在山林中　脩習善法　證諸實相
深入禪定　見十方佛
諸佛身金色　百福相莊嚴　聞法爲人說　常有是好夢
又夢作國王　捨宮殿眷屬　及上妙五欲　行詣於道場
在菩提樹下　而處師子座　求道過七日　得諸佛之智
成无上道已　起而轉法輪　爲四衆說法　經千万億劫
說无漏妙法　度无量衆生　後當入涅槃　如烟盡燈滅
若後惡世中　說是第一法　是人得大利　如上諸功德

妙法蓮華經從地踊出品第十五

尒時他方國土諸來菩薩摩訶薩過八恒河沙數於大衆中起立合掌作礼而白佛言世尊若聽我等於佛滅後在此娑婆世界勤加精

尒時他方國土諸來菩薩摩訶薩過八恒河沙數於大衆中起立合掌作礼而白佛言世尊若聽我等於佛滅後在此娑婆世界勤加精進護持讀誦書寫供養是經典者當於此土而廣說之尒時佛告諸菩薩摩訶薩衆止善男子不須汝等護持此經所以者何我娑婆世界自有六万恒河沙等菩薩摩訶薩一一菩薩各有六万恒河沙眷屬是諸人等能於我滅後護持讀誦廣說此經佛說是時娑婆世界三千大千國土地皆震裂而於其中有无量千万億菩薩摩訶薩同時踊出是諸菩薩身皆金色三十二相无量光明先盡在此娑婆世界之下此界虛空中住是諸菩薩聞釋迦牟尼佛所說音聲從下發來一一菩薩皆是大衆唱導之首各將六万恒河沙眷屬况將五万四万三万二万一万恒河沙等眷屬者况復乃至一恒河沙半恒河沙四分之一乃至千万億那由他分之一况復千万億那由他眷屬况復億万眷屬况復千万百万乃至一万况復一千一百乃至一十况復將五四三二一弟子者况復單己樂遠離行如是等比无量无邊筭數譬喻所不能知是諸菩薩從地出已各詣虛空七寶妙塔多寶如來釋迦牟尼佛所到已向二世尊頭面礼足及至諸寶樹下師子座上佛所亦皆作礼右繞三帀合掌供敬以諸菩薩種種讚法而以讚歎住在一面欣樂瞻仰於二世尊是諸菩

來釋迦牟尼佛所到已向二世尊頭面礼足
及至諸寶樹下師子座上佛所亦皆作礼右
繞三帀合掌恭敬以諸菩薩種種讚法而以
讚歎住在一面欣樂瞻仰於二世尊是諸菩
薩摩訶薩從初踊出以諸菩薩種種讚法而
讚於佛如是時間經五十小劫是時釋迦牟
尼佛默然而坐及諸四衆亦皆默然五十小劫
佛神力故令諸大衆謂如半日尒時四衆亦
以佛神力故見諸菩薩遍滿无量百千万
億國土虛空是菩薩衆中有四導師一名上
行二名无邊行三名淨行四名安立行是四
菩薩於其衆中最爲上首唱導之師在大衆
前各共合掌觀釋迦牟尼佛而問訊言世尊
少病少惱安樂行不所應度者受教易不不
令世尊生疲勞耶尒時四大菩薩而說偈言
世尊安樂　少病少惱　教化衆生　得无疲惓
又諸衆生　受化易不　不令世尊　生疲勞耶
尒時世尊於菩薩大衆中而作是言如是如
是諸善男子如來安樂少病少惱諸衆生等
易可化度无有疲勞所以者何是諸衆生世
世已來常受我化亦於過去諸佛供養尊重
種諸善根此諸衆生始見我身聞我所說即
皆信受入如來慧除先修習學小乘者如是
之人我今亦令得聞是經入於佛慧尒時諸
大菩薩而說偈言
善哉善哉　大雄世尊　諸衆生等　易可化度
能問諸佛　甚深智慧　聞已信行　我等隨喜

種諸善根此諸衆生始見我身聞我所說即
皆信受入如來慧除先修習學小乘者如是
之人我今亦令得聞是經入於佛慧尒時諸
大菩薩而說偈言
善哉善哉　大雄世尊　諸衆生等　易可化度
能問諸佛　甚深智慧　聞已信行　我等隨喜
於時世尊讚歎上首諸大菩薩善哉善哉善
男子汝等能於如來發隨喜心尒時彌勒菩
薩及八千恒河沙諸菩薩衆皆作是念我等
從昔已來不見不聞如是大菩薩摩訶薩衆
從地踊出住世尊前合掌供養問訊如來時
彌勒菩薩摩訶薩知八千恒河沙諸菩薩等
心之所念并欲自決所疑合掌向佛以偈問
曰
无量千万億　大衆諸菩薩　昔所未曾見　願兩足尊說
是從何所來　以何因緣集　巨身大神通　智慧叵思議
其志念堅固　有大忍辱力　衆生所樂見　爲從何所來
一一諸菩薩　所將諸眷屬　其數无有量　如恒河沙等
或有大菩薩　將六万恒沙　如是諸大衆　一心求佛道
是諸大師等　六万恒河沙　俱來供養佛　及護持此經
將五万恒沙　其數過於是　四万及三万　二万至一万
一千一百等　乃至一恒沙　半及三四分　億万分之一
千万那由他　万億諸弟子　乃至於半億　其數復過上
百万至一万　一千及一百　五十與一十　乃至三二一
單己无眷屬　樂於獨處者　俱來至佛所　其數轉過上
如是諸大衆　若人行籌數　過於恒沙劫　猶不能盡知
是諸大威德　精進菩薩衆　誰爲其說法　教化而成就

百万至一万　一千及一百　五十與一十　乃至三二一
單己无眷屬　樂於獨處者　俱來至佛所　其數轉過上
如是諸大衆　若人行籌數　過於恒沙劫　猶不能盡知
是諸大威德　精進菩薩衆　誰為其說法　教化而成就
從誰初發心　稱揚何佛法　受持行誰經　脩習何佛道
如是諸菩薩　神通大智力　四方地震裂　皆從中踊出
世尊我昔來　未曾見是事　願說其所從　國土之名号
我常遊諸國　未曾見是衆　我於此衆中　乃不識一人
忽然從地出　願說其因緣　今此之大會　无量百千億
是諸菩薩等　皆欲知此事　是諸菩薩衆　本末之因緣
无量德世尊　唯願決衆疑

尒時釋迦牟尼佛分身諸佛從无量千万億他方國土來者在於八方諸寶樹下師子座上結加趺坐其佛侍者各各見是菩薩大衆於三千大千世界四方從地踊出住於虚空各白其佛言世尊此諸无量无邊阿僧祇菩薩大衆從何所來尒時諸佛各告侍者諸善男子且待須臾有菩薩摩訶薩名弥勒釋迦牟尼佛之所授記次後作佛已問斯事佛今荅之汝等自當因是得聞尒時釋迦牟尼佛告弥勒菩薩善哉善哉阿逸多乃能問佛如是大事汝等當共一心被精進鎧發堅固意如來今欲顯發宣示諸佛智慧諸佛自在神通之力諸佛師子奮迅之力諸佛威猛大勢之力尒時世尊欲重宣此義而說偈言

當精進一心　我欲說此事　勿得有疑悔　佛智叵思議

BD00969號　妙法蓮華經卷五　（29–13）

如來今欲顯發宣示諸佛智慧諸佛自在神通之力諸佛師子奮迅之力諸佛威猛大勢之力尒時世尊欲重宣此義而說偈言

當精進一心　我欲說此事　勿得有疑悔　佛智叵思議
汝今出信力　住於忍善中　昔所未聞法　今皆當得聞
我今安慰汝　勿得懷疑懼　佛无不實語　智慧不可量
所得第一法　甚深叵分別　如是今當說　汝等一心聽

尒時世尊說此偈已告弥勒菩薩我今於此大衆宣告汝等阿逸多是諸大菩薩摩訶薩无量无數阿僧祇從地踊出汝等昔所未見者我於是娑婆世界得阿耨多羅三藐三菩提已教化示導是諸菩薩調伏其心令發道意此諸菩薩皆於是娑婆世界之下此界虚空中住於諸經典讀誦通利思惟分別正憶念阿逸多是諸善男子等不樂在衆多有所說常樂靜處勤行精進未曾休息亦不依止人天而住常樂深智无有障礙亦常樂於諸佛之法一心精進求无上慧尒時世尊欲重宣此義而說偈言

阿逸汝當知　是諸大菩薩　從无數劫來　脩習佛智慧
悉是我所化　令發大道心　此等是我子　依止是世界
常行頭陀事　志樂於靜處　捨大衆憒鬧　不樂多所說
如是諸子等　學習我道法　晝夜常精進　為求佛道故
在娑婆世界　下方空中住　志念力堅固　常勤求智慧
說種種妙法　其心无所畏　我於伽耶城　菩提樹下坐
得成最正覺　轉无上法輪　尒乃教化之　令初發道心

BD00969號　妙法蓮華經卷五　（29–14）

如是諸子等　學習我道法　晝夜常精進　為求佛道故
在娑婆世界　下方空中住　志念力堅固　常勤求智慧
說種種妙法　其心无所畏　我於伽耶城　菩提樹下坐
得成最正覺　轉无上法輪　介乃教化之　令初發道心
今皆住不退　悉當得成佛　我今說實語　汝等一心信
我從久遠來　教化是等衆
尒時弥勒菩薩摩訶薩及无數諸菩薩等心
生疑惑怪未曾有而作是念云何世尊於少
時間教化如是无量无邊阿僧祇諸大菩薩
令住阿耨多羅三藐三菩提即白佛言世尊
如來為太子時出於釋宮去伽耶城不遠坐
於道場得成阿耨多羅三藐三菩提從是已
來始過四十餘年世尊云何於此少時大作
佛事以佛勢力以佛功德教化如是无量大
菩薩衆當成阿耨多羅三藐三菩提世尊此
大菩薩衆假使有人於千万億劫數不能盡
不得其邊斯等久遠已來於无量无邊諸佛
所殖諸善根成就菩薩道常脩梵行世尊
如此之事世所難信譬如有人色美髮黑年
二十五指百歲人言是我子其百歲人亦指年
少言是我父生育我等是事難信佛亦如是
得道已來其實未久而此大衆諸菩薩等已
於无量千万億劫為佛道故勤行精進善入
出住无量百千万億三昧得大神通久脩梵
行善能次第習諸善法巧於問荅人中之寶
一切世間甚為希有今日世尊方云得佛道

出住无量百千万億三昧得大神通久脩梵
行善能次第習諸善法巧於問荅人中之寶
一切世間甚為希有今日世尊方云得佛道
時初令發心教化示導令向阿耨多羅三藐
三菩提世尊得佛未久乃能作此大功德事
我等雖復信佛隨宜所說佛所出言未曾虛
妄佛所知者皆悉通達然諸新發意菩薩於
佛滅度後若聞是語或不信受而起破法罪業
因緣唯然世尊願為解說除我等疑及未來
世諸善男子聞此事已亦不生疑尒時弥勒
菩薩欲重宣此義而說偈言
佛昔從釋種　出家近伽耶　坐於菩提樹　尒來尚未久
此諸佛子等　其數不可量　久已行佛道　住於神通力
善學菩薩道　不染世間法　如蓮華在水　從地而踊出
皆起恭敬心　住於世尊前　是事難思議　云何而可信
佛得道甚近　所成就甚多　願為除衆疑　如實分別說
譬如少壯人　年始二十五　示人百歲子　髮白而面皺
是等我所生　子亦說是父　父少而子老　舉世所不信
世尊亦如是　得道來甚近　是諸菩薩等　志固无怯弱
從无量劫來　而行菩薩道　巧於難問荅　其心无所畏
忍辱心決定　端正有威德　十方佛所讚　善能分別說
不樂在人衆　常好在禪定　為求佛道故　於下空中住
我等從佛聞　於此事无疑　願佛為未來　演說令開解
若有於此經　生疑不信者　即當墮惡道　願今為解說
是无量菩薩　云何於少時　教化令發心　而住不退地
妙法蓮華經如來壽量品第十六

若有於此經　生疑不信者　即當墮惡道　願今爲解說
是无量菩薩　云何於少時　教化令發心　而住不退地
妙法蓮華經如來壽量品第十六
尒時佛告諸菩薩及一切大衆諸善男子汝等
當信解如來誠諦之語復告大衆汝等當
信解如來誠諦之語又復告諸大衆汝等當
信解如來誠諦之語是時菩薩大衆彌勒爲
首合掌白佛言世尊唯願說之我等當信受
佛語如是三白已復言唯願說之我等當信受
佛語尒時世尊知諸菩薩三請不止而告
之言汝等諦聽如來秘密神通之力一切世
間天人及阿脩羅皆謂今釋迦牟尼佛出釋
氏宮去伽耶城不遠坐於道場得阿耨多羅
三藐三菩提然善男子我實成佛已來无量
无邊百千万億那由他劫譬如五百千万億
那由他阿僧祇三千大千世界假使有人末
爲微塵過於東方五百千万億那由他阿僧
祇國乃下一塵如是東行盡是微塵諸善男
子於意云何是諸世界可得思惟校計知其
數不彌勒菩薩等俱白佛言世尊是諸世界
无量无邊非筭數所知亦非心力所及一切聲
聞辟支佛以无漏智不能思惟知其限數我
等住阿惟越致地於是事中亦所不達世
尊如是諸世界无量无邊尒時佛告大菩薩
衆諸善男子今當分明宣語汝等是諸世界
若著微塵及不著者盡以爲塵一塵一劫我

聞辟支佛以无漏智不能思惟知其限數我
等住阿惟越致地於是事中亦所不達世
尊如是諸世界无量无邊尒時佛告大菩薩
衆諸善男子今當分明宣語汝等是諸世界
若著微塵及不著者盡以爲塵一塵一劫我
成佛已來復過於此百千万億那由他阿僧
祇劫自從是來我常在此娑婆世界說法教
化亦於餘處百千万億那由他阿僧祇國導
利衆生諸善男子於是中間我說燃燈佛等
又復言其入涅槃如是皆以方便分別諸善
男子若有衆生來至我所我以佛眼觀其
信等諸根利鈍隨所應度處處自說名字不
同年紀大小亦復現言當入涅槃又以種種
方便說微妙法能令衆生發歡喜心諸善男
子如來見諸衆生樂於小法德薄垢重者爲
是人說我少出家得阿耨多羅三藐三菩提
然我實成佛已來久遠若斯但以方便教化
衆生令入佛道作如是說諸善男子如來所
演經典皆爲度脫衆生或說己身或說他身
或示己身或示他身或示己事或示他事諸
所言說皆實不虛所以者何如來如實知見
三界之相无有生死若退若出亦无在世及
滅度者非實非虛非如非異不如三界見於
三界如斯之事如來明見无有錯謬以諸衆
生有種種性種種欲種種行種種憶想分別

滅度者非實非虛非如非異不如三界見於
三界如斯之事如來明見无有錯謬以諸衆
生有種種性種種欲種種行種種憶想分別
故欲令生諸善根以若干因緣譬喻言辭種
種說法所作佛事未曾暫廢如是我成佛已
來甚大久遠壽命无量阿僧祇劫常住不
滅諸善男子我本行菩薩道所成壽命今猶
未盡復倍上數然今非實滅度而便唱言當
取滅度如來以是方便教化衆生所以者何若
佛久住於世薄德之人不種善根貧窮下賤
貪著五欲入於憶想妄見網中若見如來常
在不滅便起憍恣而懷猒怠不能生難遭之
想恭敬之心是故如來以方便說比丘當知
諸佛出世難可值遇所以者何諸薄德人過
无量百千万億劫或有見佛或不見者以此
事故我作是言諸比丘如來難可得見斯衆
生等聞如是語必當生於難遭之想心懷戀
慕渴仰於佛便種善根是故如來雖不實滅
而言滅度又善男子諸佛如來法皆如是為
度衆生皆實不虛譬如良醫智慧聰達明
練方藥善治衆病其人多諸子息若十二十乃
至百數以有事緣遠至餘國諸子於後飲他
毒藥藥發悶亂宛轉于地是時其父還來
歸家諸子飲毒或失本心或不失者遙見其
父皆大歡喜拜跪問訊善安隱歸我等愚癡
誤服毒藥願見救療更賜壽命父見子等苦

毒藥藥發悶亂宛轉于地是時其父還來
歸家諸子飲毒或失本心或不失者遙見其
父皆大歡喜拜跪問訊善安隱歸我等愚癡
誤服毒藥願見救療更賜壽命父見子等苦
惱如是依諸經方求好藥草色香美味皆悉
具足擣篩和合與子令服而作是言此大良藥
色香美味皆悉具足汝等可服速除苦惱无
復衆患其諸子中不失心者見此良藥色香
俱好即便服之病盡除愈餘失心者見其父
來雖亦歡喜問訊求索治病然與其藥而不
肯服所以者何毒氣深入失本心故於此好
色香藥而謂不美父作是念此子可愍為毒
所中心皆顛倒雖見我喜求索救療如是好
藥而不肯服我今當設方便令服此藥即作
是言汝等當知我今衰老死時已至是好良
藥今留在此汝可取服勿憂不差作是教已
復至他國遣使還告汝父已死是時諸子聞
父背喪心大憂惱而作是念若父在者慈愍
我等能見救護今者捨我遠喪他國自惟孤
露无復恃怙常懷悲感心遂醒悟乃知此藥
色香味美即取服之毒病皆愈其父聞子悉已
得差尋便來歸咸使見之諸善男子於意
云何頗有人能說此良醫虛妄罪不不也世
尊佛言我亦如是成佛已來无量无邊百千
万億那由他阿僧祇劫為衆生故以方便力

云何頗有人能說此良醫虛妄罪不不也世
尊佛言我亦如是成佛已來无量无邊百千
万億那由他阿僧祇劫為衆生故以方便力
言當滅度亦无有能如法說我虛妄過者尒
時世尊欲重宣此義而說偈言
自我得佛來　所經諸劫數　无量百千万　億載阿僧祇
常說法教化　无數億衆生　令入於佛道　尒來无量劫
為度衆生故　方便現涅槃　而實不滅度　常住此說法
我常住於此　以諸神通力　令顛倒衆生　雖近而不見
衆見我滅度　廣供養舍利　咸皆懷戀慕　而生渴仰心
衆生既信伏　質直意柔軟　一心欲見佛　不自惜身命
時我及衆僧　俱出靈鷲山　我時語衆生　常在此不滅
以方便力故　現有滅不滅　餘國有衆生　恭敬信樂者
我復於彼中　為說无上法　汝等不聞此　但謂我滅度
我見諸衆生　沒在於苦惱　故不為現身　令其生渴仰
因其心戀慕　乃出為說法　神通力如是　於阿僧祇劫
常在靈鷲山　及餘諸住處　衆生見劫盡　大火所燒時
我此土安隱　天人常充滿　園林諸堂閣　種種寶莊嚴
寶樹多華菓　衆生所遊樂　諸天擊天鼓　常作衆伎樂
雨曼陀羅華　散佛及大衆　我淨土不毀　而衆見燒盡
憂怖諸苦惱　如是悉充滿　是諸罪衆生　以惡業因緣
過阿僧祇劫　不聞三寶名　諸有脩功德　柔和質直者
則皆見我身　在此而說法　或時為此衆　說佛壽无量
久乃見佛者　為說佛難值　我智力如是　慧光照无量
壽命无數劫　久脩業所得　汝等有智者　勿於此生疑
當斷令永盡　佛語實不虛　如醫善方便　為治狂子故

BD00969 號　妙法蓮華經卷五　（29–21）

則皆見我身　在此而說法　或時為此衆　說佛壽无量
久乃見佛者　為說佛難值　我智力如是　慧光照无量
壽命无數劫　久脩業所得　汝等有智者　勿於此生疑
當斷令永盡　佛語實不虛　如醫善方便　為治狂子故
實在而言死　无能說虛妄　我亦為世父　救諸苦患者
為凡夫顛倒　實在而言滅　以常見我故　而生憍恣心
放逸著五欲　墮於惡道中　我常知衆生　行道不行道
隨應所可度　為說種種法　每自作是意　以何令衆生
得入无上道　速成就佛身

妙法蓮華經分別功德品第十七

尒時大會聞佛說壽命劫數長遠如是无量
无邊阿僧祇衆生得大饒益於時世尊告彌
勒菩薩摩訶薩阿逸多我說是如來壽命長
遠時六百八十万億那由他恒河沙衆生得
无生法忍復千倍菩薩摩訶薩得聞持陀羅
尼門復有一世界微塵數菩薩摩訶薩得
樂說无礙辯才復有一世界微塵數菩薩摩訶
薩得百千万億无量旋陀羅尼復有三千大千世
界微塵數菩薩摩訶薩能轉不退法輪復
有二千中國土微塵數菩薩摩訶薩能轉清
淨法輪復有小千國土微塵數菩薩摩訶薩
八生當得阿耨多羅三藐三菩提復有四四
天下微塵數菩薩摩訶薩四生當得阿耨多
羅三藐三菩提復有三四天下微塵數菩薩
摩訶薩三生當得阿耨多羅三藐三菩提復
有二四天下微塵數菩薩摩訶薩二生當得

BD00969 號　妙法蓮華經卷五　（29–22）

羅三藐三菩提復有三四天下微塵數菩薩
摩訶薩三生當得阿耨多羅三藐三菩提復
有二四天下微塵數菩薩摩訶薩二生當得
阿耨多羅三藐三菩提復有一四天下微塵
數菩薩摩訶薩一生當得阿耨多羅三藐三
菩提復有八世界微塵數衆生皆發阿耨多
羅三藐三菩提心佛說是諸菩薩摩訶薩得
大法利時於虛空中雨曼陀羅華摩訶曼陀
羅華以散无量百千万億寶樹下師子座上
諸佛并散七寶塔中師子座上釋迦牟尼
佛及久滅度多寶如來亦散一切諸大菩薩
及四部衆又雨細末栴檀沉水香等於虛空
中天鼓自鳴妙聲深遠又雨千種天衣垂諸
瓔珞真珠瓔珞摩尼珠瓔珞如意珠瓔珞遍
於九方衆寶香爐燒无價香自然周至供養
大會一一佛上有諸菩薩執持幡蓋次第而
上至于梵天是諸菩薩以妙音聲歌无量頌
讚歎諸佛尒時彌勒菩薩從座而起偏袒右
肩合掌向佛而說偈言
佛說希有法　昔所未曾聞　世尊有大力　壽命不可量
无數諸佛子　聞世尊分別　說得法利者　歡喜充遍身
或住不退地　或得陀羅尼　或无礙樂說　万億旋總持
或有大千界　微塵數菩薩　各各皆能轉　不退之法輪
或有中千界　微塵數菩薩　各各皆能轉　清淨之法輪
復有小千界　微塵數菩薩　餘各八生在　當得成佛道

或住不退地　或得陀羅尼　或无礙樂說　万億旋總持
或有大千界　微塵數菩薩　各各皆能轉　不退之法輪
或有中千界　微塵數菩薩　各各皆能轉　清淨之法輪
復有小千界　微塵數菩薩　餘各八生在　當得成佛道
復有四三二　如是四天下　微塵諸菩薩　隨數生成佛
或一四天下　微塵數菩薩　餘有一生在　當成一切智
如是等衆生　聞佛壽長遠　得无量无漏　清淨之果報
復有八世界　微塵數衆生　聞佛說壽命　皆發无上心
世尊說无量　不可思議法　多有所饒益　如虛空无邊
雨天曼陀羅　摩訶曼陀羅　釋梵如恒沙　无數佛土來
雨栴檀沉水　繽紛而亂墜　如鳥飛空下　供散於諸佛
天鼓虛空中　自然出妙聲　天衣千万種　旋轉而來下
衆寶妙香爐　燒无價之香　自然悉周遍　供養諸世尊
其大菩薩衆　執七寶幡蓋　高妙万億種　次第至梵天
一一諸佛前　寶幢懸勝幡　亦以千万偈　歌詠諸如來
如是種種事　昔所未曾有　聞佛壽无量　一切皆歡喜
佛名聞十方　廣饒益衆生　一切具善根　以助无上心
尒時佛告彌勒菩薩摩訶薩阿逸多其有衆
生聞佛壽命長遠如是乃至能生一念信解
所得功德无有限量若有善男子善女人為
阿耨多羅三藐三菩提於八十万億那由他劫
行五波羅蜜檀波羅蜜尸羅波羅蜜羼提
波羅蜜毗梨耶波羅蜜禪波羅蜜除般若波
羅蜜以是功德比前功德百分千分百千分
億分不及其一乃至筭數譬喻所不能知若

行五波羅蜜檀波羅蜜尸羅波羅蜜羼提
波羅蜜毗梨耶波羅蜜禪波羅蜜除般若波
羅蜜以是功德比前功德百分千分百千分
億分不及其一乃至筭數譬喻所不能知若
善男子有如是功德於阿耨多羅三藐三菩
提退者无有是處尒時世尊欲重宣此義
而說偈言
若人求佛慧　於八十万億　那由他劫數　行五波羅蜜
於是諸劫中　布施供養佛　及緣覺弟子　并諸菩薩衆
珎異之飲食　上服與卧具　栴檀立精舍　以園林莊嚴
如是等布施　種種皆微妙　盡此諸劫數　以迴向佛道
若復持禁戒　清淨无缺漏　求於无上道　諸佛之所歎
若復行忍辱　住於調柔地　設衆惡來加　其心不傾動
諸有得法者　懷於增上慢　為此所輕惱　如是亦能忍
若復勤精進　志念常堅固　於无量億劫　一心不懈息
又於无數劫　住於空閑處　若坐若經行　除睡常攝心
以是因緣故　能生諸禪定　八十億万劫　安住心不亂
持此一心福　願求无上道　我得一切智　盡諸禪定際
是人於百千　万億劫數中　行此諸功德　如上之所說
有善男女等　聞我說壽命　乃至一念信　其福過於彼
若人悉无有　一切諸疑悔　深心須臾信　其福為如此
其有諸菩薩　无量劫行道　聞我說壽命　是則能信受
如是諸人等　頂受此經典　願我於未來　長壽度衆生
如今日世尊　諸釋中之王　道場師子吼　說法无所畏
我等未來世　一切所尊敬　坐於道場時　說壽亦如是
若有深心者　清淨而質直　多聞能總持　隨義解佛語

BD00969號　妙法蓮華經卷五　（29–25）

如是諸人等　頂受此經典　願我於未來　長壽度衆生
如今日世尊　諸釋中之王　道場師子吼　說法无所畏
我等未來世　一切所尊敬　坐於道場時　說壽亦如是
若有深心者　清淨而質直　多聞能總持　隨義解佛語
如是諸人等　於此无有疑
又阿逸多若有聞佛壽命長遠解其言趣是
人所得功德无有限量能起如來无上之慧何
況廣聞是經若教人聞若自持若教人持
若自書若教人書若以華香瓔珞幢幡繒蓋
香油蘇燈供養經卷是人功德无量无邊能
生一切種智阿逸多若善男子善女人聞我
說壽命長遠深心信解則為見佛常在耆闍
崛山共大菩薩諸聲聞衆圍繞說法又見此
娑婆世界其地瑠璃坦然平正閻浮檀金以
界八道寶樹行列諸臺樓觀皆悉寶成其菩
薩衆咸處其中若有能如是觀者當知是為
深信解相又復如來滅後若聞是經而不毀
呰起隨喜心當知已為深信解相何況讀誦
受持之者斯人則為頂戴如來阿逸多是
善男子善女人不須為我復起塔寺及作僧
坊以四事供養衆僧所以者何是善男子善女
人受持讀誦是經典者為已起塔造立僧坊
供養衆僧則為以佛舍利起七寶塔高廣漸
小至于梵天懸諸幡蓋及衆寶鈴華香瓔珞
末香塗香燒香衆鼓伎樂簫笛箜篌種種儛
戲以妙音聲歌唄讚頌則為於无量千万億
劫作是供養已阿逸多若我滅後聞是經典

BD00969號　妙法蓮華經卷五　（29–26）

小至于梵天懸諸幡蓋及衆寶鈴華香瓔珞
末香塗香燒香衆鼓伎樂簫笛箜篌種種儛
戲以妙音聲歌唄讚頌則為於无量千万億
劫作是供養已阿逸多若我滅後聞是經典
有能受持若自書若教人書則為起立僧坊
以赤栴檀作諸殿堂三十有二高八多羅樹
高廣嚴好百千比丘於其中止園林浴池經
行禪窟衣服飲食床褥湯藥一切樂具充滿
其中如是僧坊堂閣若干百千万億其數无
量以此現前供養於我及比丘僧是故我說
如來滅後若有受持讀誦為他人說若自書
若教人書供養經卷不須復起塔寺及造僧
坊供養衆僧況復有人能持是經兼行布施
持戒忍辱精進一心智慧其德最勝无量无
邊譬如虛空東西南北四維上下无量无邊
是人功德亦復如是无量无邊疾至一切種智
若人讀誦受持是經為他人說若自書若
教人書復能起塔及造僧坊供養讚歎聲
聞僧亦以百千万億讚歎之法讚歎菩薩功
德又為他人種種因緣隨義解說此法華經
復能清淨持戒與柔和者而共同止忍辱无
瞋志念堅固常貴坐禪得諸深定精進勇猛
攝諸善法利根智慧善答問難阿逸多若我
滅後諸善男子善女人受持讀誦是經典者
復有如是諸善功德當知是人已趣道場近
阿耨多羅三藐三菩提坐道樹下阿逸多是
善男子善女人若坐若立若行處此中便應起塔一

滅後諸善男子善女人受持讀誦是經典者
復有如是諸善功德當知是人已趣道場近
阿耨多羅三藐三菩提坐道樹下阿逸多是
善男子善女人若坐若立若行處此中便應起塔一
切天人皆應供養如佛之塔介時世尊欲重
宣此義而說偈言
若我滅度後　能奉持此經　斯人福无量　如上之所說
是則為具足　一切諸供養　以舍利起塔　七寶而莊嚴
表刹甚高廣　漸小至梵天　寶鈴千万億　風動出妙音
又於无量劫　而供養此塔　華香諸瓔珞　天衣衆伎樂
然香油蘇燈　周匝常照明　惡世法末時　能持是經者
則為已如上　具足諸供養　若能持此經　則如佛現在
以牛頭栴檀　起僧坊供養　堂有三十二　高八多羅樹
上饌妙衣服　床臥皆具足　百千衆住處　園林諸流池
經行及禪窟　種種皆嚴好　若有信解心　受持讀誦書
若復教人書　及供養經卷　散華香末香　以須曼瞻蔔
阿提目多加　薰油常然之　如是供養者　得无量功德
如虛空无邊　其福亦如是　況復持此經　兼布施持戒
忍辱樂禪定　不瞋不惡口　恭敬於塔廟　謙下諸比丘
遠離自高心　常思惟智慧　有問難不瞋　隨順為解說
若能行是行　功德不可量　若見此法師　成就如是德
應以天華散　天衣覆其身　頭面接足禮　生心如佛想
又應作是念　不久詣道樹　得无漏无為　廣利諸人天
其所住止處　經行若坐臥　乃至說一偈　是中應起塔
莊嚴令妙好　種種以供養　佛子住此地　則是佛受用
常在於其中　經行及坐臥

經行及禪窟　種種皆嚴好　若有信解心　受持讀誦書
若復教人書　及供養經卷　散華香末香　以須曼瞻蔔
阿提目多伽　薰油常然之　如是供養者　得无量功德
如虛空无邊　其福亦如是　況復持此經　兼布施持戒
忍辱樂禪定　不瞋不惡口　恭敬於塔廟　謙下諸比丘
遠離自高心　常思惟智慧　有問難不瞋　隨順為解說
若能行是行　功德不可量　若見此法師　成就如是德
應以天華散　天衣覆其身　頭面接足禮　生心如佛想
又應作是念　不久詣道樹　得无漏无為　廣利諸人天
其所住止處　經行若坐臥　乃至說一偈　是中應起塔
莊嚴令妙好　種種以供養　佛子住此地　則是佛受用
常在於其中　經行及坐臥

妙法蓮華經卷第五

BD00969號　妙法蓮華經卷五　（29–29）

讚僧功德經　詞辯菩薩譯
阿含經中略集出　歎大德僧聽我說
世尊出廣長舌相　以大梵音讚僧寶
如地堅牢承萬物　住持有情非情類
我求法中出家人　常住僧寶亦如是
諸願擔重不退者　志求菩提證妙果
於濁苦惡世界中　常在如來清淨眾
僧中或有求四果　或以證果在僧中
此等八輩諸上人　和合僧中常不斷
或有頭陀行乞食　或有山間樂寂靜
乃至於微細戒中　不犯如來嚴命教
或有深廣學智慧　或有息慮習諸禪
並皆集在僧眾中　猶如百川歸大海

BD00970號　讚僧功德經　（7–1）

或有頭陀行乞食　或有山閑樂寂靜
乃至於微細戒中　不犯如來嚴命教
或有深廣學智慧　或有息慮習諸禪
並皆集在僧衆中　猶如百川歸大海
殊勝妙寶大德僧　長養衆生功德種
能與人天勝果者　无過佛法僧寶衆
善心僧中施掬水　獲福多於大海量
微塵尚可有算數　僧中施報无有盡
若人當來求遠離　越於生死貧窮河
應當速疾志誠心　於僧寶中豎因果
於此衆妙良福田　若有種植功德子
當來收獲无邊畔　由如雲中含大雨
施者不等量受者　平等奉施无二心
是人方可能堪任　受人天中勝妙果
无量功德具莊嚴　大悲世尊弟子衆
凡人肉眼難分別　由如灰覆於火上
或有外現犯戒相　內秘无量諸功德
應當信順崇重之　聖賢凡愚不可測
或有外現具威儀　或示未能捨貪欲
外相人觀謂凡夫　不妨內即是其聖
由如四種菴羅果　生熟難分不可別
如來弟子亦如是　有戒无戒亦難辯
是故殷勤歡諸人　不聽毀罵僧寶衆
若欲不沉淪苦海　常當敬重植良田
若欲天中受樂者　亦當供養苾芻僧

BD00970 號　讚僧功德經　（7–2）

由如四種菴羅果　生熟難分不可別
如來弟子亦如是　有戒无戒亦難辯
是故殷勤歡諸人　不聽毀罵僧寶衆
若欲不沉淪苦海　常當敬重植良田
若欲天中受樂者　亦當供養苾芻僧
勿以凡夫下劣心　分別如來弟子衆
若有清信士女等　能於一念生信心
平等供養苾芻僧　是人獲得无量報
若於僧中起耶見　當來定墮三惡道
世尊親自以梵音　金口弘宣誠不妄
寧以利刀割其舌　或以鉆杵碎其身
不應一念嗔恚心　謗毀如來淨僧衆
寧以吞於熱鐵丸　寧使口中出猛燄
不應戲論以一言　毀罵出家清淨衆
寧以利刀自屠割　殘害支節毀肌膚
不應戲笑調凡愚　何況打罵苾芻衆
寧以自手挑兩目　寧於多劫受生盲
其於習行離欲人　不應惡眼而瞻視
寧毀精舍及制多　寧焚七寶舍利塔
勿於僧中出惡言　誹謗如來清淨衆
毀塔之人自墮落　經无量劫受諸苦
好說衆僧短長者　自墮亦引无量衆
是故智者善思量　勿於僧中起輕慢
善自防護口業非　莫談此持彼犯戒
若一惡言罵沙門　當墮泥犁受衆苦
從地獄出得人身　即招聾盲瘖瘂報

BD00970 號　讚僧功德經　（7–3）

是故智者善思量　多於僧中起輕慢
善自防護口業非　莫謗此持彼犯戒
若一惡言罵沙門　當墮泥犁受衆苦
從地獄出得人身　即招聾盲瘖瘂報
世間多有愚癡人　謗說僧尼諸過惡
因茲墮落惡道中　永劫沉淪沒苦海
大悲世尊禮大衆　尊敬和合大德僧
諸佛尚自致殷懃　何況凡夫輕慢衆
世間多有信心人　業重世尊弟子者
聞說三寶經長時　忍於僧中起邪見
因此退敗諸善人　致壞如來清淨衆
不見賢劫千世尊　是故智者應思忖
昔有俱迦離苾芻　以一惡言罵僧衆
猶落鉢頭摩地獄　舌被犁耕數万段
亦有迦葉佛弟子　謗毀无量世間人
采斯惡業捨殘刑　還受耕舌地獄苦
沙門懷忿毀諸人　尚招无量口業報
何況无戒白衣人　罵僧必墮惡道者
是故智人不應罵　乃至草木博凡等
況毀清淨出家人　習行離欲善法者
縱使猛火燒心　點汙尸羅清淨戒
不久速能自摧除　還入如來聖衆位
如人暫迷失其道　有目還能尋本路
苾芻雖犯世間禁　雖然暫犯還能拭
如人平地蹶腳時　有足還能而速起
苾芻雖暫缺尸羅　雖犯不久還能補

BD00970號　讚僧功德經　（7–4）

如人暫迷失其道　有目還能尋本路
苾芻雖犯世間禁　雖然暫犯還能拭
如人平地蹶腳時　有足還能而速起
苾芻雖暫缺尸羅　雖犯不久還能補
猶如世間金寶器　雖破其價一種貴
木器縱然全不漏　可不比於破寶器
破禁苾芻雖无戒　初心家出功德勝
百千万億白衣人　功德縱多不及彼
出家弟子能堪任　繼嗣如來末代法
万億无量在俗人　不能須臾弘聖教
寧下犯禁破戒僧　供養由獲万億報
是故世尊讚勝因　天上人中受尊貴
是故殷勤勸諸人　勿毀如來僧寶衆
今生習惡因緣故　當來業成亦毀佛
緣茲身口意業交　永斷世間人天種
當墮三塗惡道中　億劫沉淪无休息
若於清衆起正信　无有毀謗名僧罪
常能防護口業過　不謗如來僧寶衆
若人於僧有罵罪　應須志誠速求懺
於僧勿起憍慢心　來生受苦必當悔
如、剎那有功德　其福不容於大地
何況經月累歲年　堅持如來嚴禁戒
是人持戒功德報　佛於一劫說不盡
況餘凡俗知其邊　福等虛空无有量
當知功德廣莊嚴　釋迦如來僧寶衆

BD00970號　讚僧功德經　（7–5）

況餘凡俗知其邊　福等虛空无有量
當知功德廣莊嚴　釋迦如來僧寶衆
是故不聽在家者　毀辱打罵出家僧
縱見沙門犯戒時　當寬其意勿嫌毀
如入芳藂採妙華　不應摘選枯枝葉
廣大清淨佛法海　多有持戒精脩者
其中縱有犯威儀　白衣不應生毀謗
譬如田中新苗稼　於中亦有稗莠草
應可一種敬良田　不應揀選生分別
是以世尊制諸人　不聽毀謗沙門衆
唯當尊重生敬心　同此受勝諸天衆
佛日滅沒雖久遠　僧寶連暉傳法燈
由如龍王降甘雨　大地萌芽普合潤
和合僧寶亦如是　雨於如來妙法雨
潤滋枯渇諸群生　長養善芽功德種
於多劫中宿植因　得為如來弟子衆
處在賢聖法海中　飲妙解脫甘露味
住持世尊末代教　流化十方諸國土
利益一切諸衆生　令佛法輪恒不絶
佛法久後滅沒時　伽藍精舍毀成聚
龕塔尊像併荒良　設欲供養難可得
譬畫僧形不可見　何況得聞於正法
人身難得生人中　佛法難聞今已遇
如何於妙良福田　不種當來功德種
冥路懸不可達　當辦資粮備前所
善福田中不種植　當來險路乏資粮

潤滋枯渇諸群生　長養善芽功德種
於多劫中宿植因　得為如來弟子衆
處在賢聖法海中　飲妙解脫甘露味
住持世尊末代教　流化十方諸國土
利益一切諸衆生　令佛法輪恒不絶
佛法久後滅沒時　伽藍精舍毀成聚
龕塔尊像併荒良　設欲供養難可得
譬畫僧形不可見　何況得聞於正法
人身難得生人中　佛法難聞今已遇
如何於妙良福田　不種當來功德種
冥路懸不可達　當辦資粮備前所
善福田中不種植　當來險路乏資粮
是故諸人應善思　聞經僧中應惠施
依經我略讚僧寶　功德无量遍盡空
迴施一切諸群生　願共當來值弥勒

讚僧功德經

乃至五百人止住其
落柱根腐敗梁棟傾危
周帀俱時欻然火起焚燒舍宅長者諸子若
十二十或至三十在此宅中長者見是大火
從四面起即大驚怖而作是念我雖能於此
所燒之門安隱得出而諸子等於火宅內樂
著嬉戲不覺不知不驚不怖火來逼身苦痛
切己心不猒患无求出意舍利弗是長者作
是思惟我身手有力當以衣裓若以几案從
舍出之復更思惟是舍唯有一門而復狹小
諸子幼稚未有所識戀著戲處或當墮落為
火所燒我當為說怖畏之事此舍已燒宜時
疾出无令為火之所燒害作是念已如所思
惟具告諸子汝等速出父雖憐愍善言誘喻
而諸子等樂著嬉戲不肯信受不驚不畏了
无出心亦復不知何者是火何者為舍云何
[illegible]

BD00971號　妙法蓮華經卷二　（22–1）

[illegible]
惟具告諸子汝等速出父雖憐愍善言誘喻
而諸子等樂著嬉戲不肯信受不驚不畏了
无出心亦復不知何者是火何者為舍云何
為失但東西走戲視父而已尒時長者即作
是念此舍已為大火所燒我及諸子若不時
出必為所焚我今當設方便令諸子等得免
斯害父知諸子先心各有所好種種珍玩奇異
之物情必樂著而告之言汝等所可玩好希有
難得汝若不取後必憂悔如此種種羊車鹿
車牛車今在門外可以遊戲汝等於此火宅
宜速出來隨汝所欲皆當與汝尒時諸子聞
父所說珍玩之物適其願故心各勇銳互
相推排競共馳走爭出火宅是時長者見
諸子等安隱得出皆於四衢道中露地而坐
无復障礙其心泰然歡喜踊躍時諸子等各
白父言父先所許玩好之具羊車鹿車牛車
願時賜與舍利弗尒時長者各賜諸子等一
大車其車高廣眾寶莊校周帀欄楯四面懸
鈴又於其上張設幰蓋亦以珍奇雜寶而嚴
飾之寶繩交絡垂諸華瓔重敷綩綖安置丹
枕駕以白牛膚色充潔形體姝好有大筋力
行步平正其疾如風又多僕從而侍衛之所
以者何是大長者財富无量種種諸藏悉皆
充溢而作是念我財物无極不應以下劣小
車與諸子等今此幼童皆是吾子愛无偏黨
我有如是七寶大車其數无量應當等心各
各與之不宜差別所以者何以我此物周給

BD00971號　妙法蓮華經卷二　（22–2）

以者何是大長者財富无量種種諸藏悉皆
充溢而作是念我財物无極不應以下劣小
車與諸子等今此幼童皆是吾子愛无偏黨
我有如是七寶大車其數无量應當等心各
各與之不宜差別所以者何以我此物周給
一國猶尚不匱何況諸子是時諸子各乘大
車得未曾有非本所望舍利弗於汝意云何
是長者等與諸子珎寶大車寧有虛妄不舍
利弗言不也世尊是長者但令諸子得免火
難全其軀命非為虛妄何以故若全身命便
為已得玩好之具況復方便於彼火宅而拔濟
之世尊若是長者乃至不與最小一車猶不
虛妄何以故是長者先作是意我以方便令
子得出以是因緣无虛妄也何況長者自知財
富无量欲饒益諸子等與大車佛告舍利
弗善哉善哉如汝所言舍利弗如來亦復如
是則為一切世間之父於諸怖畏衰惱憂
患无明暗蔽永盡无餘而悉成就无量知見
力无所畏有大神力及智慧力具足方便智
慧波羅蜜大慈大悲常无懈惓恒求善事利
益一切而生三界朽故火宅為度衆生生老
病死憂悲苦惱愚癡暗蔽三毒之火教化令
得阿耨多羅三藐三菩提見諸衆生為生老
病死憂悲苦惱之所燒煮亦以五欲財利故
受種種苦又以貪著追求故現受衆苦後受
地獄畜生餓鬼之苦若生天上及在人間貧
窮困苦愛別離苦怨憎會苦如是等種種諸

BD00971號　妙法蓮華經卷二　（22–3）

病死憂悲苦惱之所燒煮亦以五欲財利故
受種種苦又以貪著追求故現受衆苦後受
地獄畜生餓鬼之苦若生天上及在人間貧
窮困苦愛別離苦怨憎會苦如是等種種諸
苦衆生沒在其中歡喜遊戲不覺不知不驚
不怖亦不生猒不求解脫於此三界火宅東
西馳走雖遭大苦不以為患舍利弗佛見此
已便作是念我為衆生之父應拔其苦難與
无量无邊佛智慧樂令其遊戲舍利弗如來
復作是念若我但以神力及智慧力捨於方
便為諸衆生讚如來知見力无所畏者衆生
不能以是得度所以者何是諸衆生未免生
老病死憂悲苦惱而為三界火宅所燒何由
能解佛之智慧舍利弗如彼長者雖復身手
有力而不用之但以慇懃方便免濟諸子火
宅之難然後各與珎寶大車如來亦復如是
雖有力无所畏而不用之但以智慧方便於
三界火宅拔濟衆生為說三乘聲聞辟支佛
佛乘而作是言汝等莫得樂住三界火宅勿
貪麁弊色聲香味觸也若貪著生愛則為所
燒汝速出三界當得三乘聲聞辟支佛佛乘
我今為汝保任此事終不虛也汝等但當勤
脩精進如來以是方便誘進衆生復作是言
汝等當知此三乘法皆是聖所稱歎自在无
繫无所依求乘是三乘以无漏根力覺道禪
定解脫三昧等而自娛樂便得无量安隱快
樂舍利弗若有衆生內有智性從佛世尊聞

BD00971號　妙法蓮華經卷二　（22–4）

繫无所依求乘是三乘以无漏根力覺道禪
定解脫三昧等而自娛樂便得无量安隱快
樂舍利弗若有衆生内有智性從佛世尊聞
法信受慇懃精進欲速出三界自求涅槃是
名聲聞乘如彼諸子為求羊車出於火宅若
有衆生從佛世尊聞法信受慇懃精進求自
然慧樂獨善寂深知諸法因緣是名辟支佛
乘如彼諸子為求鹿車出於火宅若有衆生
從佛世尊聞法信受勤脩精進求一切智佛
智自然智无師智如來知見力无所畏愍念安
樂无量衆生利益天人度脫一切是名大乘
菩薩求此乘故名為摩訶薩如彼諸子為
求牛車出於火宅舍利弗如彼長者見諸子
等安隱得出火宅到无畏處自惟財富无量
等以大車而賜諸子如來亦復如是為一切
衆生之父若見无量億千衆生以佛教門出
三界苦怖畏險道得涅槃樂如來尒時便作
是念我有无量无邊智慧力无畏等諸佛法
藏是諸衆生皆是我子等與大乘不令有人
獨得滅度皆以如來滅度而滅度之是諸衆
生脫三界者悉與諸佛禪定解脫等娛樂之
具皆是一相一種聖所稱歎能生淨妙第一
之樂舍利弗如彼長者初以三車誘引諸子
然後但與大車寶物莊嚴安隱第一然彼長
者无虛妄之咎如來亦復如是无有虛妄初
說三乘引導衆生然後但以大乘而度脫之

BD00971號　妙法蓮華經卷二　（22–5）

者无虛妄之咎如來亦復如是无有虛妄初
說三乘引導衆生然後但以大乘而度脫之
何以故如來有无量智慧力无所畏諸法之
藏能與一切衆生大乘之法但不盡能受舍
利弗以是因緣當知諸佛方便力故於一佛乘
分別說三佛欲重宣此義而說偈言
譬如長者　有一大宅　其宅久故　而復頓弊
堂舍高危　柱根摧朽　梁棟傾斜　基陛頹毀
牆壁圮坼　泥塗褫落　覆苫亂墜　椽梠差脫
周障屈曲　雜穢充遍　有五百人　止住其中
鵄梟鵰鷲　烏鵲鳩鴿　蚖蛇蝮蝎　蜈蚣蚰蜒
守宮百足　狖狸鼷鼠　諸惡虫輩　交橫馳走
屎尿臭處　不淨流溢　蜣蜋諸虫　而集其上
狐狼野干　咀嚼踐蹋　嚌齧死屍　骨肉狼藉
由是群狗　競來摶撮　飢羸慞惶　處處求食
鬪諍摣掣　啀喍嘷吠　其舍恐怖　變狀如是
處處皆有　魑魅魍魎　夜叉惡鬼　食噉人肉
毒虫之屬　諸惡禽獸　孚乳產生　各自藏護
夜叉競來　爭取食之　食之既飽　惡心轉熾
鬪諍之聲　甚可怖畏　鳩槃荼鬼　蹲踞土埵
或時離地　一尺二尺　往返遊行　縱逸嬉戲
捉狗兩足　撲令失聲　以腳加頸　怖狗自樂
復有諸鬼　其身長大　裸形黑瘦　常住其中
發大惡聲　叫呼求食　復有諸鬼　其咽如針
復有諸鬼　首如牛頭　或食人肉　或復噉狗
頭髮蓬亂　殘害凶險　飢渴所逼　叫喚馳走
叉餓鬼　諸惡鳥獸　飢急四向　窺看窗牖

BD00971號　妙法蓮華經卷二　（22–6）

發大惡聲　叫呼求食　復有諸鬼　其咽如針
復有諸鬼　首如牛頭　或食人肉　或復噉狗
頭髮蓬亂　殘害凶險　飢渴所逼　叫喚馳走
夜叉餓鬼　諸惡鳥獸　飢急四向　窺看窗牖
如是諸難　恐畏無量　是朽故宅　屬于一人
其人近出　未久之間　於後舍宅　欻然火起
四面一時　其焰俱熾　棟梁椽柱　爆聲震裂
摧折墮落　牆壁崩倒　諸鬼神等　揚聲大叫
鵰鷲諸鳥　鳩槃荼等　周章惶怖　不能自出
惡獸毒虫　藏竄孔穴　毗舍闍鬼　亦住其中
薄福德故　為火所逼　共相殘害　飲血噉肉
野干之屬　並已前死　諸大惡獸　競來食噉
臭烟烽㶿　四面充塞　蜈蚣蚰蜒　毒蛇之類
為火所燒　爭走出穴　鳩槃荼鬼　隨取而食
又諸餓鬼　頭上火燃　飢渴熱惱　周章悶走
其宅如是　甚可怖畏　毒害火災　眾難非一
是時宅主　在門外立　聞有人言　汝諸子等
先因遊戲　來入此宅　稚小無知　歡娛樂著
長者聞已　驚入火宅　方宜救濟　令無燒害
告喻諸子　說眾患難　惡鬼毒虫　災火蔓莚
眾苦次第　相續不絕　毒蛇蚖蝮　及諸夜叉
鳩槃荼鬼　野干狐狗　鵰鷲鵄梟　百足之屬
飢渴惱急　甚可怖畏　此苦難處　況復大火
諸子無知　雖聞父誨　猶故樂著　嬉戲不已
是時長者　而作是念　諸子如此　益我愁惱
今此舍宅　無一可樂　而諸子等　耽湎嬉戲

BD00971號　妙法蓮華經卷二　（22–7）

飢渴惱急　甚可怖畏　此苦難處　況復大火
諸子無知　雖聞父誨　猶故樂著　嬉戲不已
是時長者　而作是念　諸子如此　益我愁惱
今此舍宅　無一可樂　而諸子等　耽湎嬉戲
不受我教　將為火害　即便思惟　設諸方便
告諸子等　我有種種　珍玩之具　妙寶好車
羊車鹿車　大牛之車　今在門外　汝等出來
吾為汝等　造作此車　隨意所樂　可以遊戲
諸子聞說　如此諸車　即時奔競　馳走而出
到於空地　離諸苦難　長者見子　得出火宅
住於四衢　坐師子座　而自慶言　我今快樂
此諸子等　生育甚難　愚小無知　而入險宅
多諸毒虫　魑魅可畏　大火猛焰　四面俱起
而此諸子　貪樂嬉戲　我已救之　令得脫難
是故諸人　我今快樂　爾時諸子　知父安坐
皆詣父所　而白父言　願賜我等　三種寶車
如前所許　諸子出來　當以三車　隨汝所欲
今正是時　唯垂給與　長者大富　庫藏眾多
金銀琉璃　車𤦲馬瑙　以眾寶物　造諸大車
莊校嚴飾　周帀欄楯　四面懸鈴　金繩交絡
真珠羅網　張施其上　金華諸瓔　處處垂下
眾綵雜飾　周帀圍繞　柔軟繒纊　以為茵蓐
上妙細㲲　價直千億　鮮白淨潔　以覆其上
有大白牛　肥壯多力　形體姝好　以駕寶車
多諸儐從　而侍衛之　以是妙車　等賜諸子
諸子是時　歡喜踊躍　乘是寶車　遊於四方
嬉戲快樂　自在無礙　告舍利弗　我亦如是

BD00971號　妙法蓮華經卷二　（22–8）

多諸儐從　而侍衛之　以是妙車　等賜諸子
諸子是時　歡喜踊躍　乘是寶車　遊於四方
嬉戲快樂　自在无礙　告舍利弗　我亦如是
衆聖中尊　世間之父　一切衆生　皆是吾子
深著世樂　无有慧心　三界无安　猶如火宅
衆苦充滿　甚可怖畏　常有生老　病死憂患
如是等火　熾然不息　如來已離　三界火宅
寂然閑居　安處林野　今此三界　皆是我有
其中衆生　悉是吾子　而今此處　多諸患難
唯我一人　能為救護　雖復教詔　而不信受
於諸欲染　貪著深故　是以方便　為說三乘
令諸衆生　知三界苦　開示演說　出世間道
是諸子等　若心決定　具足三明　及六神通
有得緣覺　不退菩薩　汝舍利弗　我為衆生
以此譬喻　說一佛乘　汝等若能　信受是語
一切皆當　得成佛道　是乘微妙　清淨第一
於諸世間　為无有上　佛所悅可　一切衆生
所應稱讚　供養礼拜　无量億千　諸力解脫
禪定智慧　及佛餘法　得如是乘　令諸子等
日夜劫數　常得遊戲　與諸菩薩　及聲聞衆
乘此寶乘　直至道場　以是因緣　十方諦求
更无餘乘　除佛方便　告舍利弗　汝諸人等
皆是吾子　我則是父　汝等累劫　衆苦所燒
我皆濟拔　令出三界　我雖先說　汝等滅度
但盡生死　而實不滅　今所應作　唯佛智慧
若有菩薩　於是衆中　能一心聽　諸佛實法
諸佛世尊　雖以方便　所化衆生　皆是菩薩
若人小智　深著愛欲　為此等故　說於苦諦

BD00971號　妙法蓮華經卷二　（22–9）

但盡生死　而實不滅　今所應作　唯佛智慧
若有菩薩　於是衆中　能一心聽　諸佛實法
諸佛世尊　雖以方便　所化衆生　皆是菩薩
若人小智　深著愛欲　為此等故　說於苦諦
衆生心喜　得未曾有　佛說苦諦　真實无異
若有衆生　不知苦本　深著苦因　不能暫捨
為是等故　方便說道　諸苦所因　貪欲為本
若滅貪欲　无所依止　滅盡諸苦　名第三諦
為滅諦故　脩行於道　離諸苦縛　名得解脫
是人於何　而得解脫　但離虛妄　名為解脫
其實未得　一切解脫　佛說是人　未實滅度
斯人未得　无上道故　我意不欲　令至滅度
我為法王　於法自在　安隱衆生　故現於世
汝舍利弗　我此法印　為欲利益　世間故說
在所遊方　勿妄宣傳　若有聞者　隨喜頂受
當知是人　阿鞞跋致　若有信受　此經法者
是人已曾　見過去佛　恭敬供養　亦聞是法
若人有能　信汝所說　則為見我　亦見於汝
及比丘僧　并諸菩薩　斯法華經　為深智說
淺識聞之　迷惑不解　一切聲聞　及辟支佛
於此經中　力所不及　汝舍利弗　尚於此經
以信得入　況餘聲聞　其餘聲聞　信佛語故
隨順此經　非己智分　又舍利弗　憍慢懈怠
計我見者　莫說此經　凡夫淺識　深著五欲
聞不能解　亦勿為說　若人不信　毀謗此經
則斷一切　世間佛種　或復顰蹙　而懷疑惑
汝當聽說　此人罪報　若佛在世　若滅度後

BD00971號　妙法蓮華經卷二　（22–10）

言我見者 莫說此經 凡夫淺識 深著五欲
聞不能解 亦勿為說 若人不信 毀謗此經
則斷一切 世間佛種 或復嚬蹙 而懷疑惑
汝當聽說 此人罪報 若佛在世 若滅度後
其有誹謗 如斯經典 見有讀誦 書持經者
輕賤憎嫉 而懷結恨 此人罪報 汝今復聽
其人命終 入阿鼻獄 具足一劫 劫盡更生
如是展轉 至无數劫 從地獄出 當墮畜生
若狗野干 其形頓瘦 黧黮疥癩 人所觸嬈
又復為人 之所惡賤 常困飢渴 骨肉枯竭
生受楚毒 死被瓦石 斷佛種故 受斯罪報
若作駱駝 或生驢中 身常負重 加諸杖捶
但念水草 餘无所知 謗斯經故 獲罪如是
有作野干 來入聚落 身體疥癩 又无一目
為諸童子 之所打擲 受諸苦痛 或時到死
於此死已 更受蟒身 其形長大 五百由旬
聾騃无足 宛轉腹行 為諸小虫 之所唼食
晝夜受苦 无有休息 謗斯經故 獲罪如是
若得為人 諸根闇鈍 矬陋攣躄 盲聾背傴
有所言說 人不信受 口氣常臭 鬼魅所著
貧窮下賤 為人所使 多病痟瘦 无所依怙
雖親附人 人不在意 若有所得 尋復忘失
若脩醫道 順方治病 更增他疾 或復到死
若自有病 无人救療 設服良藥 而復增劇
若他反逆 抄劫竊盜 如是等罪 橫羅其殃
如斯罪人 永不見佛 衆聖之王 說法教化
如斯罪人 常生難處 狂聾心亂 永不聞法
於无數劫 如恒河沙 生輒聾瘂 諸根不具

如斯罪人 永不見佛 衆聖之王 說法教化
如斯罪人 常生難處 狂聾心亂 永不聞法
於无數劫 如恒河沙 生輒聾瘂 諸根不具
常處地獄 如遊園觀 在餘惡道 如己舍宅
駝驢猪狗 是其行處 謗斯經故 獲罪如是
若得為人 聾盲瘖瘂 貧窮諸衰 以自莊嚴
水腫乾痟 疥癩癰疽 如是等病 以為衣服
身常臭處 垢穢不淨 深著我見 增益瞋恚
婬欲熾盛 不擇禽獸 謗斯經故 獲罪如是
告舍利弗 謗斯經者 若說其罪 窮劫不盡
以是因緣 我故語汝 无智人中 莫說此經
若有利根 智慧明了 多聞強識 求佛道者
如是之人 乃可為說 若人曾見 億百千佛
殖諸善本 深心堅固 如是之人 乃可為說
若人精進 常脩慈心 不惜身命 乃可為說
若人恭敬 无有異心 離諸凡愚 獨處山澤
如是之人 乃可為說 又舍利弗 若見有人
捨惡知識 親近善友 如是之人 乃可為說
若見佛子 持戒清潔 如淨明珠 求大乘經
如是之人 乃可為說 若人无瞋 質直柔軟
常愍一切 恭敬諸佛 如是之人 乃可為說
復有佛子 於大衆中 以清淨心 種種因緣
譬喻言辭 說法无礙 如是之人 乃可為說
若有比丘 為一切智 四方求法 合掌頂受
但樂受持 大乘經典 乃至不受 餘經一偈
如是之人 乃可為說 如人至心 求佛舍利
如是求經 得已頂受 其人不復 志求餘經

佀等受持大乘經典乃至不受餘經一偈
如是之人　乃可為說　如人至心　求佛舍利
如是求經　得已頂受　其人不復　志求餘經
亦未曾念　外道典籍　如是之人　乃可為說
告舍利弗　我說是相　求佛道者　窮劫不盡
如是等人　則能信解　汝當為說　妙法華經

妙法蓮華經信解品第四

尒時慧命須菩提摩訶迦栴延摩訶迦葉摩訶目揵連從佛所聞未曾有法世尊授舍利弗阿耨多羅三藐三菩提記發希有心歡喜踊躍即從座起整衣服偏袒右肩右膝著地一心合掌曲躬恭敬瞻仰尊顏而白佛言我等居僧之首年並朽邁自謂已得涅槃无所堪任不復進求阿耨多羅三藐三菩提世尊往昔說法既久我時在座身體疲懈但念空无相无作於菩薩法遊戲神通淨佛國土成就衆生心不喜樂所以者何世尊令我等出於三界得涅槃證又今我等年已朽邁於佛教化菩薩阿耨多羅三藐三菩提不生一念好樂之心我等今於佛前聞授聲聞阿耨多羅三藐三菩提記心甚歡喜得未曾有不謂於今忽然得聞希有之法深自慶幸獲大善利无量珎寶不求自得世尊我等今者樂說譬喻以明斯義譬若有人年既幼稚捨父逃逝久住他國或十二十至五十歲年既長大加復窮困馳騁四方以求衣食漸漸遊行遇向本國其父先來求子不得中止一城其家

逝久住他國或十二十至五十歲年既長大加復窮困馳騁四方以求衣食漸漸遊行遇向本國其父先來求子不得中止一城其家大富財寶无量金銀琉璃珊瑚虎珀頗梨珠等其諸倉庫悉皆盈溢多有僮僕臣佐吏民象馬車乘牛羊无數出入息利乃遍他國商估賈客亦甚衆多時貧窮子遊諸聚落經歷邑遂到其父所止之城父每念子與子離別五十餘年而未曾向人說如此事但自思惟心懷悔恨自念老朽多有財物金銀珎寶倉庫盈溢无有子息一旦終沒財物散失无所委付是以慇懃每憶其子復作是念我若得子委付財物坦然快樂无復憂慮世尊尒時窮子傭賃展轉遇到父舍住立門側遙見其父踞師子床寶几承足諸婆羅門剎利居士皆恭敬圍繞以真珠瓔珞價直千万莊嚴其身吏民僮僕手執白拂侍立左右覆以寶帳垂諸華幡香水灑地散衆名華羅列寶物出內取與有如是等種種嚴飾威德特尊窮子見父有大力勢即懷恐怖悔來至此竊作是念此或是王或是王等非我傭力得物之處不如往至貧里肆力有地衣食易得若久住此或見逼迫強使我作作是念已疾走而去時富長者於師子座見子便識心大歡喜即作是念我財物庫藏今有所付我常思念此子无由見之而忽自來甚適我願我雖年朽猶故貪惜即遣傍人急追將還尒時使者

即作是念我財物庫藏今有所付我常思念
此子无由見之而忽自來甚適我願我雖年
朽猶故貪惜即遣傍人急追將還尒時使者
疾走往捉窮子驚愕稱怨大喚我不相犯何
為見捉使者執之愈急强牽將還于時窮子
自念无罪而被囚執此必定死轉更惶怖悶
絶躃地父遥見之而語使言不須此人勿强
將來以冷水灑面令得醒悟莫復與語所以
者何父知其子志意下劣自知豪貴為子所
難審知是子而以方便不語他人云是我子使
者語之我今放汝隨意所趣窮子歡喜得
未曾有從地而起往至貧里以求衣食尒時
長者將欲誘引其子而設方便密遣二人形
色憔悴无威德者汝可詣彼徐語窮子此有
作處倍與汝直窮子若許將來使作若言欲
何所作便可語之雇汝除糞我等二人亦共汝
作時二使人即求窮子既已得之具陳上
事尒時窮子先取其價尋與除糞其父見
子愍而怪之又以他日於窓牖中遥見子身羸
瘦憔悴糞土塵坌汙穢不淨即脫瓔珞細軟
上服嚴飾之具更著麁弊垢膩之衣塵土坌
身右手執持除糞之器狀有所畏語諸作人
汝等勤作勿得懈息以方便故得近其子後
復告言咄男子汝常此作勿復餘去當加汝
價諸有所須瓫器米麵塩酢之屬莫自疑難
亦有老弊使人須者相給好自安意我如汝
父勿復憂慮所以者何我年老大而汝少壯
汝常作時无有欺怠瞋恨怨言都不見汝有

BD00971號　妙法蓮華經卷二　（22–15）

價諸有所須瓫器米麵塩酢之屬莫自疑難
亦有老弊使人須者相給好自安意我如汝
父勿復憂慮所以者何我年老大而汝少壯
汝常作時无有欺怠瞋恨怨言都不見汝有
此諸惡如餘作人自今已後如所生子即時
長者更與作字名之為兒尒時窮子雖欣此
遇猶故自謂客作賤人由是之故於二十年
中常令除糞過是已後心相體信入出无難
然其所止猶在本處世尊尒時長者有疾自
知將死不久語窮子言我今多有金銀珎寶
倉庫盈溢其中多少所應取與汝悉知之我
心如是當體此意所以者何今我與汝便為
不異宜加用心无令漏失尒時窮子即受教
勑領知衆物金銀珎寶及諸庫藏而无悕取
一湌之意然其所止故在本處下劣之心亦
未能捨復經少時父知子意漸已通泰成就
大志自鄙先心臨欲終時而命其子并會親
族國王大臣刹利居士皆悉已集即自宣言
諸君當知此是我子我之所生於某城中捨
吾逃走跉跰辛苦五十餘年其本字某我名
某甲昔在本城懷憂推覓忽於此間遇會得
之此實我子我實其父今我所有一切財物皆
是子有先所出内是子所知世尊是時窮子
聞父此言即大歡喜得未曾有而作是念
我本无心有所悕求今此寶藏自然而至世
尊大富長者則是如來我等皆似佛子如來
常說我等為子世尊我等以三苦故於生死

BD00971號　妙法蓮華經卷二　（22–16）

我本无心有所悕求今此寶藏自然而至世
尊大富長者則是如來我等皆似佛子如來
常說我等為子世尊我等以三苦故於生死
中受諸熱惱迷惑无知樂着小法今日世尊
令我等思惟蠲除諸法戲論之糞我等於中
勤加精進得至涅槃一日之價既得此已心大
歡喜自以為足便自謂言於佛法中勤精進故
所得弘多然世尊先知我等心着弊欲樂
於小法便見縱捨不為分別汝等當有如來
知見寶藏之分世尊以方便力說如來智慧
我等從佛得涅槃一日之價以為大得於此
大乘无有志求我等又因如來智慧為諸菩
薩開示演說而自於此无有志願所以者何佛
知我等心樂小法以方便力隨我等說而我
等不知真是佛子今我等方知世尊於佛
智慧无所悋惜所以者何我等昔來真是佛
子而但樂小法若我等有樂大之心佛則為
我說大乘法此經中唯說一乘而昔於菩薩
前毀呰聲聞樂小法者然佛實以大乘教化
是故我等說本无心有所悕求今法王大寶
自然而至如佛子所應得者皆已得之尒時
摩訶迦葉欲重宣此義而說偈言
我等今日　聞佛音教　歡喜踊躍　得未曾有
佛說聲聞　當得作佛　无上寶聚　不求自得
譬如童子　幼稚无識　捨父逃逝　遠到他土
周流諸國　五十餘年　其父憂念　四方推求
求之既疲　頓止一城　造立舍宅　五欲自娛

BD00971 號　妙法蓮華經卷二　（22–17）

我等今日　聞佛音教　歡喜踊躍　得未曾有
佛說聲聞　當得作佛　无上寶聚　不求自得
譬如童子　幼稚无識　捨父逃逝　遠到他土
周流諸國　五十餘年　其父憂念　四方推求
求之既疲　頓止一城　造立舍宅　五欲自娛
其家巨富　多諸金銀　車𤦲馬瑙　真珠瑠璃
象馬牛羊　輦輿車乘　田業僮僕　人民衆多
出入息利　乃遍他國　商估賈人　无處不有
千万億衆　圍繞恭敬　常為王者　之所愛念
群臣豪族　皆共宗重　以諸緣故　往來者衆
豪富如是　有大力勢　而年朽邁　益憂念子
夙夜惟念　死時將至　癡子捨我　五十餘年
庫藏諸物　當如之何　尒時窮子　求索衣食
從邑至邑　從國至國　或有所得　或无所得
飢餓羸瘦　體生瘡癬　漸次經歷　到父住城
傭賃展轉　遂至父舍　尒時長者　於其門內
施大寶帳　處師子座　眷屬圍繞　諸人侍衛
或有計算　金銀寶物　出內財產　注記券疏
窮子見父　豪貴尊嚴　謂是國王　若是王等
驚怖自恠　何故至此　覆自念言　我若久住
或見逼迫　強驅使作　思惟是已　馳走而去
借問貧里　欲往傭作　長者是時　在師子座
遙見其子　嘿而識之　即勅使者　追捉將來
窮子驚喚　迷悶躃地　是人執我　必當見殺
何用衣食　使我至此　長者知子　愚癡狹劣
不信我言　不信是父　即以方便　更遣餘人
眇目矬陋　无威德者　汝可語之　云當相雇
除諸糞穢　倍與汝價　窮子聞之　歡喜隨來

BD00971 號　妙法蓮華經卷二　（22–18）

何用衣食　使我至此　長者知子　愚癡狹劣
不信我言　不信是父　即以方便　更遣餘人
眇目痤陋　无威德者　汝可語之　云當相雇
除諸糞穢　倍與汝價　窮子聞之　歡喜隨來
為除糞穢　淨諸房舍　長者於牖　常見其子
念子愚劣　樂為鄙事　於是長者　著弊垢衣
執除糞器　往到子所　方便附近　語令勤作
既益汝價　并塗足油　飲食充足　薦席厚暖
如是苦言　汝當勤作　又以軟語　若如我子
長者有智　漸令入出　經二十年　執作家事
示其金銀　真珠頗梨　諸物出入　皆使令知
猶處門外　止宿草菴　自念貧事　我无此物
父知子心　漸已曠大　欲與財物　即聚親族
國王大臣　剎利居士　於此大眾　說是我子
捨我他行　經五十歲　自見子來　已二十年
昔於某城　而失是子　周行求索　遂來至此
凡我所有　舍宅人民　悉以付之　恣其所用
子念昔貧　志意下劣　今於父所　大獲珍寶
并及舍宅　一切財物　甚大歡喜　得未曾有
佛亦如是　知我樂小　未曾說言　汝等作佛
而說我等　得諸无漏　成就小乘　聲聞弟子
佛勅我等　說最上道　脩習此者　當得成佛
我承佛教　為大菩薩　以諸因緣　種種譬喻
若干言辭　說无上道　諸佛子等　從我聞法
日夜思惟　精勤脩習　是時諸佛　即授其記

BD00971號　妙法蓮華經卷二　（22–19）

我承佛教　為大菩薩　以諸因緣　種種譬喻
若干言辭　說无上道　諸佛子等　從我聞法
日夜思惟　精勤脩習　是時諸佛　即授其記
汝於來世　當得作佛　一切諸佛　祕藏之法
但為菩薩　演其實事　而不為我　說斯真要
如彼窮子　得近其父　雖知諸物　心不悕取
我等雖說　佛法寶藏　自无志願　亦復如是
我等內滅　自謂為足　唯了此事　更无餘事
我等若聞　淨佛國土　教化眾生　都无欣樂
所以者何　一切諸法　皆悉空寂　无生无滅
无大无小　无漏无為　如是思惟　不生喜樂
我等長夜　於佛智慧　无貪无著　无復志願
而自於法　謂是究竟　我等長夜　脩習空法
得脫三界　苦惱之患　住最後身　有餘涅槃
佛所教化　得道不虛　則為已得　報佛之恩
我等雖為　諸佛子等　說菩薩法　以求佛道
而於是法　永无願樂　導師見捨　觀我心故
初不勸進　說有實利　如富長者　知子志劣
以方便力　柔伏其心　然後乃付　一切財物
佛亦如是　現希有事　知樂小者　以方便力
調伏其心　乃教大智　我等今日　得未曾有
非先所望　而今自得　如彼窮子　得无量寶
世尊我今　得道得果　於无漏法　得清淨眼
我等長夜　持佛淨戒　始於今日　得其果報
法王法中　久脩梵行　今得无漏　无上大果

BD00971號　妙法蓮華經卷二　（22–20）

非先所望　而今自得　如彼窮子　得无量寶
世尊我今　得道得果　於无漏法　得清淨眼
我等長夜　持佛淨戒　始於今日　得其果報
法王法中　久脩梵行　今得无漏　无上大果
我等今者　真是聲聞　以佛道聲　令一切聞
我等今者　真阿羅漢　於諸世間　天人魔梵
普於其中　應受供養　世尊大恩　以希有事
憐愍教化　利益我等　无量億劫　誰能報者
手足供給　頭頂礼敬　一切供養　皆不能報
若以頂戴　兩肩荷負　於恒沙劫　盡心恭敬
又以美膳　无量寶衣　及諸卧具　種種湯藥
牛頭栴檀　及諸珎寶　以起塔廟　寶衣布地
如斯等事　以用供養　於恒沙劫　亦不能報
諸佛希有　无量无邊　不可思議　大神通力
无漏无為　諸法之王　能為下劣　忍于斯事
取相凡夫　隨宜為說　諸佛於法　得㝡自在
知諸衆生　種種欲樂　及其志力　隨所堪任
以无量喻　而為說法　隨諸衆生　宿世善根
又知成熟　未成熟者　種種籌量　分別知已
於一乘道　隨宜說三

妙法蓮華經卷第二

BD00971號　妙法蓮華經卷二　（22–21）

如斯等事　以用供養　於恒沙劫　亦不能報
諸佛希有　无量无邊　不可思議　大神通力
无漏无為　諸法之王　能為下劣　忍于斯事
取相凡夫　隨宜為說　諸佛於法　得㝡自在
知諸衆生　種種欲樂　及其志力　隨所堪任
以无量喻　而為說法　隨諸衆生　宿世善根
又知成熟　未成熟者　種種籌量　分別知已
於一乘道　隨宜說三

妙法蓮華經卷第二

BD00971號　妙法蓮華經卷二　（22–22）

是人之功德　无邊无有窮　如十方虛空　不可得邊際
能持是經者　則爲已見我　亦見多寶佛　及諸分身者
又見我今日　教化諸菩薩　能持是經者　令我及分身
滅度多寶佛　一切皆歡喜　十方現在佛　并過去未來
亦見亦供養　亦令得歡喜　諸佛坐道場　所得秘要法
能持是經者　不久亦當得　能持是經者　於諸法之義
名字及言辭　樂說无窮盡　如風於空中　一切无障礙
於如來滅後　知佛所說經　因緣及次第　隨義如實說
如日月光明　能除諸幽冥　斯人行世間　能滅衆生闇
教无量菩薩　畢竟住一乘　是故有智者　聞此功德利
於我滅度後　應受持斯經　是人於佛道　決定无有疑

妙法蓮華經囑累品第二十二

尒時釋迦牟尼佛從法座起現大神力以右手
摩无量菩薩摩訶薩頂而作是言我於无
量百千萬億阿僧祇劫脩習是難得阿耨多
羅三藐三菩提法今以付囑汝等汝等應當一
心流布此法廣令增益如是三摩諸菩薩
摩訶薩頂而作是言我於无量百千萬億
阿僧祇劫脩習是難得阿耨多羅三藐三菩
提法今以付囑汝等汝等當受持讀誦廣宣

BD00972號　妙法蓮華經卷六　（9-1）

量百千萬億阿僧祇劫脩習是難得阿耨多
羅三藐三菩提法今以付囑汝等汝等應當一
心流布此法廣令增益如是三摩諸菩薩
摩訶薩頂而作是言我於无量百千萬億
阿僧祇劫脩習是難得阿耨多羅三藐三菩
提法今以付囑汝等汝等當受持讀誦廣宣
此法令一切衆生普得聞知所以者何如來有
大慈悲无諸慳悋亦无所畏能與衆生佛之
智慧如來智慧自然智慧如來是一切衆生
之大施主汝等亦應隨學如來之法勿生慳悋
於未來世若有善男子善女人信如來智慧
者當爲演說此法華經使得聞知爲令其
人得佛慧故若有衆生不信受者當於如來
餘深法中示教利喜汝等若能如是則爲已
報諸佛之恩時諸菩薩摩訶薩聞佛作是說
已皆大歡喜遍滿其身益加恭敬曲躬低頭
合掌向佛俱發聲言如世尊勅當具奉行唯
然世尊願不有慮諸菩薩摩訶薩衆如是
三反俱發聲言如世尊勅當具奉行唯然世尊
願不有慮尒時釋迦牟尼佛令十方來諸分
身佛各還本土而作是言諸佛各隨所安多
寶佛塔還可如故說是語時十方无量分身
諸佛坐寶樹下師子座上者及多寶佛并上
行等无邊阿僧祇菩薩大衆舍利弗等聲聞
四衆及一切世間天人阿脩羅等聞佛所說
皆大歡喜

妙法蓮華經藥王菩薩本事品第二十三

尒時宿王華菩薩白佛言世尊藥王菩薩云

BD00972號　妙法蓮華經卷六　（9-2）

行等无邊阿僧祇菩薩大衆舍利弗等聲聞
四衆及一切世間天人阿脩羅等聞佛所說
皆大歡喜

妙法蓮華經藥王菩薩本事品第二十三

尒時宿王華菩薩白佛言世尊藥王菩薩云
何遊於娑婆世界世尊是藥王菩薩有若干
百千萬億那由他難行苦行善哉世尊願少
解說諸天龍神夜叉乾闥婆阿脩羅迦樓羅
緊那羅摩睺羅伽人非人等又他國土諸來
菩薩及此聲聞衆聞皆歡喜尒時佛告宿王華
菩薩乃往過去无量恒河沙劫有佛號日月
淨明德如來應供正遍知明行足善逝世間
解无上士調御丈夫天人師佛世尊其佛有八
十億大菩薩摩訶薩七十二恒河沙大聲
聞衆佛壽四萬二千劫菩薩壽命亦等彼
國无有女人地獄餓鬼畜生阿脩羅等及以
諸難地平如掌瑠璃所成寶樹莊嚴寶帳
覆上垂寶華幡寶瓶香鑪周遍國界七寶
爲臺一樹一臺其樹去臺盡一箭道此諸寶
樹皆有菩薩聲聞而坐其下諸寶臺上各有
百億諸天作天伎樂歌歎於佛以爲供養尒
時彼佛爲一切衆生憙見菩薩及衆菩薩諸
聲聞衆說法華經是一切衆生憙見菩薩樂習
苦行於日月淨明德佛法中精進經行一心求
佛滿萬二千歲已得現一切色身三昧得此
三昧已心大歡喜即作念言我得現一切色
身三昧皆是得聞法華經力我今當供養
日月淨明德佛及法華經即時入是三昧於虛

BD00972號　妙法蓮華經卷六　（9–3）

佛滿萬二千歲已得現一切色身三昧得此
三昧已心大歡喜即作念言我得現一切色
身三昧皆是得聞法華經力我今當供養
日月淨明德佛及法華經即時入是三昧於虛
空中雨曼陁羅華摩訶曼陁羅華細末堅黑
旃檀滿虛空中如雲而下又雨海此岸旃檀之
香此香六銖價直娑婆世界以供養佛作
是供養已從三昧起而自念言我雖以神力
供養於佛不如以身供養即服諸香旃檀薰
陸兜樓婆畢力迦沈水膠香又飲瞻蔔諸華
香油滿千二百歲已香油塗身於日月淨明
德佛前以天寶衣而自纏身灌諸香油以神
通力願而自然身光明遍照八十億恒河沙
世界其中諸佛同時讚言善哉善哉善男
子是真精進是名真法供養如來若以華香
瓔珞燒香末香塗香天繒幡蓋及海此岸旃檀
之香如是等種種諸物供養所不能及假使
國城妻子布施亦所不及善男子是名第一
之施於諸施中最尊最上以法供養諸如來
故作是語已而各嘿然其身火然千二百歲
過是已後其身乃盡一切衆生憙見菩薩作
如是法供養已命終之後復生日月淨明德
佛國中於淨德王家結跏趺坐忽然化生即
爲其父而說偈言

大王今當知　我經行彼處　即時得一切　現諸身三昧
勤行大精進　捨所愛之身

說是偈已而白父言日月淨明德佛今故現
在我先供養佛已得解一切衆生語言陁羅

BD00972號　妙法蓮華經卷六　（9–4）

爲其父而說偈言
大王今當知　我經行彼處　即時得一切　現諸身三昧
懃行大精進　捨所愛之身
說是偈已而白父言日月淨明德佛今故現
在我先供養佛已得解一切衆生語言陁羅
尼復聞是法華經八百千萬億那由他甄迦
羅頻婆羅阿閦婆等偈大王我今當還供養
此佛白已即坐七寶之臺上昇虛空高七多
羅樹往到佛所頭面禮足合十指爪以偈讚
佛
容顏甚奇妙　光明照十方　我適曾供養　今復還親近
尒時一切衆生憙見菩薩說是偈已而白佛
言世尊世尊猶故在世尒時日月淨明德佛
告一切衆生憙見菩薩善男子我涅槃時到
滅盡時至汝可安施牀座我於今夜當般
涅槃又勅一切衆生憙見菩薩善男子我以
佛法囑累於汝及諸菩薩大弟子并阿耨
多羅三藐三菩提法亦以三千大千七寶世界
諸寶樹寶臺及給侍諸天悉付於汝我滅度
後所有舍利亦付囑汝當流布廣供養應
起若干千塔如是日月淨明德佛勅一切衆
生憙見菩薩已於夜後分入於涅槃尒時一
切衆生憙見菩薩見佛滅度悲感懊惱戀
慕於佛即以海此岸栴檀爲𧂐供養佛身
而以燒之火滅已後收取舍利作八萬四千寶
瓶以起八萬四千塔高三世界表刹莊嚴垂
諸幡蓋懸衆寶鈴尒時一切衆生憙見菩薩
復自念言我雖作是供養心猶未足我今當更

BD00972 號　妙法蓮華經卷六　（9–5）

而以燒之火滅已後收取舍利作八萬四千寶
瓶以起八萬四千塔高三世界表刹莊嚴垂
諸幡蓋懸衆寶鈴尒時一切衆生憙見菩薩
復自念言我雖作是供養心猶未足我今當更
供養舍利便語諸菩薩大弟子及天龍夜
叉等一切大衆汝等當一心念我今供養日月
淨明德佛舍利作是語已即於八萬四千塔
前然百福莊嚴臂七萬二千歲而以供養令
无數求聲聞衆无量阿僧祇人發阿耨多羅
三藐三菩提心皆使得住現一切色身三昧尒
時諸菩薩天人阿脩羅等見其无臂憂惱
悲哀而作是言此一切衆生憙見菩薩是我
等師教化我者而今燒臂身不具足于時一
切衆生憙見菩薩於大衆中立此誓言我捨
兩臂必當得佛金色之身若實不虛令我兩
臂還復如故作是誓已自然還復由斯菩薩
福德智慧淳厚所致當尒之時三千大千世
界六種震動天雨寶華一切人天得未曾有
佛告宿王華菩薩於汝意云何一切衆生憙
見菩薩豈異人乎今藥王菩薩是也其所捨
身布施如是无量百千萬億那由他數宿王
華若有發心欲得阿耨多羅三藐三菩提者
能然手指乃至足一指供養佛塔勝以國城
妻子及三千大千國土山林河池諸珍寶物
而供養者若復有人以七寶滿三千大千世
界供養於佛及大菩薩辟支佛阿羅漢是人
所得功德不如受持此法華經乃至一四句
偈其福最多宿王華譬如一切川流江河諸

BD00972 號　妙法蓮華經卷六　（9–6）

而供養者若復有人以七寶滿三千大千世
界供養於佛及大菩薩辟支佛阿羅漢是人
所得功德不如受持此法華經乃至一四句
偈其福最多宿王華譬如一切川流江河諸
水之中海為第一此法華經亦復如是於諸
如來所說經中最為深大又如土山黑山小
鐵圍山大鐵圍山及十寶山衆山之中須彌
山為第一此法華經亦復如是於諸經中最
為其上又如衆星之中月天子最為第一此
法華經亦復如是於千萬億種諸經法中最
為照明又如日天子能除諸暗此經亦復如
是能破一切不善之暗又如諸小王中轉輪
聖王最為第一此經亦復如是於衆經中最
為其尊又如帝釋於三十三天中王此經亦
復如是諸經中王又如大梵天王一切衆生
之父此經亦復如是一切賢聖學无學及
發菩薩心者之父又如一切凡夫人中須陁
洹斯陁含阿那含阿羅漢辟支佛為第一此
經亦復如是一切如來所說若菩薩所說若
聲聞所說諸經法中最為第一有能受持是
經典者亦復如是於一切衆生中亦為第一一
切聲聞辟支佛中菩薩為第一此經亦復如
是於一切諸經法中最為第一如佛為諸法
王此經亦復如是諸經中王宿王華此經能
救一切衆生者此經能令一切衆生離諸苦
惱此經能大饒益一切衆生充滿其願如清
涼池能滿一切諸渴之者如寒者得火如裸
者得衣如商人得主如子得母如渡得船如

BD00972 號　妙法蓮華經卷六　（9–7）

王此經亦復如是諸經中王宿王華此經能
救一切衆生者此經能令一切衆生離諸苦
惱此經能大饒益一切衆生充滿其願如清
涼池能滿一切諸渴之者如寒者得火如裸
者得衣如商人得主如子得母如渡得船如
病得醫如暗得燈如貧得寶如民得王如
賈客得海如炬除暗此法華經亦復如是
能令衆生離一切苦一切病痛能解一切生死
之縛若人得聞此法華經若自書若使人書
所得功德以佛智慧籌量多少不得其邊若
書是經卷華香瓔珞燒香末香塗香幡蓋
衣服種種之燈蘇燈油燈諸香油燈瞻蔔油燈
須曼油燈波羅羅油燈婆利師迦油燈那婆
摩利油燈供養所得功德亦復无量宿王華
若有人聞是藥王菩薩本事品者亦得无量
无邊功德若有女人聞是藥王菩薩本事品
能受持者盡是女身後不復受若如來滅後
後五百歲中若有女人聞是經典如說脩行於
此命終即往安樂世界阿彌陁佛大菩薩衆
圍繞住處生蓮華中寶座之上不復為貪欲
所惱亦復不為瞋恚愚癡所惱亦復不為憍
慢嫉妬諸垢所惱得菩薩神通无生法忍得
是忍已眼根清淨以是清淨眼根見七百萬
二千億那由他恒河沙等諸佛如來是時諸
佛遥共讚言善哉善哉善男子汝能於釋
迦牟尼佛法中受持讀誦思惟是經為他人
說所得福德无量无邊火不能燒水不能漂
[illegible]

BD00972 號　妙法蓮華經卷六　（9–8）

圍繞住處生蓮華中寶座之上不復為貪欲
所惱亦復不為瞋恚愚癡所惱亦復不為憍
慢嫉妬諸垢所惱得菩薩神通无生法忍得
是忍已眼根清淨以是清淨眼根見七百萬
二千億那由他恒河沙等諸佛如來是時諸
佛遙共讚言善哉善哉善男子汝能於釋
迦牟尼佛法中受持讀誦思惟是經為他人
說所得福德无量无邊火不能燒水不能漂
汝之功德千佛共說不能令盡汝今已能破諸
魔賊壞生死軍諸餘怨敵悉皆摧滅善男子
百千諸佛以神通力共守護汝於一切世間天
人之中无如汝者唯除如來其諸聲聞辟支
佛乃至菩薩智慧禪定无有與汝等宿者
王華此菩薩成就如是功德智慧之力若有
人聞是藥王菩薩本事品能隨喜讚善者是
人現世口中常出青蓮華香身毛孔中常出
牛頭栴檀香所得功德如上所說是故宿王
華以此藥王菩薩本事品囑累於我汝滅度
後後五百歲中廣宣流布於閻浮提无令斷
絕惡魔魔民諸天龍夜叉鳩槃荼等得其
便也宿王華汝當以神通之力守護是經所以
者何此經則為閻浮提人病之良藥若人有

BD00972號　妙法蓮華經卷六　（9–9）

佛皆天帝
欲為无量
總世間福利一切者
者應當策勵晝夜六時
合掌恭敬一心專念口自說
十方一切諸佛已得阿耨多…
者轉妙法輪持照法輪雨大法
吹大法螺建大法幢秉大法炬
樂諸眾生故常行法施誘進群迷
果證常樂故如是等諸佛世尊以身語意稽
首歸誠至心礼敬彼諸世尊以真實慧以真
實眼真實證明真實平等悉知悉見一切
眾生善惡之業我從无始生死以來隨惡流轉共
諸眾生造業障罪為貪瞋癡之所纏縛未識
佛時未識法時未識僧時未識善惡由身語
意造无間罪惡心出佛身血誹謗正法破和
合僧殺阿羅漢殺害父母身三語四意三種
行造十惡業自作教他見作隨喜於諸善

BD00973號　金光明最勝王經卷三　（16–1）

佛時未識法時未識僧時未識善惡由身語
意造无間罪惡心出佛身血誹謗正法破和
合僧殺阿羅漢殺害父母身三語四意三種
行造十惡業自作教他見作隨喜於諸善
人横生毀謗斗秤欺誑以偽為真不淨飲食
施與一切於六道中所有父母更相惱害或盜
窣堵波物四方僧物現前僧物自在而用
世尊法律不樂奉行師長教示不相隨順見
行聲聞獨覺大乘行者喜生罵辱令諸行
人心生悔惱見有勝己便懷嫉妬法施財施常
生慳惜无明所覆邪見惑心不修善因令惡
增長於諸佛所而起誹謗法說非法非法說
法如是衆罪佛以真實慧真實眼真實證
明真實平等悉知悉見我今歸命對諸佛
前皆悉發露不敢覆藏未作之罪更不復作
已作之罪今皆懺悔所作業障應墮惡道地獄
傍生餓鬼之中阿蘇羅衆及八難處願我此
生所有業障皆得消滅所有惡報未來不受亦
如過去諸大菩薩修菩提行所有業障悉已
懺悔我之業障今亦懺悔皆悉發露不敢覆
藏已作之罪願得除滅未來之惡更不敢造
亦如未來諸大菩薩修菩提行所有業障悉
懺悔我之業障今亦懺悔皆悉發露不敢覆
藏已作之罪願得除滅未來之惡更不敢造
亦如未來諸大菩薩修菩提行所有業障

BD00973號　金光明最勝王經卷三　（16–2）

懺悔我之業障今亦懺悔皆悉發露不敢覆
藏已作之罪願得除滅未來之惡更不敢造
亦如未來諸大菩薩修菩提行所有業障
悉已懺悔我之業障今亦懺悔皆悉發露不敢
覆藏已作之罪願得除滅未來之惡更不敢
造亦如現在十方世界諸大菩薩修菩提行
所有業障悉已懺悔我之業障今亦懺悔皆
悉發露不敢覆藏已作之罪願得除滅未來
之惡更不敢造
善男子以是因緣若有造罪一刹那中不得
覆藏何况一日一夜乃至多時若有犯罪欲
求清淨心懷慚恥信於未來必有惡報生大
怖畏應如是懺如人被火燒頭燒衣救令速
滅火若未滅心不得安若人犯罪亦復如是
即應懺悔令速除滅若有願生富樂之家多
饒財寶復欲發意修習大乘亦應懺悔滅除
業障欲生豪貴婆羅門種刹帝利家及轉輪
王七寶具足亦應懺悔滅除業障
善男子若有欲生四大王衆三十三天夜摩
天覩史多天樂變化天他化自在天亦應懺
悔滅除業障若欲生梵衆梵輔大梵天少光
无量光極光淨天少淨无量淨遍淨天无雲
福生廣果无煩无熱善現天善見色究竟天
亦應懺悔滅除業障若欲求預流果一來果
不還果阿羅漢果亦應懺悔滅除業障若欲
願求三明六通聲聞獨覺自在菩提至究
竟地求一切智智淨智不思議智不動智三藐三

BD00973號　金光明最勝王經卷三　（16–3）

无量光極光淨天少淨天无量淨遍淨天无雲
福生廣果无煩无熱善現天善見色究竟天
亦應懺悔滅除業障若欲求預流果一來果
不還果阿羅漢果亦應懺悔滅除業障若欲
願求三明六通聲聞獨覺自在菩提至究
竟地求一切智智淨智不思議智不動智三藐三
菩提正遍智者亦應懺悔滅除業障何以故善
男子一切諸法從因緣生如來所說異相生
異相滅因緣異故如是過去諸法皆已滅盡
所有業障无復遺餘是諸行法未得現生而
今得生未來業障更不復起何以故善男子
一切法空如來所說无有我人衆生壽者亦
无生滅亦无行法善男子一切諸法皆依於本
亦不可說何以故過一切相故若有善男子
善女人如是入非微妙真理生信敬心是名
无衆生而有於本以是義故說於懺悔滅除
業障
善男子若人成就四法能除業障永得清淨
云何為四一者不起邪心正念成就二者於
甚深理不生誹謗三者於初行菩薩起一切
智心四者於諸衆生起慈无量是謂為四
爾時世尊而說頌言
專心護三業　不誹謗深法　作一切智想　慈心淨業障
善男子有四業障難可滅除云何為四一者於
菩薩律儀犯極重惡二者於大乘經心生誹
謗三者於自善根不能增長四者貪著三
有无出離心復有四種對治業障云何為四

BD00973號　金光明最勝王經卷三　（16-4）

福生廣果无煩无熱善現天善見色究竟天
亦應懺悔滅除業障若欲求預流果一來果
不還果阿羅漢果亦應懺悔滅除業障若欲
願求三明六通聲聞獨覺自在菩提至究
竟地求一切智智淨智不思議智不動智三藐三
菩提正遍智者亦應懺悔滅除業障何以故善
男子一切諸法從因緣生如來所說異相生
異相滅因緣異故如是過去諸法皆已滅盡
所有業障无復遺餘是諸行法未得現生而
今得生未來業障更不復起何以故善男子
一切法空如來所說无有我人衆生壽者亦
无生滅亦无行法善男子一切諸法皆依於本
亦不可說何以故過一切相故若有善男子
善女人如是入非微妙真理生信敬心是名
无衆生而有於本以是義故說於懺悔滅除
業障
善男子若人成就四法能除業障永得清淨
云何為四一者不起邪心正念成就二者於
甚深理不生誹謗三者於初行菩薩起一切
智心四者於諸衆生起慈无量是謂為四
爾時世尊而說頌言
專心護三業　不誹謗深法　作一切智想　慈心淨業障
善男子有四業障難可滅除云何為四一者於
菩薩律儀犯極重惡二者於大乘經心生誹
謗三者於自善根不能增長四者貪著三
有无出離心復有四種對治業障云何為四
一者於十方世界一切如來至心親近說一

BD00973號　金光明最勝王經卷三　（16-5）

尊心誹三乘不言誹深法作一切智想

善男子有四業障難可滅除云何爲四一者於
菩薩律儀犯極重惡二者於大乘經心生誹
謗三者於自善根不能增長四者貪著三
有无出離心復有四種對治業障云何爲四
一者於十方世界一切如來至心親近說一
切罪二者爲一切衆生勸請諸佛說深妙法
三者隨喜一切衆生所有功德四者所有一
切功德善根悉皆迴向阿耨多羅三藐三菩
根尒時天帝釋白佛言世尊世間所有男子
女人於大乘行有能行者有不行者云何能
得隨喜一切衆生功德善根佛言善男子若
有衆生雖於大乘未能脩習然於晝夜六時
偏袒右肩右膝著地合掌恭敬一心專念作
隨喜時得福无量應作是言十方世界一切
衆生現在脩行施戒心慧我今皆悉深生隨
喜由作如是隨喜福故必當獲得尊重殊
勝无上无等寂妙之果如是過去未來一切
衆生所有善根皆悉隨喜又於現在初行
菩薩發菩提心所有功德過百大劫行菩薩
行有大功德獲无生忍至不退轉一生補處
如是一切功德之蘊皆悉至心隨喜讚歎過去
未來一切菩薩所有功德隨喜讚歎亦復如是
復於現在十方世界一切諸佛應正遍知證
妙菩提爲度无邊諸衆生故轉无上法輪行
无礙法施擊法鼓吹法螺建法幢雨法雨哀愍
勸化一切衆生咸令信受皆蒙法施悉得无

BD00973號　金光明最勝王經卷三　（16–6）

復於現在十方世界一切諸佛應正遍知證
妙菩提爲度无邊諸衆生故轉无上法輪行
无礙法施擊法鼓吹法螺建法幢雨法雨哀愍
勸化一切衆生咸令信受皆蒙法施悉得无
足无盡安樂又復所有菩薩聲聞獨覺功
德積集善根若有衆生未具如是諸功德
者悉令具足我皆隨喜如是過去未來諸
佛菩薩聲聞獨覺所有功德亦皆至心隨喜
讚歎善男子如是隨喜當得无量功德之聚
如恒河沙三千大千世界所有衆生皆斷煩
惱成阿羅漢若有善男子善女人盡其形
壽以上妙衣服飲食卧具醫藥而爲供養如
是功德不及如前隨喜功德千分之一何以
故供養功德有數有量不攝一切諸功德故
隨喜功德无量无數能攝三世一切功德是故
若人欲求增長勝善根者應脩如是隨喜
功德若有女人願轉女身爲男子者亦應脩
習隨喜功德必得心現成男子尒時天帝釋
白佛言世尊已知隨喜功德勸請功德唯
願爲說欲令未來一切菩薩當轉法輪現
在菩薩正脩行故佛告帝釋若有善男子
善女人願求阿耨多羅三藐三菩提者應當
脩行聲聞獨覺大乘之道是人當於晝夜
六時如前威儀一心專念作如是言我今歸依
十方一切諸佛世尊已得阿耨多羅三藐三菩提
未轉无上法輪欲捨報身入涅槃者我皆至
誠頂禮勸請轉大法輪雨大法雨然大法燈照

BD00973號　金光明最勝王經卷三　（16–7）

脩行聲聞獨覺大乘之道是人當於晝夜
六時如前威儀一心專念作如是言我今歸依
十方一切諸佛世尊已得阿耨多羅三藐三菩提
未轉无上法輪欲捨報身入涅槃者我皆至
誠頂禮勸請轉大法輪雨大法雨然大法燈照
明理趣施无礙法莫般涅槃久住於世度脫安
樂一切衆生如前所說乃至无盡安樂我今以
此勸請功德迴向阿耨多羅三藐三菩提如
過去未來現在諸大菩薩勸請功德迴向菩
提我亦如是勸請功德迴向无上正等菩提
善男子假使有人以三千大千世界滿中七寶
供養如來若復有人勸請如來轉大法輪
所得功德其福勝彼何以故彼是財施此是
法施善男子且置三千大千世界七寶布施
若人以滿恒河沙數大千世界七寶供養一
切諸佛勸請功德亦勝於彼由其法施有五
勝利云何為五一者法施兼利自他財施不
尒二者法施能令衆生出於三界財施之福
不出欲界三者法施能淨法身財施但唯增
長於色四者法施无窮財施有盡五者法施
能斷无明財施唯伏貪愛是故善男子勸
請功德无量无邊難可譬喻如我昔行菩薩
道時勸請諸佛轉大法輪由彼善根是故今
日一切帝釋諸梵王等勸請於我轉大法輪
善男子請轉法輪為欲度脫安樂諸衆生
故我於往昔為菩提行勸請如來久住於世

BD00973 號　金光明最勝王經卷三　（16–8）

道時勸請諸佛轉大法輪由彼善根是故今
日一切帝釋諸梵王等勸請於我轉大法輪
善男子請轉法輪為欲度脫安樂諸衆生
故我於往昔為菩提行勸請如來久住於世
莫般涅槃依此善根我得十力四无所畏四无
礙辯大慈大悲證得无數不共之法我當入
於无餘涅槃我之正法久住於世我法身者
淨清无比種種妙相无量智慧无量自在无
量功德難可思議一切衆生皆蒙利益百千
万劫說不能盡法身攝藏一切諸法一切諸法
不攝法身法身常住不墮常見雖復斷滅
亦非斷見能破衆生種種異見能生衆生種
種真見能解一切衆生之縛无縛可解能植
衆生諸善根本未成熟者令成熟已成熟者
令解脫无作无動遠離闠閙寂靜无為自在
安樂過於三世能現三世出於聲聞獨覺之
境諸大菩薩之所脩行一切如來體无有異此
等皆由勸請功德善根力故如是法身我今
已得是故若有欲得阿耨多羅三藐三菩提
者於諸經中一句一頌為人解說功德善根
尚无限量何況勸請如來轉大法輪久住於
世莫般涅槃
時天帝釋復白佛言世尊若善男子善女
人為求阿耨多羅三藐三菩提故脩三乘道
所有善根云何迴向一切智智佛告天帝善
男子若有衆生欲求菩提脩三乘道所有善
根願迴向者當於晝夜六時慇重至心作如是

BD00973 號　金光明最勝王經卷三　（16–9）

人為求阿耨多羅三藐三菩提故脩三乘道
所有善根云何迴向一切智智佛告天帝善
男子若有衆生欲求菩提脩三乘道所有善
根願迴向者當於晝夜六時慇重至心作如是
說我從无始生死以來於三寶所脩行成就
所有善根乃至施與傍生一摶之食或以善
言和解諍訟或受三歸及諸學處或復懺
悔勸請隨喜所有善根我今作意悉皆攝
取迴施一切衆生无悔悋心是解脫分善根所
攝如佛世尊之所知見不可稱量无礙清淨
如是所有功德善根悉以迴施一切衆生不
住想心不捨相心我亦如是功德善根悉以迴
施一切衆生願皆獲得如意之手擣空出寶
滿衆生願富樂无盡智慧无窮妙辯才悉
皆无滯共諸衆生同證阿耨多羅三藐三菩
提得一切智因此善根更復出生无量善法
亦皆迴向无上菩提又如過去諸大菩薩脩
行之時功德善根悉皆迴向一切種智現在
未來亦復如是然我所有功德善根亦皆迴
向阿耨多羅三藐三菩提是諸善根願共一
切衆生俱成正覺如餘諸佛坐於道場菩提
樹下不可思議无礙清淨住於无盡法藏
陁羅尼首楞嚴定破魔波旬无量兵衆應
見覺知應可通達如是一切一剎那中悉皆照
了於後夜中獲甘露法證甘露義我及衆生
願皆同證如是妙覺猶如
无量壽佛　勝光佛　妙光佛　阿閦佛

陁羅尼首楞嚴定破魔波旬无量兵衆應
見覺知應可通達如是一切一剎那中悉皆照
了於後夜中獲甘露法證甘露義我及衆生
願皆同證如是妙覺猶如
无量壽佛　勝光佛　妙光佛　阿閦佛
功德善光佛　師子光明佛　百光明佛　網光明佛
寶相佛　寶焰佛　焰明佛　焰盛光明佛
吉祥上王佛　微妙聲佛　妙莊嚴佛　法幢佛
上勝身佛　可愛色身佛　光明遍照佛　梵淨王佛
上性佛
如是等如來應正遍知過去未來及以現在
亦現應化得阿耨多羅三藐三菩提轉无上
法輪為度衆生我亦如是廣說如上、
善男子若有淨信男子女人於此金光明最
勝經王滅業障品受持讀誦憶念不忘為他
廣說得无量无邊大功德聚譬如三千大千
世界所有衆生一時皆得成就人身得人身
已成獨覺道若有男子女人盡其形壽恭
敬尊重四事供養一一獨覺各施七寶如彌
須山此諸獨覺入涅槃後皆以珠寶起塔供
養其塔高廣十二踰繕那以諸花香寶幢
幡蓋常為供養善男子於意云何是人所獲
功德寧為多不天帝釋言甚多世尊善男子
若復有人於此金光明微妙經典衆經之王滅業
障品受持讀誦憶念不忘為他廣說所獲
功德於前所說供養功德百分不及一百千万
億分乃至校量譬喻所不能及何以故是善

功德寧為多不天帝釋言甚多世尊
若復有人於此金光明微妙經典眾經之王滅業
障品受持讀誦憶念不忘為他廣說所獲
功德於前所說供養功德百分不及一百千万
億分乃至校量譬喻所不能及何以故是善
男子善女人住正行中勸請十方一切諸佛
轉无上法輪皆為諸佛歡喜讚歎善男子
如我所說一切施中法施為勝是故善男子於
三寶所設諸供養不可為比勸受三歸持一
切戒无有毀犯三業不空不可為比一切世界
一切眾生隨力隨能隨所願樂於三乘中勸
發菩提心不可為比於三世中一切世界所
有眾生皆得无礙速令成就无量功德不
可為比三世剎土一切眾生令无障礙得三
菩提不可為比三世剎土一切眾生勸令速
出四惡道苦不可為比三世剎土一切眾生勸
令除滅極重惡業不可為比一切苦惱勸令
解脫不可為比一切怖畏苦惱逼切皆令
得解不可為比三世佛前一切眾生所有功
德勸令隨喜發菩提願不可為比勸除惡行
罵辱之業一切功德皆願成就所在生中勸
請供養尊重讚歎一切三寶勸請眾生淨
脩福行成滿菩提不可為比是故當知勸請
一切世界三世三寶勸請滿足六波羅蜜勸
請轉於无上法輪勸請住世經无量劫演說无
量甚深妙法功德甚深无能比者
尒時天帝釋及恒河女神无量梵王四大天

脩福行成滿菩提不可為比是故當知勸請
一切世界三世三寶勸請滿足六波羅蜜勸
請轉於无上法輪勸請住世經无量劫演說无
量甚深妙法功德甚深无能比者
尒時天帝釋及恒河女神无量梵王四大天
眾從座而起偏袒右肩右膝著地合掌頂
礼白佛言世尊我等皆得聞是金光明最
勝王經今悉受持讀誦通利為他廣說依此
法住何以故世尊我等欲求阿耨多羅三藐
三菩提隨順此義種種勝相如法行故尒時
梵王及天帝釋等於說法處皆以種種曼陀
羅花而散佛上三千大千世界地皆大動一切
天鼓及諸音樂不鼓自鳴放金色光遍滿世
界出妙音聲時天帝釋白佛言世尊此等皆
是金光明經威神之力慈悲普救種種利益
種種增長菩薩善根滅諸業障佛言如
是如是如汝所說何以故善男子我念往昔
過无量百千阿僧祇劫有佛名寶王大光照
如來應正遍知出現於世住世六百八十億劫
尒時寶王大光照如來為欲度脫人天釋梵
沙門婆羅門一切眾生令安樂故當出現
時初會說法度百千億億万眾皆得阿羅漢
果諸漏已盡三明六通自在无礙於第二會
復度九十千億億万眾皆得阿羅漢果諸
漏已盡三明六通自在无礙於第三會復度
九十八千億億万眾皆得阿羅漢果圓滿如
上善男子我於尒時作女人身名福寶光明

復度九十千億億万衆皆得阿羅漢果諸
漏已盡三明六通自在无㝵於第三會復度
九十八千億億万衆皆得阿羅漢果圓滿如
上善男子我於尒時作女人身名福寶光明
於第三會親近世尊受持讀誦是金光
明經為他廣說求阿耨多羅三藐三菩提故
時彼世尊為我授記此福寶光明女於未來世
當得作佛号釋迦牟尼如來應正遍知明行
足善逝世間解无上士調御丈夫天人師佛
世尊捨女身後從是以來越四惡道生人天
中受上妙樂八十四百千生作轉輪王至于今
日得成正覺名稱普聞遍滿世界時會大衆
忽然皆見寶王大光照如來轉无上法輪說微
妙法善男子去此娑訶世界東方過百千恒
河沙數佛土有世界名寶莊嚴其寶王大光
照如來今現在彼未般涅槃說微妙法廣化
群生汝等見者即是彼佛
善男子若有善男善女人聞是寶王大光
照如來名号者於菩薩地得不退轉至大涅
槃若有女人聞是佛名者臨命終時得見彼
佛來至其所既見佛已究竟不復更受女
身善男子是金光明微妙經典種種利益
種種增長菩薩善根滅諸業障善男子
若有苾芻苾芻尼鄔波索迦鄔波斯迦隨在何
處為人講說是金光明微妙經典於其國
土皆獲四種福利善根云何為四一者國王无
[illegible]長遠无有障㝵三

BD00973 號　金光明最勝王經卷三　（16–14）

若有苾芻苾芻尼鄔波索迦鄔波斯迦隨在何
處為人講說是金光明微妙經典於其國
土皆獲四種福利善根云何為四一者國王无
病離諸災厄二者壽命長遠无有障㝵三
者无諸怨敵兵衆勇健四者安隱豐樂正法
流通何以故如是人王常為釋梵四王藥叉之衆
共守護故
尒時世尊告大衆曰善男子是事實不是時
无量釋梵四王及藥叉衆俱時同聲白世尊
言如是如是若有國土講宣讀誦此妙經
王是諸國主我等四王常來擁護行住共
俱其王若有一切災障及諸怨敵我等四王
皆使消殄憂愁疾疫亦令除差增益壽
命感應禎祥所願遂心恒生歡喜我等亦能
令國中所有軍兵悉皆勇健佛言善哉善哉
善男子如汝所說汝當脩行何以故是諸國
主如法行時一切人民隨王脩習如法行者汝等
皆蒙色力勝利宮殿光明眷屬強盛時釋梵
等白佛言如是世尊佛言若有講讀此妙經
典流通之處於其國中大臣輔相有四種益
云何為四一者更相親穆尊重愛念二者常
為人王心所愛重亦為沙門婆羅門大國小
國之所尊敬三者輕財重法不求世利嘉名
普暨衆所欽仰四者壽命延長安隱快樂
是名四益若有國土宣說是經沙門婆羅門
得四種勝利云何為四一者衣服飲食臥具醫
藥无所乏少二者皆得安心思惟讀誦三者依

BD00973 號　金光明最勝王經卷三　（16–15）

是名四益若有國土宣説是經沙門婆羅門
得四種勝利云何爲四一者衣服飲食臥具醫
藥无所乏少二者皆得安心思惟讀誦三者依
於山林得安樂住四者隨心所願皆得滿足是
名四種勝利若有國土宣説是經一切人民皆
得豐樂无諸疾疫商估往還多獲寶貨具
足勝福是名種種功德利益
尒時梵釋四天王及諸大衆白佛言世尊如
是經典甚深之義若現在者當知如來卅七
種助菩提法住世未滅若是經典滅盡之時
正法亦滅佛言如是如是善男子是故汝等
於此金光明經一句一頌一品一部皆當一心
正讀誦正聞持正思惟正修習爲諸衆生廣
宣流布長夜安樂福利无邊時諸大衆
聞佛説已咸蒙勝益歡喜受持
金光明最勝王經卷第三
閞胡對穆莫六豎其器
李

BD00973號　金光明最勝王經卷三　（16–16）

賒咩音羊鳴七賒
八十目多履一十娑
丑反五十叉裔六十阿
九十賒履十二陀羅尼一廿阿盧
毗叉膩二廿禰毗剃三廿阿便哆都餓反邏
阿亶哆隸輸地途賈反五廿漚究隸六廿牟究隸
隸八廿波羅隸九廿首迦差初几反卅阿三磨三
佛馱毗吉利袠帝二卅達磨波利差猜離反
伽涅瞿沙禰四卅婆舍婆舍輸地五卅曼哆
哆邏叉夜多七卅郵樓哆八卅郵樓哆憍舍
九卅惡叉邏四十惡叉冶多冶一卅阿婆盧二卅阿摩若
荏蔗反那多夜三卅
世尊是陀羅尼神呪六十二億恒河沙等諸佛
所說若有侵毀此法師者則爲侵毀是諸佛
已時釋迦牟尼佛讚藥王菩薩言善哉善哉
藥王汝愍念擁護此法師故說是陀羅尼於
諸衆生多所饒益
尒時勇施菩薩白佛言世尊我亦爲擁護讀
誦受持法華經者說陀羅尼若此法師得是

BD00974號　妙法蓮華經卷七　（13–1）

所說若有侵毀此法師者則為侵毀是諸佛
已時釋迦牟尼佛讚藥王菩薩言善哉善哉
藥王汝愍念擁護此法師故說是陁羅尼於
諸眾生多所饒益
尒時勇施菩薩白佛言世尊我亦為擁護讀
誦受持法華經者說陁羅尼若此法師得是
陁羅尼若夜叉若羅剎若富單那若吉蔗若
鳩槃茶若餓鬼等伺求其短无能得便即於
佛前而說呪曰
痤挫蝶反隸一 摩訶痤隸二 郁枳三 目枳四 阿隸
五 阿羅婆第六 涅隸第七 涅隸多婆第八 伊
緻猪履反柅九 韋緻柅十 旨緻柅十一 涅隸墀柅十二
涅犁墀婆底十三
世尊是陁羅尼神呪恒河沙等諸佛所說亦
皆隨喜若有侵毀此法師者則為侵毀是諸
佛已
尒時毗沙門天王護世者白佛言世尊我亦
為愍念眾生擁護此法師故說是陁羅尼即
說呪曰
阿梨一 那梨二 㝹那梨三 阿那盧四 那履五
拘那履六
世尊以是神呪擁護法師我亦自當擁護持
是經者令百由旬內无諸衰患
尒時持國天王在此會中與千萬億那由他
乾闥婆眾恭敬圍繞前詣佛所合掌白佛言
世尊我亦以陁羅尼神呪擁護持法華經者
即說呪曰
阿伽祢一 伽祢二 瞿利三 乾陁利四 旃陁利

BD00974 號　妙法蓮華經卷七　（13–2）

尒時持國天王在此會中與千萬億那由他
乾闥婆眾恭敬圍繞前詣佛所合掌白佛言
世尊我亦以陁羅尼神呪擁護持法華經者
即說呪曰
阿伽祢一 伽祢二 瞿利三 乾陁利四 旃陁利
五 摩蹬耆六 常求利七 浮樓莎柅八 頞底九
世尊是陁羅尼神呪四十二億諸佛所說若
有侵毀此法師者即為侵毀是諸佛已
尒時有羅剎女等一名藍婆二名毗藍婆三
名曲齒四名華齒五名黑齒六名多髮七名
无猒足八名持瓔珞九名睪帝十名奪一切
眾生精氣是十羅剎女與鬼子母并其子及
眷屬俱詣佛所同聲白佛言世尊我等亦欲
擁護讀誦受持法華經者除其衰患若有伺
求法師短者令不得便即於佛前而說呪曰
伊提履一 伊提泯二 伊提履三 阿提履四 伊
提履五 泥履六 泥履七 泥履八 泥履九 泥履
十 樓醯十一 樓醯十二 樓醯十三 樓醯十四 多
醯十五 多醯十六 多醯十七 兜醯十八 㝹醯十九
寧上我頭上莫惱於法師若夜叉若羅剎若
餓鬼若富單那若吉蔗若毗陁羅若揵䭾若
烏摩勒伽若阿䟦摩羅若夜叉吉蔗若人吉
蔗若熱病若一日若二日若三日若四日若
至七日若常熱病若男形若女形若童男形
若童女形乃至夢中亦復莫惱即於佛前而
說偈言
若不順我呪　惱亂說法者　頭破作七分　如阿梨樹枝
如殺父母罪　亦如壓油殃　斗秤欺誑人　調達破僧罪

BD00974 號　妙法蓮華經卷七　（13–3）

至七日若常熱病若男形若女形若童男形
若童女形乃至夢中亦復莫惱即於佛前而
說偈言
若不順我咒　惱亂說法者　頭破作七分　如阿梨樹枝
如殺父母罪　亦如壓油殃　計稱欺誑人　調達破僧罪
犯此法師者　當獲如是殃
諸羅剎女說此偈已白佛言世尊我等亦當
身自擁護受持讀誦修行是經者令得安隱
離諸衰患消眾毒藥佛告諸羅剎女善哉善
哉汝等但能擁護受持法華名者福不可量
何況擁護具足受持供養經卷華香瓔珞末
香塗香燒香幡蓋伎樂燃種種燈蘇燈油燈
諸香油燈蘇摩那華油燈瞻蔔華油燈婆師
迦華油燈優鉢羅華油燈如是等百千種供
養者睪帝汝等及眷屬應當擁護如是法師
說是陀羅尼品時六萬八千人得无生法忍

妙法蓮華經妙莊嚴王本事品第二十七

尒時佛告諸大眾乃往古世過无量无邊不
可思議阿僧祇劫有佛名雲雷音宿王華智
多陀阿伽度阿羅訶三藐三佛陀國名光明
莊嚴劫名憙見彼佛法中有王名妙莊嚴其
王夫人名曰淨德有二子一名淨藏二名淨
眼是二子有大神力福德智慧久修菩薩所
行之道所謂檀波羅蜜尸羅波羅蜜羼提波
羅蜜毗梨耶波羅蜜禪波羅蜜般若波羅蜜
方便波羅蜜慈悲喜捨乃至三十七品助道
法皆悉明了通達又得菩薩淨三昧日星宿
三昧淨光三昧淨色三昧淨照明三昧長莊

方便波羅蜜慈悲喜捨乃至三十七品助道
法皆悉明了通達又得菩薩淨三昧日星宿
三昧淨光三昧淨色三昧淨照明三昧長莊
嚴三昧大威德藏三昧於此三昧亦悉通達
尒時彼佛欲引導妙莊嚴王及愍念眾生故
說是法華經時淨藏淨眼二子到其母所合
十指爪掌白言願母往詣雲雷音宿王華智
佛所我等亦當侍從親近供養禮拜所以者
何此佛於一切天人眾中說法華經宜應聽
受母告子言汝父信受外道深著婆羅門法
汝等應往白父與共俱去淨藏淨眼合十指
爪掌白母我等是法王子而生此邪見家母
告子言汝等當憂念汝父為現神變若得見
者心必清淨或聽我等往至佛所於是二子
念其父故踊在虛空高七多羅樹現種種神
變於虛空中行住坐臥身上出水身下出火
身下出水身上出火或現大身滿虛空中而
復現小小復現大於空中滅忽然在地入地
如水履水如地現如是等種種神變令其父
王心淨信解時父見子神力如是心大歡喜
得未曾有合掌向子言汝等師為是誰誰之
弟子二子白言大王彼雲雷音宿王華智佛
今在七寶菩提樹下法座上坐於一切世間天
人眾中廣說法華經是我等師我是弟子
父語子言我今亦欲見汝等師可共俱往於
是二子從空中下到其母所合掌白母父王
今已信解堪任發阿耨多羅三藐三菩提心

父語子言我今亦欲見汝等師可共俱往於
是二子從空中下到其母所合掌白母父王
今已信解堪任發阿耨多羅三藐三菩提心
我等為父已作佛事願母見聽於彼佛所出
家脩道尒時二子欲重宣其意以偈白母
願母放我等　出家作沙門　諸佛甚難值　我等隨佛學
如優曇鉢羅　值佛復難是　脫諸難亦難　願聽我出家
母即告言聽汝出家所以者何佛難值故於
是二子白父母言善哉父母願時往詣雲雷
音宿王華智佛所親近供養所以者何佛難
得值如優曇鉢羅華又如一眼之龜值浮木
孔而我等宿福深厚生值佛法是故父母當
聽我等令得出家所以者何諸佛難值時亦
難遇彼時妙莊嚴王後宮八萬四千人皆悉
堪任受持是法華經淨眼菩薩於法華三昧
久已通達淨藏菩薩已於无量百千萬億劫
通達離諸惡趣三昧欲令一切衆生離諸惡
趣故其王夫人得諸佛集三昧能知諸佛祕
密之藏二子如是以方便力善化其父令心
信解好樂佛法於是妙莊嚴王與群臣眷屬
俱淨德夫人與後宮婇女眷屬俱其王二子
與四萬二千人俱一時共詣佛所到已頭面
礼足繞佛三帀却住一面
尒時彼佛為王說法示教利喜王大歡悅尒
時妙莊嚴王及其夫人解頸真珠瓔珞價直
百千以散佛上於虛空中化成四柱寶臺臺
中有大寶牀敷百千萬天衣其上有佛結加

BD00974號　妙法蓮華經卷七　（13–6）

時妙莊嚴王及其夫人解頸真珠瓔珞價直
百千以散佛上於虛空中化成四柱寶臺臺
中有大寶牀敷百千萬天衣其上有佛結加
趺坐放大光明尒時妙莊嚴王作是念佛身
希有端嚴殊特成就第一微妙之色時雲雷
音宿王華智佛告四衆言汝等見是妙莊嚴
王於我前合掌立不此王於我法中作比丘
精懃脩習助佛道法當得作佛号娑羅樹王
國名大光劫名大高王其娑羅樹王佛有无
量菩薩衆及无量聲聞其國平正功德如是
其王即時以國付弟與夫人二子并諸眷屬
於佛法中出家脩道王出家已於八萬四千
歲常懃精進脩行妙法華經過是已後得一
切淨功德莊嚴三昧即昇虛空高七多羅樹
而白佛言世尊此我二子已作佛事以神通
變化轉我邪心令得安住於佛法中得見世
尊此二子者是我善知識為欲發起宿世善
根饒益我故來生我家
尒時雲雷音宿王華智佛告妙莊嚴王言如
是如是如汝所言若善男子善女人種善根
故世世得善知識其善知識能作佛事示教
利喜令入阿耨多羅三藐三菩提大王當知
善知識者是大因緣所謂化導令得見佛發
阿耨多羅三藐三菩提心大王汝見此二子
不此二子已曾供養六十五百千萬億那由
他恒河沙諸佛親近恭敬於諸佛所受持法
華經愍念邪見衆生令住正見妙莊嚴王即
從虛空中下而白佛言世尊如來甚希有以

BD00974號　妙法蓮華經卷七　（13–7）

有此二子已曾供養六十五百千萬億那由
他恒河沙諸佛親近恭敬於諸佛所受持法
華經愍念耶見衆生令住正見妙莊嚴王即
從虛空中下而白佛言世尊如來甚希有以
功德智慧故頂上肉髻光明顯照其眼長廣
而紺青色眉間毫相白如珂月齒白齊密常
有光明脣色赤好如頻婆菓尒時妙莊嚴王
讚嘆佛如是等无量百千萬億功德已於如
來前一心合掌復白佛言世尊未曾有也如
來之法具足成就不可思議微妙功德教戒
所行安隱快善我從今日不復自隨心行不
生耶見憍慢瞋恚諸惡之心說是語已礼佛
而出
佛告大衆於意云何妙莊嚴王豈異人乎今
華德菩薩是其淨德夫人今佛前光照莊嚴
相菩薩是哀愍妙莊嚴王及諸眷屬故於彼
中生其二子者今藥王菩薩藥上菩薩是是
藥王藥上菩薩成就如此諸大功德已於无
量百千萬億諸佛所殖衆德本成就不可思
議諸善功德若有人識是二菩薩名字者一
切世間諸天人民亦應礼拜佛說是妙莊嚴
王本事品時八萬四千人遠塵離垢於諸法
中得法眼淨

妙法蓮華經普賢菩薩勸發品第二十八

尒時普賢菩薩以自在神通力威德名聞與
大菩薩无量无邊不可稱數從東方來所經
諸國普皆震動雨寶蓮華作无量百千萬億
種種伎樂又與无數諸天龍夜叉乹闥婆阿

BD00974號　妙法蓮華經卷七　（13–8）

妙法蓮華經普賢菩薩勸發品第二十八
尒時普賢菩薩以自在神通力威德名聞與
大菩薩无量无邊不可稱數從東方來所經
諸國普皆震動雨寶蓮華作无量百千萬億
種種伎樂又與无數諸天龍夜叉乹闥婆阿
脩羅迦樓羅緊那羅摩睺羅伽人非人等大
衆圍繞各現威德神通之力到娑婆世界耆
闍崛山中頭面礼釋迦牟尼佛右繞七匝白
佛言世尊我於寶威德上王佛國遥聞此娑
婆世界說法華經與无量无邊百千萬億諸
菩薩衆共來聽受唯願世尊當為說之若善
男子善女人於如來滅後云何能得是法華
經佛告普賢菩薩若善男子善女人成就四
法於如來滅後當得是法華經一者為諸佛
護念二者殖衆德本三者入正定聚四者發
救一切衆生之心善男子善女人如是成就
四法於如來滅後必得是經
尒時普賢菩薩白佛言世尊於後五百歲濁
惡世中其有受持是經典者我當守護除其
衰患令得安隱使无伺求得其便者若魔若
魔子若魔女若魔民若為魔所著者若夜叉
若羅剎若鳩槃荼若毗舍闍若吉蔗若富單
那若韋陁羅等諸惱人者皆不得便是人若
行若立讀誦此經我尒時乘六牙白象王與
大菩薩衆俱詣其所而自現身供養守護安
慰其心亦為供養法華經故是人若坐思惟
此經尒時我復乘白象王現其人前其人若
於法華經有所忘失一句一偈我當教之與

BD00974號　妙法蓮華經卷七　（13–9）

大菩薩衆俱詣其所而自現身供養守護安
慰其心亦為供養法華經故是人若坐思惟
此經尒時我復乘白象王現其人前其人若
於法華經有所忘失一句一偈我當教之與
共讀誦還令通利尒時受持讀誦法華經者
得見我身甚大歡喜轉復精進以見我故即
得三昧及陁羅尼名為旋陁羅尼百千萬億
旋陁羅尼法音方便陁羅尼得如是等陁羅
尼世尊若後世後五百歲濁惡世中比丘比
丘尼優婆塞優婆夷求索者受持者讀誦者
書寫者欲脩習是法華經於三七日中應一
心精進滿三七日已我當乘六牙白象與无
量菩薩而自圍繞以一切衆生所憙見身現
其人前而為說法示教利喜亦復與其陁羅
尼呪得是陁羅尼故无有非人能破壞者亦
不為女人之所惑亂我身亦自常護是人唯
願世尊聽我說此陁羅尼呪即於佛前而說
呪曰
阿檀地途賈反一 檀陁婆地二 檀陁婆帝三 檀陁
鳩舍隸四 檀陁脩陁隸五 脩陁隸六 脩陁羅
婆底七 佛馱波羶禰八 薩婆陁羅尼阿婆多
尼九 薩婆婆沙阿婆多尼十 脩阿婆多尼十一
僧伽婆履叉尼十二 僧伽涅伽陁尼十三 阿僧祇
十四 僧伽波伽地十五 帝隸阿惰僧伽兜略盧遮反 阿
羅帝波羅帝十六 薩婆僧伽三摩地伽蘭地十七
薩婆達磨脩波利刹帝十八 薩婆薩埵樓馱憍
舍略阿㝹伽地十九 辛阿毗吉利地帝二十
世尊若有菩薩得聞是陁羅尼者當知普賢

BD00974號　妙法蓮華經卷七
(13–10)

十四 僧伽波伽地十五 帝隸阿惰僧伽兜略盧遮反 阿
羅帝波羅帝十六 薩婆僧伽三摩地伽蘭地十七
薩婆達磨脩波利刹帝十八 薩婆薩埵樓馱憍
舍略阿㝹伽地十九 辛阿毗吉利地帝二十
世尊若有菩薩得聞是陁羅尼者當知普賢
神通之力若法華經行閻浮提有受持者應
作此念皆是普賢威神之力若有受持讀誦
正憶念解其義趣如說脩行當知是人行普
賢行於无量无邊諸佛所深種善根為諸如
来手摩其頭若但書寫是人命終當生忉利
天上是時八萬四千天女作衆伎樂而来迎
之其人即著七寶冠於婇女中娛樂快樂何
況受持讀誦正憶念解其義趣如說脩行若
有人受持讀誦解其義趣是人命終為千佛
授手令不恐怖不墮惡趣即往兜率天上彌
勒菩薩所彌勒菩薩有三十二相大菩薩衆
所共圍繞有百千萬億天女眷屬而於中生
有如是等功德利益是故智者應當一心自
書若使人書受持讀誦正憶念如說脩行世
尊我今以神通力故守護是經於如来滅後
閻浮提内廣令流布使不斷絶尒時釋迦牟
尼佛讚言善哉善哉普賢汝能護助是經令
多所衆生安樂利益汝已成就不可思議功
德深大慈悲從久遠来發阿耨多羅三藐三
菩提意而能作是神通之願守護是經我當
以神通力守護能受持普賢菩薩名者普賢
若有受持讀誦正憶念脩習書寫是法華經
者當知是人則見釋迦牟尼佛如從佛口聞

BD00974號　妙法蓮華經卷七
(13–11)

菩提意而能作是神通之願守護是經我當
以神通力守護能受持普賢菩薩名者普賢
若有受持讀誦正憶念脩習書寫是法華經
者當知是人則見釋迦牟尼佛如從佛口聞
此經典當知是人供養釋迦牟尼佛當知是
人佛讚善哉當知是人為釋迦牟尼佛手摩
其頭當知是人為釋迦牟尼佛衣之所覆如
是之人不復貪著世樂不好外道經書手筆
亦復不憙親近其人及諸惡者若屠兒若畜
猪羊雞狗若獵師若衒賣女色是人心意質
直有正憶念有福德力是人不為三毒所惱
亦不為嫉妬我慢邪慢增上慢所惱是人少
欲知足能脩普賢之行普賢若如來滅後後
五百歲若有人見受持讀誦法華經者應作
是念此人不久當詣道場破諸魔衆得阿耨
多羅三藐三菩提轉法輪擊法鼓吹法螺雨
法雨當坐天人大衆中師子法座上普賢若
於後世受持讀誦是經典者是人不復貪著
衣服卧具飲食資生之物所願不虛亦於現
世得其福報若有人輕毀之言汝狂人耳空
作是行終无所獲如是罪報當世世无眼若
有供養讚嘆之者當於今世得現果報若復
見受持是經者出其過惡若實若不實此人
現世得白癩病若輕笑之者當世世牙齒踈
缺醜脣平鼻手脚繚戾眼目角睞身體臭穢
惡瘡膿血水腹短氣諸惡重病是故普賢若
見受持是經典者當起遠迎當如敬佛說是

BD00974號　妙法蓮華經卷七　（13–12）

作是行終无所獲如是罪報當世世无眼若
有供養讚嘆之者當於今世得現果報若復
見受持是經者出其過惡若實若不實此人
現世得白癩病若輕笑之者當世世牙齒踈
缺醜脣平鼻手脚繚戾眼目角睞身體臭穢
惡瘡膿血水腹短氣諸惡重病是故普賢若
見受持是經典者當起遠迎當如敬佛說是
普賢勸發品時恒河沙等无量无邊菩薩得
百千萬億旋陁羅尼三千大千世界微塵等
諸菩薩具普賢道佛說是經時普賢等諸菩
薩舍利弗等諸聲聞及諸天龍人非人等一
切大會皆大歡喜受持佛語作礼而去

妙法蓮華經卷第七

BD00974號　妙法蓮華經卷七　（13–13）

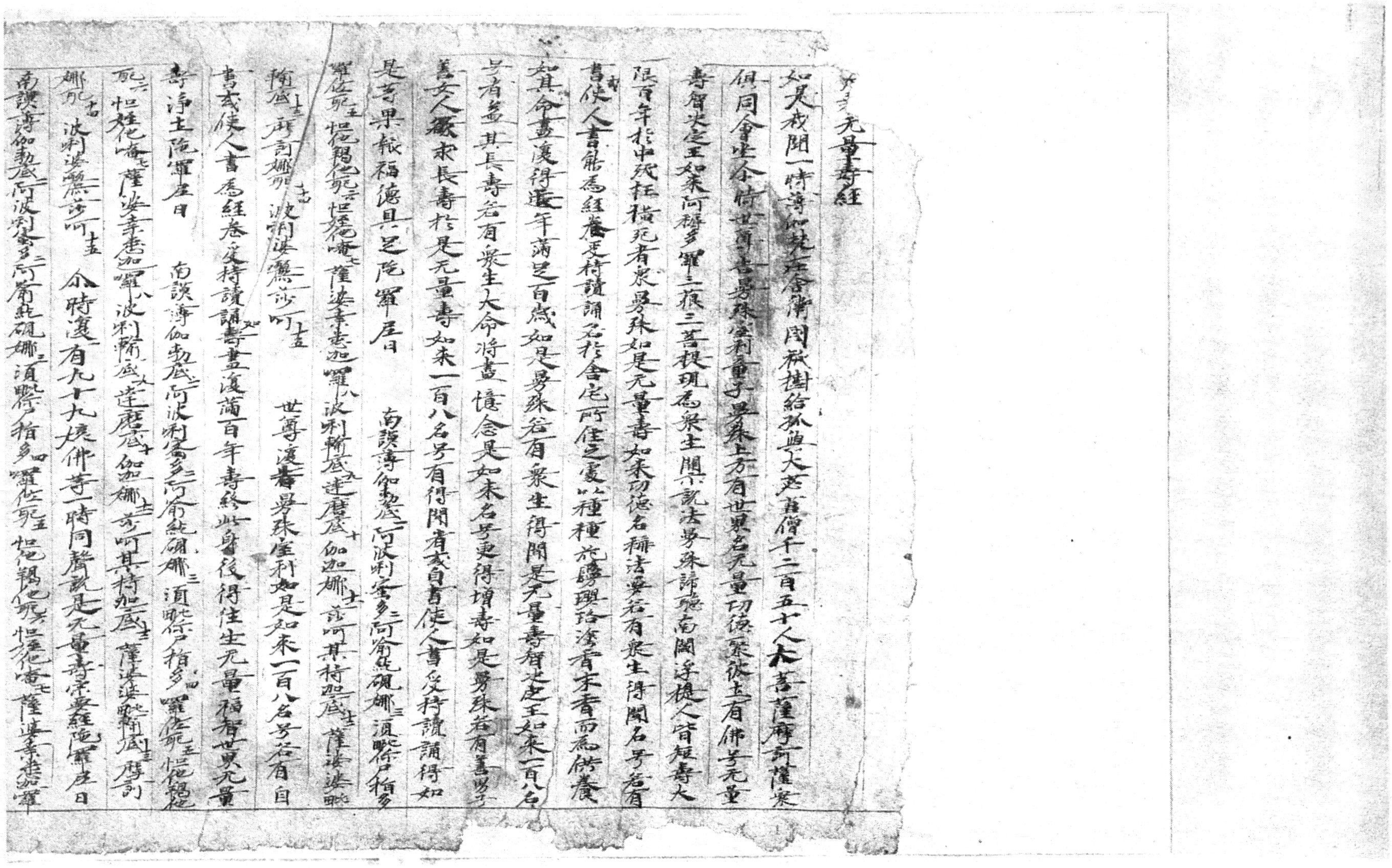
大乘无量壽經
如是我聞一時薄伽梵在舍衛國祇樹給孤獨園與大苾芻僧千二百五十人大菩薩摩訶薩衆
俱同會坐爾時世尊告曼殊室利童子曰上方有世界名无量功德聚彼土有佛号无量
壽智决定王如來阿耨多羅三藐三菩提現為衆生開示說法曼殊師利聽南閻浮提人皆短壽大
限百年於中夭枉橫死者衆曼殊如是无量壽如來功德名稱法要若有衆生得聞名号若有
書使人書能為經卷受持讀誦於舍宅所住之處以種種花鬘瓔珞塗香末香而為供養
如其命盡復得延年滿足百歲如是曼殊若有衆生得聞是无量壽智决定王如來一百八名
号者益其長壽若有衆生大命將盡憶念是如來名号更得增壽如是曼殊若有善男子
善女人欲求長壽於是无量壽如來一百八名号有得聞者若自書使人書受持讀誦得如
是等果報福德具足陀羅尼曰　南謨薄伽勃底一阿波唎蜜多二阿喻紇硯娜三須毗你尸指多
羅佐耶五怛他羯他耶六怛姪他唵七薩婆桑塞迦羅八波唎輸底九達磨底十伽迦娜十一莎訶其持伽底十二薩婆婆毗
輸底十三摩訶娜耶十四波唎婆黎莎訶十五　世尊復告曼殊室利如是如來一百八名号若有自
書或使人書為經卷受持讀誦壽盡復滿百年壽終此身後得往生无量福智世界无量
壽淨土陀羅尼曰　南謨薄伽勃底一阿波唎蜜多二阿喻紇硯娜三須毗你尸指多四羅佐耶五怛他羯他
耶六怛姪他唵七薩婆桑塞迦羅八波唎輸底九達磨底十伽迦娜十一莎訶其持伽底十二薩婆婆毗輸底十三摩訶
娜耶十四波唎婆黎莎訶十五　爾時復有九十九俱胝佛等一時同聲說是无量壽宗要經陀羅尼曰
南謨薄伽勃底一阿波唎蜜多二阿喻紇硯娜三須毗你尸指多四羅佐耶五怛他羯他耶六怛姪他唵七薩婆桑塞迦羅

BD00975 號　無量壽宗要經　（6–1）

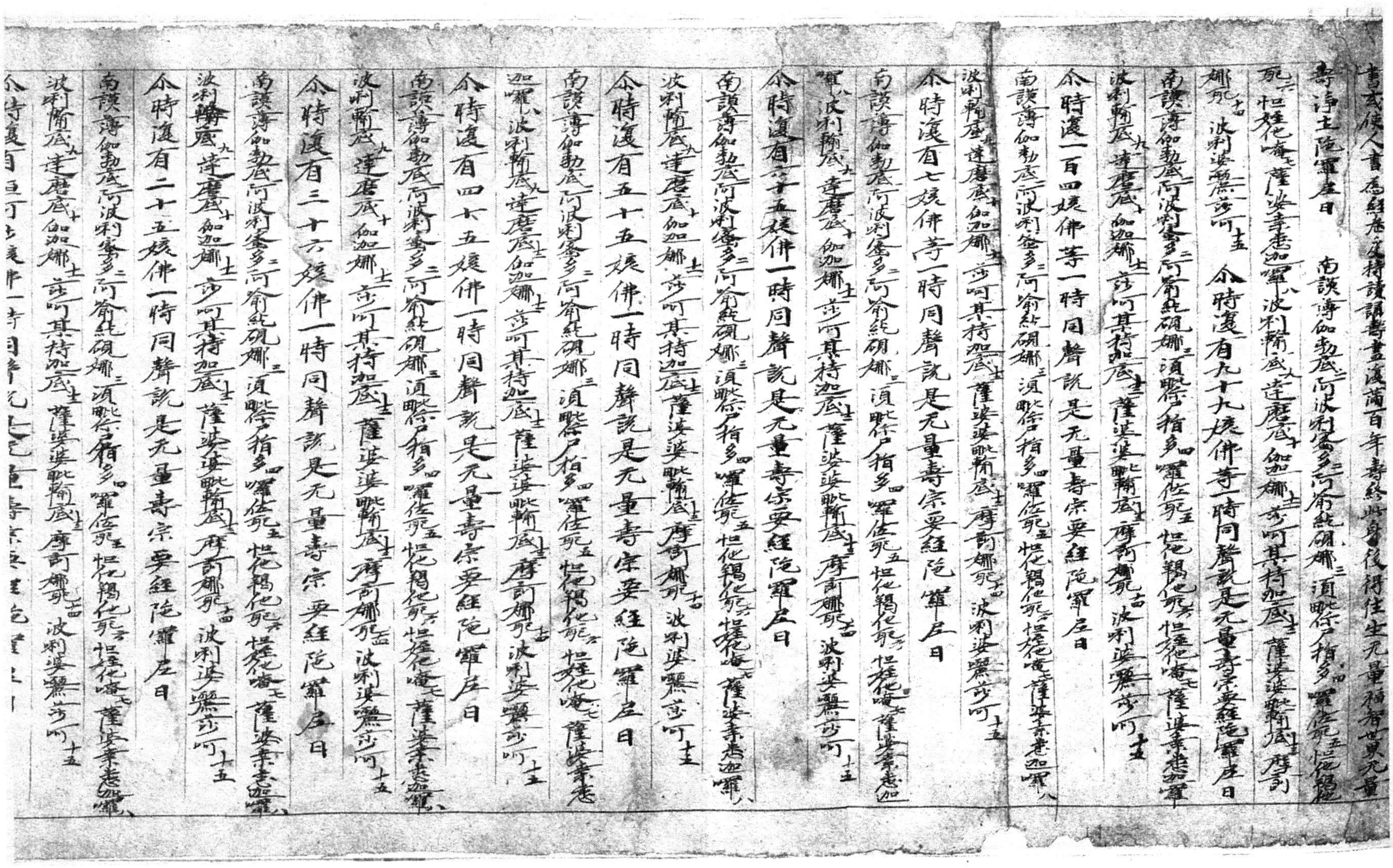
書或使人書為經卷受持讀誦壽盡復滿百年壽終此身後得往生无量福智世界无量
壽淨土陀羅尼曰　南謨薄伽勃底一阿波唎蜜多二阿喻紇硯娜三須毗你尸指多四羅佐耶五怛他羯陀
耶六怛姪他唵七薩婆桑塞迦羅八波唎輸底九達磨底十伽迦娜十一莎訶其持伽底十二薩婆婆毗輸底十三摩訶
娜耶十四波唎婆黎莎訶十五　爾時復有九十九俱胝佛等一時同聲說是无量壽宗要經陀羅尼曰
南謨薄伽勃底一阿波唎蜜多二阿喻紇硯娜三須毗你尸指多四羅佐耶五怛他羯他耶六怛姪他唵七薩婆桑塞迦羅
八波唎輸底九達磨底十伽迦娜十一莎訶其持伽底十二薩婆婆毗輸底十三摩訶娜耶十四波唎婆黎莎訶十五
爾時復一百四俱胝佛等一時同聲說是无量壽宗要經陀羅尼曰
南謨薄伽勃底一阿波唎蜜多二阿喻紇硯娜三須毗你尸指多四羅佐耶五怛他羯他耶六怛姪他唵七薩婆桑塞迦羅
波唎輸底九達磨底十伽迦娜十一莎訶其持伽底十二薩婆婆毗輸底十三摩訶娜耶十四波唎婆黎莎訶十五
爾時復有七俱胝佛等一時同聲說是无量壽宗要經陀羅尼曰
南謨薄伽勃底一阿波唎蜜多二阿喻紇硯娜三須毗你尸指多四羅佐耶五怛他羯他耶六怛姪他唵七薩婆桑塞迦
羅八波唎輸底九達磨底十伽迦娜十一莎訶其持伽底十二薩婆婆毗輸底十三摩訶娜耶十四波唎婆黎莎訶十五
爾時復有六十五俱胝佛一時同聲說是无量壽宗要經陀羅尼曰
南謨薄伽勃底一阿波唎蜜多二阿喻紇硯娜三須毗你尸指多四羅佐耶五怛他羯他耶六怛姪他唵七薩婆桑塞迦羅八
波唎輸底九達磨底十伽迦娜十一莎訶其持伽底十二薩婆婆毗輸底十三摩訶娜耶十四波唎婆黎莎訶十五
爾時復有五十五俱胝佛一時同聲說是无量壽宗要經陀羅尼曰
南謨薄伽勃底一阿波唎蜜多二阿喻紇硯娜三須毗你尸指多四羅佐耶五怛他羯他耶六怛姪他唵七薩婆桑塞
迦囉八波唎輸底九達磨底十伽迦娜十一莎訶其持伽底十二薩婆婆毗輸底十三摩訶娜耶十四波唎婆黎莎訶十五
爾時復有四十五俱胝佛一時同聲說是无量壽宗要經陀羅尼曰
南謨薄伽勃底一阿波唎蜜多二阿喻紇硯娜三須毗你尸指多四羅佐耶五怛他羯他耶六怛姪他唵七薩婆桑塞迦羅八
波唎輸底九達磨底十伽迦娜十一莎訶其持伽底十二薩婆婆毗輸底十三摩訶娜耶十四波唎婆黎莎訶十五
爾時復有三十六俱胝佛一時同聲說是无量壽宗要經陀羅尼曰
南謨薄伽勃底一阿波唎蜜多二阿喻紇硯娜三須毗你尸指多四羅佐耶五怛他羯他耶六怛姪他唵七薩婆桑塞迦羅八
波唎輸底九達磨底十伽迦娜十一莎訶其持伽底十二薩婆婆毗輸底十三摩訶娜耶十四波唎婆黎莎訶十五
爾時復有二十五俱胝佛一時同聲說是无量壽宗要經陀羅尼曰
南謨薄伽勃底一阿波唎蜜多二阿喻紇硯娜三須毗你尸指多四羅佐耶五怛他羯他耶六怛姪他唵七薩婆桑塞迦羅八
波唎輸底九達磨底十伽迦娜十一莎訶其持伽底十二薩婆婆毗輸底十三摩訶娜耶十四波唎婆黎莎訶十五
爾時復有[illegible]

BD00975 號　無量壽宗要經　（6–2）

波唎輸底九 達磨底十 伽伽娜十一 莎訶某持伽底十二 薩婆婆毗輸底十三 摩訶娜耶十四 波唎婆囉莎訶十五

尒時復有二十五殑伽沙一時同聲説是无量壽宗要經陀羅尼曰

南謨薄伽勃底一 阿波唎蜜多二 阿喻紇硯娜三 須毗你只指多四 囉佐耶五 怛他羯他耶六 怛姪他唵七 薩婆桒悉迦囉八

波唎輸底九 達磨底十 伽伽娜十一 莎訶某持伽底十二 薩婆婆毗輸底十三 摩訶娜耶十四 波唎婆囉莎訶十五

尒時復有恒河沙殑伽一時同聲説是无量壽宗要經陀羅尼曰

南謨薄伽勃底一 阿波唎蜜多二 阿喻紇硯娜三 須毗你只指多四 囉佐耶五 怛他羯他耶六 怛姪他唵七 薩婆桒悉迦囉八

波唎輸底九 達磨底十 伽伽娜十一 莎訶某持伽底十二 薩婆婆毗輸底十三 摩訶娜耶十四 波唎婆囉莎訶十五

善男子若有自書寫教人書寫是无量壽宗要經如其命盡復得長壽滿年陀羅尼曰

南謨薄伽勃底一 阿波唎蜜多二 阿喻紇硯娜三 須毗你只指多四 囉佐耶五 怛他羯他耶六 怛姪他唵七 薩婆桒悉

迦囉八 波唎輸底九 達磨底十 伽伽娜十一 莎訶某持伽底十二 薩婆婆毗輸底十三 摩訶娜耶十四 波唎婆囉莎訶十五

若有自書寫教人書寫是无量壽宗要經讀誦受持畢竟不墮地獄在在所生得宿命智陀羅尼曰

南謨薄伽勃底一 阿波唎蜜多二 阿喻紇硯娜三 須毗你只指多四 囉佐耶五 怛他羯他耶六 怛姪他唵七 薩婆桒悉迦囉八

波唎輸底九 達磨底十 伽伽娜十一 莎訶某持伽底十二 薩婆婆毗輸底十三 摩訶娜耶十四 波唎婆囉莎訶十五

若有自書寫教人書寫是无量壽宗要經受持讀誦如同書寫八万四千一切經典陀羅尼曰

南謨薄伽勃底一 阿波唎蜜多二 阿喻紇硯娜三 須毗你只指多四 囉佐耶五 怛他羯他耶六 怛姪他唵七 薩婆桒悉迦囉八

波唎輸底九 達磨底十 伽伽娜十一 莎訶某持伽底十二 薩婆婆毗輸底十三 摩訶娜耶十四 波唎婆囉莎訶十五

若有自書寫教人書寫是无量壽宗要經受持讀誦即是書寫八万四千部建立塔廟陀羅尼曰

南謨薄伽勃底一 阿波唎蜜多二 阿喻紇硯娜三 須毗你只指多四 囉佐耶五 怛他羯他耶六 怛姪他唵七 薩婆桒悉迦囉八

波唎輸底九 達磨底十 伽伽娜十一 莎訶某持伽底十二 薩婆婆毗輸底十三 摩訶娜耶十四 波唎婆囉莎訶十五

若有自書寫教人書寫是无量壽宗要經能消五无間等一切重罪陀羅尼曰

南謨薄伽勃底一 阿波唎蜜多二 阿喻紇硯娜三 須毗你只指多四 囉佐耶五 怛他羯他耶六 怛姪他唵七 薩婆桒

悉迦囉八 波唎輸底九 達磨底十 伽伽娜十一 莎訶某持伽底十二 薩婆婆毗輸底十三 摩訶娜耶十四 波唎婆囉莎訶十五

若有自書寫教人書寫是无量壽宗要經受持讀誦設有重罪猶如須彌盡能除滅陀羅尼曰

南謨薄伽勃底一 阿波唎蜜多二 阿喻紇硯娜三 須毗你只指多四 囉佐耶五 怛他羯他耶六 怛姪他唵七 薩婆桒悉迦囉八

波唎輸底九 達磨底十 伽伽娜十一 莎訶某持伽底十二 薩婆婆毗輸底十三 摩訶娜耶十四 波唎婆囉莎訶十五

若有自書寫教人書寫是无量壽宗要經受持讀誦若魔魔之眷屬夜叉羅剎不得其便終无

枉死陀羅尼曰　南謨薄伽勃底一 阿波唎蜜多二 阿喻紇硯娜三 須毗你只指多四 囉佐耶五 怛他羯他耶六 怛

BD00975號　無量壽宗要經　（6–3）

若有自書寫教人書寫是无量壽宗要經受持讀誦設有重罪猶如須彌盡能除滅陀羅尼曰

南謨薄伽勃底一 阿波唎蜜多二 阿喻紇硯娜三 須毗你只指多四 囉佐耶五 怛他羯他耶六 怛姪他唵七 薩婆桒悉迦囉八

波唎輸底九 達磨底十 伽伽娜十一 莎訶某持伽底十二 薩婆婆毗輸底十三 摩訶娜耶十四 波唎婆囉莎訶十五

若有自書寫教人書寫是无量壽宗要經受持讀誦若魔魔之眷屬夜叉羅剎不得其便終无

枉死陀羅尼曰　南謨薄伽勃底一 阿波唎蜜多二 阿喻紇硯娜三 須毗你只指多四 囉佐耶五 怛他羯他耶六 怛

姪他唵七 薩婆桒悉迦囉八 波唎輸底九 達磨底十 伽伽娜十一 莎訶某持伽底十二 薩婆婆毗輸底十三 摩訶娜耶

波唎婆囉莎訶十五　若有自書寫教人書寫是无量壽宗要經受持讀誦當命終時有九十九

殑伽佛現其人前來千佛授手能遊一切佛剎莫於此經生疑惑陀羅尼曰

南謨薄伽勃底一 阿波唎蜜多二 阿喻紇硯娜三 須毗你只指多四 囉佐耶五 怛他羯他耶六 怛姪他唵七 薩婆桒悉迦囉八

波唎輸底九 達磨底十 伽伽娜十一 莎訶某持伽底十二 薩婆婆毗輸底十三 摩訶娜耶十四 波唎婆囉莎訶十五

若有自書寫教人書寫是无量壽宗要經受持讀誦常得四天大王隨其衛護陀羅尼曰

南謨薄伽勃底一 阿波唎蜜多二 阿喻紇硯娜三 須毗你只指多四 囉佐耶五 怛他羯他耶六 怛姪他唵七 薩婆桒悉迦囉八

波唎輸底九 達磨底十 伽伽娜十一 莎訶某持伽底十二 薩婆婆毗輸底十三 摩訶娜耶十四 波唎婆囉莎訶十五

若有自書寫教人書寫是无量壽宗要經受持讀誦當得往生西方極樂世界阿彌陀淨土陀羅尼曰

南謨薄伽勃底一 阿波唎蜜多二 阿喻紇硯娜三 須毗你只指多四 囉佐耶五 怛他羯他耶六 怛姪他唵七 薩婆桒悉迦囉八

波唎輸底九 達磨底十 伽伽娜十一 莎訶某持伽底十二 薩婆婆毗輸底十三 摩訶娜耶十四 諸婆囉莎訶十五

若有方所自書寫使人書寫是无量壽經典之所處為是塔皆應恭敬作禮若是畜生或

為獸得聞是經如是等類皆當不久得成一切種智陀羅尼曰

南謨薄伽勃底一 阿波唎蜜多二 阿喻紇硯娜三 須毗你只指多四 囉佐耶五 怛他羯他耶六 怛姪他唵七 薩婆桒悉迦

囉八 波唎輸底九 達磨底十 伽伽娜十一 莎訶某持伽底十二 薩婆婆毗輸底十三 摩訶娜耶十四 波唎婆囉莎訶十五

若有於是无量壽經自書寫使人書寫畢竟不受女人之身陀羅尼曰

南謨薄伽勃底一 阿波唎蜜多二 阿喻紇硯娜三 須毗你只指多四 囉佐耶五 怛他羯他耶六 怛姪他唵七 薩婆桒悉迦

囉八 波唎輸底九 達磨底十 伽伽娜十一 莎訶某持伽底十二 薩婆婆毗輸底十三 摩訶娜耶十四 波唎婆囉莎訶十五

若有能於是經少分能惠施者等於三千大千世界滿中七寶布施陀羅尼曰

南謨薄伽勃底一 阿波唎蜜多二 阿喻紇硯娜三 須毗你只指多四 囉佐耶五 怛他羯他耶六 怛姪他唵七 薩婆桒悉迦

囉八 波唎輸底九 達磨底十 伽伽娜十一 莎訶某持伽底十二 薩婆婆毗輸底十三 摩訶娜耶十四 波唎婆囉莎訶十五

若有能供養是經者則是供養一切諸經等无有異陀羅尼曰

南謨薄伽勃底一 阿波唎蜜多二 阿喻紇硯娜三 須毗你只指多四 囉佐耶五 怛他羯他耶六 怛姪他唵七 薩婆桒悉迦囉八

BD00975號　無量壽宗要經　（6–4）

南謨薄伽勃底一阿波唎蜜多二阿喻紇硯娜三須毗你尸栺多四囉佐耶五怛他羯他耶六怛姪他唵七薩婆桑悉迦
囉八波唎輸底九達磨底十伽伽娜十一莎訶其持迦底十二薩婆婆毗輸底十三摩訶娜耶十四波唎婆嚟莎訶十五
若有能供養是經者則是供養一切諸經等无有異陁羅尼曰
南謨薄伽勃底一阿波唎蜜多二阿喻紇硯娜三須毗你尸栺多四囉佐耶五怛他羯他耶六怛姪他唵七薩婆桑悉迦囉八
波唎輸底九達磨底十伽伽娜十一莎訶其持迦底十二薩婆婆毗輸底十三摩訶娜耶十四波唎婆嚟莎訶十五
如是毗婆尸佛　尸棄佛　毗舍浮佛　俱留孫佛　俱那含牟尼佛　迦葉佛　釋迦牟尼佛
若有人以七寶供養如是七佛其福有限書寫受持是无量壽經典所有功德不可數量陁羅
尼曰　南謨薄伽勃底一阿波唎蜜多二阿喻紇硯娜三須毗你尸栺多四囉佐耶五怛他羯他耶六怛姪他唵七薩婆桑悉
迦囉八波唎輸底九達磨底十伽伽娜十一莎訶其持迦底十二薩婆婆毗輸底十三摩訶娜耶十四波唎婆嚟莎訶十五
若有七寶等於須弥以用布施其福有能知其限量是无量壽經典其福不可數量陁羅尼曰
南謨薄伽勃底一阿波唎蜜多二阿喻紇硯娜三須毗你尸栺多四囉佐耶五怛他羯他耶六怛姪他唵七薩婆桑悉迦囉八
波唎輸底九達磨底十伽伽娜十一莎訶其持迦底十二薩婆婆毗輸底十三摩訶娜耶十四波唎婆嚟莎訶十五
如是四大海水可知滴數是无量壽經典所生果報不可數量陁羅尼曰
南謨薄伽勃底一阿波唎蜜多二阿喻紇硯娜三須毗你尸栺多四囉佐耶五怛他羯他耶六怛姪他唵七薩婆桑悉迦囉八波唎輸
底九達磨底十伽伽娜十一莎訶其持迦底十二薩婆婆毗輸底十三摩訶娜耶十四波唎婆嚟莎訶十五
若有自書使人書寫是无量壽經典又能護持供養即如恭敬供養一切十方佛土如來无有別異
陁羅尼曰　南謨薄伽勃底一阿波唎蜜多二阿喻紇硯娜三須毗你尸栺多四囉佐耶五怛他羯他耶六怛姪他唵七薩婆桑
悉迦囉八波唎輸底九達磨底十伽伽娜十一莎訶其持迦底十二薩婆婆毗輸底十三摩訶娜耶十四波唎婆嚟莎訶十五
布施力能成正覺　悟布施力人師子　布施力能聲普聞　慈悲階漸眾能入
持戒力能成正覺　悟持戒力人師子　持戒能力聲普聞　慈悲階漸眾能入
忍辱力能成正覺　悟忍辱力人師子　忍辱力能聲普聞　慈悲階漸眾能入
精進力能成正覺　悟精進力人師子　精進力能聲普聞　慈悲階漸眾能入
禪定力能成正覺　悟禪定力人師子　禪定力能聲普聞　慈悲階漸眾能入
智慧力能成正覺　悟智慧力人師子　智慧力能聲普聞　慈悲階漸眾能入
尒時如來說是經已一切世間天人阿脩羅揵闥婆等聞佛所說皆大歡喜信受奉行
佛說无量壽宗要經

BD00975 號　無量壽宗要經　（6–5）

南謨薄伽勃底一阿波唎蜜多二阿喻紇硯娜三須毗你尸栺多四囉佐耶五怛他羯他耶六怛姪他唵七薩婆桑悉迦囉八波唎輸
底九達磨底十伽伽娜十一莎訶其持迦底十二薩婆婆毗輸底十三摩訶娜耶十四波唎婆嚟莎訶十五
若有自書使人書寫是无量壽經典又能護持供養即如恭敬供養一切十方佛土如來无有別異
陁羅尼曰　南謨薄伽勃底一阿波唎蜜多二阿喻紇硯娜三須毗你尸栺多四囉佐耶五怛他羯他耶六怛姪他唵七薩婆桑
悉迦囉八波唎輸底九達磨底十伽伽娜十一莎訶其持迦底十二薩婆婆毗輸底十三摩訶娜耶十四波唎婆嚟莎訶十五
布施力能成正覺　悟布施力人師子　布施力能聲普聞　慈悲階漸眾能入
持戒力能成正覺　悟持戒力人師子　持戒能力聲普聞　慈悲階漸眾能入
忍辱力能成正覺　悟忍辱力人師子　忍辱力能聲普聞　慈悲階漸眾能入
精進力能成正覺　悟精進力人師子　精進力能聲普聞　慈悲階漸眾能入
禪定力能成正覺　悟禪定力人師子　禪定力能聲普聞　慈悲階漸眾能入
智慧力能成正覺　悟智慧力人師子　智慧力能聲普聞　慈悲階漸眾能入
尒時如來說是經已一切世間天人阿脩羅揵闥婆等聞佛所說皆大歡喜信受奉行
佛說无量壽宗要經

BD00975 號　無量壽宗要經　（6–6）

南无九十法莊嚴佛　南无摩尼金蓋佛
南无星宿佛　南无高山歡喜佛
南无菩提分華身佛　南无能甬行佛
南无寶作佛　南无如寶佛
南无高聚佛　南无寶光明佛
南无寶来佛　南无寶高佛
南无阿閦佛　南无寶光明佛
南无大光明佛　南无不可量聲佛
南无不可思議聲佛　南无大彌佛
南无寶照佛　南无得大无畏佛
南无寶聲佛　南无无邊清淨佛
南无月聲佛　南无无邊彌佛
南无月光清淨佛　南无清淨光佛
南无无垢光佛　南无无邊寶佛
南无波頭摩勝佛　南无身勝佛
南无金色佛　南无梵聲王佛
南无金光明佛

BD00976 號　佛名經（十六卷本）卷七　（24–1）

南无无垢光佛　南无无邊寶佛
南无波頭摩勝佛　南无身勝佛
南无金色佛　南无梵聲王佛
南无金光明佛
從此以上五千七百佛十二部經一切賢聖
南无金色住佛　南无龍自在王佛
南无金色華香自在王佛
南无堅固王佛　南无堅固勇仙行勝佛
南无勝藏摩尼光佛　南无无量香光佛
南无師子聲佛
南无至大勢精進脩行畢竟佛
南无堅固智佛　南无妙鼓聲王佛
南无月妙佛　南无華勝佛
南无世間燈佛　南无火佛
南无寶輪佛　南无无垢智佛
南无常痾滅佛　南无无邊寶化光明佛
南无須弥山奮迅佛　南无寶華佛
南无集寶聚佛　南无不退輪寶住勝佛
南无德普盧舍那清淨佛
南无日月燈佛　南无迷留佛
南无大弥留佛　南无須弥劫佛
南无香面佛　南无成就香佛
南无弥留香佛　南无清淨光佛
南无法上佛　南无香自在王佛
南无大摩尼佛　南无香光佛
南无火光佛　南无甘露光佛
南无月光佛　南无月燈佛

BD00976 號　佛名經（十六卷本）卷七　（24–2）

南无弥留香佛 南无清淨光佛
南无法上佛 南无香自在王佛
南无大摩尼佛 南无香光佛
南无火光佛 南无甘露光佛
南无月光佛 南无月燈佛
南无月照佛 南无月聲佛
南无勝作佛 南无多寶佛
南无師子吼佛 南无師子聲佛
南无勇猛仙佛 南无金剛喜佛
南无讃一切佛 南无離諸疑佛
南无寶炎眷屬佛 南无无憂佛
南无任持速力佛 南无妙喜佛
南无自在作佛 南无无邊聲佛
南无然燈作佛 南无寶光明佛
南无阿弥陁佛 南无釋說佛
南无釋聲佛 南无勝藏積吼王佛
南无降伏金剛堅佛 南无寶月光佛
南无寶火佛 南无賢上佛
南无寶波頭摩步佛 南无寶勝佛
南无金寶光佛 南无怖喜杖勝佛
南无不可量勝佛 南无善逝王佛
南无聖自在手佛 南无不可說分別佛
南无不空勝佛 南无月妙勝佛
南无樹提勝佛 南无虛空光明佛
南无善清淨无垢間錯幢佛
南无善住善根藏王佛

BD00976號　佛名經（十六卷本）卷七　（24-3）

南无樹提勝佛 南无虛空光明佛
南无善清淨无垢間錯幢佛
南无善住善根藏王佛
南无成就一切勝佛 南无智功德清淨勝佛
南无善說清淨幢佛 南无瑠璃藏上勝佛
南无普功德奮迅佛
南无善清淨功德寶王佛
南无寶光明清淨心勝佛
南无金上勝佛 南无勝月佛
南无波頭摩上奮迅勝佛
南无波頭摩上佛 南无寶成就勝佛
南无電光幢王佛 南无電光明高王佛
南无多羅王佛 南无妙勝佛
南无虛空然燈佛 南无成就一切功德佛
南无賢高幢王佛
從此以上五千八百佛十二部經一切賢聖
南无任持一切實間錯莊嚴佛
南无寶光明莊嚴智威德聲自在王佛
南无俱須摩大奮迅通佛
南无敷華娑羅王佛 南无月輪清淨佛
南无善寂智月聲自在王佛
南无阿僧祇精進住勝佛
南无彼心炎佛 南无山功德幢王佛
南无法幢上佛 南无須弥山佛
南无功德師子自在佛
南无寂王佛 南无淨王佛
南无稱王佛 南无功德須弥勝佛

BD00976號　佛名經（十六卷本）卷七　（24-4）

南无法憧上佛　南无須弥山佛
南无一切德師子自在佛
南无舜王佛　南无淨王佛
南无稱王佛　南无一切德須弥勝佛
南无日佛　南无月面佛
南无離虛空畏佛　南无普光佛
南无方成佛　南无任海面佛
南无寶光佛　南无雲勝佛
南无法炎佛　南无山一切德佛
南无華生佛　南无悲佛
南无法界華佛　南无華憧佛
南无王意佛　南无王慧佛
南无智慧佛　南无心義佛
南无自在佛　南无勝天意佛
南无速為佛　南无光明憧勝佛
南无高威德去佛　南无華佛
南无寶炎佛　南无一切德山佛
南无寶寶佛　南无一切德海勝佛
南无法光明佛　南无華藏勝佛
南无世間月佛　南无眼目佛
南无香光佛　南无摩尼須弥勝佛
南无乾闥婆王佛　南无光明命佛
南无摩尼藏王佛　南无山威德慧佛
南无舜色去佛　南无面報佛
南无廣智佛　南无寶光明佛
南无虛空重勝佛　南无妙相光明佛
南无行佛　南无身自在佛

南无舜色去佛　南无面報佛
南无廣智佛　南无寶光明佛
南无虛空重勝佛　南无妙相光明佛
南无行佛　南无身自在佛
南无那羅延行佛　南无須弥勝佛
南无一切德轉輪佛　南无山王佛
南无不可勝佛　南无杖威德佛
南无樹山佛　南无娑羅王山藏佛
南无世自在身佛　南无鏡光佛
南无寶起佛　南无自在勝佛
南无一切德光佛　南无一切威德勝佛
南无身法光明佛　南无勝王佛
南无堅吼意佛　南无高憧勝佛
南无信意佛　南无寶光明佛
南无淨勝佛　南无虛空聲佛
南无法界鏡像勝佛　南无照輪光明佛
次礼十二部經大藏法輪
南无那賴經　南无解日隘神呪經
南无耶業自活經　南无八關齋經
南无八陽呪經　南无部佛名經
南无和利長者所問經　南无佛心總持經
南无降業魔菩薩經　南无難日經
南无釋魔男經　南无度護法經
南无分別經　南无相國阿羅訶經
從此以上五千九百佛十二部經一切賢聖
南无呪時氣病經　南无迦旃延无常經

南无分別經　南无相國阿羅訶經
從此以上五千九百佛十二部經一切賢聖
南无呪時氣病經　南无迦旃延无常經
南无施色力經　南无呪水經
南无呪小兒病經　南无馬有八態經
南无悔過經　南无三十七品經
南无長者子本意經　南无現西方守經
南无九十六種道神呪經
南无稱揚諸佛功德經
南无普明王經　南无木叉經
南无大方便經　南无三法度經
南无菩薩藏經　南无无垢施經
南无難陁女經　南无毗婆沙經
南无法王經　南无自覆經
次礼十方諸大菩薩
南无不瞬菩薩　南无无言菩薩
南无寶勝菩薩　南无寶心菩薩
南无善思議菩薩　南无摩尼髻菩薩
南无莊嚴王菩薩　南无國土莊嚴菩薩
南无因陁羅網菩薩　南无天山菩薩
南无善眼菩薩　南无住持世間才菩薩
南无大將菩薩　南无齊意菩薩
南无速行菩薩　南无善辟菩薩
南无山峯菩薩　南无曇無竭菩薩
南无勝顛菩薩
南无病嚴相星宿山王菩薩
南无樂說无滞菩薩　南无无垢智菩薩

南无山峯菩薩　南无曇无竭菩薩
南无勝顛菩薩
南无病嚴相星宿山王菩薩
南无樂說无滞菩薩　南无无垢智菩薩
南无娑伽羅菩薩　南无斷一切憂菩薩
南无地藏菩薩　南无普現菩薩
南无發行成就菩薩　南无滌汙菩薩
南无清淨三輪菩薩　南无寂靜心菩薩
南无无邊功德菩薩　南无虛空平等智菩薩
南无波頭摩眼菩薩　南无金剛幢菩薩
次礼聲聞緣覺一切賢聖
南无直福德辟支佛　南无識辟支佛
南无香辟支佛　南无有香辟支佛
南无見金飛騰辟支佛　南无可波羅辟支佛
南无秦摩利辟支佛　南无月淨辟支佛
南无善智辟支佛　南无脩陁羅辟支佛
礼三寶已次復懺悔
已懺三塗等報今當復次稽顙懺悔人
天餘報相與禀此閻浮壽命雖曰百年滿
者无幾於其中間盛年夭枉其數无量
但有衆苦煎迫形心愁憂怨怯未曾蹔離
如此皆是善根微弱惡業滋多致使現在
心有所爲皆不稱意當知悉是過去已來惡
業餘報是故弟子今日至誠歸依佛
南无東方蓮華上佛　南无南方調伏佛
南无西方无量明佛　南无北方勝諸根佛
南无東南方蓮華□□佛　南无西南方无量華□佛

業餘報是故弟子今日至誠歸依佛
南无東方蓮華上佛　南无南方調伏佛
南无西方无量明佛　南无北方勝諸根佛
南无東南方蓮華尊佛　南无西南方无量華佛
南无西北方自在智佛　南无東北方赤蓮華佛
南无下方別佛　南无上方伏怨智佛
如是十方盡虛空界一切三寶
弟子等无始以來至於今日所有現在及以
未來人天之中无量餘報流殃宿對隆殘百
疾六根不具罪報懺悔人間邊地邪見三惡
八難罪報懺悔人間多病消瘦促命夭枉
罪報懺悔人間六親眷屬不能得常相保
守罪報懺悔人間親友彫喪愛別離苦罪報
懺悔人間怨家聚會愁憂怖畏罪報懺悔
人間水火盜賊刀兵危險驚恐怯弱罪報懺
悔人間孤獨困苦流離波迸亡失國土罪報
懺悔人間牢獄繫閉幽執側立鞭撻拷楚
罪報懺悔人間公和口舌便相羅誺更相誣
謗罪報懺悔人間惡病連年累月不差枕
臥床席不能起居罪報懺悔人間冬溫夏
疫毒厲傷寒罪報懺悔人間賊風腫滿否
塞罪報懺悔人間為諸惡神伺求其便欲
作禍祟罪報懺悔人間有鳥鳴百恠飛屍
邪鬼為作妖異罪報懺悔人間為虎豹犲
狼水陸一切諸惡禽獸所傷罪報懺悔人間
自經自刺自煞罪報懺悔人間投坑赴火自
沉自墜罪報懺悔人間无有威德名聞罪

BD00976號　佛名經（十六卷本）卷七　（24–9）

邪鬼為作妖異罪報懺悔人間為虎豹犲
狼水陸一切諸惡禽獸所傷罪報懺悔人間
自經自刺自煞罪報懺悔人間投坑赴火自
沉自墜罪報懺悔人間无有威德名聞罪
報懺悔人間衣服資生不稱心罪報懺悔人
間行來出入有所云為值惡知識為作留
難罪報如是現在未來人天之中无量禍
橫災疫厄難衰惱罪報弟子今日向十方
佛尊法聖僧求哀懺悔
南无方蓋別佛　南无智无明佛
南无幢意佛　南无盡空然燈佛
南无无病勝佛　南无照佛
南无明佛　南无福德光勝佛
南无獅勝佛　南无火悲雲勝佛
南无刀光明意佛　南无現一切衆生色佛
南无過勝佛　南无脩光明佛
南无曇无竭佛　南无風疾行勝佛
南无清淨幢佛　南无妙蓋勝佛
南无三世鏡像勝佛　南无敬像堅佛
南无鏡像勝佛　南无金剛勝佛
南无身堅莊嚴須弥勝佛
從此以上六千佛十二部經一切賢聖
南无念憶王佛　南无身法慧佛
南无智慧然燈光明勝佛
南无廣智勝佛　南无法行世智意佛
南无法印意智勝佛　南无法海意智勝佛
南无法財佛　南无寶財佛

BD00976號　佛名經（十六卷本）卷七　（24–10）

南无智慧然燈光明勝佛
南无廣智勝佛　南无法行世智意佛
南无法而意智勝佛　南无法海意智勝佛
南无法財佛　南无寶財佛
南无福德功德佛　南无轉法輪勝佛
南无雲佛　南无忍辱燈佛
南无勝威德意佛　南无光明遠彌聲佛
南无大願速勝佛　南无不可降伏幢佛
南无智炎佛　南无成就勝佛
南无法自在佛　南无不成就意佛
南无世間言語堅固聲光佛
南无一切聲出聲勝佛
南无自在功德佛　南无成就自在意佛
南无方天佛　南无不面捨佛
南无衆生心佛　南无平等身佛
南无自性佛　南无行勝佛
南无智光佛　南无千億寶莊嚴佛
南无寶勝佛　南无住王佛
南无寶積佛　南无香自在佛
南无降伏怨佛　南无安隱佛
南无能與依止佛　南无邊威德佛
南无金色光佛　南无師子奮迅佛
南无甘露光佛　南无能聖成佛
南无普光佛　南无功德勝積王佛
南无善住摩尼積王佛
南无遠離諸畏樹安隱佛

BD00976 號　佛名經（十六卷本）卷七　（24–11）

南无甘露光佛　南无能聖成佛
南无普光佛　南无功德勝積王佛
南无善住摩尼積王佛
南无遠離諸畏樹安隱佛
南无飲甘露佛　南无无邊光佛
南无寶高佛　南无无邊莊嚴王佛
南无離怨佛　南无金色光佛
南无寶作佛　南无无塵勝佛
南无師子聲王佛　南无寶幢佛
南无善心佛　南无高住佛
南无華王佛　南无智作佛
南无海智佛　南无歡喜佛
南无樂莊嚴佛　南无離闇佛
南无堅成佛　南无見細佛
南无无畏德佛　南无空上佛
南无寶語佛　南无稱上佛
南无擇智佛　南无不行威德佛
南无人華佛　南无遠離諸畏佛
南无能與无畏佛　南无金華佛
南无无畏作佛　南无不空見佛
南无寶華佛　南无六十寶作佛
南无寶積佛　南无金華佛
南无降伏王佛　南无金光佛
南无見義佛　南无大擇佛
南无妙无畏佛　南无大慈佛
南无不可降伏王佛　南无難勝佛

BD00976 號　佛名經（十六卷本）卷七　（24–12）

南无降伏王佛　南无金光佛
南无見義佛　南无大擇佛
南无妙无畏佛　南无大慈佛
南无不可降伏王佛　南无難勝佛
南无勝一切佛　南无法上佛
南无上首佛　南无高行佛
南无高勝佛　南无勝聖佛
從此以上六千一百佛十二部經一切賢聖
南无星宿佛　南无識佛
南无商佛　南无聞名佛
南无大悲説佛　南无无量壽佛
南无无邊蓋光明勝佛　南无山積光明勝佛
南无无垢力三昧奮迅勝佛
南无一切德王光明佛
南无火衆佛　南无須弥劫佛
南无堅自在王佛　南无梵吼聲佛
南无弥樓聚佛　南无善眼佛
南无成就聚佛　南无離愚奮迅佛
南无无畏眼佛　南无寳幢佛
南无釋迦牟尼佛　南无功德勝藏佛
南无難勝佛　南无樂説莊嚴佛
南无勝藏積吼王佛
南无无邊功德寳莊嚴威德王劫佛
南无功德寳勝威德王劫佛
南无樂説一切法莊嚴勝佛
南无无邊樂説相佛　南无千雲吼聲王佛
南无金上光明勝佛

南无勝藏積吼王佛
南无无邊功德寳莊嚴威德王劫佛
南无功德寳勝威德王劫佛
南无樂説一切法莊嚴勝佛
南无无邊樂説相佛　南无千雲吼聲王佛
南无金上光明勝佛
南无種種威德王光明勝佛
南无覺佛
南无清淨金虛空吼嚴光明佛
南无一切法行威德奮迅光明佛
南无東方无邊功德寳福德莊嚴廣世
界无垢清淨光明菩提分俱蘇摩不斷
絶光明莊嚴光佛
南无南方樂説佛世界无邊功德寳樂説佛
南无西方光明世界普光明佛
南无北方一切寳種種莊嚴世界无邊
寳功德自在佛
南无東南方无憂世界離一切憂闇佛
无西南方善可見世界大悲觀一切衆生佛
南无東北方住清淨无垢世界虛空无垢佛
南无西北方遠離闇世界光明莊嚴王佛
南无下方盧舍那光明世界寳憂波羅勝佛
南无上方莊嚴世界稱名聲佛
南无无垢劫无垢世界无垢光如來初成佛
彼世界塵沙諸佛出世
南无无垢廣世界名成就善就劫勝讓如
來初成佛彼世界塵沙諸佛出世

彼世界塵沙諸佛出世
南无无垢廣世界名成就善就劫勝讓如
来初成佛彼世界塵沙諸佛出世
南无東方阿閦佛　南无火不迷佛
南无香王佛　南无香上佛
南无南方寶佛　南无寶作佛
南无寶成佛　南无寶藏佛
南无寶月佛　南无金剛堅佛
南无金剛仙佛　南无金剛幢佛
南无東南方大弥羅佛　南无弥留山佛
南无弥留王佛　南无弥留幢佛
南无弥留積佛　南无善弥留王佛
南无日藏佛　南无前後上佛
南无淨王佛　南无難中幢王佛
南无大難中佛　南无西方阿弥陁佛
南无阿弥幢佛　南无阿弥陁聲佛
南无阿弥羅佛　南无阿弥陁吼佛
南无阿弥羅佛　南无阿弥陁勝藏佛
南无阿弥陁師子佛　南无阿弥陁住持佛
南无阿弥陁勝佛　南无西南方日藏佛
南无日光勝佛　南无无憂佛
南无離一切畏佛　南无佛智清淨蓋佛
南无盡作佛　南无華佛
南无大華佛　南无華王佛
南无華聲佛　南无盧舍那佛
南无北方妙鼓聲佛　南无妙鼓王佛

南无盡作佛　南无華佛
南无大華佛　南无華王佛
南无華聲佛　南无盧舍那佛
南无北方妙鼓聲佛　南无妙鼓王佛
南无妙吼聲佛　南无離諸畏佛
南无无畏佛　南无无畏憂佛
南无日香光明作佛　南无蔔陁香佛
南无幢蓋佛　南无西北方上前積佛
從此以上六千二百佛十二部經一切賢聖
南无山勝積佛　南无勝積佛
南无日上佛　南无清淨王佛
南无淨勝佛　南无日面佛
南无智幢王佛　南无光明佛
南无光明王佛　南无光明光佛
南无上方師子佛　南无師子王佛
南无師子上王佛　南无師子積佛
南无師子仙佛　南无仙王佛
南无仙佛　南无仙光佛
南无仙捨敬佛　南无仙覺佛
南无大燈佛　南无然燈王佛
南无樂說山佛　南无燈譬喻佛
南无對治仙佛　南无覺諍佛
南无對治佛　南无對恨佛
南无對治山佛　南无愛然燈佛
南无依山佛　南无東方阿閦佛
南无弥留幢佛　南无大弥留佛

南无對治佛　南无對悕佛
南无對治山佛　南无愛然燈佛
南无依山佛　南无東方阿閦佛
南无弥留幢佛　南无大弥留佛
南无弥留光佛　南无真聲佛
南无南方日月燈佛　南无大火聚佛
南无稱光佛　南无弥留燈佛
南无无邊精進佛　南无西方阿弥陀佛
南无阿弥陀幢佛　南无阿弥陀高佛
南无大火光明佛　南无大聦佛
南无寶幢佛　南无香聚佛
南无上方大光炎聚佛　南无火聲佛
南无難勝成佛　南无日成就佛
南无羅網光佛　南无下方師子佛
南无稱佛　南无威德佛
南无法佛　南无法幢佛
南无法住持佛　南无東方梵聲佛
南无星宿王佛　南无香香佛
南无香光佛　南无大炎聚佛
南无寶種種華敷身佛　南无堅王佛
南无寶蓮華勝佛　南无見一切義佛
南无須弥劫佛　南无聲吼佛
南无智自在佛　南无威德自在佛
南无莎羅自在王佛　南无智勇猛佛
南无光自在佛　南无堅自在王佛
南无聲德佛　南无師子奮迅騶佛
南无須弥山然燈王佛　南无香山佛

BD00976 號　佛名經（十六卷本）卷七　（24–17）

南无智自在佛　南无威德自在佛
南无莎羅自在王佛　南无智勇猛佛
南无光自在佛　南无堅自在王佛
南无聲德佛　南无師子奮迅騶佛
南无須弥山然燈王佛　南无香山佛
南无不可動佛　南无藥王佛
南无尋光佛　南无火炎香佛
南无勝藏佛　南无无心光明佛
南无毗留雖佛　南无蓮華佛
南无喜聚佛　南无旃檀佛
南无月光佛　南无鷲怖幢佛
南无火脩行佛　南无波頭摩生佛
南无月勝佛　南无莎羅集佛
南无大莎羅集佛　南无幢佛
南无淨命佛　南无金臺佛
從此以上六千三百佛十二部經一切賢聖
南无愛見佛　南无金色色佛
南无須摩那華佛　南无妙蓮華劫意那
他他百千万佛同名一切菩提華佛
南无七百同名光莊嚴佛
南无三百同名大幢佛
南无十千同名莊嚴王佛
南无善發勝佛
南无日輪光明佛　南无普蓋佛
南无三昧奮迅佛　南无寶華勝佛
南无无邊足步佛　南无善香香王佛

BD00976 號　佛名經（十六卷本）卷七　（24–18）

南无善發勝佛
南无日輪光明佛　南无普蓋佛
南无三昧奮迅佛　南无寶華勝佛
南无无邊足步佛　南无善香香王佛
南无善擇敵佛　南无須弥劫佛
南无功德王光明佛　南无普至光佛
南无金剛佛　南无尼弥佛
南无不可盡世界一色佛
南无袈裟幢世界山自在王佛
南无堅幢世界智勝山王佛
南无一切香舉世界勝華藏佛
南无金剛摩尼世界金剛藏光明勝佛
南无智成就世界智幢佛
南无意味世界香聪佛
南无波頭摩首世界佛勝佛
南无鏡輪世界金剛幢佛
南无光明清淨力世界日藏佛
南无安樂世界眾力佛
南无阿閦佛　南无寶幢佛
南无无量光佛　南无妙聲佛
南无寶俱蘇摩功德海瑠璃歌耶加山
真金光明勝佛
南无釋迦牟尼佛　南无寶炎佛
次礼十二部尊經大藏法輪
南无明月童子三昧經　南无櫟狗經
南无本行經　南无迦葉戒經
南无阿含口解經　南无迦禰偈經

BD00976號　佛名經（十六卷本）卷七　（24–19）

次礼十二部尊經大藏法輪
南无明月童子三昧經　南无櫟狗經
南无本行經　南无迦葉戒經
南无阿含口解經　南无迦禰偈經
南无迦葉本經　南无般若道行經
南无與顯經　南无多三昧經
南无人所從來如幻經
南无阿須輪子婆羅門經
南无殖眾德本經　南无阿惟越致遮經
南无進學經　南无菩薩法齋經
南无悲心邑經　南无菩薩道地經
南无阿毗曇七經
南无凡人三事愚癡不足經
南无惟羅菩薩經　南无五十校計經
南无為身无反復經　南无惟留經
南无五陰事經　南无雜阿含丹章經
南无慧經　南无五母子經
南无發意决疑經　南无慧上菩薩經
次礼十方諸大菩薩
南无波頭摩華嚴菩薩　南无寶莊嚴菩薩
南无寶路菩薩　南无功德王慧菩薩
南无莊嚴王菩薩　南无斷諸嚴王菩薩
南无滌聲菩薩
南无妙鼓聲菩薩　南无尼民陁羅菩薩
南无大自在菩薩　南无諸功德身菩薩
南无光明意菩薩　南无善見菩薩
南无不取諸法菩薩　南无轉女根菩薩

BD00976號　佛名經（十六卷本）卷七　（24–20）

南无妙鼓聲菩薩　南无尼民陁羅菩薩
南无大自在菩薩　南无諸功德身菩薩
南无光明意菩薩　南无善見菩薩
南无不取諸法菩薩　南无轉女根菩薩
南无思惟大悲菩薩　南无寶盖山菩薩
南无雷山吼聲菩薩　南无羅網莊嚴菩薩
南无寶藏菩薩　南无法難見菩薩
次礼聲聞緣覺一切賢聖
南无善法辟支佛　南无應求辟支佛
南无驕求辟支佛　南无大勢辟支佛
南无脩行不著辟支佛　南无難捨辟支佛
南无歡喜辟支佛　南无喜辟支佛
南无隨喜辟支佛
南无十二婆羅墮辟支佛
從此以上六千四百佛十二部經一切賢聖
礼三寶已次復懺悔
夫欲礼懺必須先敬三寶所以然者三寶
即是一切衆生良友福田若能歸向
者則滅无量罪長无量福能令行者離
生死苦得解脫樂是故弟子某甲等歸
依十方盡虚空界一切諸佛歸依十方盡
虚空界一切尊法歸依十方盡虚空界一切聖
僧弟子今日所以懺悔者正言无始以來在凡
夫地不問貴賤罪自无量或因三業而生罪
或從六根而起過或以內心自耶思惟或藉外
境起於染著如是乃至十惡增長八万四千

BD00976 號　佛名經（十六卷本）卷七　（24–21）

僧弟子今日所以懺悔者正言无始以來在凡
夫地不問貴賤罪自无量或因三業而生罪
或從六根而起過或以內心自耶思惟或藉外
境起於染著如是乃至十惡增長八万四千
諸塵勞門然其罪相雖復无量大而為語
不出有三何等為三一者煩惱二者是業三者
是果報此三種法能障聖道及以人天勝妙好
事是故經中目為三障所以諸佛菩薩教
作方便懺悔除滅此三滅者則六根十惡
乃至八万四千諸塵勞門皆悉清淨是故
弟子今日運此增上勝心懺悔三障欲滅
此三罪者當用何等心可令此罪滅先當
興七種心以為方便然後此罪乃可得滅
何等為七一者慚愧二者恐怖三者厭離
四者發菩提心五者怨親平等六者念報
佛恩七者觀罪性空　第一慚愧
者自惟我與釋迦如來同為凡夫而今世
尊成道以來已經尒所塵沙劫數而我
等相與躭染六塵流浪生死永无出期
此實天下可慚可愧可羞可耻
第二恐怖者既是凡夫身口意業常與罪
相應以是因緣命終之後應墮地獄畜
生餓鬼受无量苦如此實為可驚可恐
可怖可懼　第三厭離者相與當觀
生死之中唯有无常苦空无我不淨虚
假如水上泡速起速滅往来流轉猶若

BD00976 號　佛名經（十六卷本）卷七　（24–22）

生餓鬼受无量苦如此實爲可驚可怖
可怖可懼　第三厭離者相與當觀
生死之中唯有无常苦空无我不淨虛
假如水上泡速起速滅往來流轉猶若
車輪生老病死八苦交煎无時暫息衆
等相與但觀自身從頭至足其中但有卅
六物髮毛抓齒膿囊涕唾生熟二藏大
腸小腸脾腎心肺肝膽脾胃肪膏腦膜
筋脉骨髓大小便利九孔常流是故經
言此身苦所集一切皆不淨何有智慧者
而當樂此身生死既有如此種種惡法
甚可患厭　第四發菩提心者經言當
樂佛身佛身者即法身也從无量功德
智慧生從六波羅蜜生從慈悲喜捨生
從三十七助菩提法生從如是等種種功
德智慧生如来身欲得此身者當發菩
提心求一切種智常樂我淨薩婆若果
淨佛國土成就衆生於身命財无所悋惜
第五怨親平等者於一切衆生起慈悲
心无彼我想何以故尒若見怨異親即
是分別以分別故起諸相着因緣生諸煩惱
煩惱因緣造諸惡業惡業因緣故得苦果
第六念報佛恩者如来往昔无量劫中捨
頭目髓腦支節手足國城妻子象馬七珎
爲我等故脩諸苦行此恩此德實難酬報
是故經言若以頂戴兩肩荷負於恒沙
劫亦不能報我等欲報如来恩者當於

BD00976號　佛名經（十六卷本）卷七　（24–23）

心无彼我想何以故尒若見怨異親即
是分別以分別故起諸相着因緣生諸煩惱
煩惱因緣造諸惡業惡業因緣故得苦果
第六念報佛恩者如来往昔无量劫中捨
頭目髓腦支節手足國城妻子象馬七珎
爲我等故脩諸苦行此恩此德實難酬報
是故經言若以頂戴兩肩荷負於恒沙
劫亦不能報我等欲報如来恩者當於
此世勇猛精進捍勞忍苦不惜身命建
立三寶弘通大乘廣化衆生同入正道
第七觀罪性空者无有實相從因
緣生顛倒而有既從因緣而生則可
從因緣而滅從因緣而生者押近惡
友造作无端從因緣而滅者即是今日洗
心懺悔是故經言此罪不在内不在外
不在中間故知此罪從本是空生如是
等七種心已緣想十方諸佛賢聖擎
拳合掌披陳至到慚愧改革舒瀝心肝

BD00976號　佛名經（十六卷本）卷七　（24–24）

須菩提於
實以用布施是人所
提言甚多世尊何以故是福德即非福德性
是故如來說福德多若復有人於此經中受
持乃至四句偈等為他人說其福勝彼何以故
須菩提一切諸佛及諸佛阿耨多羅三藐三菩
提法皆從此經出須菩提所謂佛法者即非佛法
須菩提於意云何須陁洹能作是念我得須
陁洹果不須菩提言不也世尊何以故須陁
洹名為入流而无所入不入色聲香味觸法
是名須陁洹須菩提於意云何斯陁含能作
是念我得斯陁含果不須菩提言不也世尊
何以故斯陁含名一往來而實无往來是名
斯陁含須菩提於意云何阿那含能作是念
我得阿那含果不須菩提言不也世尊何以
故阿那含名為不來而實无來是故名阿那
含須菩提於意云何阿羅漢能作是念我得
阿羅漢道不須菩提言不也世尊何以故實

BD00977號　金剛般若波羅蜜經　（12–1）

我得阿那含果不須菩提言不也世尊何以
故阿那含名為不來而實无來是故名阿那
含須菩提於意云何阿羅漢能作是念我得
阿羅漢道不須菩提言不也世尊何以故實
无有法名阿羅漢世尊若阿羅漢作是念我
得阿羅漢道即為著我人衆生壽者世尊佛
說我得无諍三昧人中最為第一是第一離
欲阿羅漢我不作是念我是離欲阿羅漢世
尊我若作是念我得阿羅漢道世尊則不說
須菩提是樂阿蘭那行者以須菩提實无所
行而名須菩提是樂阿蘭那行佛告須菩提
於意云何如來昔在然燈佛所於法有所得
不世尊如來在然燈佛所於法實无所得
須菩提於意云何菩薩莊嚴佛土不不也世
尊何以故莊嚴佛土者則非莊嚴是名莊嚴
是故須菩提諸菩薩摩訶薩應如是生清淨
心不應住色生心不應住聲香味觸法生心
應无所住而生其心須菩提譬如有人身如
須弥山王於意云何是身為大不須菩提言
甚大世尊何以故佛說非身是名大身
須菩提如恒河中所有沙數如是沙等恒河
於意云何是諸恒河沙寧為多不須菩提言
甚多世尊但諸恒河尚多无數何況其沙須
菩提我今實言告汝若有善男子善女人以
七寶滿尒所恒河沙數三千大千世界以用
布施得福多不須菩提言甚多世尊佛告須
菩提若善男子善女人於此經中乃至受持

BD00977號　金剛般若波羅蜜經　（12–2）

菩提我今實言告汝若有善男子善女人以
七寶滿尒所恒河沙數三千大千世界以用
布施得福多不須菩提言甚多世尊佛告須
菩提若善男子善女人於此經中乃至受持
四句偈等為他人說而此福德勝前福德
復次須菩提隨說是經乃至四句偈等當知
此處一切世間天人阿脩羅皆應供養如佛
塔廟何况有人盡能受持讀誦須菩提當知
是人成就最上第一希有之法若是經典所
在之處則為有佛若尊重弟子
尒時須菩提白佛言世尊當何名此經我等
云何奉持佛告須菩提是經名為金剛般若
波羅蜜以是名字汝當奉持所以者何須菩
提佛說般若波羅蜜則非般若波羅蜜須菩
提於意云何如來有所說法不須菩提白佛
言世尊如來无所說須菩提於意云何三千
大千世界所有微塵是為多不須菩提言甚
多世尊須菩提諸微塵如來說非微塵是名
微塵如來說世界非世界是名世界須菩提
於意云何可以三十二相見如來不不也世尊
不可以三十二相得見如來何以故如來說三
十二相即是非相是名三十二相
須菩提若有善男子善女人以恒河沙等身
命布施若復有人於此經中乃至受持四句偈
等為他人說其福甚多
尒時須菩提聞說是經深解義趣涕淚悲泣
而白佛言希有世尊佛說如是甚深經典我

BD00977 號　金剛般若波羅蜜經　（12–3）

命布施若復有人於此經中乃至受持四句偈
等為他人說其福甚多
尒時須菩提聞說是經深解義趣涕淚悲泣
而白佛言希有世尊佛說如是甚深經典我
從昔來所得慧眼未曾得聞如是之經世尊
若復有人得聞是經信心清淨則生實相當
知是人成就第一希有功德世尊是實相者
則是非相是故如來說名實相世尊我今得
聞如是經典信解受持不足為難若當來世
後五百歲其有衆生得聞是經信解受持是
人則為第一希有何以故此人无我相人相
衆生相壽者相所以者何我相即是非相人
相衆生相壽者相即是非相何以故離一切
諸相則名諸佛佛告須菩提如是如是若復
有人得聞是經不驚不怖不畏當知是人甚
為希有何以故須菩提如來說第一波羅蜜
非第一波羅蜜是名第一波羅蜜
須菩提忍辱波羅蜜如來說非忍辱波羅蜜
何以故須菩提如我昔為歌利王割截身體
我於尒時无我相无人相无衆生相无壽者
相何以故我於往昔節節支解時若有我相
人相衆生相壽者相應生瞋恨須菩提又念
過去於五百世作忍辱仙人於尒所世无我
相无人相无衆生相无壽者相是故須菩提
菩薩應離一切相發阿耨多羅三藐三菩提
心不應住色生心不應住聲香味觸法生心
應生无所住心若心有住則為非住是故佛

BD00977 號　金剛般若波羅蜜經　（12–4）

相无人相无衆生相无壽者相是故須菩提
菩薩應離一切相發阿耨多羅三藐三菩提
心不應住色生心不應住聲香味觸法生心
應生无所住心若心有住則為非住是故佛
說菩薩心不應住色布施須菩提菩薩為利
益一切衆生應如是布施如来說一切諸相
即是非相又說一切衆生則非衆生須菩提
如来是真語者實語者如語者不誑語者不
異語者須菩提如来所得法此法无實无虚
須菩提若菩薩心住於法而行布施如人入
闇則无所見若菩薩心不住法而行布施如
人有目日光明照見種種色
須菩提當来之世若有善男子善女人能於此
經受持讀誦則為如来以佛智慧悉知是人
悉見是人皆得成就无量无邊功德
須菩提若有善男子善女人初日分以恒河
須等身布施中日分復以恒河沙等身布施
後日分亦以恒河沙等身布施如是无量百
千万億劫以身布施若復有人聞此經典信
心不逆其福勝彼何况書寫受持讀誦為人解說
須菩提以要言之是經有不可思議不可稱
量无邊功德如来為發大乘者說為發最上
乘者說若有人能受持讀誦廣為人說如来
悉知是人悉見是人皆得成就不可量不可
稱无有邊不可思議功德如是人等則為荷
擔如来阿耨多羅三藐三菩提何以故須菩
提若樂小法者著我見人見衆生見壽者見
則於此經不能聽受讀誦為人解說須菩提

BD00977號　金剛般若波羅蜜經　（12–5）

稱无有邊不可思議功德如是人等則為荷
擔如来阿耨多羅三藐三菩提何以故須菩
提若樂小法者著我見人見衆生見壽者見
則於此經不能聽受讀誦為人解說須菩提
在在處處若有此經一切世間天人阿脩羅
所應供養當知此處則為是塔皆應恭敬作
礼圍遶以諸華香而散其處
復次須菩提善男子善女人受持讀誦此經
若為人輕賤是人先世罪業應墮惡道以今
世人輕賤故先世罪業則為消滅當得阿耨
多羅三藐三菩提須菩提我念過去无量阿
僧祇劫於然燈佛前得值八百四千万億那
由他諸佛悉皆供養承事无空過者若復有
人於後末世能受持讀誦此經所得功德於
我所供養諸佛功德百分不及一千万億分
乃至筭數譬喻所不能及須菩提若善男子
善女人於後末世有受持讀誦此經所得功
德我若具說者或有人聞心則狂亂狐疑不信須
菩提當知是經義不可思議果報亦不可思議
尒時須菩提白佛言世尊善男子善女人發
阿耨多羅三藐三菩提心云何應住云何降
伏其心佛告須菩提善男子善女人發阿耨
多羅三藐三菩提者當生如是心我應滅度
一切衆生滅度一切衆生已而无有一衆生
實滅度者何以故若菩薩有我相人相衆生
相壽者相則非菩薩所以者何須菩提實无
有法發阿耨多羅三藐三菩提者
須菩提於意云何如来於然燈佛所有法得

BD00977號　金剛般若波羅蜜經　（12–6）

一切衆生滅度一切衆生已而无有一衆生
實滅度者何以故若菩薩有我相人相衆生
相壽者相則非菩薩所以者何須菩提實无
有法發阿耨多羅三藐三菩提者
須菩提於意云何如來於然燈佛所有法得
阿耨多羅三藐三菩提不不也世尊如我解
佛所說義佛於然燈佛所无有法得阿耨多
羅三藐三菩提佛言如是如是須菩提實无
有法如來得阿耨多羅三藐三菩提須菩提
若有法如來得阿耨多羅三藐三菩提然燈
佛則不與我受記汝於來世當得作佛号釋
迦牟尼以實无有法得阿耨多羅三藐三菩
提是故然燈佛與我受記作是言汝於來世
當得作佛号釋迦牟尼何以故如來者即諸
法如義若有人言如來得阿耨多羅三藐三
菩提須菩提實无有法佛得阿耨多羅三藐
三菩提須菩提如來所得阿耨多羅三藐三
菩提於是中无實无虛是故如來說一切法
皆是佛法須菩提所言一切法者即非一切
法是故名一切法
須菩提譬如人身長大須菩提言世尊如來
說人身長大則為非大身是名大身
須菩提菩薩亦如是若作是言我當滅度无
量衆生則不名菩薩何以故須菩提實无有
法名為菩薩是故佛說一切法无我无人无
衆生无壽者須菩提若菩薩作是言我當莊
嚴佛土是不名菩薩何以故如來說莊嚴佛

量衆生則不名菩薩何以故須菩提實无有
法名為菩薩是故佛說一切法无我无人无
衆生无壽者須菩提若菩薩作是言我當莊
嚴佛土是不名菩薩何以故如來說莊嚴佛
土者即非莊嚴是名莊嚴須菩提若菩薩通
達无我法者如來說名真是菩薩
須菩提於意云何如來有肉眼不如是世尊
如來有肉眼須菩提於意云何如來有天眼
不如是世尊如來有天眼須菩提於意云何
如來有慧眼不如是世尊如來有慧眼須菩
提於意云何如來有法眼不如是世尊如來
有法眼須菩提於意云何如來有佛眼不如
是世尊如來有佛眼須菩提於意云何恒河
中所有沙佛說是沙不如是世尊如來說是
沙須菩提於意云何如一恒河中所有沙有
如是等恒河是諸恒河所有沙數佛世界如
是寧為多不甚多世尊佛告須菩提尒所國
土中所有衆生若干種心如來悉知何以故
如來說諸心皆為非心是名為心所以者何
須菩提過去心不可得現在心不可得未來
心不可得須菩提於意云何若有人滿三千
大千世界七寶以用布施是人以是因緣得
福多不如是世尊此人以是因緣得福甚多
須菩提若福德有實如來不說得福德多以
福德无故如來說得福德多
須菩提於意云何佛可以具足色身見不不
也世尊如來不應以具足色身見何以故如
來說具足色身即非具足色身是名具足色

須菩提於意云何佛可以具足色身見不不
世世尊如來不應以具足色身見何以故如
來說具足色身即非具足色身是名具足色
身須菩提於意云何如來可以具足諸相見
不不世世尊如來不應以具足諸相見何以
故如來說諸相具足即非具足是名諸相具
足須菩提汝勿謂如來作是念我當有所說
法莫作是念何以故若人言如來有所說法
即為謗佛不能解我所說故須菩提說法者
无法可說是名說法
須菩提白佛言世尊佛得阿耨多羅三藐三
菩提為无所得耶如是如是須菩提我於阿
耨多羅三藐三菩提乃至无有少法可得是
名阿耨多羅三藐三菩提復次須菩提是法
平等无有高下是名阿耨多羅三藐三菩提
以无我无人无眾生无壽者脩一切善法則
得阿耨多羅三藐三菩提須菩提所言善法
者如來說非善法是名善法須菩提若三千
大千世界中所有諸須弥山王如是等七寶
聚有人持用布施若人以此般若波羅蜜經
乃至四句偈等受持讀誦為他人說於前福
德百分不及一百千万億分乃至筭數譬喻
所不能及須菩提於意云何汝等勿謂如來
作是念我當度眾生須菩提莫作是念何以
故實无有眾生如來度者若有眾生如來度
者如來則有我人眾生壽者須菩提如來說
有我者則非有我而凡夫之人以為有我須

BD00977號　金剛般若波羅蜜經　（12–9）

作是念我當度眾生須菩提莫作是念何以
故實无有眾生如來度者若有眾生如來度
者如來則有我人眾生壽者須菩提如來說
有我者則非有我而凡夫之人以為有我須
菩提凡夫者如來說則非凡夫
須菩提於意云何可以卅二相觀如來不須
菩提言如是如是以卅二相觀如來佛言須
菩提若以卅二相觀如來者轉輪聖王則是
如來須菩提白佛言世尊如我解佛所說義
不應以卅二相觀如來尒時世尊而說偈言
若以色見我　以音聲求我　是人行耶道　不能見如來
須菩提汝若作是念如來不以具足相故得
阿耨多羅三藐三菩提須菩提莫作是念如
來不以具足相故得阿耨多羅三藐三菩提
須菩提汝若作是念發阿耨多羅三藐三菩
提者說諸法斷滅莫作是念何以故發阿耨
多羅三藐三菩提者於法不說斷滅相須菩
提若菩薩以滿恒河沙等世界七寶布施若
復有人知一切法无我得成於忍此菩薩勝
前菩薩所得功德須菩提以諸菩薩不受福
德故須菩提白佛言世尊云何菩薩不受福
德須菩提菩薩所作福德不應貪著是故說
不受福德須菩提若有人言如來若來若去
若坐若臥是人不解我所說義何以故如來
者无所從來亦无所去故名如來
須菩提若善男子善女人以三千大千世界
碎為微塵於意云何是微塵眾寧為多不甚
[illegible]何以故若是微塵眾實有者佛則不

BD00977號　金剛般若波羅蜜經　（12–10）

者无所從來亦无所去故名如來
須菩提若善男子善女人以三千大千世界
碎為微塵於意云何是微塵衆寧為多不甚
多世尊何以故若是微塵衆實有者佛則不
說是微塵衆所以者何佛說微塵衆則非微
塵衆是名微塵衆世尊如來所說三千大千
世界則非世界是名世界何以故若世界實
有者則是一合相如來說一合相則非一合
相是名一合相須菩提一合相者則是不可
說但凡夫之人貪著其事須菩提若人言佛
說我見人見衆生見壽者見須菩提於意云
何是人解我所說義不世尊是人不解如來
所說義何以故世尊說我見人見衆生見壽
者見即非我見人見衆生見壽者見是名我
見人見衆生見壽者見須菩提發阿耨多羅
三藐三菩提心者於一切法應如是知如是
見如是信解不生法相須菩提所言法相者
如來說即非法相是名法相須菩提若有人
以滿无量阿僧祇世界七寶持用布施若有
善男子善女人發菩薩心者持於此經乃至
四句偈等受持讀誦為人演說其福勝彼云
何為人演說不取於相如如不動何以故
一切有為法　如夢幻泡影　如露亦如電　應作如是觀
佛說是經已長老須菩提及諸比丘比丘尼
優婆塞優婆夷一切世間天人阿脩羅聞佛
所說皆大歡喜信受奉持

BD00977號　金剛般若波羅蜜經　（12–11）

者見即非我見人見衆生見壽者見是名我
見人見衆生見壽者見須菩提發阿耨多羅
三藐三菩提心者於一切法應如是知如是
見如是信解不生法相須菩提所言法相者
如來說即非法相是名法相須菩提若有人
以滿无量阿僧祇世界七寶持用布施若有
善男子善女人發菩薩心者持於此經乃至
四句偈等受持讀誦為人演說其福勝彼云
何為人演說不取於相如如不動何以故
一切有為法　如夢幻泡影　如露亦如電　應作如是觀
佛說是經已長老須菩提及諸比丘比丘尼
優婆塞優婆夷一切世間天人阿脩羅聞佛
所說皆大歡喜信受奉持

金剛般若波羅蜜經

BD00977號　金剛般若波羅蜜經　（12–12）

[illegible]
薩名者
其音聲[illegible]
音菩薩
[illegible]菩薩威神[illegible]
[illegible]即得淺處

千万億衆生[為]求金銀琉璃車渠馬瑙
珊瑚虎珀真珠[等]寶入於大海假使黑
風吹其船舫[飄墮]羅剎鬼國其中若有
乃至一人稱觀世音菩薩名者是諸人
等皆得解脫羅剎之難以是因緣名觀
世音若復有人臨當被害稱觀世音菩
薩名者彼所執刀杖尋段段壞而得解
脫若三千大千國土滿中夜叉羅剎欲來惱
人聞其稱觀世音菩薩名者是諸惡
鬼尚不能以惡眼視之況復加害設復有
人若有罪若無罪杻械枷鎖檢繫其身
稱觀世音菩薩名者皆悉斷壞即得解
脫若三千大千國土滿中怨賊有一[illegible]

BD00978 號　觀世音經　（7–1）

人聞其稱觀世音菩薩名者是諸惡
鬼尚不能以惡眼視之況復加害設復有
人若有罪若無罪杻械枷鎖檢繫其身
稱觀世音菩薩名者皆悉斷壞即得解
脫若三千大千國土滿中怨賊有一[商主將]
[諸]商人齎持重寶經過嶮路其中一人
作是唱言諸善男子勿得恐怖汝等
應當一心稱觀世音菩薩名号是菩薩
能以無畏施於衆生汝等若稱名者
於此怨賊當得解脫衆商人聞俱發聲
言南无觀世音菩薩稱其名故即得
解脫无盡意觀世音菩薩摩訶薩
威神之力巍巍如是若有衆生多於婬
欲常念恭敬觀世音菩薩便得離欲
若多瞋恚常念恭敬觀世音菩薩
便得離瞋若多愚癡常念恭敬觀世
音菩薩便得離癡无盡意觀世音
菩薩有如是等大威神力多所饒益
是故衆生常應心念若有女人設欲
求男礼拜供養觀世音菩薩便生福
德智慧之男設欲求女便生端正有相
之女宿殖德本衆人愛敬无盡意觀
音菩薩有如是力若有衆生恭敬礼
拜觀世音菩薩福不唐捐是故衆生
皆應受持觀世音菩薩名号

BD00978 號　觀世音經　（7–2）

之女宿殖德本衆人愛敬无盡意觀
音菩薩有如是力若有衆生恭敬礼
拜觀世音菩薩福不唐捐是故衆生
皆應受持觀世音菩薩名号
无盡意若有人受持六十二億恒河沙菩
薩名字復盡形供養飲食衣服卧具醫
藥於汝意云何是善男子善女人功德
多不无盡意言甚多世尊佛言若復有
人受持觀世音菩薩名号乃至一時礼拜
供養是二人福正等无異於百千万億劫
不可窮盡无盡意受持觀世音菩薩
名号得如是无量无邊福德之利
无盡意菩薩白佛言世尊觀世音菩
薩云何遊此娑婆世界云何而為衆生
說法方便之力其事云何
佛告无盡意菩薩善男子若有國土
衆生應以佛身得度者觀世音菩薩
即現佛身而為說法應以辟支佛身得度
者即現辟支佛身而為說法應以聲聞
身得度者即現聲聞身而為說法應以
梵王身得度者即現梵王身而為說法應
以帝釋身得度者即現帝釋身而為說法
應以自在天身得度者即現自在天身而
為說法應以大自在天身得度者即現大
自在天身而為說法應以天大將軍身得

以帝釋身得度者即現帝釋身而為說法
應以自在天身得度者即現自在天身而
為說法應以大自在天身得度者即現大
自在天身而為說法應以天大將軍身得
度者即現天大將軍身而為說法應以
毗沙門身得度者即現毗沙門身而為說
法應以小王身得度者即現小王身而為
說法應以長者身得度者即現長者身
而為說法應以長者居士身得度者即
現居士身而為說法應以宰官身得度
者即現宰官身而為說法應以婆羅門
身得度者即現婆羅門身而為說法應
以比丘比丘尼優婆塞優婆夷身得度者
現即比丘比丘尼優婆塞優婆夷身而為
說法應以長者居士宰官婆羅門婦女
身得度者即現婦女身而為說法應以
童男童女身得度者即現童男童女
身而為說應以天龍夜叉乹闥婆阿脩
羅迦樓羅緊那羅摩睺羅伽人非人等
身得度者即皆現之而為說法應以執金
剛神得度者即現執金剛神而為說法无
盡意是觀世音菩薩成就如是功德以
種種神力刑遊諸國土度脫衆生是故汝
等一心供養觀世音菩薩是觀世音菩
薩摩訶薩於怖畏急難之中能施无畏

盡意是觀世音菩薩成就如是功德以
種種神力刑遊諸國土度脫衆生是故汝
等一心供養觀世音菩薩是觀世音菩
薩摩訶薩於怖畏急難之中能施无畏
是故此娑婆世界皆号之為施无畏者无
盡意菩薩白佛言世尊我今當供養觀
世音菩薩即解頸衆寶珠瓔珞價直千
兩金而以與之作是言仁者受此法施珎寶
瓔珞時觀世音菩薩不肯受之无盡意
復白觀世音菩薩言仁者愍我等故受
此瓔珞尒時佛告觀世音菩薩當愍此无
盡意菩薩及四衆天龍夜叉乹闥婆阿
脩羅迦樓羅緊那羅摩睺羅伽人非人
等故受是瓔珞即時觀世音菩薩愍諸
四衆及於天龍人非人等受其瓔珞分作二
分一分奉釋迦牟尼佛一分奉多寶佛塔无
盡意觀世音菩薩有如是自在神力遊
於娑婆世界
尒時无盡意菩薩以偈問曰
世尊妙相具　我今重問彼　佛子何因緣　名為觀世音
具足妙相尊　偈答无盡意　汝聽觀音行　善應諸方所
弘誓深如海　歷劫不思議　侍多千億佛　發大清淨願
我為汝略說　聞名及見身　心念不空過
能滅諸有苦　假使興害意　推落大火坑
念彼觀音力　火坑變成池　或漂流巨海

BD00978號　觀世音經　（7–5）

我為汝略說　聞名及見身　心念不空過
能滅諸有苦　假使興害意　推落大火坑
念彼觀音力　火坑變成池　或漂流巨海
龍魚諸鬼難　念彼觀音力　波浪不能沒
或在須弥峯　為人所推墮　念彼觀音力
如日虛空住　或被惡人逐　墮落金剛山
念彼觀音力　不能損一毛　或值怨賊遶
各執刀加害　念彼觀音力　咸即起慈心
或遭王難苦　臨刑欲壽終　念彼觀音力
刀尋段段壞　或囚禁枷鎖　手足被杻械
念彼觀音力　釋然得解脫　呪咀諸毒藥
所欲害身者　念彼觀音力　還著於本人
或遇惡羅刹　毒龍諸鬼等　念彼觀音力
時悉不敢害　若惡獸圍遶　利牙爪可怖
念彼觀音力　疾走无邊方　蚖蛇及蝮蠍
氣毒煙火然　念彼觀音力　尋聲自迴去
雲雷鼓掣電　降雹澍大雨　念彼觀音力
應時得消散　衆生被困厄　无量苦逼身
觀音妙智力　能救世間苦　具足神通力
廣脩智方便　十方諸國土　无刹不現身
種種諸惡趣　地獄鬼畜生　生老病死苦
以漸悉令滅　真觀清淨觀　廣大智慧觀
悲觀及慈觀　當願常瞻仰　无垢清淨光
慧日破諸闇　能伏災風火　普明照世間
悲體戒雷震　慈意妙大雲　澍甘露法雨

BD00978號　觀世音經　（7–6）

以漸悉令滅　真觀清淨觀　廣大智慧觀
悲觀及慈觀　常願常瞻仰　无垢清淨光
慧日破諸闇　能伏灾風火　普明照世間
悲體戒雷震　慈音妙大雲　澍甘露法雨
滅除煩惱焰　諍訟經官處　怖畏軍陣中
念彼觀音力　衆怨悉退散　妙音觀世音
梵音海潮音　勝彼世間音　是故須常念
念念勿生疑　觀世音淨聖　於苦惱死厄
能為作依怙　具一切功德　慈眼視衆生
福聚海无量　是故應頂礼
尒時持地菩薩即從座起前白佛言世
尊若有衆生聞是觀世音菩薩品自在
之業普門示現神通力者當知是人功德
不少佛說是普門品時衆中八万四千衆生
皆發无等等阿耨多羅三藐三菩提心
佛說觀世音經一卷

BD00978 號　觀世音經　（7–7）

……提……行識
……有退轉不舍利子言不也
善現於意云何離色有法於无上正等菩提
有退轉不舍利子言不也善現於意云何離
受想行識有法於无上正等菩提有退轉不
舍利子言不也善現於意云何色真如於无
上正等菩提有退轉不舍利子言不也善現
於意云何受想行識真如於无上正等菩提
有退轉不舍利子言不也善現於意云何離
色真如有法於无上正等菩提有退轉不舍
利子言不也善現於意云何離受想行識真
如有法於无上正等菩提有退轉不舍利子
言不也善現復次舍利子於意云何色能證
无上正等菩提不舍利子言不也善現於意
云何受想行識能證无上正等菩提不舍利
子言不也善現於意云何離色有法能證无
上正等菩提不舍利子言不也善現於意云
何離受想行識有法能證无上正等菩提不
舍利子言不也善現於意云何色真如能證无
上正等菩提不舍利子言不也善現於意云何
受想行識真如能證无上正等菩提不也舍
利子言不也善現於意云何離色真如有法能
證无上正等菩提不舍利子言不也善現於

BD00979 號　大般若波羅蜜多經卷五四九　（10–1）

舍利子言不也善現於意云何色真如能證无
上正等菩提不舍利子言不也善現於意云何
受想行識真如能證无上正等菩提不也舍
利子言不也善現於意云何離色真如有法能
證无上正等菩提不舍利子言不也善現於
意云何離受想行識真如有法能證无上正
等菩提不舍利子言不也善現復次舍利子
於意云何真如於无上正等菩提有退轉不
舍利子言不也善現於意云何離真如有法
於无上正等菩提有退轉不舍利子言不也
善現復次舍利子於意云何真如能證无上
正等菩提不舍利子言不也善現於意云何離
真如有法能證无上正等菩提不舍利子言
不也善現復次舍利子於意云何頗有法非
即色等非離色等非即真如非離真如於无
上正等菩提有退轉不舍利子言不也善現
復次舍利子於意云何頗有法非即色等非
離色等非即真如非離真如能證无上正
等菩提不舍利子言不也善現時具壽善
現謂舍利子言若一切法諦故住故都无所有皆
不可得說何等法可於无上正等菩提而有
退轉時舍利子語善現言如仁者所說无生
法忍中都无有法亦无菩薩可於无上正等
菩提說有退轉若尒何故佛說三種住菩薩
乘補特伽羅但應說一又如仁說應无三乘
菩薩差別唯應有一正等覺乘時滿慈子便
白具壽舍利子言應問善現為許有一菩薩

BD00979 號　大般若波羅蜜多經卷五四九　（10–2）

法忍中都无有法亦无菩薩可於无上正等
菩提說有退轉若尒何故佛說三種住菩薩
乘補特伽羅但應說一又如仁說應无三乘
菩薩差別唯應有一正等覺乘時滿慈子便
白具壽舍利子言應問善現為許有一菩薩
乘不然後可難應无三乘建立差別唯應有
一正等覺乘時舍利子問善現言為許有一
菩薩乘不善現報言於意云何真如中頗有
三乘差別不舍利子言不也善現真如尚无
三相可得況於其內有別三乘於意云何真
如中頗有一乘可得不舍利子言不也善現
真如尚无一相可得況於其內而有一乘於
意云何頗真如中見有一法一菩薩不舍利
子言不也善現時具壽善現謂舍利子言若
一切法諦故住故都无所有皆不可得菩薩
亦尒云何尊者可作是念此是聲聞此是獨
覺此是菩薩如是為三如是為一舍利子若
菩薩摩訶薩於一切法都无所得於法真如
亦无所得於諸菩薩亦无所得於諸如來亦
无所得當知是為真實菩薩舍利子若菩薩
摩訶薩聞說真如无差別相不驚不怖不沉
不沒是菩薩摩訶薩疾證无上正等菩提於
其中間定无退轉尒時世尊讚善現曰善哉
善哉汝今乃能為諸菩薩善說法要汝之所
說皆是如來威神之力善現當知若菩薩摩
訶薩於法真如不可得相深生信解知一切
法无差別相聞說如是諸法真如不可得相
不驚不怖不沉不沒是菩薩摩訶薩疾證

BD00979 號　大般若波羅蜜多經卷五四九　（10–3）

說皆是如來威神之力善現當知若菩薩摩
訶薩於法真如不可得相深生信解知一切
法无差別相聞說如是諸法真如不可得相
不驚不怖不沉不沒是菩薩摩訶薩疾證无
上正等菩提時舍利子便白佛言若菩薩摩
訶薩成就此法疾證无上正等覺耶尒時佛
告舍利子言如是如是若菩薩摩訶薩成就
此法疾證无上正等菩提不墮聲聞獨覺等
地尒時善現便白佛言若菩薩摩訶薩欲疾
證得所求无上正等菩提應云何住云何應
學佛告善現若菩薩摩訶薩欲疾證得所求
无上正等菩提於諸有情應平等住於諸有
情應起等心慈心悲心喜心捨心利益心安樂
心調柔心恭敬心无損心无害心質直心如父
心如母心如兄弟心如姊妹心爲依怙心亦以
此心應與其語善現當知若菩薩摩訶薩
欲疾證得所求无上正等菩提於諸有情應
如是住應如是學

第四分不退相品第十七

尒時善現復白佛言我等當以何行狀相知是
不退轉菩薩摩訶薩佛告善現若菩薩摩
訶薩能如實知若異生地若聲聞地若獨覺
地若菩薩地若如來地如是諸地雖說有異
而於諸法真如性中无變異无分別皆无二无
二分是菩薩摩訶薩雖實悟入諸法真如亦
實安住諸法真如无所分別以无所得爲方
便故是菩薩摩訶薩既實悟入諸法真如

地若菩薩地若如來地如是諸地雖說有異
而於諸法真如性中无變異无分別皆无二无
二分是菩薩摩訶薩雖實悟入諸法真如亦
實安住諸法真如无所分別以无所得爲方
便故是菩薩摩訶薩既實悟入諸法真如
雖聞真如與一切法无二无別而无疑滯是
菩薩摩訶薩既實安住諸法真如出真如已
雖聞諸法種種異相而於其中无所執著亦
无疑滯不作是念此事如實此不如實雖无
此念而於諸法能如實知是菩薩摩訶薩終
不輕尒而發語言諸有所說皆引義利若无
義利終不發言是菩薩摩訶薩終不觀他好
惡長短平等憐愍而爲說法若菩薩摩訶薩
成就如是諸行狀相定於无上正等菩提不
復退轉復次善現一切不退轉菩薩摩訶薩
終不樂觀外道沙門婆羅門等形相言說彼
諸沙門婆羅門等於所知法實知實見或能
施設正見法門无有是處是菩薩摩訶薩
終不禮敬諸餘天神如諸世間外道所事亦終
不以種種花鬘塗散等香衣服瓔珞寶幢幡
蓋伎樂燈明供養天神及諸外道若菩薩
摩訶薩成就如是諸行狀相定於无上正等菩
提不復退轉復次善現一切不退轉菩薩摩
訶薩不墮惡趣不受女身亦不生於卑賤種族
除爲度脫彼類有情現同類生方便攝受
是菩薩摩訶薩常樂受行十善業道自離
害生命乃至邪見亦勸他離害生命乃至邪見

提不復退轉復次善現一切不退轉菩薩摩
訶薩不墮惡趣不受女身亦不生於卑賤種族
除為度脫彼類有情現同類生方便攝受
是菩薩摩訶薩常樂受行十善業道自離
害生命乃至邪見亦勸他離害生命乃至邪見
自受行十善業道亦勸他受行十善業道亦
現觀導讚勵慶喜攝受有情令其堅固是菩
薩摩訶薩乃至夢中亦不現行十惡業道亦
不現起惡不善心乃至夢中亦常受學十善
業道若菩薩摩訶薩成就如是諸行狀相定
於无上正等菩薩不復退轉復次善現一切
不退轉菩薩摩訶薩諸所受持思惟讀誦
種種經典令極通利皆為利樂一切有情恒
作是念我以此法為諸有情宣說開示當令
一切法願足復持如是法施善根與諸有
情平等共有迴向无上正等菩提若菩薩摩
訶薩成就如是諸行狀相定於无上正等菩
提不復退轉復次善現一切不退轉菩薩摩
訶薩於佛所說甚深法門終不生於疑惑猶
豫亦不迷悶歡喜信受諸所發言皆為饒益
知量而說言詞柔濡寢寐輕少煩惱不行入
出往來心不迷謬恒時安住正念正知進止
威儀行住坐卧舉足下足亦復如是諸所踐
履必觀其地安詳繫念直視而行運動語言
常无卒暴諸所受用卧具衣服皆常香潔无
諸臭穢亦无垢膩蟣虱等蟲恒樂清華常无
疾病身中无有八万户蟲所以者何是諸善

履必觀其地安詳繫念直視而行運動語言
常无卒暴諸所受用卧具衣服皆常香潔无
諸臭穢亦无垢膩蟣虱等蟲恒樂清華常无
疾病身中无有八万户蟲所以者何是諸善
薩善根增上出過世間如如善根漸漸增長
如是如是身心清淨由此因緣是諸菩薩身
心堅固猶若金剛不為違緣之所侵惱若菩
薩摩訶薩成就如是諸行狀相定於无上正
等菩提不復退轉尒時善現便白佛言是菩
薩摩訶薩云應知心常清淨佛告善現是
是菩薩摩訶薩如如善根漸漸增長如是如是
心中一切諂曲矯誑皆衰不行由此因緣一切
煩惱及餘不善皆衰息滅亦越聲聞及獨
覺地疾趣无上正等菩提故應知心常清
淨復次善現一切不退轉菩薩摩訶薩不重
利養不徇名譽心離嫉慳身无德失於諸飲
食衣服卧具醫藥資財不生耽著聞甚深法
心不迷謬智慧深固恭敬信受隨所聽聞皆
能會入甚深般若波羅蜜多諸所造作世間
事業亦依般若波羅蜜多方便善巧會入法
性不見一事出法性者設有不與法性相應
亦能方便會入般若波羅蜜多甚深理趣由
斯不見出法性者若菩薩摩訶薩成就如是
諸行狀相定於无上正等菩提不復退轉復
次善現一切不退轉菩薩摩訶薩設有惡魔
現前化作八大地獄復於一一大地獄中化作
无量百千菩薩皆被猛焰交徹燒然各受辛

次善現一切不退轉菩薩摩訶薩設有惡魔
現前化作八大地獄復於二大地獄中化作
无量百千菩薩皆被猛焰交徹燒然各受辛
酸楚毒大苦作是化已告不退轉諸菩薩言
此諸菩薩皆受无上正等菩提不退轉記故
墮如是大地獄中恒受如斯種種劇苦汝等
菩薩既受无上正等菩提不退轉記亦當墮
此大地獄中受諸劇苦佛受汝等大地獄中
受極苦記非受无上正等菩提不退轉記是
故汝等應疾捨棄大菩提心可得免脫此地
獄苦當生天上或生人中受諸妙樂是時不
退轉菩薩摩訶薩見聞此事其心不動亦
不驚疑但作是念受不退轉記菩薩摩訶薩
若墮惡趣受諸苦惱不能免脫必无是處令
見聞者定是惡魔所作所說皆非實有若菩
薩摩訶薩成就如是諸行狀相定於无上正
等菩提不復退轉復次善現一切不退轉菩
薩摩訶薩設有惡魔作沙門像來至其所
說如是言汝先所聞受持讀誦甚深般若波羅
蜜多相應經典皆是邪說應疾捨棄勿謂為
真汝等若能速疾棄捨我當教汝真淨佛法
令汝速證无上菩提汝先所聞非真佛語是
文頌者虛誑撰集我之所說是真佛語善現
當知若菩薩摩訶薩聞如是語心動驚疑當
知未受不退轉記若菩薩摩訶薩聞如是說
其心不動亦不驚疑但隨无作无相无生法性
而住是菩薩摩訶薩諸有所作不信他語

BD00979號　大般若波羅蜜多經卷五四九　（10–8）

當知若菩薩摩訶薩聞如是語心動驚疑當
知未受不退轉記若菩薩摩訶薩聞如是說
其心不動亦不驚疑但隨无作无相无生法性
而住是菩薩摩訶薩諸有所作不信他語
不隨他教而便動轉如阿羅漢諸有所為不
信他語現證法性无惑无疑一切惡魔不能
傾動如是不退轉菩薩摩訶薩一切聲聞獨
覺外道諸惡魔等不能破壞令於菩提而生
退屈若菩薩摩訶薩成就如是諸行狀相定
於无上正等菩提不復退轉復次善現一切不
退轉菩薩摩訶薩設有惡魔來至其所作現
親友作如是言汝等所行是生死法非菩薩
行汝等今應修盡苦道速盡眾苦得般涅槃
是時惡魔即為菩薩說墮生死相似道法菩
薩言此是真道汝修此道速盡一切生老
病死得般涅槃現在苦身尚應厭捨況更求
受當來苦身宜自審思捨先所信是菩薩摩
訶薩聞彼語時其心不動亦不驚疑但作是
念如是說者定是惡魔時彼惡魔復語菩薩
欲聞菩薩无益行邪謂諸菩薩經如殑伽沙
數大劫以无量種上妙供具供養諸佛復於
殑伽沙等佛所修无量種難行苦行親近承
事如殑伽沙諸佛世尊請問无量无邊菩薩
所應修道殑伽沙等諸佛世尊如所請問次
第為說諸菩薩摩訶薩眾如佛教誡精勤
修學經无量劫尚不能證所求无上正等菩
提況今汝等可能證得是時菩薩雖聞其言

BD00979號　大般若波羅蜜多經卷五四九　（10–9）

病死得脫涅槃現在苦身尚應厭捨況更求
受當來苦身宜自審思捨先所信是菩薩摩
訶薩聞彼語時其心不動亦不驚疑但作是
念如是說者定是惡魔時彼惡魔復語菩薩
欲聞菩薩无益行邪謂諸菩薩經如殑伽沙
數大劫以无量種上妙供具供養諸佛復於
殑伽沙等佛所脩无量種難行苦行親近承
事如殑伽沙諸佛世尊請問无量无邊菩薩
所應脩道殑伽沙等諸佛世尊如所請問次
第為說諸菩薩摩訶薩衆如佛教誡精勤
脩學經无量劫尚不能證所求无上正等菩
提況今汝等可能證得是時菩薩雖聞其言
而心不動亦无疑惑時彼惡魔復於是處化
作无量苾芻形像告菩薩曰此諸苾芻皆於
過去經无數劫脩无量種難行苦行而不能
得无上菩提今皆退住阿羅漢果云何汝等
能證菩提是諸菩薩見聞此已即作是念定
是惡魔為擾亂我作如是事定无菩薩脩行
般若波羅蜜多至圓滿位不證无上正等菩
提退住聲聞獨覺等地復作是念若諸菩薩
如佛所說脩菩薩行不證无上正等菩提必

BD00979號　大般若波羅蜜多經卷五四九　（10–10）

得菩
身下劣諸根不具醜陋頑
背僂白癩癲狂種種病苦
得端政黠慧諸根完具无諸
第七大願願我來世得菩
病逼切无救无歸无醫无
多苦我之名号一經其耳
樂家屬資具悉皆豐足乃
第八大願願我來世得菩提
女百惡之所逼惱極生厭
名已一切皆得轉女成男
得无上菩提
第九大願願我來世得
魔羂網解脫一切外道
稠林皆當引攝置於正
行速證无上正等菩提
第十大願願我來世得菩提時若諸有情王
法所縛錄鞭撻繫閉牢獄或當刑戮及餘
无量災難淩辱悲愁煎迫身心受苦若聞我
名以我福德威神力故皆得解脫一切憂苦
第十一大願願我來世得菩提時若諸有情
飢渴所惱為求食故造諸惡業得聞我名專

BD00980號　藥師瑠璃光如來本願功德經　（12–1）

第十大願願我來世得菩提時若諸有情王
法所縲縛錄鞭撻繫閉牢獄或當刑戮及餘
无量災難淩辱悲愁煎迫身心受苦若聞我
名以我福德威神力故皆得解脫一切憂苦
第十一大願願我來世得菩提時若諸有情
飢渴所惱爲求食故造諸惡業得聞我名專
念受持我當先以上妙飲食飽足其身後以
法味畢竟安樂而建立之
第十二大願願我來世得菩提時若諸有情
貧无衣服蚊虻寒熱晝夜逼惱若聞我名專
念受持如其所好即得種種上妙衣服亦得
一切寶莊嚴具華鬘塗香鼓樂衆伎隨心所
翫皆令滿足
曼殊室利是爲彼世尊藥師瑠璃光如來應
正等覺行菩薩道時所發十二微妙上願
復次曼殊室利彼世尊藥師瑠璃光如來行
菩薩道時所發大願及彼佛土功德莊嚴我
若一劫若一劫餘說不能盡然彼佛土一向清
淨无有女人亦无惡趣及苦音聲瑠璃爲地
金繩界道城闕宮閣軒窓羅網皆七寶成
亦如西方極樂世界功德莊嚴等无差別於
其國中有二菩薩摩訶薩一名日光遍照二
名月光遍照是彼无量无數菩薩衆之上首
悉能持彼世尊藥師瑠璃光如來正法寶藏
是故曼殊室利諸有信心善男子善女人等
應當願生彼佛世界
尒時世尊復告曼殊室利童子言曼殊室利

BD00980號　藥師瑠璃光如來本願功德經　（12–2）

名月光遍照是彼无量无數菩薩衆之上首
悉能持彼世尊藥師瑠璃光如來正法寶藏
是故曼殊室利諸有信心善男子善女人等
應當願生彼佛世界
尒時世尊復告曼殊室利童子言曼殊室利
有諸衆生不識善惡唯懷貪悋不知布施及
施果報愚癡无智闕於信根多聚財寶勤加
守護見乞者來其心不憙設不獲已而行施
時如割身肉深生痛惜復有无量慳貪有情
積集資財於其自身尚不受用何況能與父
母妻子奴婢作使及來乞者彼諸有情從此
命終生餓鬼界或傍生趣由昔人間曾得暫
聞藥師瑠璃光如來名故今在惡趣暫得憶
念彼如來名即於念時從彼處沒還生人中
得宿命念畏惡趣苦不樂欲樂好行惠施讚
歎施者一切所有悉无貪惜漸次尚能以頭
目手足血肉身分施來求者況餘財物
復次曼殊室利若諸有情雖於如來受諸學
處而破尸羅有雖不破尸羅而破軌則有於
尸羅軌則雖得不壞然毀正見有雖不毀正
見而棄多聞於佛所說契經深義不能解了
有雖多聞而增上慢由增上慢覆蔽心故自
是非他嫌謗正法爲魔伴黨如是愚人自行
邪見復令无量俱胝有情墮大險坑此諸有
情應於地獄傍生鬼趣流轉无窮若得聞此
藥師瑠璃光如來名號便捨惡行修諸善法
不墮惡趣設有不能捨諸惡行修行善法墮

BD00980號　藥師瑠璃光如來本願功德經　（12–3）

邪見復令无量俱胝有情墮大險坑此諸有
情應於地獄傍生鬼趣流轉无窮若得聞此
藥師瑠璃光如來名号便捨惡行修諸善法
不墮惡趣設有不能捨諸惡行修行善法墮
惡趣者以彼如來本願威力令其現前蹔聞
名号從彼命終還生人趣得正見精進善調
意樂便能捨家趣於非家如來法中受持學
處无有毀犯正見多聞解甚深義離增上慢
不謗正法不為魔伴漸次修行諸菩薩行速
得圓滿。
復次曼殊室利若諸有情慳貪嫉妬自讚毀
他當墮三惡趣中无量千歲受諸劇苦受劇
苦已從彼命終來生人間作牛馬駝驢恒被
鞭撻飢渴逼惱又常負重隨路而行或得為
人生居下賤作人奴婢受他駈役恒不自在
若昔人中曾聞世尊藥師瑠璃光如來名号
由此善因今復憶念至心歸依以佛神力衆
苦解脫諸根聰利智慧多聞恒求勝法常遇
善友永斷魔羂破无明鷇竭煩惱河解脫一
切生老病死憂悲苦惱
復次曼殊室利若諸有情好憙乖離更相鬪
訟惱亂自他以身語意造作增長種種惡業
展轉常為不饒益事互相謀害告召山林樹
塚等神殺諸衆生取其血肉祭祀藥叉羅剎
娑等書怨人名作其形像以惡呪術而呪咀
之厭媚蠱道呪起屍鬼令斷彼命及壞其身
是諸有情若得聞此藥師瑠璃光如來名号

塚等神殺諸衆生取其血肉祭祀藥叉羅剎
娑等書怨人名作其形像以惡呪術而呪咀
之厭媚蠱道呪起屍鬼令斷彼命及壞其身
是諸有情若得聞此藥師瑠璃光如來名号
彼諸惡事悉不能害一切展轉皆起慈心利
益安樂无損惱意及嫌恨心各各歡悅於自
所受生於喜足不相侵凌互為饒益
復次曼殊室利若有四衆苾芻苾芻尼鄔波
索迦鄔波斯迦及餘淨信善男子善女人等
有能受持八分齋戒或經一年或復三月受
持學處以此善根願生西方極樂世界无量
壽佛所聽聞正法而未定者若聞世尊藥師
瑠璃光如來名号臨命終時有八菩薩乘神
通來示其道路即於彼界種種雜色衆寶華
中自然化生或有因此生於天上雖生天中
而本善根亦未窮盡不復更生諸餘惡趣天
上壽盡還生人間或為輪王統攝四洲威德
自在安立无量百千有情於十善道或生剎
帝利婆羅門居士大家多饒財寶倉庫盈溢
形相端嚴眷屬具足聰明智慧勇健威猛如
大力士若是女人得聞世尊藥師如來名号至
心受持於後不復更受女身
爾時曼殊室利童子白佛言世尊我當誓於像
法轉時以種種方便令諸淨信善男子善女人
等得聞世尊藥師瑠璃光如來名号乃至睡
中亦以佛名覺悟其耳世尊若於此經受持讀
誦或復為他演說開示若自書若教人書恭敬

法轉時以種種方便令諸淨信善男子善女人
等得聞世尊藥師瑠璃光如来名号乃至睡
中亦以佛名覺悟其耳世尊若於此經受持讀
誦或復為他演說開示若自書若教人書恭敬
尊重以種種華香塗香抹香燒香花鬘瓔珞幡
蓋伎樂而為供養以五色綵作囊盛之掃灑
淨處敷設高座而用安處尒時四大天王與
其眷屬及餘无量百千天衆皆詣其所供養
守護世尊若此經寶流行之處有能受持以
彼世尊藥師瑠璃光如来本願功德及聞名
号當知是處无復橫死亦復不為諸惡鬼神
奪其精氣設已奪者還得如故身心安樂
佛告曼殊室利如是如是如汝所說曼殊室
利若有淨信善男子善女人等欲供養彼世
尊藥師瑠璃光如来者應先造立彼佛形像
敷清淨座而安處之散種種花燒種種香以
種種幢幡莊嚴其處七日七夜受八分齋戒
食清淨食澡浴香潔著新淨衣應生无垢濁
心无怒害心於一切有情起利益安樂慈悲
喜捨平等之心鼓樂歌讚右遶佛像復應念
彼如来本願功德讀誦此經思惟其義演說
開示隨所樂願一切皆遂求長壽得長壽求富
饒得富饒求官位得官位求男女得男女若
復有人忽得惡夢見諸惡相或恠鳥來集或
於住處百恠出現此人若以衆妙資具恭敬
供養彼世尊藥師瑠璃光如来者惡夢惡相
諸不吉祥皆悉隱沒不能為患或有水火刀

BD00980號　藥師瑠璃光如來本願功德經　（12–6）

復有人忽得惡夢見諸惡相或恠鳥來集或
於住處百恠出現此人若以衆妙資具恭敬
供養彼世尊藥師瑠璃光如来者惡夢惡相
諸不吉祥皆悉隱沒不能為患或有水火刀
毒懸嶮惡象師子虎狼熊羆毒虵惡蠍蜈蚣
蚰蜒蚊虻等怖若能至心憶念彼佛恭敬供
養一切怖畏皆得解脫若他國侵擾盜賊反
亂憶念恭敬彼如来者亦皆解脫
復次曼殊室利若有淨信善男子善女人等
乃至盡形不事餘天唯當一心歸佛法僧受持
禁戒若五戒十戒菩薩四百戒苾芻二百
五十戒苾芻尼五百戒於所受中或有毀犯
怖墮惡趣若能專念彼佛名号恭敬供養者
必定不受三惡趣生或有女人臨當產時受
於極苦若能至心稱名礼讚恭敬供養彼如
来者衆苦皆除所生之子身分具足形色端
正見者歡喜利根聰明安隱少病无有非人
奪其精氣
尒時世尊告阿難言如我稱揚彼佛世尊藥
師瑠璃光如来所有功德此是諸佛甚深行
處難可解了汝為信不阿難白言佛大德世尊
我於如来所說契經不生疑惑所以者何一
切如来身語意業无不清淨世尊此日月輪
可令墮落妙高山王可使傾動諸佛所言无
有異也世尊有諸衆生信根不具聞說諸佛
甚深行處作是思惟云何但念藥師瑠璃光
如来一佛名号便獲尒所功德勝利由此不

BD00980號　藥師瑠璃光如來本願功德經　（12–7）

有異世世尊有諸衆生信根不具聞説諸佛
甚深行處作是思惟云何但念藥師瑠璃光
如來一佛名号便獲尒所功德勝利由此不
信返生誹謗彼於長夜失大利樂墮諸惡趣
流轉无窮佛告阿難是諸有情若聞世尊藥
師瑠璃光如來名号至心受持不生疑惑墮
惡趣者无有是處阿難此是諸佛甚深所行
難可信解汝今能受當知皆是如來威力阿
難一切聲聞獨覺及未登地諸菩薩等皆悉
不能如實信解唯除一生所繫菩薩阿難人
身難得於三寶中信敬尊重亦難可得得聞
世尊藥師瑠璃光如來名号復難於是阿難
彼藥師瑠璃光如來无量菩薩行无量巧方
便无量廣大願我若一劫若一劫餘而廣説
者劫可速盡彼佛行願善巧方便无有盡也
尒時衆中有一菩薩摩訶薩名曰救脫即從
座起偏袒一肩右膝著地曲躬合掌而白佛
言大德世尊像法轉時有諸衆生爲種種患
之所困厄長病羸瘦不能飲食唯脣乾燥見
諸方暗死相現前父母親屬朋友知識啼泣
圍遶然彼自身卧在本處見琰魔使引其神
識至于琰魔法王之前然諸有情有俱生神
隨其所作若罪若福皆具書之盡持授與琰
魔法王尒時彼王推問其人筭計所作隨其
罪福而處斷之時彼病人親屬知識若能爲
彼歸依世尊藥師瑠璃光如來請諸衆僧轉
讀此經然七層之燈懸五色續命神幡或有

魔法王尒時彼王推問其人筭計所作隨其
罪福而處斷之時彼病人親屬知識若能爲
彼歸依世尊藥師瑠璃光如來請諸衆僧轉
讀此經然七層之燈懸五色續命神幡或有
是處彼識得還如在夢中明了自見或經七
日或二十一日或三十五日或四十九日彼
識還時如從夢覺皆自憶知善不善業所得
果報由自證見業果報故乃至命難亦不造
作諸惡之業是故淨信善男子善女人等皆
應受持藥師瑠璃光如來名号隨力所能恭
敬供養
尒時阿難問救脫菩薩曰善男子應云何恭
敬供養彼世尊藥師瑠璃光如來續命幡燈
復云何造救脫菩薩言大德若有病人欲脫
病苦當爲其人七日七夜受持八分齋戒應
以飲食及餘資具隨力所辦供養苾蒭僧晝
夜六時礼拜供養彼世尊藥師瑠璃光如來
讀誦此經四十九遍然四十九燈造彼如來
形像七軀一一像前各置七燈一一燈量大
如車輪乃至四十九日光明不絶造五色綵
幡長四十九搩手應放雜類衆生至四十九
可得過度危厄之難不爲諸橫惡鬼所持
復次阿難若刹帝利灌頂王等災難起時所
謂人衆疾疫難他國侵逼難自界叛逆難星
宿變恠難日月薄蝕難非時風雨難過時不
雨難彼刹帝利灌頂王等尒時應於一切有
情起慈悲心赦諸繫閉依前所説供養之法

復次阿難若刹帝利灌頂王等灾難起時所
謂人衆疾疫難他國侵逼難自界叛逆難星
宿變怪難日月薄蝕難非時風雨難過時不
雨難彼刹帝利灌頂王等尒時應於一切有
情起慈悲心赦諸繫閉依前所說供養之法
供養彼世尊藥師瑠璃光如來由此善根及
彼如來本願力故令其國界即得安隱風雨順
時穀稼成熟一切有情无病歡樂於其國中
无有暴惡藥叉等神惱有情者一切惡相皆
即隱沒而刹帝利灌頂王等壽命色力无
病自在皆得增益阿難若帝后妃主儲君王
子大臣輔相中宮婇女百官黎庶為病所苦
及餘厄難亦應造立五色神幡然燈續明放
諸生命散雜色花燒衆名香病得除愈衆
難解脫
尒時阿難問救脫菩薩言善男子云何已盡
之命而可增益救脫菩薩言大德汝豈不聞
如來說有九橫死耶是故勸造續命幡燈脩
諸福德以脩福故盡其壽命不經苦患阿難
問言九橫云何救脫菩薩言有諸有情得病
雖輕然无醫藥及看病者設復遇醫授以非
藥實不應死而便橫死又信世間邪魔外道
妖孽之師妄說禍福便生恐動心不自正卜
問覓禍殺種種衆生解奏神明呼諸魍魎請
乞福祐欲兾延年終不能得愚癡迷惑信邪
倒見遂令橫死入於地獄无有出期是名初
橫二者橫被王法之所誅戮三者畋獵嬉戲

BD00980號　藥師瑠璃光如來本願功德經　（12–10）

乞福祐欲兾延年終不能得愚癡迷惑信邪
倒見遂令橫死入於地獄无有出期是名初
橫二者橫被王法之所誅戮三者畋獵嬉戲
耽婬嗜酒放逸无度橫為非人奪其精氣四
者橫為火焚五者橫為水溺六者橫為種種
惡獸所噉七者橫墮山崖八者橫為毒藥厭
禱咒咀起屍鬼等之所中害九者飢渴所困
不得飲食而便橫死是為如來略說橫死有
此九種其餘復有无量諸橫難可具說
復次阿難彼琰魔王主領世間名藉之記若
諸有情不孝五逆破辱三寶壞君臣法毀於
信戒琰魔法王隨罪輕重考而罰之是故我
今勸諸有情然燈造幡放生脩福令度苦厄
不遭衆難
尒時衆中有十二藥叉大將俱在會坐所謂
宮毗羅大將　伐折羅大將　迷企羅大將　安底羅大將
頞儞羅大將　珊底羅大將　因達羅大將　波夷羅大將
摩虎羅大將　真達羅大將　招杜羅大將　毗羯羅大將
此十二藥叉大將一一各有七千藥叉以為
眷屬同時舉聲白佛言世尊我等今者蒙佛
威力得聞世尊藥師瑠璃光如來名号不復
更有惡趣之怖我等相率皆同一心乃至盡形
歸佛法僧誓當荷負一切有情為作義利饒
益安樂隨於何等村城國邑空閑林中若有
流布此經或復受持藥師瑠璃光如來名号
恭敬供養者我等眷屬衛護是人皆使解脫
一切苦難諸有願求悉令滿足或有疾厄求

BD00980號　藥師瑠璃光如來本願功德經　（12–11）

歸佛法僧捨當荷負一切有情為作義利饒
益安樂隨於何等村城國邑空閑林中若有
流布此經或復受持藥師瑠璃光如來名號
恭敬供養者我等眷屬衛護是人皆使解脫
一切苦難諸有願求悉令滿足或有疾厄求
度脫者亦應讀誦此經以五色縷結我名字
得如願已然後解結尒時世尊讚諸藥叉大
將言善哉善哉大藥叉將汝等念報世尊藥
師瑠璃光如來恩德者常應如是利益安樂
一切有情
尒時阿難白佛言世尊當何名此法門我等
云何奉持佛告阿難此法門名說藥師瑠璃
光如來本願功德亦名說十二神將饒益有
情結願神呪亦名拔除一切業鄣應如是持
時薄伽梵說是語已諸菩薩摩訶薩及大聲
聞國王大臣婆羅門居士天龍藥叉揵達縛
阿素洛揭路荼緊捺洛莫呼洛伽人非人等
一切大衆聞佛所說皆大歡喜信受奉行
藥師瑠璃光如來本願功德經

BD00980號　藥師瑠璃光如來本願功德經　（12–12）

來現斯短壽何
以故彼諸衆生若見如來不般涅槃不生恭
敬難遭之想如來所說甚深經典亦不受持
讀誦通利為人宣說所以者何以常見佛不
尊重故善男子譬如有人見其父母多有財
產珍寶豐盈便於財物不生希有難遭之
想所以者何於父財物生常想故善男子彼
諸衆生亦復如是若見如來不入涅槃不生
希有難遭之想所以者何由常見故善男子
譬如有人父母貧窮資財乏少然彼貧人或
詣王家或大臣舍見其倉庫種種珍財悉皆
盈滿生希有心難遭之想時彼貧人為欲求
財廣設方便策勤無怠所以者何為捨貧窮
受安樂故善男子彼諸衆生亦復如是若
見如來入於涅槃生難遭想乃至憂苦等想復
作是念於無量劫諸佛如來出現於世如烏
曇跋花時乃一現彼諸衆生發希有心起難
遭想若遇如來心生敬信聞說正法生實語
想所有經典悉皆受持不生毀謗善男子以
是因緣彼佛世尊不久住世速入涅槃善男
子是諸如來以如是等善巧方便成就衆生

BD00981號　金光明最勝王經卷一　（10–1）

道想若遇如來心生敬信聞說正法生實語
想所有經典悉皆受持不生毀謗善男子以
是因緣彼佛世尊不久住世速入涅槃善男
子是諸如來以如是等善巧方便成就衆生
尒時四佛說是語已忽然不現
尒時妙幢菩薩摩訶薩與無量百千菩薩及
無量億那庾多百千衆生俱共往詣鷲峯山
中釋迦牟尼如來正遍知所頂礼佛足在一面
立時妙幢菩薩以如上事具白世尊時四如
來亦詣鷲峯至釋迦牟尼佛所各隨本方
就座而坐告侍者菩薩言善男子汝今可詣
釋迦牟尼佛所為我致問少病少惱起居輕
利安樂行不復作是言善哉善哉釋迦牟尼
如來今可演說金光明經甚深法要為欲饒益
一切衆生除去飢饉令得安樂我當隨喜
時彼侍者各詣釋迦牟尼佛所頂礼雙足却
住一面俱白佛言彼天人師致問无量少病
少惱起居輕利安樂行不復作是言善哉善
哉釋迦牟尼如來今可演說金光明經甚深
法要為欲利益一切衆生除去飢饉令得安
樂尒時釋迦牟尼如來應正等覺告彼侍者
諸菩薩言善哉善哉彼四如來乃能為諸衆
生饒益安樂勸請於我宣揚正法尒時世尊而
說頌曰
我常在鷲山　宣說此經寶　成就衆生故　示現般涅槃
凡夫起邪見　不信我所說　為成就彼故　示現般涅槃

BD00981號　金光明最勝王經卷一

（10–2）

生饒益安樂勸請於我宣揚正法尒時世尊而
說頌曰
我常在鷲山　宣說此經寶　成就衆生故　示現般涅槃
凡夫起邪見　不信我所說　為成就彼故　示現般涅槃
時大會中有婆羅門姓憍陳如名曰法師授
記與无量百千婆羅門衆供養佛已聞世尊
說入般涅槃涕淚交流前礼佛足白言世尊若
實如來於諸衆生有大慈悲憐愍利益令得
安樂猶如父母餘无等者能與世間作歸依
處如淨滿月以大智慧能為照明如日初出
普觀衆生愛無偏黨如羅怙羅願世尊施
我一願尒時世尊默然而止佛威力故於此衆
中有梨車毗童子名一切衆生喜見語婆
羅門憍陳如言大婆羅門汝今從佛欲乞何
願我能與汝婆羅門言童子我欲供養无上
世尊今從如來求請舍利如芥子許何以故
我曾聞說若善男子善女人得佛舍利如芥
子許恭敬供養是人當生三十三天而為帝
釋是時童子語婆羅門曰若欲願生三十三
天受勝報者應當至心聽是金光明最勝
王經於諸經中最為殊勝難解難入聲聞
獨覺所不能知此經能生無量无邊福德果
報乃至成辦無上菩提我今為汝略說其事
婆羅門言善哉童子此金光明甚深最上難
解難入聲聞獨覺尚不能知何況我等邊鄙
之人智慧微淺而能解了是故我今求佛舍

BD00981號　金光明最勝王經卷一

（10–3）

婆羅門言善哉童子此金光明甚深最上難
解難入聲聞獨覺尚不能知何況我等邊鄙
之人智慧微淺而能解了是故我今求佛舍
利如芥子許持還本處置寶函中恭敬供
養命終之後得為帝釋常受安樂云何汝今
不能為我從明行足求斯一願作是語已尒時
童子即為婆羅門而說頌曰
恒河駛流水 可生白蓮花 黃鳥作白形 黑鳥變為赤
假使贍部樹 可生多羅果 朅樹羅枝中 能生菴羅菓
斯等希有物 或容可轉變 世尊之舍利 畢竟不可得
假使用龜毛 織成上妙服 寒時可被著 方求佛舍利
假使蚊蚋足 可使成樓觀 堅固不搖動 方求佛舍利
假使水蛭蟲 口中生白齒 長大利如鋒 方求佛舍利
假使持兔角 用成於梯隥 可昇上天宮 方求佛舍利
鼠緣此梯上 除去阿蘇羅 能障空中月 方求佛舍利
若蠅飲酒醉 周行村邑中 廣造於舍宅 方求佛舍利
若使驢脣色 赤如頻婆果 善作於歌舞 方求佛舍利
烏與鵂鶹鳥 同共一處遊 彼此相順從 方求佛舍利
假使波羅葉 可成於傘蓋 能遮於大雨 方求佛舍利
假令大船舶 盛滿諸財寶 能令陸地行 方求佛舍利
假使鷦鷯鳥 以觜銜香山 隨處任遊行 方求佛舍利
尒時法師授記婆羅門聞此頌已亦以伽他答
一切眾生喜見童子曰
善哉大童子 此眾中吉祥 善巧方便心 得佛無上記
如來大威德 能救護世間 仁可至心聽 我今次第說
諸佛境難思 世間無與等 法身性常住 修行无差別

BD00981 號　金光明最勝王經卷一　（10–4）

一切眾生喜見童子曰
善哉大童子 此眾中吉祥 善巧方便心 得佛無上記
如來大威德 能救護世間 仁可至心聽 我今次第說
諸佛境難思 世間無與等 法身性常住 修行无差別
諸佛體皆同 所說法亦尒 諸佛无作者 亦復本无生
世尊金剛體 權現於化身 是故佛舍利 無如芥子許
佛非血肉身 云何有舍利 方便留身骨 為益諸眾生
法身是正覺 法界即如來 此是佛真身 亦說如是法
尒時會中三万二千天子聞說如來壽命長遠
皆發阿耨多羅三藐三菩提心歡喜踊躍得
未曾有異口同音而說頌曰
佛不般涅槃 正法亦不滅 為利眾生故 示現有滅盡
世尊不思議 妙體無異相 為利眾生故 現種種莊嚴
尒時妙幢菩薩親於佛前及四如來并二大
士諸天子所聞說釋迦牟尼如來壽量事已
復從座起合掌恭敬白佛言世尊若實如
是諸佛如來不般涅槃無舍利者云何經中
說有涅槃及佛舍利令諸人天恭敬供養過
去諸佛現有身骨流布於世人天供養得福
無邊今復言無致生疑惑唯願世尊哀愍
我等廣為分別
尒時佛告妙幢菩薩及諸大眾汝等當知云
般涅槃有舍利者是密意說如是之義當一
心聽善男子菩薩摩訶薩如是應知有其十
法能解如來應正等覺真實理趣說有究
竟大般涅槃云何為十一者諸佛如來究竟斷

BD00981 號　金光明最勝王經卷一　（10–5）

[illegible]者是密意說如是之義當一
心聽善男子菩薩摩訶薩如是應知有其十
法能解如來應正等覺真實理趣說有究
竟大般涅槃云何爲十一者諸佛如來究竟斷
盡諸煩惱障所知障故名爲涅槃二者諸佛
如來善能解了有情無性及法無性故名爲
涅槃三者能轉身依及法依故名爲涅槃四
者於諸有情任運休息化因緣故名爲涅槃
五者證得真實無差別相平等法身故名爲
涅槃六者了知生死及以涅槃無二性故名爲
涅槃七者於一切法了其根本證清淨故名
爲涅槃八者於一切法無生無滅善脩行故
名爲涅槃九者真如法界實際平等得正智
故名爲涅槃十者於諸法性及涅槃性得無
差別故名爲涅槃是謂十法說有涅槃
復次善男子菩薩摩訶薩如是應知復有十
法能解如來應正等覺真實理趣說有究竟
大般涅槃云何爲十一者一切煩惱以樂欲爲
本從樂欲生諸佛世尊斷樂欲故名爲涅槃
二者以諸如來斷諸樂欲不取一法以不取
故無去無來無所取故名爲涅槃三者以無
去來及無所取是則法身不生不滅無生滅
故名爲涅槃四者此無生滅非言所宣言語
斷故名爲涅槃五者無有我人唯法生滅得
轉依故名爲涅槃六者煩惱隨惑皆是客
塵法性是主無來無去佛了知故名爲涅
槃七者真如是實餘皆虛妄實性體者即[illegible]

BD00981號　金光明最勝王經卷一

（10–6）

去來及無所取是則法身不生不滅無生滅
故名爲涅槃四者此無生滅非言所宣言語
斷故名爲涅槃五者無有我人唯法生滅得
轉依故名爲涅槃六者煩惱隨惑皆是客
塵法性是主無來無去佛了知故名爲涅
槃七者真如是實餘皆虛妄實性體者即是
真如真如性者即是如來名爲涅槃八者實際
之性無有戲論唯獨如來證實際法戲論永
斷名爲涅槃九者無生是實生是虛妄愚癡
之人漂溺生死如來體實無有虛妄名爲涅
槃十者不實之法是從緣生真實之法不從
緣起如來法身體是真實名爲涅槃善男
子是謂十法說有涅槃
復次善男子菩薩摩訶薩如是應知復有十
法能解如來應正等覺真實理趣說有究
竟大般涅槃云何爲十一者如來善知施及施
果無我我所此施及果不正分別永除滅故
名爲涅槃二者如來善知戒及戒果無我我
所此戒及果不正分別永除滅故名爲涅槃
三者如來善知忍及忍果無我我所此忍及
果不正分別永除滅故名爲涅槃四者如來
善知勤及勤果無我我所此勤及果不正分別
永除滅故名爲涅槃五者如來善知定及定
果無我我所此定及果不正分別永除滅故
名爲涅槃六者如來善知慧及慧果無我
我所此慧及果不正分別永除滅故名爲涅
槃七者說佛如來善能了知一切有情非有
[illegible]

BD00981號　金光明最勝王經卷一

（10–7）

果無我我所此之及果不正分別永除滅故
名爲涅槃六者如來善知慧及慧果無我
我所此慧及果不正分別永除滅故名爲涅
槃七者說佛如來善能了知一切有情非有
情一切諸法皆無性不正分別永除滅故名
爲涅槃八者若自愛著便起追求由追求故
受衆苦惱諸佛如來除自愛故永絕追求无
追求故名爲涅槃九者有爲之法皆有數量
無爲法者數量皆除佛離有爲證无爲法无
數量故名爲涅槃十者如來了知有情及法
體性皆空離空非有空性即是真法身故
名爲涅槃善男子是謂十法說有涅槃
復次善男子豈唯如來不般涅槃是爲希
有復有十種希有之法是如來行云何爲十
一者生死過失涅槃寂靜由於生死及以涅槃
證平等故不處流轉不住涅槃於諸有情不
生厭背是如來行二者佛於衆生不作是念
此諸愚夫行顛倒見爲諸煩惱之所纏迫我
今開悟令其解脫然由往昔慈善根力於
彼有情隨其根性意樂勝解不起分別任運濟
度示教利喜盡未來際無有窮盡是如來
行三者佛無是念我今演說十二分教利益
有情然由往昔慈善根力於彼有情廣說乃
至盡未來際無有窮盡是如來行四者佛无是
念我今往彼城邑聚落王及大臣婆羅門刹
帝利薜舍戍達羅等舍從其乞食然由往昔

至盡未來際無有窮盡是如來行四者佛无是
念我今往彼城邑聚落王及大臣婆羅門刹
帝利薜舍戍達羅等舍從其乞食然由往昔
身語意行串習力故任運詣彼爲利益事而
行乞食是如來行五者如來之身無有飢渴
亦無便利羸惫之想雖行乞取而無所食亦
無分別然爲任運利益有情是有食相是如來
行六者佛無是念此諸衆生有上中下隨彼
機性而爲說法然佛世尊無有分別隨其器
量善應機緣爲彼說法是如來行七者佛無
是念此類有情不恭敬我常於我所出呵罵
言不能与彼共爲言論彼類有情恭敬於我
常於我所共相讚歎我當与彼共爲言說然
而如來起慈悲心平等無二是如來行八者諸
佛如來無有愛憎憍慢貪惜及諸煩惱然
而如來常樂寂靜讚歎少欲離諸諠閙是
如來行九者如來無有一法不知不善通達
於一切處鏡智現前無有分別然而如來見
彼有情所作事業隨彼意轉方便誘引令
得出離是如來行十者如來若見一分有情
富盛時不生歡喜見其衰損不起憂感然
而如來見彼有情修習正行無礙大慈自然救
攝若見有情循習邪行無礙大悲自然救攝
是如來行善男子如是當知如來應正等覺
說有如是無邊正行汝等當知是謂涅槃真
實之相或時見有般涅槃者是權方便及留
舍利令諸有情

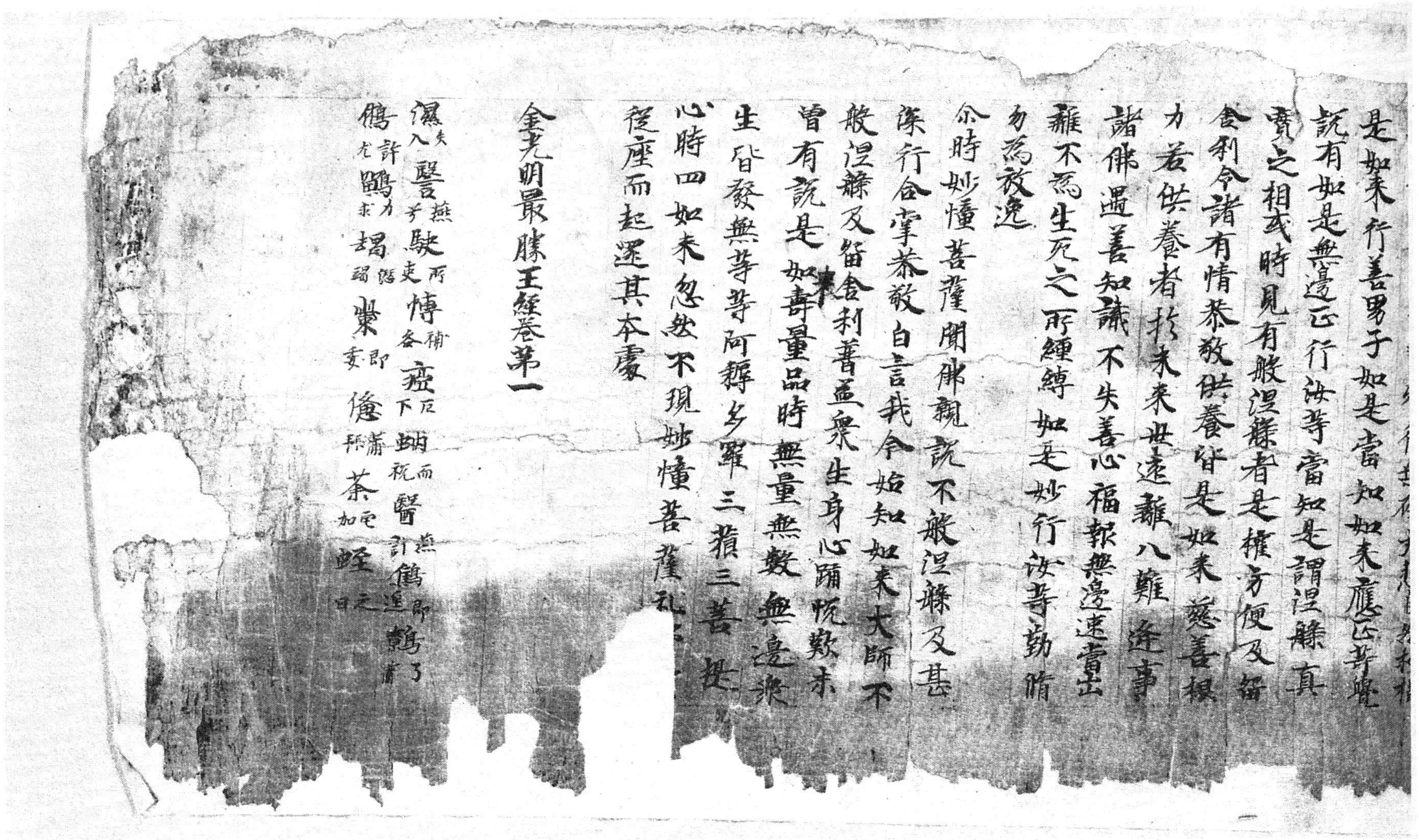
是如來行善男子如是當知如來應正等覺
說有如是無邊正行汝等當知是謂涅槃真
實之相或時見有般涅槃者是權方便及留
舍利令諸有情恭敬供養皆是如來慈善根
力若供養者於未來世遠離八難逢事
諸佛遇善知識不失善心福報無邊速當出
離不為生死之所纏縛如是妙行汝等勤脩
勿為放逸
爾時妙幢菩薩聞佛親說不般涅槃及甚
深行合掌恭敬白言我今始知如來大師不
般涅槃及留舍利普益衆生身心踊悅歎未
曾有說是如來壽量品時無量無數無邊衆
生皆發無等等阿耨多羅三藐三菩提
心時四如來忽然不現妙幢菩薩礼[illegible]
從座而起還其本處
金光明最勝王經卷第一
濕失入 瞖烏兮 駛所吏 愽補各 瘂厄下 蚋而稅 瞖烏計 鶺進 鴒郎了
鵂許尤 鶹力求 蝎[illegible] 叢[illegible]郎 傜[illegible] 茶宅加 蛭之日

BD00981 號　金光明最勝王經卷一　（10–10）

女沙弥智惠潤盈　保盈

BD00981 號背　雜寫　（1–1）

作歸依屋舍室
貴世尊將欲涅槃一切衆生若有所疑今
悉可問為最後問
尒時世尊於晨朝時從其面門放種光其
明雜色青黃赤白頗梨馬瑙光遍照此三千
大千佛之世界乃至十方亦復如是其中所
有六趣衆生遇斯光者罪垢煩惱一切消除
是諸衆生見聞是已心大憂愁同時舉聲悲
啼號哭嗚呼慈父痛哉苦哉舉手拍頭搥胸
叫喚其中或有身體戰慄涕泣哽咽
尒時大地諸山大海皆悉震動時諸衆生共
相謂言且各裁抑莫大愁苦當疾往詣拘尸
那城力士生處至如來所頭面禮敬勸請如
來莫般涅槃住世一劫若減一劫互相執手
復作是言世間虛空衆生福盡不善諸業
增長出世仁等今當速往速往如來不久必
入涅槃復作是言世間空虛世間空虛我等
從今無有救護無所宗仰貧窮孤露一旦遠

BD00982 號　大般涅槃經（北本）卷一　（24–1）

復作是言世間虛空衆生福盡不善諸業
增長出世仁等今當速往速往如來不久必
入涅槃復作是言世間空虛世間空虛我等
從今無有救護無所宗仰貧窮孤露一旦遠
離無上世尊設有疑惑當復問誰
時有無量諸大弟子尊者摩訶迦旃延尊
者薄俱羅尊者優波難陀如是等諸大比丘遇
佛光者其身戰慄乃至大動不能自持心濁
迷悶發聲大喚生如是等種種苦惱
尒時復有八十百千諸比丘等皆阿羅漢心
得自在所作已辦離諸煩惱調伏諸根如大
龍王有大威德成就空慧逮得己利如栴檀
林栴檀圍遶如師子王師子圍遶成就如是
無量功德一切皆是佛之真子於其晨朝日
始初出離常住處嚼楊枝時遇佛光明並相
謂言仁等速疾澡口澡手作是言已舉身毛
竪遍體血現如波羅奢華涕泣盈目生大苦
惱為欲利益安樂衆生成就大乘第一空行
顯發如來方便密教為不斷絕種種說法為
諸衆生調伏因緣故疾至佛所稽首佛足遶
百千匝合掌恭敬却坐一面
尒時復有拘陀羅女善賢比丘尼優波難陀
比丘尼海意比丘尼與六十億比丘尼等一
切亦是大阿羅漢諸漏已盡心得自在所作
已辦離諸煩惱調伏諸根猶如大龍有大威
德成就空慧亦於晨朝日初出時舉身毛竪

BD00982 號　大般涅槃經（北本）卷一　（24–2）

切亦是大阿羅漢諸漏已盡心得自在所作
已辦離諸煩惱調伏諸根猶如大龍有大威
德成就空慧亦於晨朝日初出時舉身毛竪
遍體血現如波羅奢華涕泣盈目生大苦惱
亦欲利益安樂衆生成就大乘第一空行顯
發如來方便密教為不斷絶種種說法為諸
衆生調伏因緣故疾至佛所稽首佛足遶百
千迊合掌恭敬却坐一面於比丘尼衆中復
有諸比丘尼皆是菩薩人中之龍位階十地
安住不動為化衆生現受女身而常脩習四
无量心得自在力能化作佛
尒時復有一恒河沙菩薩摩訶薩人中之龍
位階十地安住不動方便現身其名曰海德
菩薩无盡意菩薩如是等菩薩摩訶薩而為
上首其心皆悉敬重大乘安住大乘深解大
乘愛樂大乘守護大乘善能隨順一切世間
作是誓言諸未度者當令得度已於過世
无數劫中脩持淨戒善持所行解未解者紹
三寶種使不斷絶於未來世當轉法輪以大莊
嚴而自莊嚴成就如是无量功德等觀衆生
如視一子亦於晨朝日初出時遇佛光明舉
身毛竪遍體血現如波羅奢華涕泣盈目生
大苦惱亦為利益安樂衆生成就大乘第一
空行顯發如來方便密教為不斷絶種種說
法為諸衆生調伏因緣故疾至佛所稽首佛
足遶百千迊合掌恭敬却坐一面

大苦惱亦為利益安樂衆生成就大乘第一
空行顯發如來方便密教為不斷絶種種說
法為諸衆生調伏因緣故疾至佛所稽首佛
足遶百千迊合掌恭敬却坐一面
尒時復有二恒河沙等諸優婆塞受持五戒
威儀具足其名曰威德无垢稱王優婆塞善
德優婆塞等而為上首深樂觀察諸對治門
所謂苦樂常无常淨不淨我无我實不實歸
依非歸依衆生非衆生恒非恒安非安為无
為斷不斷涅槃非涅槃增上非增上常樂觀
察如是等法對治之門亦欲樂聞无上大乘
如所聞已能為他說善持淨戒渴仰大乘既
自充足復能充足餘渴仰者善能攝取无
上智慧愛樂大乘守護大乘善能隨順一切
世間度未度者解未解者紹三寶種使不斷
絶於未來世當轉法輪以大莊嚴而自莊嚴
心常深味清淨戒行悉能成就如是功德於
諸衆生生大悲心平等无二如視一子亦於
晨朝日初出時為欲闍毗如來身故人人各
取香木万束栴檀沉水牛頭栴檀天木香等
是一一木文理及附皆有七寶微妙光明譬如
種種雜綵畫飾以佛力故有是妙色青黃
赤白為諸衆生之所樂見諸木皆以種種香
塗欝金沉水及膠香等散以諸華而為莊
嚴優鉢羅華拘物頭華波頭摩華分陁利華
諸香木上懸五色幡柔軟微妙猶如天衣憍奢
耶衣芻摩繒綵是諸香木載以寶車是諸寶

嚴優鉢羅華拘物頭華波頭摩華分陁利華
諸香木上懸五色幡柔軟微妙猶如天衣憍奢
耶衣芻摩繒綵是諸香木載以寶車是諸寶
車出種種光青黃赤白轅輞皆以七寶廁塡
是一一車駕以四馬是一一馬駿疾如風一一
車前豎立五十七寶妙幢真金羅網弥覆
其上一一寶車復有五十微妙寶蓋一一車上
垂諸華鬘優鉢羅華拘物頭華波頭摩華
分陁利華其華純以真金為葉金剛為臺是
華臺中多有黑蜂遊集其中歡娛受樂又出
妙音所謂无常苦空无我是音聲中復說菩
薩本所行道復有種種歌儛伎樂箏笛箜
篌簫瑟鼓吹是樂音中復出是言苦哉苦
哉世間虛空一一車前有優婆塞擎四寶案
是諸案上有種種華優鉢羅華拘物頭華波
頭摩華分陁利華欝金諸香及餘薰香微妙
第一諸優婆塞為佛及僧辦諸食具種種備
足皆是栴檀沉水香薪八功德水之所成熟其
食甘美有六種味一苦二醋三甘四辛五醎六
淡復有三德一者輕軟二者淨潔三者如法作
如是等種種莊嚴至力士生處娑羅雙樹閒
復以金沙遍布其地以迦陵伽衣欽婆羅
衣及繒綵衣而覆沙上周匝遍滿十二由旬為
佛及僧敷置七寶師子之座其座高大如
須弥山是諸座上皆有寶帳垂諸瓔珞諸
娑羅樹悉懸種種微妙幡蓋種種好香以

BD00982號　大般涅槃經（北本）卷一　（24–5）

佛及僧敷置七寶師子之座其座高大如
須弥山是諸座上皆有寶帳垂諸瓔珞諸
娑羅樹悉懸種種微妙幡蓋種種好香以
塗樹身種種名華以散樹間諸優婆塞各作是
念一切衆生若有所之須食與食須飲與飲
須頭與頭須目與目隨諸衆生所須之物皆
悉給與作是施時離欲瞋恚穢濁毒心无餘
思惟求世福樂唯期无上清淨菩提是優
婆塞等皆已安住於菩薩道復作是念如來
今者受我食已當入涅槃作是念已身毛皆豎
遍體血現如波羅奢華涕泣盈目生大苦惱
各各賷持供養之具載以寶車香木幢幡寶
蓋飲食疾至佛所稽首佛足以其所持供養之
具供養如來遶百千匝舉聲號泣哀動天地
椎胷大叫淚下如雨復相謂言苦哉仁者世間
虛空世間虛空便自舉身投如來前而白
佛言唯願如來哀受我等最後供養世尊
知時嘿然不受如是三請悉皆不許諸優婆
塞不果所願心懷悲惱嘿然而住猶如慈父唯
有一子卒病喪亡送其屍骸置於冢間歸還
悵悢愁憂苦惱諸優婆塞憂愁苦惱亦復如
是以諸供具安置一處却在一面嘿然而坐
尒時復有三恒河沙諸優婆夷受持五戒
威儀具足其名曰壽德優婆夷德鬘優婆
夷毗舍佉優婆夷等八万四千而為上首悉
能堪任護持正法為度无量百千衆生故
現女身呵責家法自觀己身如四毒虵是身

BD00982號　大般涅槃經（北本）卷一　（24–6）

尒時復有三恒河沙諸優婆夷受持五戒
威儀具足其名曰壽德優婆夷德鬘優婆
夷毗舍佉優婆夷等八万四千而為上首悉
能堪任護持正法為度无量百千衆生故
現女身呵責家法自觀己身如四毒虵是身
常為无量諸虫之所唼食是身臭穢貪欲獄
縛是身可惡猶如死狗是身不淨九孔常流是
身如城血肉筋骨皮裹其上手足以為却敵樓
櫓目為竅孔頭為殿堂心王處中如是身城
諸佛世尊之所棄捨凡夫愚人常所味著貪
婬瞋恚愚癡羅剎止住其中是身不堅猶
如蘆葦伊蘭水沫芭蕉之樹是身无常念
念不住猶如電光暴水幻炎亦如畫水隨畫
隨合是身易壞猶如河岸臨峻大樹是身不
久當為狐狼鵄梟鵰鷲烏鵲餓狗之所食
噉誰有智者當樂此身寧以牛跡盛大海水
不能具說是身无常不淨臭穢寧丸大地使
如棗等漸漸轉小猶葶藶子乃至微塵不能
具說是身過患是故當捨如棄涕唾以是因
緣諸優婆夷以空无相无願之法常脩其心深
樂諮受大乘經典聞已亦能為他演說護持本
願毀呰女身甚可患厭性不堅牢心常脩習
如是正觀破壞生死无際輪轉渴仰大乘既自
充足復能充足餘渴仰者深樂大乘守護
大乘雖現女身實是菩薩善能隨順一切世間
度未度者解未解者紹三寶種使不斷絕於
未來世當轉法輪以大莊嚴而自莊嚴堅持禁

BD00982號　大般涅槃經（北本）卷一　（24–7）

大乘雖現女身實是菩薩善能隨順一切世間
度未度者解未解者紹三寶種使不斷絕於
未來世當轉法輪以大莊嚴而自莊嚴堅持禁
戒皆悉成就如是功德於諸衆生生大悲心平
等无二如視一子亦於晨朝日初出時各相
謂言今日宜應至雙樹間諸優婆夷所設供
具倍勝於前持至佛所稽首佛足遶百千迊
而白佛言世尊我等今者為佛及僧辨諸供
具唯願如來哀受我供如來嘿然而不許可
諸優婆夷不果所願心懷惆悵却住一面
尒時復有四恒河沙毗耶離城諸離車等男
女大小妻子眷屬及閻浮提諸王眷屬為求
法故善脩戒行威儀具足摧伏異學壞正法
者常相謂言我等當以金銀倉庫為令甘露
无盡正法深奧之藏久住於世願令我等常
得脩學若有誹謗佛正法者當斷其舌復
作是願若有出家毀禁戒者我當罷令還俗
策使有能深樂護持正法我當敬重如事父
母若有衆僧能脩正法我當隨喜令得勢力
常欲樂聞大乘經典聞已亦能為人廣說皆
悉成就如是功德其名曰淨无垢藏離車子淨
不放逸離車子恒水无垢淨德離車子如是
等各相謂言仁等今可速往佛所所辨供養
種種具足一一離車各嚴八万四千大象八万
四千四馬寶車八万四千明月寶珠天木
旃檀沈水薪束種種各有八万四千一一象前

BD00982號　大般涅槃經（北本）卷一　（24–8）

種種具足一一離車各嚴八万四千大象八万
四千馬寶車八万四千明月寶珠天木
旃檀沈水薪束種種各有八万四千一一象前
有寶幢幡蓋其蓋小者周迊縱廣滿一由
旬幡最短者長三十二由旬寶幢卑者高百
由旬持如是等供養之具往至佛所稽首佛
足遶百千迊而白佛言世尊我等今者為佛
及僧辦諸供具唯願如來哀受我供如來嘿
然而不許可諸離車等不果所願心懷愁惱
以佛神力去地七多羅樹於虛空中嘿然而
住
尒時復有五恒河沙大臣長者敬重大乘若
有異學謗正法者是諸人等力能摧伏猶如
雹雨摧折草木其名曰日光長者護世長者
護法長者如是之等而為上首所設供具五
倍於前俱共往詣娑羅雙樹間稽首佛足遶
百千帀而白佛言世尊我等今者為佛及僧
設諸供具唯願哀愍受我等供如來嘿然而
不受之諸長者等不果所願心懷愁惱以佛
神力去地七多羅樹於虛空中嘿然而住
尒時復有毗舍離王及其後宮夫人眷屬閻
浮提內所有諸王除阿闍世并及城邑聚落
人民其名曰月无垢王等各嚴四兵欲往佛
所是一一王各有一百八十万億人民眷屬
是諸車兵駕以象馬象有六牙馬疾如風莊
嚴供具六倍於前寶蓋之中有極小者周帀
縱廣滿八由旬幡極短者十六由旬寶幢卑

所是一一王各有一百八十万億人民眷
是諸車兵駕以象馬象有六牙馬疾如風莊
嚴供具六倍於前寶蓋之中有極小者周帀
縱廣滿八由旬幡極短者十六由旬寶幢卑
者三十六由旬是諸王等皆悉安住於正法
中惡賤邪法敬重大乘深樂大乘憐愍衆生
等如一子所持飲食香氣流布滿四由旬亦
於晨朝日初出時持是種種上妙甘饍詣雙
樹間至如來所而白佛言世尊我等為佛及
比丘僧設是供具唯願如來哀愍受我最後
供養如來知時亦不許可是諸王等不果所
願心懷愁惱卻住一面
尒時復有七恒河沙諸王夫人唯除阿闍世
王夫人為度衆生現受女身常觀身行以空
无相无願之法薰脩其心其名曰三界妙夫
人愛德夫人如是等諸王夫人皆悉安住於
正法中脩行禁戒威儀具足憐愍衆生等
如一子各相謂言今宜速往詣世尊所諸王夫
人所設供養七倍於前香華寶幢繒綵幡蓋
上妙飲食寶蓋小者周帀縱廣十六由旬幡
最短者三十六由旬寶幢卑者六十八由旬
飲食香氣周遍流布滿八由旬持如是等供
養之具往如來所稽首佛足遶百千帀而白
佛言世尊我等為佛及比丘僧設是供具唯
願如來哀愍受我最後供養如來知時嘿然
不受時諸夫人不果所願心懷愁惱自拔頭髮
搥胸大哭猶如新喪所愛之子卻在一面嘿

佛言世尊我等為佛及比丘僧設是供具唯
願如來哀愍受我最後供養如來知時嘿然
不受時諸天人不果所願心懷愁惱自拔頭髮
椎胷大哭猶如新喪所愛之子卻在一面嘿
然而住
尒時復有八恒河沙諸天女等其名曰廣目
天女而為上首作如是言汝等諸姉諦觀諦
觀是諸人衆所設種種上妙供具欲供如來及
比丘僧我等亦當如是嚴設微妙供具供養
如來如來受已當入涅槃諸姉諸佛如來出
世甚難最後供養亦復倍難若佛涅槃世間
虛空是諸天女愛樂大乘欲聞大乘聞已亦
能為人廣說渴仰大乘既自充足復能充足
餘渴仰者守護大乘若有異學憎嫉大乘勢
能摧滅如雹摧草護持戒行威儀具足善能
隨順一切世間度未度者脫未脫者於未來世
當轉法輪紹三寶種使不斷絕脩學大乘以
大莊嚴而自莊嚴成就如是无量功德等慈
衆生如視一子亦於晨朝日初出時各取種
種天木香等倍於人間所有香木其木香氣
能滅人中種種臭穢白車白蓋駕四白馬一
一車上皆張白帳其帳四邊懸諸金鈴種種
香華寶幢幡蓋上妙甘饍種種伎樂敷師子
座其座四足純紺瑠璃於其座後各各皆有
七寶椅床一一座前復有金机復以七寶而為
燈樹種種寶珠以為燈明微妙天華遍布

座其座四足純紺瑠璃於其座後各各皆有
七寶椅床一一座前復有金机復以七寶而為
燈樹種種寶珠以為燈明微妙天華遍布
其地是諸天女設是供已心懷哀感涕淚交
流生大苦惱亦為利益安樂衆生成就大乘
第一空行顯發如來方便密教亦為不斷種
種說法詣佛所稽首佛足遶百千帀而白
佛言世尊唯願如來哀受我等最後供養
如來知時嘿然不受諸天女等不果所願心懷
憂惱卻在一面嘿然而坐
尒時復有九恒河沙諸龍王等住於四方其
名曰和脩吉龍王難陀龍王婆難陀龍王而
為上首是諸龍王亦於晨朝日初出時設諸
供具倍於人天持至佛所稽首佛足遶百千
帀而白佛言唯願如來哀受我等最後供
養如來知時嘿然不受是諸龍王不果所願
心懷愁惱卻坐一面
尒時復有十恒河沙等諸鬼神王毗沙門王
而為上首各相謂言仁等今者可速詣佛所
設供具倍於諸龍持往佛所稽首佛足遶百
千帀而白佛言唯願如來哀受我等最後供
養如來知時嘿然不許是諸鬼王不果所願
心懷愁惱卻坐一面
尒時復有二十恒河沙金翅鳥王降怨鳥王
而為上首復有三十恒河沙乾闥婆王那羅
達王而為上首復有四十恒河沙緊那羅王

尒時復有二十恒河沙金翅鳥王降怨鳥王
而為上首復有三十恒河沙乾闥婆王那羅
達王而為上首復有四十恒河沙緊那羅王
善見王而為上首復有五十恒河沙摩睺羅
伽王大善見王而為上首復有六十恒河沙
阿脩羅王睒婆利王而為上首復有七十恒
河沙陁那婆王无垢河水王跋提達多王等
而為上首復有八十恒河沙等羅刹王可畏
王而為上首捨離惡心更不食人於怨憎中
生慈悲心其形醜陋以佛神力皆悉端正復
有九十恒河沙樹林神王樂香王而為上首
復有千恒河沙持呪王大幻持呪王而為上
首復有一億恒河沙貪色鬼魅善見王而為
上首復有百億恒河沙天諸婇女藍婆女欝
婆尸女帝路沾女毗舍佉女而為上首復有
千億恒河沙地諸鬼王白濕王而為上首復
有十万億恒河沙等諸天子及諸天王四天
王等復有十万億恒河沙等四方風神吹諸
樹上時非時華散雙樹間復有十万億恒河
沙主雲雨神皆作是念如来涅槃焚身之時
我當注雨令火時滅衆中熱悶為作清涼
復有二十恒河沙大香象王羅睺象王金色
象王甘味象王紺眼象王欲香象王等而為
上首敬重大乘愛樂大乘知佛不久當般
涅槃各各抜取无量无邊諸妙蓮華来至
佛所頭面礼佛却住一面
復有二十恒河沙等師子獸王師子吼王而

BD00982號　大般涅槃經（北本）卷一　（24–13）

上首敬重大乘愛樂大乘知佛不久當般
涅槃各各抜取无量无邊諸妙蓮華来至
佛所頭面礼佛却住一面
復有二十恒河沙等師子獸王師子吼王而
為上首施與一切衆生无畏持諸華菓来
至佛所稽首佛足却住一面
復有二十恒河沙等諸飛鳥王鳧鴈鴛鴦
孔雀諸鳥乾闥婆鳥迦蘭陁鳥鸜鵒鸚鵡俱
翅羅鳥婆嘻伽鳥迦陵頻伽鳥耆婆耆婆
鳥如是等諸鳥持諸華菓来至佛所稽首佛
足却住一面
復有二十恒河沙等水牛牛羊往至佛所
出妙香乳其乳流滿拘尸那城所有溝坑
色香美味悉皆具足成是事已却住一面
復有二十恒河沙等四天下中諸神仙人忍
辱仙等而為上首持諸香華及諸甘菓来
詣佛所稽首佛足遶佛三帀而白佛言唯願
世尊哀受我等最後供養如来知時嘿然不
許時諸仙人不果所願心懷愁惱却住一
面閻浮提中一切蜂王妙音蜂王而為上首
持種種華来詣佛所稽首佛足遶佛一帀
却住一面
尒時閻浮提中比丘比丘尼一切皆集唯除
尊者摩訶迦葉阿難二衆復有无量阿僧祇
恒河沙等世界中閒及閻浮提所有諸山須
弥山王而為上首其山莊嚴叢林蓊欝諸
樹茂盛枝條扶疏蔭蔽日光種種妙華周遍

BD00982號　大般涅槃經（北本）卷一　（24–14）

尊者摩訶迦葉阿難二衆復有无量阿僧祇
恒河沙等世界中間及閻浮提所有諸山須
弥山王而為上首其山莊嚴叢林蓊鬱諸
樹茂盛枝條扶踈蔭蔽日光種種妙華周遍
而有龍泉流水清淨香潔諸天龍神乾闥婆
阿脩羅迦樓羅緊那羅摩睺羅伽神仙呪術作
倡伎樂如是等衆弥滿其中是等諸山神亦
來詣佛稽首佛足却住一面復有阿僧祇恒
河沙等四大海神及諸河神有大威德具大
神足所設供養倍勝於前諸神身光伎樂燈
明悉蔽日月令不復現以占婆華散熈連河
來至佛所稽首佛足却住一面
尒時拘尸那城娑羅樹林其林變白猶如白
鵠於虛空中自然而有七寶堂閣雕文刻鏤
綺飾分明周帀欄楯衆寶雜廁堂下多有流
泉浴池上妙蓮華弥滿其中猶如北方欝單
日國亦如忉利歡喜之園尒時娑羅樹林中
間種種莊嚴甚可愛樂亦復如是是諸天
人阿脩羅等咸覩如來涅槃之相皆悉悲感愁
憂不樂
尒時四天王釋提桓因各相謂言汝等觀察
諸天世人及阿脩羅大設供養欲於最後供
養如來我等亦當如是供養若我最後得
供養者檀波羅蜜則為成就滿足不難
尒時四天王所設供養倍勝於前持曼陁羅
華摩訶曼陁羅華迦枳樓伽華摩訶迦枳
樓伽華曼殊沙華摩訶曼殊沙華散多尼

尒時四天王所設供養倍勝於前持曼陁羅
華摩訶曼陁羅華迦枳樓伽華摩訶迦枳
樓伽華曼殊沙華摩訶曼殊沙華散多尼
迦華摩訶散多尼迦華愛樂華大愛樂華普
賢華大普賢華時華大時華香城華大香城
華歡喜華大歡喜華發欲華大發欲華香醉
華大香醉華普香華大普香華天金葉華龍華
波利質多樹華拘毗羅樹華復持種種上妙甘
饍來至佛所稽首佛足是諸天人所有光明
能覆日月令不復現以是供具欲供養佛如
來知時嘿然不受尒時諸天不果所願愁憂
苦惱却住一面
尒時釋提桓因及三十三天設諸供具亦倍
勝前及所持華亦復如是香氣微妙甚可愛
樂持得勝堂并諸小堂來至佛所稽首佛足
而白佛言世尊我等深樂愛護大乘唯願如
來哀受我食如來知時嘿然不受時諸釋天
不果所願心懷愁惱却住一面乃至第六天
所設供養展轉勝前寶幢幡蓋寶蓋小者
覆四天下幡最短者周圍四海幢最卑者至
自在天微風吹幡出妙音聲持上甘饍來詣
佛所稽首佛足白佛言世尊唯願如來哀受
我等最後供養如來知時嘿然不受是諸
天等不果所願心懷愁惱却住一面上至有頂
其餘梵衆一切來集
尒時大梵天王及餘梵衆放身光明遍四天
下欲界[illegible]月悉不復現寺者寶臺

我等寂滅後供養如来知時嘿然不受是諸
天等不果所願心懷愁惱却住一面上至有頂
其餘梵衆一切来集
尒時大梵天王及餘梵衆放身光明遍四天
下欲界人天日月光明悉不復現持諸寶幢
繒綵幡蓋幡極短者懸於梵宮至娑羅樹
間来詣佛所稽首佛足白佛言世尊唯願如
来哀受我等寂後供養如来知時嘿然不
受尒時諸梵不果所願心懷愁惱却住一面
尒時毗摩質多阿脩羅王與无量阿脩羅大
眷屬俱身諸光明勝於梵天持諸寶幢繒綵
幡蓋其蓋小者覆千世界上妙甘饍来詣佛
所稽首佛足而白佛言唯願如来哀受我等
寂後供養如来知時嘿然不受諸阿脩羅不
果所願心懷愁惱却住一面
尒時欲界魔王波旬與其眷屬諸天綵女无
量无邊阿僧祇衆開地獄門施清淨水因而
告曰汝等今者无所能為唯當專念如来應
正遍知建立寂後隨喜供養當令汝等長夜
獲安時魔波旬於地獄中悉除刀劒无量苦
毒熾燃炎火大注而滅之以佛神力復發是心
令諸眷屬皆捨刀劒弓弩鎧仗鉾矟長鉤金
鎚鉞斧鬪輪羂索所持供養倍勝一切人天
所設其蓋小者覆中千界来至佛所稽首
佛足而白佛言我等今者愛樂大乘守護大
乘世尊若有善男子善女人為供養故為怖
畏故為誑他故為財利故為隨他故受是大

所設其蓋小者覆中千界来至佛所稽首
佛足而白佛言我等今者愛樂大乘守護大
乘世尊若有善男子善女人為供養故為怖
畏故為誑他故為財利故為隨他故受是大
乘或真或偽我等尒時當為是人除滅怖畏
說如是呪
咤枳　咤咤羅　咤枳盧呵隸　摩訶盧呵隸
阿羅　遮羅　多羅莎呵
是呪能令諸失心者怖畏者說法者不斷正
法者為伏外道故護己身故護正法故護大
乘故說如是呪若有能持如是呪者无惡象
怖若至曠野空澤嶮處不生怖畏亦无水火
師子虎狼盜賊王難世尊若有能持如是呪
者悉能除滅如是等怖世尊持是呪者我當
護之如龜藏六世尊我等今者不以諂誑
如是事持是呪者我當至誠益其勢力唯願
如来哀受我等寂後供養尒時佛告魔波
旬言我不受汝飲食供養我已受汝所說神
呪為欲安樂一切衆生四部衆故佛說是已嘿
然不受如是三請皆亦不受時魔波旬不果所
願心懷愁惱却住一面
尒時大自在天王與其眷屬无量无邊及
諸天衆所設供具悉覆梵釋護世四王人天
八部及非人等所有供具梵釋所設猶如聚墨
在珂貝邊悉不復現寶蓋小者能覆三千
大千世界持如是等供養之具来詣佛所稽
首佛足遶无數帀白佛言世尊我等所獻微

在阿貝邊悉不復現寶蓋小者能覆三千
大千世界持如是等供養之具來詣佛所稽
首佛足遶无數帀白佛言世尊我等所獻微
末供具喻如蚊子供養於我亦如有人以一掬
水投於大海燃一小燈助百千日春夏之月眾
眾華茂盛有持一華益於眾華以葶藶子
須弥山豈當有益大海日明眾華須弥世尊
我今所奉微末供具亦復如是若以三千大
千世界滿中香華伎樂幡蓋供養如來尚
不足言何以故如來為諸眾生常於地獄餓
鬼畜生諸惡趣中受諸苦惱是故世尊應見
哀愍受我等供
尒時東方去此无量无數阿僧祇恒河沙微
塵等世界彼有佛土名意樂美音佛号虛
空等如來應正遍知明行足善逝世間解无
上士調御丈夫天人師佛世尊尒時彼佛即告
第一大弟子言善男子汝今宜往西方娑婆
世界彼土有佛号釋迦牟尼如來應正遍知
明行足善逝世間解无上士調御丈夫天人
師佛世尊彼佛不久當般涅槃善男子汝可持
此世界香飯其飯香美食之安隱可以奉獻彼
佛世尊世尊食已入般涅槃善男子并可礼敬
請決所疑尒時无邊身菩薩摩訶薩即受佛
教從座而起稽首佛足右遶三帀與无量阿
僧祇菩薩俱從彼國發來至此娑婆世界應
時此間三千大千世界大地六種震動於是

教從座而起稽首佛足右遶三帀與无量阿
僧祇菩薩俱從彼國發來至此娑婆世界應
時此間三千大千世界大地六種震動於是
眾中梵釋四天王魔王波旬摩醯首羅如
是大眾見是地動舉身毛竪喉舌枯燥驚
怖戰慄各欲四散自見其身无復光明所有
威德殄滅无餘是時文殊師利法王子即從
座起告諸大眾諸善男子汝等勿怖汝等勿
怖何以故東方去此无量无數阿僧祇恒河
沙微塵等世界有世界名意樂美音佛号
虛空等如來應正遍知十号具足彼有菩薩名
无邊身與无量菩薩欲來至此供養如來以
彼菩薩威德力故令汝身光悉不復現是故
汝等應生歡喜勿懷恐怖尒時大眾悉皆遥
見彼佛大眾如明鏡中自觀己身時文殊師
利復告大眾汝今所見彼佛大眾如見此佛以
佛神力復當如是得見九方无量諸佛尒時
大眾各相謂言苦哉苦哉世間虛空如來不
久當般涅槃是時大眾一切悉見无邊身菩
薩及其眷屬是菩薩身一一毛孔各各出生
一大蓮華一一蓮華各有七万八千城邑縱廣
正等如毗耶離城墻壁諸塹七寶雜廁多
羅寶樹七重行列人民熾盛安隱豐樂閻浮
檀金以為却敵一一却敵各有種種七寶林
樹華菓茂盛微風吹動出微妙音其聲和
雅猶如天樂城中人民聞是音聲即得受於上

檀金以為却敵二二却敵各有種種七寶林
樹華菓茂盛微風吹動出微妙音其聲和
雅猶如天樂城中人民聞是音聲即得受於上
妙快樂是諸塹中妙水盈滿清淨香潔如真
瑠璃是諸水中有七寶船諸人乘之遊戲洙
浴共相娛樂快樂无極復有无量雜色蓮華
優鉢羅華拘物頭華波頭摩華分陁利華
其華縱廣猶如車輪其塹岸上多有園林二
園中有五泉池是諸池中復有諸華優鉢羅
華拘物頭華波頭摩華分陁利華其華縱
廣亦如車輪香氣芬馥甚可愛樂其水清淨
柔軟第一鳧鴈鴛鴦遊戲其中其園各有衆寶
宮宅二二宮宅縱廣正等滿四由旬所有牆
壁四寶所成所謂金銀瑠璃頗梨真金為窗
周帀欄楯玫瑰為地金沙布上是宮宅中多
有七寶流泉浴池二二池邊各有十八黃金
梯陛閻浮檀金為芭蕉樹如忉利天歡喜之
園是二二城各有八万四千人王二二諸王各有
无量夫人綵女共相娛樂歡喜受樂其餘
人民亦復如是各於住處共相娛樂是中衆生
不聞餘名純聞无上大乘之聲是諸華中一
一各有師子之座其座四足皆紺瑠璃柔軟素
衣以布座上其衣微妙出過三界一一
座上有一王坐以大乘法教化衆生或有衆
生書持讀誦如說脩行如是流布大乘經
典尒時无邊身菩薩安止如是无量衆生於

衣以布座上其衣微妙出過三界一一
座上有一王坐以大乘法教化衆生或有衆
生書持讀誦如說脩行如是流布大乘經
典尒時无邊身菩薩安止如是无量衆生於
自身已令捨世樂皆作是言苦哉苦哉世間
虛空如來不久當般涅槃尒時无邊身菩薩
與无量菩薩周帀圍遶示現如是神通力已
持是種種无量供具及以上妙香美飲食若
有得聞是食香氣煩惱諸垢皆悉消滅以是
菩薩神通力故一切大衆悉皆得見如是變
化无邊身菩薩身大无邊量同虛空唯除諸
佛餘无能見是菩薩身其量邊際尒時无邊
身菩薩及其眷屬所設供養倍勝於前來
至佛所稽首佛足合掌恭敬白佛言世尊唯
願哀愍受我等食如來知時嘿然不受如是三
請悉亦不受尒時无邊身菩薩及其眷屬却
住一面南西北方諸佛世界亦有无量无邊身
菩薩所持供養倍勝於前來至佛所乃至
却住一面皆亦如是
尒時娑羅雙樹吉祥福地縱廣三十二由旬
大衆充滿間无空缺尒時四方无邊身菩薩
及其眷屬所坐之處或如錐頭針鋒微塵十
方如微塵等諸佛世界諸大菩薩悉來集
會及閻浮提一切大衆亦悉來集唯除尊者摩
訶迦葉阿難二衆阿闍世王及其眷屬乃至
毒虵視能煞人蜣蜋蝮蝎及十六種行惡業者
一切來集陁那婆神阿脩羅等悉捨惡念皆

及其眷屬所坐之處或如錐頭針鋒微塵十
方如微塵等諸佛世界諸大菩薩悉來集
會及閻浮提一切大眾亦悉来集唯除尊者摩
訶迦葉阿難二眾阿闍世王及其眷屬乃至
毒虵視能煞人蜣蜋蝮蝎及十六種行惡業者
一切来集陁那婆神阿脩羅等悉捨惡念皆
悉慈心如父如母如姊如妹三千大千世界眾
生慈心相向亦復如是除一闡提
尒時三千大千世界以佛神力故地皆柔軟
无有丘墟土沙礫石荊蕀毒草眾寶莊嚴
猶如西方无量壽佛極樂世界是時大眾悉
見十方如微塵等諸佛世界如於明鏡自觀
己身見諸佛土亦復如是
尒時如来面門所出五色光明其光明曜覆諸
大會令彼身光悉不復現所應作已還從口
入時諸天人及諸會眾阿脩羅等見佛光明
還從口入皆大恐怖身毛為竪復作是言如
来光明出已還入非无因緣必於十方所作已
辦將是寂滅涅槃之相何其苦哉何其苦哉
如何世尊一旦捨離四无量心不受人天所
奉供養聖慧日月從今永滅无上法船於
斯沈沒嗚呼痛哉世間大苦舉手推胷
悲號啼哭支節戰動不能自持身諸毛孔
流血灑地

大般涅槃經卷第一

BD00982號　大般涅槃經（北本）卷一　（24–23）

猶如西方无量壽佛極樂世界是時大眾悉
見十方如微塵等諸佛世界如於明鏡自觀
己身見諸佛土亦復如是
尒時如来面門所出五色光明其光明曜覆諸
大會令彼身光悉不復現所應作已還從口
入時諸天人及諸會眾阿脩羅等見佛光明
還從口入皆大恐怖身毛為竪復作是言如
来光明出已還入非无因緣必於十方所作已
辦將是寂滅涅槃之相何其苦哉何其苦哉
如何世尊一旦捨離四无量心不受人天所
奉供養聖慧日月從今永滅无上法船於
斯沈沒嗚呼痛哉世間大苦舉手推胷
悲號啼哭支節戰動不能自持身諸毛孔
流血灑地

大般涅槃經卷第一

BD00982號　大般涅槃經（北本）卷一　（24–24）

五副
伱如是人等
三藐三菩提何以故須
我見人見衆生見壽者
又讀誦爲人解說須菩
經一切世間天人阿脩
處則爲是塔皆應恭敬
而散其處
子善女人受持讀誦此經
先世罪業應隨惡道以今
世罪業則爲消滅當得阿耨
菩提須菩提我念過去无量阿
五燈佛前得值八百四千万億那
佛悉皆供養承事无空過者若復有
不後末世能受持讀誦此經所得功德於
我所供養諸佛功德百分不及一千万億分
乃至筭數譬喻所不能及須菩提若善男子
善女人於後末世有受持讀誦此經所得功
德我若具說者或有人聞心則狂亂狐疑不
信須菩提當知是經義不可思議果報亦不

BD00983號　金剛般若波羅蜜經　（7–1）

我所供養諸佛功德百分不及一千万億分
乃至筭數譬喻所不能及須菩提若善男子
善女人於後末世有受持讀誦此經所得功
德我若具說者或有人聞心則狂亂狐疑不
信須菩提當知是經義不可思議果報亦不
可思議
尒時須菩提白佛言世尊善男子善女人發
阿耨多羅三藐三菩提心云何應住云何降
伏其心佛告須菩提善男子善女人發阿耨
多羅三藐三菩提心者當生如是心我應滅
度一切衆生滅度一切衆生已而无有一衆
生實滅度者何以故若菩薩有我相人相衆
生相壽者相則非菩薩所以者何須菩提實
无有法發阿耨多羅三藐三菩提心者須菩
提於意云何如來於然燈佛所有法得阿耨
多羅三藐三菩提不不也世尊如我解佛所
說義佛於然燈佛所无有法得阿耨多羅三
藐三菩提佛言如是如是須菩提實无有法
如來得阿耨多羅三藐三菩提須菩提若有
法如來得阿耨多羅三藐三菩提然燈佛則
不與我受記汝於來世當得作佛号釋迦牟
尼以實无有法得阿耨多羅三藐三菩提是
故然燈佛與我受記作是言汝於來世當得作
佛号釋迦牟尼何以故如來者即諸法如義
若有人言如來得阿耨多羅三藐三菩提須
菩提實无有法佛得阿耨多羅三藐三菩
提須菩提如來所得阿耨多羅三藐三菩提

BD00983號　金剛般若波羅蜜經　（7–2）

故然燈佛與我受記作是言汝於來世當得作
佛號釋迦牟尼何以故如來者即諸法如義
若有人言如來得阿耨多羅三藐三菩提須
菩提實无有法佛得阿耨多羅三藐三菩
提須菩提如來所得阿耨多羅三藐三菩提
於是中无實无虛是故如來說一切法皆是
佛法須菩提所言一切法者即非一切法是
故名一切法須菩提譬如人身長大須菩提
言世尊如來說人身長大則為非大身是名
大身須菩提菩薩亦如是若作是言我當滅
度无量衆生則不名菩薩何以故須菩提實无
有法名為菩薩是故佛說一切法无我无人
无衆生无壽者須菩提若菩薩作是言我當
莊嚴佛土是不名菩薩何以故如來說莊嚴
佛土者即非莊嚴是名莊嚴須菩提若菩薩
通達无我法者如來說名真是菩薩
須菩提於意云何如來有肉眼不如是世尊
如來有肉眼須菩提於意云何如來有天眼
不如是世尊如來有天眼須菩提於意云何
如來有慧眼不如是世尊如來有慧眼須菩
提於意云何如來有法眼不如是世尊如來
有法眼須菩提於意云何如來有佛眼不如
是世尊如來有佛眼須菩提於意云何恒河
中所有沙佛說是沙不如是世尊如來說是
沙須菩提於意云何如一恒河中所有沙有
如是等恒河是諸恒河所有沙數佛世界如
是寧為多不甚多世尊佛告須菩提尒所國
土中所有衆生若干種心如來悉知何以故

BD00983 號　金剛般若波羅蜜經　（7–3）

中所有沙佛說是沙不如是世尊如來說是
沙須菩提於意云何如一恒河中所有沙有
如是等恒河是諸恒河所有沙數佛世界如
是寧為多不甚多世尊佛告須菩提尒所國
土中所有衆生若干種心如來悉知何以故
如來說諸心皆為非心是名為心所以者何
須菩提過去心不可得現在心不可得未來
心不可得須菩提於意云何若有人滿三千
大千世界七寶以用布施是人以是因緣得福
多不如是世尊此人以是因緣得福甚多須
菩提若福德有實如來不說得福德多以
福德无故如來說得福德多
須菩提於意云何佛可以具足色身見不不也
世尊如來不應以色身見何以故如來說具
足色身即非具足色身是名具足色身須
菩提於意云何如來可以具足諸相見不不
也世尊如來不應以具足諸相見何以故如
來說諸相具足即非具足是名諸相具足須
菩提汝勿謂如來作是念我當有所說法莫
作是念何以故若人言如來有所說法即為
謗佛不能解我所說故須菩提說法者无法
可說是名說法須菩提白佛言世尊佛得阿
耨多羅三藐三菩提為无所得耶如是如是
須菩提我於阿耨多羅三藐三菩提乃至无
有少法可得是名阿耨多羅三藐三菩提復
次須菩提是法平等无有高下是名阿耨多
羅三藐三菩提以无我无人无衆生无壽者

BD00983 號　金剛般若波羅蜜經　（7–4）

須菩提我於阿耨多羅三藐三菩提乃至无
有少法可得是名阿耨多羅三藐三菩提復
次須菩提是法平等无有高下是名阿耨多
羅三藐三菩提以无我无人无衆生无壽者
脩一切善法則得阿耨多羅三藐三菩提須
菩提所言善法者如来說非善法是名善法
須菩提若三千大千世界中所有諸須弥山
王如是等七寶聚有人持用布施若人以此
般若波羅蜜經乃至四句偈等受持讀誦為
他人說於前福德百分不及一百千万億分
乃至筭數辟喻所不能及
須菩提於意云何汝等勿謂如来作是念我
當度衆生須菩提莫作是念何以故實无有
衆生如来度者若有衆生如来度者如来則
有我人衆生壽者須菩提如来說有我者則
非有我而凡夫之人以為有我須菩提凡夫
者如来說則非凡夫須菩提於意云何可以
卅二相觀如来不須菩提言如是如是不以
卅二相觀如来佛言須菩提若以卅二相觀
如来者轉輪聖王則是如来須菩提白佛言
世尊如我解佛所說義不應以卅二相觀如
来尒時世尊而說偈言
若以色見我　以音聲求我　是人行邪道　不能見如来
須菩提汝若作是念如来不以具足相故得
阿耨多羅三藐三菩提須菩提莫作是念如
来不以具足相故得阿耨多羅三藐三菩提
須菩提汝若作是念發阿耨多羅三藐三菩
提心者說諸法斷滅相莫作是念何以故發

BD00983 號　金剛般若波羅蜜經　（7–5）

須菩提汝若作是念如来不以具足相故得
阿耨多羅三藐三菩提須菩提莫作是念如
来不以具足相故得阿耨多羅三藐三菩提
須菩提汝若作是念發阿耨多羅三藐三菩
提心者說諸法斷滅相莫作是念何以故發
阿耨多羅三藐三菩提心者於法不說斷滅
相須菩提若菩薩以滿恒河沙等世界七寶
布施若復有人知一切法无我得成於忍此
菩薩勝前菩薩所得功德須菩提以諸菩薩
不受福德故須菩提白佛言世尊云何菩薩
不受福德須菩提菩薩所作福德不應貪著
是故說不受福德須菩提若有人言如来若
来若去若坐若卧是人不解我所說義何以
故如来者无所從来亦无所去故名如来
須菩提若善男子善女人以三千大千世界
碎為微塵於意云何是微塵衆寧為多不甚
多世尊何以故若是微塵衆實有者佛則不
說是微塵衆所以者何佛說微塵衆則非微
塵衆是名微塵衆世尊如来所說三千大千
世界則非世界是名世界何以故若世界實
有者則是一合相如来說一合相則非一合
相是名一合相須菩提一合相者則是不可
說但凡夫之人貪著其事須菩提若人言佛
說我見人見衆生見壽者見須菩提於意云
何是人解我所說義不世尊是人不解如来
所說義何以故世尊說我見人見衆生見壽
者見即非我見人見衆生見壽者見是名我

BD00983 號　金剛般若波羅蜜經　（7–6）

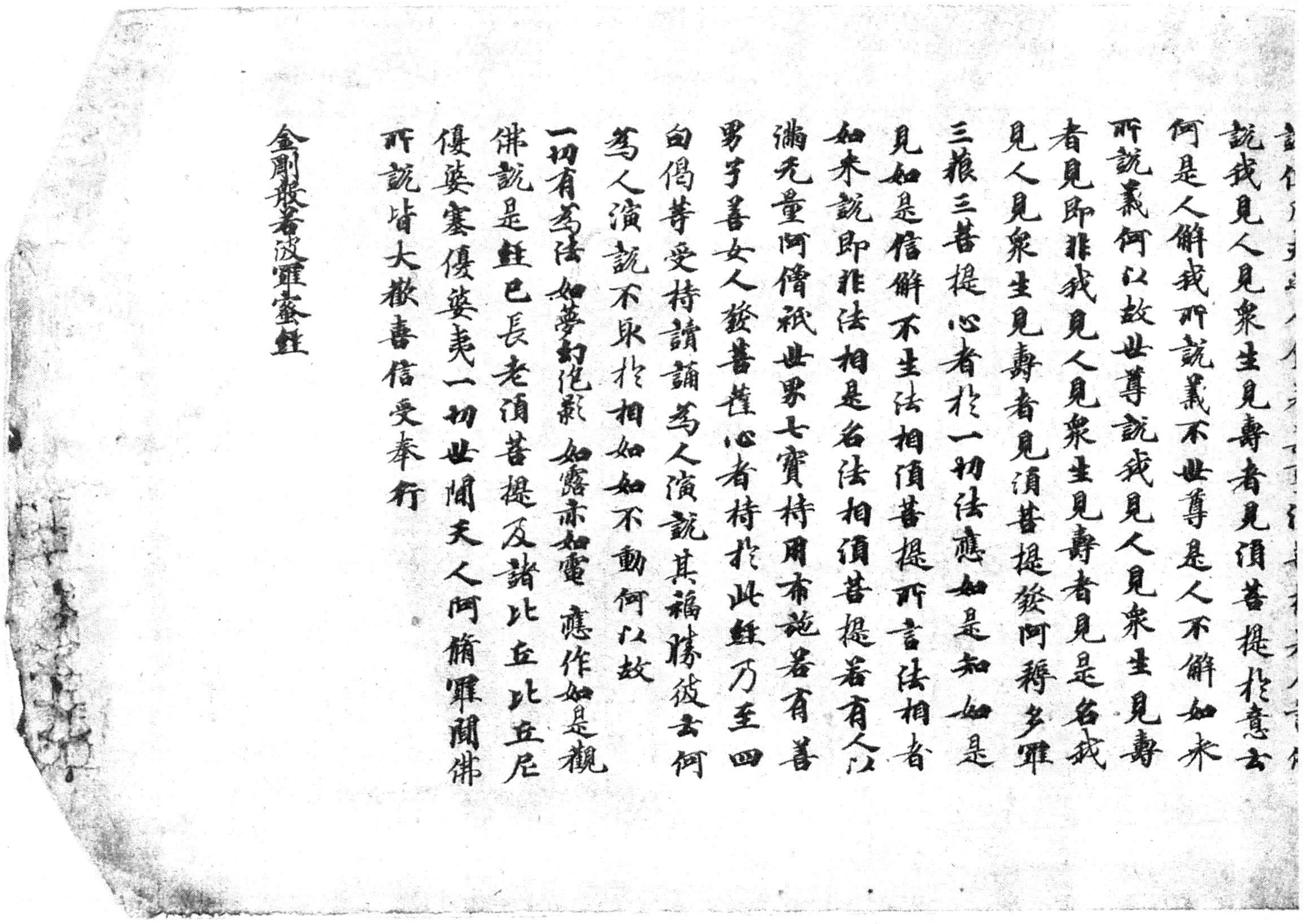

說我見人見衆生見壽者見須菩提於意云
何是人解我所說義不世尊是人不解如來
所說義何以故世尊說我見人見衆生見壽
者見即非我見人見衆生見壽者見是名我
見人見衆生見壽者見須菩提發阿耨多羅
三藐三菩提心者於一切法應如是知如是
見如是信解不生法相須菩提所言法相者
如來說即非法相是名法相須菩提若有人以
滿无量阿僧祇世界七寶持用布施若有善
男子善女人發菩薩心者持於此經乃至四
句偈等受持讀誦為人演說其福勝彼云何
為人演說不取於相如如不動何以故
一切有為法 如夢幻泡影 如露亦如電 應作如是觀
佛說是經已長老須菩提及諸比丘比丘尼
優婆塞優婆夷一切世間天人阿脩羅聞佛
所說皆大歡喜信受奉行
金剛般若波羅蜜經

BD00983 號　金剛般若波羅蜜經　（7–7）

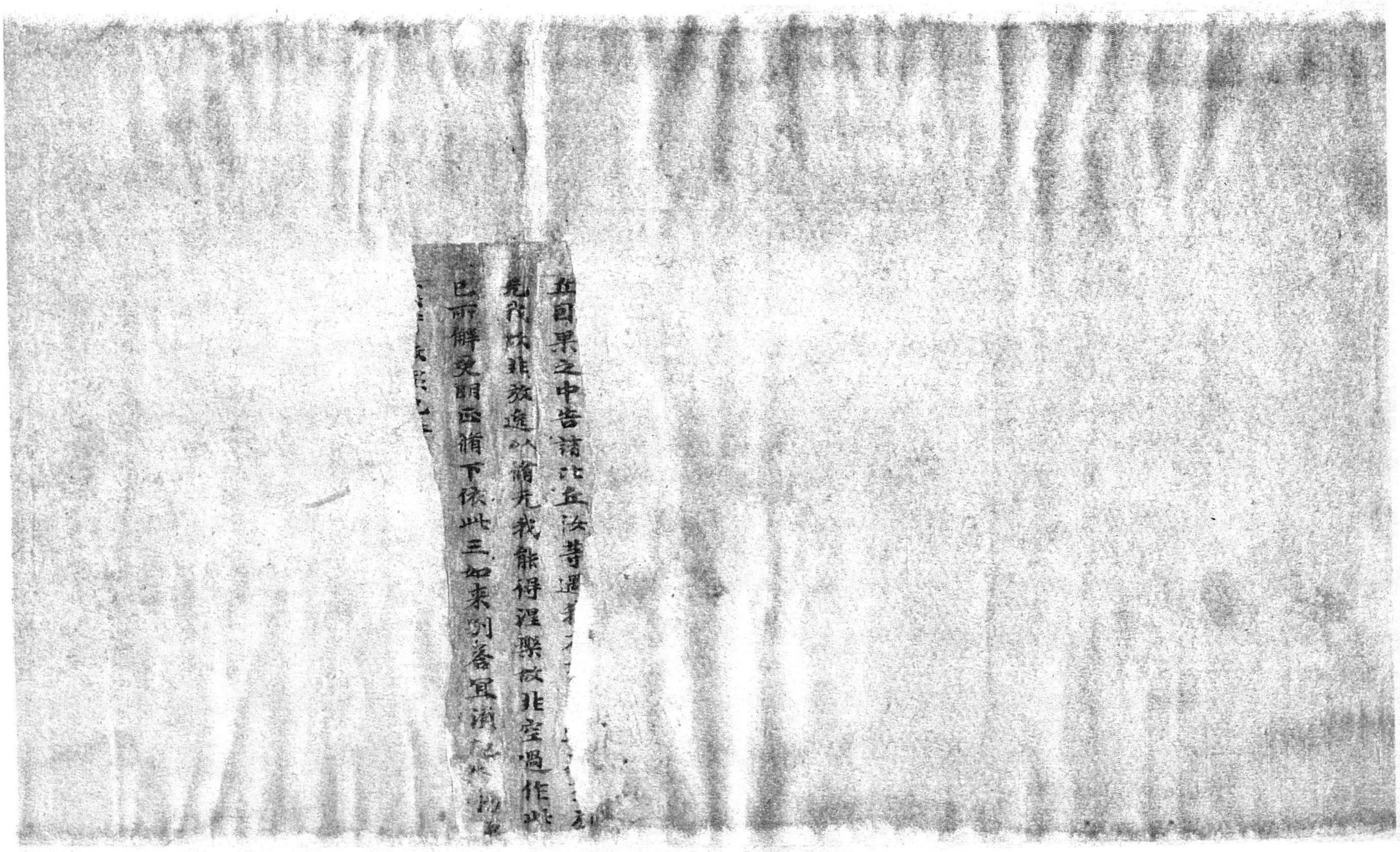

五因果之中告諸比丘汝等遇
非放逸以脩先我能得涅槃故非空過作此
已所解更明正脩下依此三如來別答宜消

BD00983 號背　大般涅槃經義記卷二　（1–1）

…生…
於未來世作歸依　令…得安…
三有衆苦願除滅　未…隨心安…
於未來世修菩提　皆如過去成佛者
願此金光懺悔福　永竭苦海罪消除
…煩惱悲皆亡　令我速招清淨果
…大海量無邊　清淨離垢深無底
…獲斯功德海　速成無上大菩提
金光懺悔力　當獲福德淨光明
…淨妙光明　常以智光照一切
身光普諸佛　福德智慧亦復然
一切世界獨稱尊　威力自在無倫疋
有漏苦海願超越　無為樂海願常遊
現在福海願恒盈　當來智海願圓滿
願我刹土超三界　殊勝功德量無邊
諸有緣者悉同生　皆得速成清淨智
妙幢汝當知　國王金龍主　曾發如是願　彼即是汝身
往時有二子　金龍及金光　即銀相銀光　當受我所記
大衆聞是說　皆發菩提心　願現在未來　常依此懺悔

BD00984 號　金光明最勝王經卷五　（16–1）

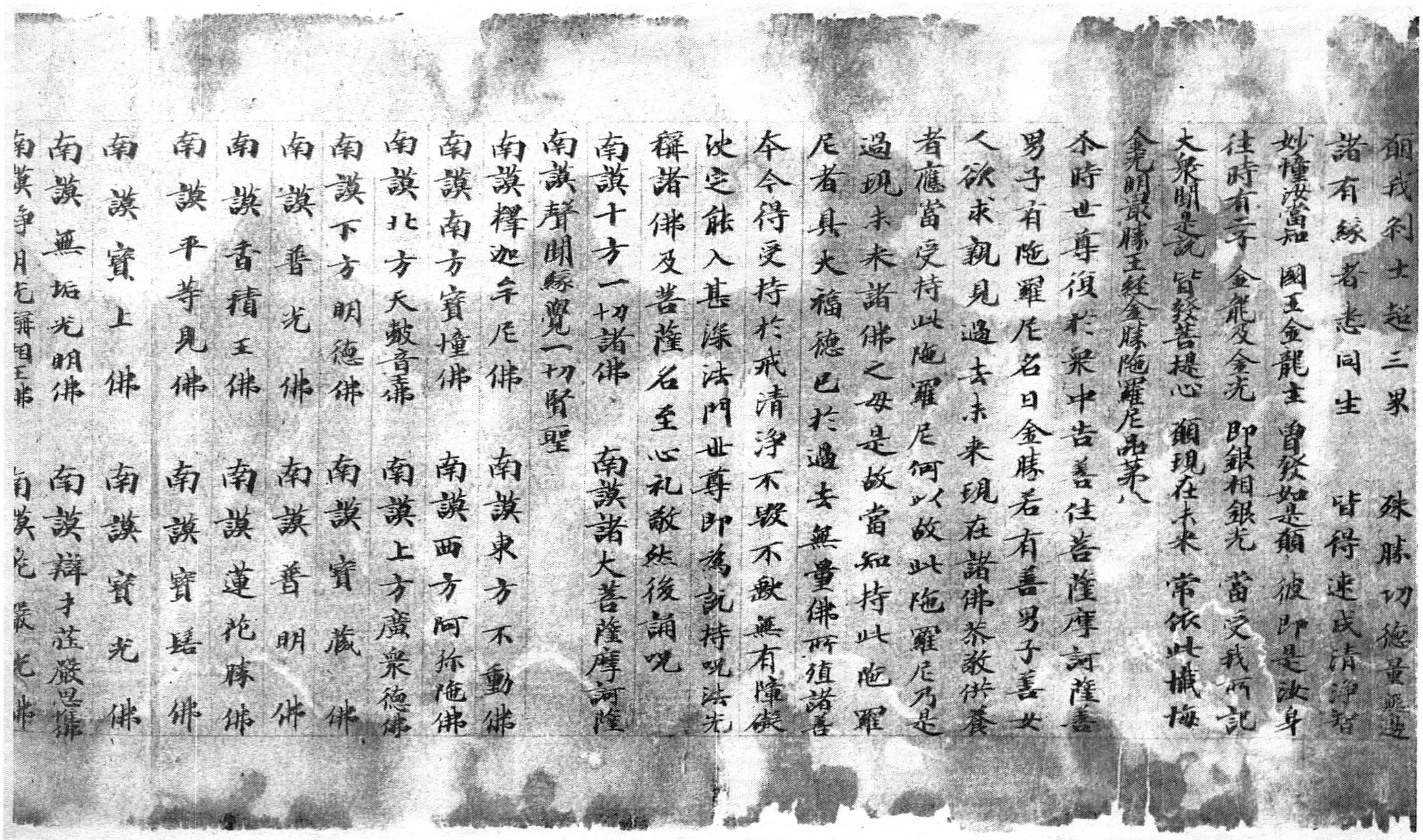
願我刹土超三界　殊勝功德量無邊
諸有緣者悉同生　皆得速成清淨智
妙幢汝當知　國王金龍主　曾發如是願　彼即是汝身
往時有二子　金龍及金光　即銀相銀光　當受我所記
大衆聞是說　皆發菩提心　願現在未來　常依此懺悔
金光明最勝王經金勝陁羅尼品第八
尒時世尊復於衆中告善住菩薩摩訶薩善
男子有陁羅尼名曰金勝若有善男子善女
人欲求親見過去未來現在諸佛恭敬供養
者應當受持此陁羅尼何以故此陁羅尼乃是
過現未來諸佛之母是故當知持此陁羅
尼者具大福德已於過去無量佛所殖諸善
本今得受持於戒清淨不毀不缺無有障礙
決定能入甚深法門世尊即為說持呪法先
稱諸佛及菩薩名至心礼敬然後誦呪
南謨十方一切諸佛　南謨諸大菩薩摩訶薩
南謨聲聞緣覺一切賢聖
南謨釋迦牟尼佛　南謨東方不動佛
南謨南方寶幢佛　南謨西方阿弥陁佛
南謨北方天鼓音王佛　南謨上方廣衆德佛
南謨下方明德佛　南謨寶藏佛
南謨普光佛　南謨普明佛
南謨香積王佛　南謨蓮花勝佛
南謨平等見佛　南謨寶髻佛
南謨寶上佛　南謨寶光佛
南謨無垢光明佛　南謨辯才莊嚴思佛
南謨淨月光稱相王佛　南謨…嚴光佛

BD00984 號　金光明最勝王經卷五　（16–2）

南謨寶積王佛　南謨蓮花勝佛
南謨平等見佛　南謨寶髻佛
南謨寶上佛　南謨寶光佛
南謨無垢光明佛　南謨辯才莊嚴思惟佛
南謨淨月光稱相王佛　南謨花嚴光佛
南謨光明王佛　南謨善光無垢稱王佛
南謨觀察無畏自在佛　南謨無畏名稱佛
南謨最勝王佛
南謨觀自在菩薩摩訶薩　南謨地藏菩薩摩訶薩
南謨虛空藏菩薩摩訶薩　南謨妙吉祥菩薩摩訶薩
南謨金剛手菩薩摩訶薩　南謨普賢菩薩摩訶薩
南謨無盡意菩薩摩訶薩　南謨大勢至菩薩摩訶薩
南謨慈氏菩薩摩訶薩　南謨善慧菩薩摩訶薩
陁羅尼曰
南謨曷喇怛娜怛喇夜也　怛姪他
君睇君睇　矩折囉矩折囉
壹窒哩蜜窒哩　莎訶
佛告善住菩薩此陁羅尼是三世佛母若有
善男子善女人持此呪者能生無量無邊福
德之聚即是供養恭敬尊重讚歎無數諸
佛如是諸佛皆與此人授阿耨多羅三藐三菩
提記善住若有人能持此呪者隨其所欲衣
食財寶多聞聡慧無病長壽獲福甚多隨所
願求無不遂意善住持是呪者乃至未證無
上菩提常與金城山菩薩慈氏菩薩大海菩
薩觀自在菩薩妙吉祥菩薩大氷伽羅菩薩
等而共居止為諸菩薩之所攝護善住當知

上菩提常與金城山菩薩慈氏菩薩大海菩
薩觀自在菩薩妙吉祥菩薩大氷伽羅菩薩
等而共居止為諸菩薩之所攝護善住當知
持此呪時作如是法先應誦持滿一万八遍
為前方便次於闇室莊嚴道場黑月一日清
淨洗浴著鮮潔衣燒香散花種種供養并諸
飲食入道場中先當稱礼如前所說諸佛菩
薩至心慇重悔先罪已右膝著地可誦前呪
滿一千八遍端坐思惟念其所願日未出時
於道場中食淨黑食日唯一食至十五日方
出道場能令此人福德威力不可思議隨所
願求無不圓滿若不遂意重入道場既稱心
已常持莫忘

金光明最勝王經顯空性品第九

尒時世尊說此呪已為欲利益菩薩摩訶薩
人天大衆令得悟解甚深真實第一義故重
明空性而說頌曰
我已於餘甚深經　廣說真空微妙法
今復於此經王內　略說空法不思議
於諸廣大甚深法　有情無智不能解
故我於斯重敷演　令於空法得開悟
大悲哀愍有情故　以善方便勝因緣
我今於此大衆中　演說令彼明空義
當知此身如空聚　六賊依止不相知
六塵諸賊別依根　各不相知亦如是
眼根常觀於色處　耳根聽聲不斷絕

我令於此大衆中
演說令彼明空義
當知此身如空聚
六賊依止不相知
六塵諸賊別依根
各不相知亦如是
眼根常觀於色處
耳根聽聲不斷絕
鼻根恒嗅於香境
舌根鎮嘗於美味
身根受於軟觸
意根了法不知厭
此等六根隨事起
各於自境生分別
識如幻化非真實
依止根處妄貪求
如人奔走空聚中
六識依根亦如是
心遍馳求隨處轉
託根緣境了諸事
常愛色聲香味觸
於法尋思無暫停
隨緣遍行於六根
如鳥飛空無障礙
藉此諸根作依處
方能了別於外境
此身無知無作者
體不堅固託緣成
皆從虛妄分別生
譬如機關由業轉
地水大風共成身
隨彼因緣招異果
同在一處相違害
如四毒蛇居一篋
此四大蛇性各異
雖居一處有昇沉
或上或下遍於身
斯等終歸於滅法
於此四種毒蛇中
地水二蛇多沉下
風大二蛇性輕舉
由此乖違衆病生
心識依止於此身
造作種種善惡業
當往人天三惡趣
隨其業力受身形
遭諸疾病身死後
大小便利悉盈流
膿爛蟲蛆不可樂
棄在屍林如朽木
汝等當觀法如是
云何執有我衆生
一切諸法盡無常
悉從無明緣力起

心識依止於此身
造作種種善惡業
當往人天三惡趣
隨其業力受身形
遭諸疾病身死後
大小便利悉盈流
膿爛蟲蛆不可樂
棄在屍林如朽木
汝等當觀法如是
云何執有我衆生
一切諸法盡無常
悉從無明緣力起
彼諸大種咸虛妄
本非實有體無生
故說大種性皆空
知此浮虛非實有
無明自性本是無
藉衆緣力和合有
於一切時失正慧
故我說彼為無明
行識為緣有名色
六處及觸受隨生
愛取有緣生老死
憂悲苦惱恒隨逐
衆苦惡業常纏迫
生死輪迴無息時
本來非有體是空
由不如理生分別
我斷一切諸煩惱
常以正智現前行
了五蘊宅悉皆空
求證菩提真實處
我開甘露大城門
示現甘露微妙器
既得甘露真實味
常以甘露施群生
我擊最勝大法鼓
我吹最勝大法螺
我然最勝大明燈
我降最勝大法雨
降伏煩惱諸怨結
建立無上大法幢
於生死海濟群迷
我當關閉三惡趣
煩惱熾火燒衆生
無有救護無依止
清涼甘露充足彼
身心熱惱普皆除
由是我於無量劫
恭敬供養諸如來
堅持禁戒趣菩提
求證法身安樂處
施他眼耳及手足
妻子僮僕心無悋

由是我於無量劫　恭敬供養諸如來
堅持禁戒趣菩提　求證法身安樂處
施他眼耳及手足　妻子僮僕心無悋
財寶七珍莊嚴具　隨來求者咸供給
忍辱諸度皆遍修　十地圓滿成正覺
故我得稱一切智　無有衆生度量者
假使三千大千界　盡此土地生長物
所有叢林諸樹木　稻麻竹葦及枝條
此等諸物皆伐取　並悉細末作微塵
隨處積集量難知　乃至充滿虛空界
一切十方諸剎土　所有三千大千界
地土皆悉末為塵　此微塵量不可數
假使一切衆生智　以此智慧與一人
如是智者量無邊　容可知彼微塵數
牟尼世尊一念智　令彼智人共度量
於多俱胝劫數中　不能算知其少分

時諸大衆聞佛說此甚深空性有無量衆生悉能了達四大五蘊體性俱空六根六境妄生繫縛願捨輪迴正修出離深心慶喜如說奉持

金光明最勝王經依空滿願品第十

爾時如意寶光耀天女於大衆中聞說深法歡喜踊躍從座而起偏袒右肩右膝著地合掌恭敬白佛言世尊唯願為說於甚深理修行之法而說頌言

我問照世界　兩足最勝尊　菩薩正行法　唯願慈聽許

BD00984號　金光明最勝王經卷五　（16–7）

歡喜踊躍從座而起偏袒右肩右膝著地合掌恭敬白佛言世尊唯願為說於甚深理修行之法而說頌言

我問照世界　兩足最勝尊　菩薩正行法　唯願慈聽許
佛言善女天　若有疑惑者　隨汝意所問　吾當分別說

是時天女請世尊曰

云何諸菩薩　行菩提正行　離生死涅槃　饒益自他故

佛告善女天依於法界行菩提法修平等行云何依於法界行菩提法修平等行謂於五蘊能現法界法界即是五蘊五蘊不可說非五蘊亦不可說何以故若法界是五蘊即是斷見若離五蘊即是常見離於二相不著二邊不可見過所見無名無相是則名為說於法界善女天云何五蘊能現法界如是五蘊不從因緣生何以故若從因緣生者為已生故生為未生故生若已生生者何用因緣若未生生者不可得生何以故未生諸法即是非有無名無相非校量譬喻之所能及非是因緣之所生故善女天譬如鼓聲依木依皮及桴手等故得出聲如是鼓聲過去亦空未來亦空現在亦空何以故是鼓音聲不從木生不從皮生及桴手生不於三世生是則不生若不可生則不可滅若不可滅無所從來若無所從來亦無所去若無所去則非常非斷若非常非斷則不一不異何以故此若是一則不異法界若如是者凡夫之人應見真諦得於無上安樂涅槃既不如是故知不一

BD00984號　金光明最勝王經卷五　（16–8）

斷若非常非斷則不一不異何以故此若是
一則不異法界若如是者凡夫之人應見真
諦得於無上安樂涅槃既不如是故知不一
若言異者一切諸佛菩薩行相即是執著未
得解脫煩惱繫縛即不證阿耨多羅三藐三
菩提何以故一切聖人於行非行同真實性
是故不異故知五蘊非有非無不從因緣生
非無因緣生是聖所知非餘境故亦非言說
之所能及無名無相無因無緣亦無譬喻始
終寂靜本來自空是故五蘊能現法界善女
天若善男子善女人欲求阿耨多羅三藐三
菩提異真異俗難可思量於凡聖境體非一
異不捨於俗不離於真依於法界行菩提行
尒時世尊作是語已時善女天踊躍歡喜即
從座起偏袒右肩右膝著地合掌恭敬一心
頂礼而白佛言世尊如上所說菩提正行我
今當學是時索訶世界主天梵天王於大衆
中問如意寶光耀善女天曰此菩提行難可
修行汝今云何於菩提行而得自在尒時善
女天荅梵王曰大梵王如佛所說實是甚深
一切異生不解其義是聖境界微妙難知若
使我今依於此法得安樂住是實語者願令
一切五濁惡世無量無數無邊衆生皆得金
色卅二相非男非女坐寶蓮花受無量樂雨
天妙花諸天音樂不皷自鳴一切供養皆悉
具足時善女天說是語已一切五濁惡世所

BD00984 號　金光明最勝王經卷五　（16–9）

色卅二相非男非女坐寶蓮花受無量樂雨
天妙花諸天音樂不皷自鳴一切供養皆悉
具足時善女天說是語已一切五濁惡世所
有衆生皆悉金色具大人相非男非女坐寶
蓮花受無量樂猶如他化自在天宮無諸惡
道寶樹行列七寶蓮花遍滿世界又雨七寶
上妙天花作天伎樂如意寶光耀善女天即
轉女身作梵天身時大梵王問如意寶光耀
菩薩言仁者如何行菩提行荅言梵王若水
中月行菩提行我亦行菩提行若夢中行菩
提行我亦行菩提行若陽焰行菩提行我亦
行菩提行若谷響行菩提行我亦行菩提行
時大梵王聞此說已白菩薩言仁依何義而
說此語荅言梵王無有一法是實相者但由
因緣而得成故梵王言若如是者諸凡夫人
皆悉應得阿耨多羅三藐三菩提荅言仁以
何意而作是說愚癡人異智慧人異菩提異
非菩提異解脫異非解脫異梵王如是諸法
平等無異於此法界真如不一不異無有中間而
可執著無增無減梵王譬如幻師及幻弟子
善解幻術於四衢道取諸沙土草木葉等聚
在一處作諸幻術使人覩見象衆馬衆車兵
等衆七寶之聚種種倉庫若有衆生愚癡無
智不能思惟不知幻本若見若聞作是思惟
我所見聞象馬等衆此是實有餘皆虛妄
於後更不審察思惟有智之人則不如是了

BD00984 號　金光明最勝王經卷五　（16–10）

等衆七寶之聚種種倉庫若有衆生愚癡無
智不能思惟不知幻本若見若聞作是思惟
我所見聞象馬等衆此是實有餘皆虛妄
於後更不審察思惟有智之人則不如是了於
幻本若見若聞作如是念如我所見象馬等衆
非是真實唯有幻事惑人眼目妄謂象等
及諸倉庫有名無實如我見聞不執為實後
時思惟知其虛妄是故智者了一切法皆無
實體但隨世俗如見如聞表宣其事思惟諦
理則不如是復由假說顯實義故梵王愚癡
異生未得出世聖慧之眼未知一切諸法真
如不可說故是諸凡愚若見若聞行非行法
如是思惟便生執着謂以為實於第一義不
能了知諸法真如是不可說是諸聖人若見
若聞行非行法隨其力能不生執着以為實
有了知一切無實行法無實非行法但妄思
量行非行相唯有名字無有實體是諸聖人
隨世俗說為欲令他知真實義如是梵王是
諸聖人以聖智見了法真如不可說故行非
行法亦復如是令他證知故說種種世俗名
言時大梵王問如意寶光耀菩薩言有幾衆
生能解如是甚深正法答言梵王有衆幻人
心心數法能解如是甚深正法梵王曰此幻
化人體是非有此之心數從何而生答曰若
知法界不有不無如是衆生能解深義
尒時梵王白佛言世尊是如意寶光耀菩薩
不可思議通達如是甚深之義佛言如是如

化人體是非有此之心數從何而生答曰若
知法界不有不無如是衆生能解深義
尒時梵王白佛言世尊是如意寶光耀菩薩
不可思議通達如是甚深之義佛言如是如
是梵王如汝所言此如意寶光耀已教汝等
發心修學無生忍法是時大梵天王與諸梵
衆從座而起偏袒右肩合掌恭敬頂礼如意
寶光耀菩薩足作如是言希有希有我等
今日幸遇大士得聞正法
尒時世尊告梵王言是如意寶光耀於未來
世當得作佛号寶焰吉祥藏如來應正遍
知明行圓滿善逝世間解無上士調御丈夫天
人師佛世尊說是品時有三千億菩薩於阿
耨多羅三藐三菩提得不退轉八千億天子
無量無數國王臣民遠塵離垢得法眼淨
尒時會中有五十億苾芻行菩薩行欲退菩
提心聞如意寶光耀菩薩說是法時皆得堅
固不可思議滿足上願更復發起菩提之心
各自脫衣供養菩薩重發無上勝進之心作
如是願願令我等功德善根悉皆不退迴向
阿耨多羅三藐三菩提梵王是諸苾芻依此
功德如說修行過九十大劫當得解悟出離
生死尒時世尊即為授記汝諸苾芻過卅阿
僧祇劫當得作佛劫名難勝光王國名無垢
光同時皆得阿耨多羅三藐三菩提皆同一
号名願莊嚴聞飾王十号具足梵王是金光

僧祇劫當得作佛劫名難勝光王國名無垢
光同時皆得阿耨多羅三藐三菩提皆同一
号名願莊嚴聞飾王十号具足梵王是金光
明微妙經典若正聞持有大威力假使有人
於百千大劫行六波羅蜜無有方便若有善
男子善女人書寫如是金光明經半月半月
專心讀誦是功德聚於前功德百分不及一
乃至筭數譬喻所不能及梵王是故我今令
汝修學憶念受持為他廣說何以故我於往
昔行菩薩道時猶如勇士入於戰陣不惜身
命流通如是微妙經王受持讀誦為他解說
梵王譬如轉輪聖王若王在世七寶不滅王
若命終所有七寶自然滅盡梵王是金光明
微妙經王若現在世無上法寶悉皆不滅若
無是經隨處隱沒是故應當於此經王專心
聽聞受持讀誦為他解說勸令書寫行精進
波羅蜜不惜身命不憚疲勞功德中勝我諸
弟子應當如是精勤修學
尒時大梵天王與無量梵衆帝釋四王及諸
藥叉俱從座起偏袒右肩右膝著地合掌恭
敬而白佛言世尊我等皆願守護流通是金
光明微妙經典及說法師若有諸難我當除
遣令具衆善色力充足辯才無礙身意泰然
時會聽者皆受安樂所在國土若有飢饉怨
賊非人為惱害者我等天衆皆為擁護使
其人民安隱豐樂無諸枉横皆是我等天衆
之力若有供養是經典者我等亦當恭敬供

BD00984號　金光明最勝王經卷五　（16–13）

時會聽者皆受安樂所在國土若有飢饉怨
賊非人為惱害者我等天衆皆為擁護使
其人民安隱豐樂無諸枉横皆是我等天衆
之力若有供養是經典者我等亦當恭敬供
養如佛不異
尒時佛告大梵天王及諸梵衆乃至四王諸
藥叉等善哉善哉汝等得聞甚深妙法復能
於此微妙經王發心擁護及持經者當獲無
邊殊勝之福速成無上正等菩提時梵王等
聞佛語已歡喜頂受
金光明最勝王經四天王觀察人天品第十一
尒時多聞天王持國天王增長天王廣目天
王俱從座起偏袒右肩右膝著地合掌向佛
礼佛足已白言世尊是金光明最勝王經一
切諸佛常念觀察一切菩薩之所恭敬一切
天龍常所供養及諸天衆常生歡喜一切護
世稱揚讚歎聲聞獨覺皆共受持悉能明照
諸天宮殿能與一切衆生殊勝安樂止息地
獄餓鬼傍生諸趣苦惱一切怖畏悉能除殄
所有怨敵尋即退散飢饉惡時皆令豐稔疾
疫病苦皆令蠲愈一切灾變百千苦惱咸悉
消滅世尊是金光明最勝王經能為如是安
隱利樂饒益我等唯願世尊於大衆中廣為
宣說我等四王并諸眷屬聞此甘露無上法
味氣力充實增益威光精進勇猛神通倍勝
世尊我等四王修行正法常說正法以法化世
我等令彼天龍藥叉揵闥婆阿蘇羅揭路

BD00984號　金光明最勝王經卷五　（16–14）

隱利樂饒益我等唯願世尊於大衆中廣為
宣說我等四王并諸眷屬聞此甘露無上法
味氣力充實增益威光精進勇猛神通倍勝
世尊我等四王修行正法常說正法以法化世
我等令彼天龍藥叉健闥婆阿蘇羅揭路
荼俱槃荼緊那羅莫呼羅伽及諸人王常以
正法而化於世遮去諸惡所有鬼神吸人精
氣無慈悲者悉令遠去世尊我等四王與二
十八部藥叉大將并與無量百千藥叉以淨
天眼過於世人觀察擁護此贍部洲世尊以
此因緣我等諸王名護世者又復於此洲中
若有國王被他怨賊常來侵擾及多飢饉疾
疫流行無量百千災厄之事世尊我等四王
於此金光明最勝王經恭敬供養若有苾芻
法師受持讀誦我等四王共往覺悟勸請其
人時彼法師由我神通覺悟力故往彼國界
廣宣流布是金光明微妙經典由經力故令
彼無量百千衰惱災厄之事悉皆除遣世尊
若諸人王於其國內有持是經苾芻法師至彼
國時當知此經亦至其國世尊時彼國王
應往法師處聽其所說聞已歡喜於彼法師
恭敬供養深心擁護令無憂惱演說此經利
益一切世尊以是緣故我等四王皆共一心護
是人王及國人民令離災患常得安隱世尊
若有苾芻苾芻尼鄔波索迦鄔波斯迦持
是經者時彼人王隨其所須供給供養令無
乏少我等四王令彼國主及以國人悉皆安

恭敬供養深心擁護令無憂惱演說此經利
益一切世尊以是緣故我等四王皆共一心護
是人王及國人民令離災患常得安隱世尊
若有苾芻苾芻尼鄔波索迦鄔波斯迦持
是經者時彼人王隨其所須供給供養令無
乏少我等四王令彼國主及以國人悉皆安
隱遠離災患世尊若有受持讀誦是經典
者人王於此供養恭敬尊重讚歎我等當令彼
王於諸王中恭敬尊重最為第一諸餘國王
共所稱歎大衆聞已歡喜受持
金光明最勝王經卷第五
奕盈益 韅許救 窒丁結 稔任甚

品稱言佛一
諸佛轉法輪十
如是思惟得入第九地菩薩住此地如實知
善不善无記法行知有漏无漏法行世間出
世間法行思議不可思議法行定不定法行
聲聞辟支佛法行菩薩道法行如来地法行有
為无為法行如是智慧知善知心所行難知
煩惱難業難諸根難欲難性難深心難使心
難生難習氣難三聚差别難知ム是諸心差
别相疰鈁世心相速轉心相壞不壞心相无
形心相无邊自在心相清淨差别心相垢无垢心
相縛解心相諂曲質直心相隨道心相皆如實
知是菩薩知煩惱深相淺相知心伴相不相離相
知使纏差别相知是心相應不相應相隨是生時
得果報相知三界中差别相知愛癡見深入
如箭相知憍慢重罪相知是三業因緣不斷
相乃至如實知八万四千煩惱行差别相是善
薩知諸業善不善无記相分别不可分别相心

如箭相知憍慢重罪相知是三業因緣不斷
相乃至如實知八万四千煩惱行差别相是善
薩知諸業善不善无記相分别不可分别相心
伴相不相離相自然盡相行道盡相種種相集相
不失果報相次第相有報相无報相黑黑報相
白白報相黑白黑白報相非黑非白能盡業相
知業起相受業法差别相知无量因緣起業相
知世間業出世間業差别相現報相生報相後
報相隨諸乘定相不定相乃至如實知八万四
千諸業差别相是菩薩知諸根濡中上差别相
知先後際别異不别異相知上中下相知煩
惱伴相不相離相隨諸乘定相不定相淳熟
相未淳熟相隨根轉相易壞相深取相相增
上相不可壞相轉相不轉相三世差别相又
遠共生差别相乃至如實知八万四千諸根差
别相是菩薩知諸欲濡中上差别相乃至如
實知八万四千諸欲差别相是菩薩知諸性
濡中上差别相乃至如實知八万四千諸性
差别相是菩薩知直心濡中上差别相乃至
如實知八万四千直心差别相是菩薩知諸
使共心生不共心生心相應心不相應无始
来惱眾生相與一切禪定解脫神通相違相
三界繫相无量心不現前相開煩惱門相不
知對治相无所有相无聖道開法門相皆如
實知是菩薩知諸生差别相所謂地獄畜生
餓鬼阿脩羅人天色无色界有想无想差别
業是田愛是水无明是覆識是種子後身是

來惱衆生相與一切禪定解脫神通相連相
三界繫相无量心不現前相煩惱門相不
知對治相无所有相无聖道開法門相皆如
實知是菩薩知諸生差別相所謂地獄畜生
餓鬼阿脩羅人天色无色界有想无想差別
業是田愛是水无明是覆識是種子後身是
牙名色共生而不相離癡愛相續欲生欲作
欲愛不樂涅槃三界差別相續相皆如實知
是菩薩知諸習氣有起不起隨所生處有習
氣隨衆生行有習氣隨業煩惱有習氣善不
善无記有習氣離欲有習氣隨後身有習氣
次第隨趣有習氣久遠不斷持煩惱業雖則
无法皆如實知是菩薩知是衆生定不定相
正定相邪定相不定相正見中正定相邪見
中邪定相離此二不定相二逆邪定相五根正
定相離此二不定相邪位邪定相正位正定
相離此二不定相深入邪聚難轉相脩无上
道因緣相不定衆生守護相皆如實知佛子
菩薩摩訶薩隨如是智名為安住善慧地菩
薩住是地知衆生如是諸行差別相隨其解
脫而與因緣是菩薩化衆生法度衆生法如
實知而為說法聲聞乘相辟支佛乘相菩薩
乘相如來地相如實知隨衆生因緣而為說
法隨心隨根隨欲差別而為說法又隨行處
隨智慧處而為說法知一切行處而為說法
隨衆生性深入難處而為說法隨趣隨生隨
煩惱隨習氣轉故說法隨乘令解脫故說法

法隨心隨根隨欲差別而為說法又隨行處
隨智慧處而為說法知一切行處而為說法
隨衆生性深入難處而為說法隨趣隨生隨
煩惱隨習氣轉故說法隨乘令解脫故說法
是菩薩住此地為大法師守護諸佛法藏入
深妙義用无量慧方便四无閡智言辭說法
是菩薩常隨四无閡智而不可壞何等四一
法无閡二義无閡三辭无閡四樂說无閡是
菩薩以法无閡知諸法自相以義无閡智
知差別法以辭无閡智知說諸法不可壞以
樂說无閡智知說諸法次第不斷復次以法
无閡智知諸法无體性以義无閡智知諸法
生滅相以辭无㝵智知諸法假名不斷假名
說以樂說无㝵智隨假名不壞无邊說復次
以法无閡智知現在諸法差別相以義无閡
智知過去未來諸法差別相以辭无閡智知
過去未來現在諸法說不可壞以樂說无閡智
於一一世得无邊法明說復次以法无閡
智知諸法差別以義无閡智知諸法義差別
以辭无閡智隨諸言音而為說法以樂說无
閡智隨所樂解而為說法復次以法无閡智
以法智方便知諸法差別不可壞以義无閡
智以比智如實知諸法差別以辭无閡智以
世智說諸法差別以樂說无閡智知善說第
一義復次以法无閡智知諸法一相不壞以
義无閡智知陰入界諦因緣法以辭无閡智

世智說諸法差別以樂說无閡智知善說第
一義復次以法无閡智知諸法一相不壞以
義无閡智知陰入界諦因緣法以辞无閡智
以微妙音故一切世間之所歸趣以樂說无
閡智所說轉勝能令衆生得无邊法明復次
以法无閡智知一乘究竟攝一切无差別以
義无閡智知諸乘差別以辞无閡智能說諸
乘无差別以樂說无閡智以一法門說无邊
法明復次以法无閡智能入一切菩薩行智
行法行隨智行以義无閡智能分別說十地
義差別以辞无閡智說隨順諸地道不可壞
以樂說无閡智說一切行无邊相復次以法
无閡智知一切佛於一念中得菩提以義无
閡智知種種時種種刹差別以辞无閡智隨
諸佛得道事差別說以樂說无閡智於一句
法无邊劫說而不窮盡復次以法无閡智知
一切佛語一切佛力无畏不共法大慈大悲
无閡智轉法輪一切種智以義无閡智知如
來音聲說八万四千隨衆生心諸根欲樂差
別行以辞无閡智以如來音聲說一切諸行
不可壞以樂說无閡智以諸佛智力隨衆生
所樂音聲說菩薩摩訶薩如是善知无閡智
安住第九地名為得佛法藏為大法師得衆
義陀羅尼衆法陀羅尼起智陀羅尼衆明陀
羅尼善慧陀羅尼衆財陀羅尼名聞陀羅尼

BD00985號　大方廣佛華嚴經（晉譯五十卷本）卷二二　（31–5）

安住第九地名為得佛法藏為大法師得衆
義陀羅尼衆法陀羅尼起智陀羅尼衆明陀
羅尼善慧陀羅尼衆財陀羅尼名聞陀羅尼
威德陀羅尼无閡陀羅尼无邊旋陀羅尼雜
義藏陀羅尼得如是等百万阿僧祇陀羅尼
隨方便說如是无量樂說差別門說法是善
薩得如是无量陀羅尼門能於无量佛所聽
法聞已不妄如所聞法能以无量差別門為
人演說是菩薩於一佛所以百万阿僧祇陀
羅尼聽受正法如從一佛餘无量佛亦復如
是是菩薩於礼敬佛時所聞法明非多學聲
聞得陀羅尼力於十万劫所能受持是菩薩
得如是陀羅尼力无閡智樂說力以說法故
在於法坐大千世界滿中衆生隨意說法是
菩薩在法坐上唯除諸佛及受職菩薩於一
切中最為殊勝是菩薩處於法坐或以一音
欲令一切悉得解了即得解了或以種種音
聲欲令一切各得聞解即得聞解或以默然
但放光明欲令一切各得解法即得解法或
一切毛孔皆出法音或三千大千世界所有
色无色物皆出法音或以一音周滿法界欲
令得解即得解是菩薩三千大千世界所有
衆生以无量音聲一時問難所問各異是
菩薩於一念中悉受如是一切問難以一音
各皆令開解如是若二若三若百若千乃至
不可說不可說三千大千世界滿中衆生廣

BD00985號　大方廣佛華嚴經（晉譯五十卷本）卷二二　（31–6）

菩薩於一念中悉受如是一切問難以一音
答皆令開解如是若二若三若百若千乃至
不可說不可說三千大千世界滿中眾生廣
為說法承佛神力能為眾生廣作佛事倍復
懃脩如是智明於一塵中有不可說不可說
世界塵數大會佛在此中隨眾生心而為說
法令一一眾生心得若干无量諸法如一佛
一切諸佛亦如是如一微塵一切十方世界
亦如是於是中生大憶念力於一念中從一
切佛所受法明不失一句如上大會滿中眾
生以決定法明演清淨法於一念中令命所
眾生皆得開解何況若干世界中眾生是善
薩住是地善根轉勝深入諸佛行處常與一
切佛會深入菩薩解脫菩薩隨順如是智常
見諸佛於一一劫中无量无邊百千万億以
上供具供養諸佛於諸佛所種種問難通達
諸陀羅尼一切善根轉勝明淨佛子如鍊真
金具足莊嚴為轉輪王所著寶冠一切小王
无能奪者菩薩亦如是住善慧地一切善根
轉勝明淨聲聞辟支佛諸地菩薩所不能壞
是菩薩善根轉明能照眾生煩惱難處如大
梵王三千世界一切難處皆悉能照菩薩亦
如是住善慧地善根明淨照諸眾生煩惱難
處諸佛子是名略說菩薩善慧地若廣說者
則无量无邊劫不可得盡菩薩住是地多作
大梵王典領三千大千世界无有能勝如實

BD00985號　大方廣佛華嚴經（晉譯五十卷本）卷二二　（31–7）

如是住善慧地善根明淨照諸眾生煩惱難
處諸佛子是名略說菩薩善慧地若廣說者
則无量无邊劫不可得盡菩薩住是地多作
大梵王典領三千大千世界无有能勝如實
解義者於自在中而得自在善能宣說聲聞
辟支佛菩薩波羅蜜眾生問難无能窮盡所
作善業布施愛語利益同事皆不離念佛不
離念法乃至不離念一切種智常生是心我
當於一切眾生為首為勝乃至於一切眾生
為依止者是菩薩若欲如是懃行精進於一
念中得百万阿僧祇三千大千世界微塵數
三昧乃至能示百万阿僧祇三千大千世界
微塵數菩薩以為眷屬若以願力神通自在
復過是數百千万億那由他劫不可計知時
金剛藏菩薩欲明此義以偈頌曰

諸菩薩隨順　无量深智力　第一寂微妙　一切世難知
利益眾生者　能至第九地　得入於諸佛　祕密之法藏
得微妙寂上　三昧陀羅尼　廣大神通力　善入世界相
智慧力決定　能觀諸佛法　大願悲心淨　得入第九地
順行此上地　持諸佛法藏　即能通法藏　善不善无記
有漏及无漏　世間出世間　是可思議法　是不可思議
知法定不定　三乘具足相　思惟分別此　有為无為法
起知如是法　識諸无明闇　隨順是智心　則為第一妙
悉知一切難　諸心差別相　疾轉世輕易　无邊自在心
煩惱深淺相　心伴不離相　知使纏差別　隨順相續有
知業種種雜　各各差別相　因熾果不失　通達如是事
又知於眾生　諸根鈍中上　无量差別事　先際後際日

BD00985號　大方廣佛華嚴經（晉譯五十卷本）卷二二　（31–8）

起知如是法　滅諸无明闇　隨順是智心　則為第一妙
悉知一切難　諸心差別相　在餘世難易　无邊由在心
煩惱深淺相　心伴不離相　知使纏差別　隨順相續有
知業種種雜　各各差別相　因緣果不失　通達如是事
又知於衆生　諸根深中上　廣大差別等　先際後際相
知欲深中上　及諸性差別　乃至能悉知　八万四千種
煩惱使難處　无始來不滅　皆與心共行　繫縛不可斷
知諸結使等　但妄想分別　无有方處所　亦无定事相
常不離於身　又亦難得知　禪定力能遮　金剛道能斷
又能知諸生　入六道差別　愛潤无明覆　業田識是種
生於後身芽　名色共增長　无始生死來　相續在三界
知諸天龍趣　由煩惱業心　若離於此法　是則无所有
一切諸衆生　皆在三聚中　或沒諸邪見　或在於智道
菩薩住此地　悉知衆生心　諸根及欲樂　種種差別義
深心善思惟　隨宜而說法　通達无閡智　善以言辭說
菩薩為法師　猶如師子王　牛王寶山王　安住无所畏
善於諸世界　雨甘露法味　猶如大龍王　能雨滿大海
是菩薩善知　法義辭无閡　善能隨順行　具足樂說力
能得於百万　阿僧祇總持　能受諸佛法　如海受龍雨
菩薩得如是　諸深妙清淨　无異陀羅尼　諸三昧力故
能於一念中　得見无量佛　聞已淨梵音　演說妙法寶
是菩薩或教　大千世界生　隨心根所好　說法令歡喜
如是等无量　三千大千國　轉深懃精進　亦作是思惟
於一微塵中　无量佛說法　隨衆生心相　演說於妙義
是菩薩皆受　如地受諸種
復作如是願　十方諸所有　國土中衆生　皆令為一會

是菩薩或教　大千世界生　隨心根所好　說法令歡喜
如是等无量　三千大千國　轉深懃精進　亦作是思惟
於一微塵中　无量佛說法　隨衆生心相　演說於妙義
是菩薩皆受　如地受諸種
復作如是願　十方諸所有　國土中衆生　皆令為一會
我於一念中　皆悉知其心　以一音說法　悉令斷疑網
菩薩住是地　人天中法王　為大說法師　隨順衆生性
常於日夜中　與諸佛共會　能住甚深妙　寂滅智解脫
供養无量佛　善根轉明淨　猶如轉輪王　真金莊嚴寶
无明照衆生　諸煩惱難處　如梵王无明　照於大千界
菩薩住是地　於三千世界　作大梵天王　諸根悉猛利
善以三乘法　示悟諸衆生　所作諸善業　皆順於正念
能於一念中　所得无有量　世界微塵數　諸深妙三昧
得見十方佛　微妙音說法　見佛大神力　復數无量過
如是第九地　大智所行處　深妙難知見　今已略說竟
九地竟
說諸大菩薩　所行无上事　无數那由他　首陀會諸天
於上虛空中　心皆大歡喜　咸以恭敬心　衆生供養佛
那由他菩薩　歡悅无有量　燒諸奇妙香　滅除諸煩惱
他化自在王　與諸天大衆　住在虛空中　心皆大歡喜
咸以恭敬心　種種設供養　各散衆寶衣　空中複轉下
无量億天女　諸相欣悅豫　於上虛空中　敬心供養佛
同作无量億　那由他伎樂　一切寶器中　皆出如是音
佛坐於此處　悉遍於一切　十方國土中　皆亦有佛現
无量億種種　相好莊嚴身　殊妙无有比　充滿於世界
於一毛孔中　出无量光明　滅除於一切　世間煩惱火
十方微塵數　尚可得知量　一毛孔光明　不可得稱量

佛坐於此處　悉遍於一切　十方國土中　皆亦有佛現
无量億種種　相好莊嚴身　殊妙无有比　充滿於世界
於一毛孔中　出无量光明　滅除於一切　世間煩惱火
十方微塵數　尚可得計量　一毛孔光明　不可得窮盡
各見有佛身　以三十二相　八十好莊嚴　轉无上法輪
或見佛種種　為衆所說法　或見在兜率　教化於諸天
或見從兜率　來下處胞胎　或見初生時　或見夜出家
或見坐道場　所成无上道　或見轉法輪　或見入涅槃
於无量國土　種種所示現　破度衆生故　有如是等事
辟如巧幻師　善知於幻術　多示諸衆生　種種異身相
如是佛慧中　善巧於示現　變化一切身　周遍諸世界
一切法空寂　先來无性相　同若如虛空　大師亦如是
得入第一義　微妙之性相　隨諸法性相　示佛大神力
一切佛行性　法及諸衆生　皆悉同无相　一切法空故
若欲得佛智　應離諸想念　有无俱通達　疾作天人師
諸天采女衆　皆出如是等　十万種妙音　寂然所觀佛
解脫月菩薩　見衆皆寂然　語金剛藏言　大名稱佛子
菩薩從第九　至於第十地　諸大神通力　願今為略說
金剛藏菩薩言佛子菩薩摩訶薩如是无量
智慧善脩行佛道乃至九地善集清白法集
无量助道法大功德智慧廣護廣行大悲深
知分別世界差別深入衆生難處入諸如來
行處念隨順如來寂滅行處趣向諸佛力无
畏不共法堅持不捨得至一切智位菩薩摩
訶薩行如是智近佛位地則得菩薩離垢三

BD00985號　大方廣佛華嚴經（晉譯五十卷本）卷二二　（31–11）

畏不共法堅持不捨得至一切智位菩薩摩
訶薩行如是智近佛位地則得菩薩離垢三
昧所現在前又入法界差別三昧莊嚴道場
三昧雨一切世間華光三昧海藏三昧海印
三昧虛空廣三昧觀察一切法性三昧隨一
切衆生心行三昧如實知一切法三昧得如
來智信三昧如是等百万阿僧祇三昧皆現
在前是菩薩悉入此三昧善知其中功用
差別最後三昧名益一切智位是三昧現在前
時大寶蓮華王出周圓如百万三千大千
世界一切衆寶間錯莊嚴過於一切人天所
有出世間善根所生知一切法如幻如化空
慧所成光明能照一切世界琉璃為莖栴檀
王為臺馬惱為鬚閻浮檀金為葉无量光明
一切妙寶皆在其內寶網覆上十三千大千
世界微塵數蓮華以為眷屬尒時菩薩其身
殊妙稱可華坐菩薩得益一切智位三昧力
故身在大蓮華坐即時眷屬蓮華上皆有菩
薩一一菩薩坐蓮華上即得百万三昧皆一心
恭敬瞻仰大菩薩是菩薩坐蓮華坐時十方
現在一切世界皆大震動一切惡道皆悉休
息光明普照十方世界一切世界皆悉嚴淨
皆得見聞諸佛大會何以故是菩薩坐大蓮
華上即時足下出百万阿僧祇光明照十方

BD00985號　大方廣佛華嚴經（晉譯五十卷本）卷二二　（31–12）

現在一切世界皆大震動一切惡道皆悉休
息光明普照十方世界一切世界皆悉嚴淨
皆得見聞諸佛大會何以故是菩薩坐大蓮
華上即時足下出百万阿僧祇光明照十方
阿鼻地獄等滅衆生苦惱兩膝上放若干光
明照十方一切畜生滅除苦惱齊放若干光
明照十方一切餓鬼滅除苦惱左右脅放若
干光明照十方人安隱快樂兩手放若干光
明照十方諸天阿脩羅宮兩肩放若干光明
照十方聲聞衆頸放若干光明照十方辟支佛
口放若干光明照十方菩薩乃至住九地者
白毫放若干光明照十方得住菩薩一切魔
宮隱蔽不現頂上放百万阿僧祇三千大千
世界微塵數光明照於十方諸佛大會繞十
匝已住於虛空成光明網高大明淨供養諸
佛如是供養從初發心乃至九地所作供養
百分不及一乃至筭數譬喻所不能及是大
光明網勝十方世界所有華香末香塗香衣
服幡蓋衆寶瓔珞摩尼寶珠供養之具從出
世間善根生故一一諸佛大法會上皆雨衆
寶猶如大雲若有衆生覺是供養者皆是必
定无上大道如是諸光雨大供養已繞大會
十匝入諸佛足下尒時諸佛及大菩薩知某
世界某甲菩薩摩訶薩行如是道成就受職
尒時十方无邊菩薩乃至住九地者皆來圍
繞設大供養一心恭敬各得万三昧一切得
職菩薩摩訶薩於金剛莊嚴胷出一大光名

尒時十方无邊菩薩乃至住九地者皆來圍
繞設大供養一心恭敬各得万三昧一切得
職菩薩摩訶薩於金剛莊嚴胷出一大光名
破魔賊无量百千万光以爲眷屬照十方世
界亦无量神力之來入是大菩薩胷以光明
滅已是菩薩即得百千万億大勢力神通智
慧尒時諸佛出眉間白豪相光名益一切智
有无量无邊光明眷屬悉照一切十方世界
圍繞十匝亦現諸佛大神通力勸進无量百
千万億諸菩薩十方世界六種震動滅除一
切惡道苦惱一切魔宮皆蔽不現亦一切諸佛
得道之處亦一切諸佛大會莊嚴事廣大如
法界究竟如虛空照一切世界已集在虛空
亦大神通莊嚴之事入是菩薩頂眷屬光明
入眷屬蓮華諸菩薩頂即時各得先所未得
十千三昧是光明入此菩薩頂如一佛光一
切佛光皆亦如是一切十方諸佛光明入是
菩薩頂時名爲得職名爲入諸佛界具佛十
力墮在佛數佛子譬如轉輪聖王太子成就
王相轉輪聖王令子在白象寶閻浮檀金坐
取四大海水上張羅幔種種莊嚴幢幡伎樂
執金鍾香水灌子頂上即名爲灌頂大王具
足轉十善道故名轉輪聖王菩薩摩訶薩亦
如是受職時諸佛以智水灌是菩薩頂名灌
頂法王具足佛十力故墮在佛數是名諸菩
薩摩訶薩大智慧職地以是職故菩薩摩訶薩

如是受職時諸佛以智水灌是菩薩頂名灌
頂法王具足佛十力故墮在佛數是名諸菩
薩摩訶薩大智慧職地以是職故菩薩摩訶薩
受无量百千億万苦行難事是菩薩得是職
已住法雲地无量功德智慧轉增佛子菩薩
住法雲地如實知欲界集色界集无色界集
如實知世間性集衆生性集識性集有為性
集无為性集虛空性集法性集涅槃性集耶
見諸煩惱性集如實知諸世間法成壞聲聞
道集辟支佛道集菩薩道集諸佛力无畏不
共法色身法身集一切智集得佛道轉法輪
亦示滅度集舉要言之如實知一切法差別
集是菩薩以如是智慧隨順菩提行如實知衆
生化業化煩惱化諸見化世界化法界化聲
聞化辟支佛化菩薩化如來化一切化分別无
分別化是菩薩如實知佛力持法持業持煩
惱持時持願持先世持行持劫壽持智持是
菩薩住十地諸佛所有微細智所謂行微細
智命終微細智受胎微細智出生微細智出
家微細智得道微細智神力自在微細智轉
法輪微細智持壽命微細智示涅槃微細智
法久住微細智如是等微細智皆如實知又
諸佛密處所謂身密口密意密知時非時密
與菩薩受記密攝伏衆生密諸乘差別密八
万四千諸根差別密業如實所作密行得菩
提密如是等密皆如實知是菩薩諸佛所有

諸佛密處所謂身密口密意密知時非時密
與菩薩受記密攝伏衆生密諸乘差別密八
万四千諸根差別密業如實所作密行得菩
提密如是等密皆如實知是菩薩諸佛所有
入劫智所謂一劫攝阿僧祇劫阿僧祇劫攝
一劫有數劫攝无數劫无數劫攝有數劫一
念攝劫劫攝一念劫攝非劫非劫攝劫有佛
劫攝无佛劫无佛劫攝有佛劫過去未来劫
攝現在劫現在劫攝過去未来劫未来過去
劫攝現在劫現在劫攝未来過去劫長劫攝
短劫短劫攝長劫諸劫攝相皆如實知是菩
薩諸佛所入微塵智國土智衆生身心智衆
生身心得道智衆生行智至一切處智遍行
佛道智恒行智運行智不可思議智一切世
間聲聞辟支佛菩薩所不能知皆如實知佛
子諸佛智慧廣大无量菩薩住是地則能得
入如是智慧菩薩摩訶薩隨是地行得菩薩
不可思議解脫无閡解脫淨行解脫善門明
解脫如来藏解脫隨无閡論解脫入三世解
脫法性藏解脫明解脫勝進解脫是菩薩十
解脫為首得如是等无量无邊百千万億阿
僧祇解脫百千万无量阿僧祇三昧百千万
无量阿僧祇陀羅尼百千万无量阿僧祇神
通之後如是是菩薩成就如是智慧隨順菩
提成就无量念力能於一念頃至十方无量
佛所无量法明无量法雨皆能受持辟如娑
伽羅龍王所注大雨唯除大海餘不能受菩

提成就无量念力能於一念頂至十方无量
佛所无量法明无量法雨皆能受持譬如娑
伽羅龍王所注大雨唯除大海餘不能受菩
薩摩訶薩亦如是如來微密大法雨一切
衆生聲聞辟支佛乃至九地菩薩所不能受
唯此菩薩住法雲地悉能受持譬如大海一
龍王起大雲雨皆能堪受若二若三乃至无
量无邊諸大龍王所起雲雨一時注下皆能
受持菩薩摩訶薩亦如是住法雲地於一佛所
能受大法明雨二佛三佛乃至不可說不可
說佛於一念中皆能堪受如是諸佛大法雲雨
是故此地名法雲地解脫月言佛子是菩薩
於一念中堪受幾所大法明雨答言佛子譬
如十方所有不可說百千万億那由他世界微
塵尒所微塵世界衆生假使皆得聞持陀羅
尼為佛侍者為大聲聞多聞第一如金剛蓮
華上佛善伏比丘其一衆生成就如是多聞
之力餘亦如是一人所受餘不重問如是一
切各各不同於意云何是一切衆生受持多
聞力為多不答言甚多不可稱計佛子我今
為汝說是菩薩住法雲地於一念頂於一佛
所受三世法藏大法明雨上一切衆生多聞
之力百分不及一乃至筭數譬喻所不能及
如一佛所聞十方世界微塵諸佛皆能受持
大法明雨復能過此无量无邊於一念頂亦能
受持是故名為法雲地佛子菩薩摩訶薩住
法雲地自從願力生大慈悲福德智慧以為

如一佛所聞十方世界微塵諸佛皆能受持
大法明雨復能過此无量无邊於一念頂亦能
受持是故名為法雲地佛子菩薩摩訶薩住
法雲地自從願力生大慈悲福德智慧以為
密雲現種種身為雜色雲通明无畏以為電
光震大雷音說法降魔一念一時能於上所
說微塵世界皆悉周普以雨善法甘露法雨
滅諸衆生隨心所樂无明所起煩惱炎故是
故名為法雲地復次佛子菩薩摩訶薩住法
雲地於一世界從兜率天來下乃至亦大涅
槃一切佛事隨所度衆生皆現神力若二若
三乃至如上微塵數世界又復過是百千万
億阿僧祇世界從兜率天來下乃至亦大涅
槃一切佛事隨所度衆生皆現神力是菩薩
住此地於智慧中得上自在力或以狹國為
廣廣國為狹或以垢國為淨淨國為垢如是一
切世界皆有神力是菩薩或於一微塵中置三千大
千世界鐵圍山川所不迫迮或二或三乃至
不可說不可說世界諸莊嚴事亦入一塵或
以一世界莊嚴事亦不可說不可說世界或
以不可說不可說世界衆生置一世界中所
不迫迮或以一世界衆生置不可說不可說
世界中或以不可說不可說世界入一塵中
所不惱衆生或於一塵中亦一切佛神通力
莊嚴之事或於一念中現不可說不可說世
界微塵數身於一身中亦无量手以一一手

所不惱衆生或於一塵中亦一切佛神通力
莊嚴之事或於一念中現不可說不可說世
界微塵數身於一身中亦无量手以一一手
執恒沙蓮華以散諸佛雜香末香憣蓋寶物
如是一切莊嚴之具皆以手執供養諸佛於
一一身亦復如是又一一身化塵數頭於一一
頭有塵數舌以是神力讚歎諸佛如是等事
於念念中遍滿十方於念念中以神通力无
量世界亦得佛道轉法輪乃至大般涅槃於
三世中以神通力亦現无量身於自身中現
无量佛无量佛土莊嚴事於自身中亦一切
世界成壞事或於一毛孔出一切風而不惱
衆生或以无量无邊世界為一海水此海水
中作大蓮華形色光明遍无量无邊世界於
中亦菩提樹莊嚴妙事乃至亦得一切種智
或自身中現一方世界摩尼寶珠日月星宿
一切光明乃至十方所有光明亦復如是或
口噓氣能令十方无量世界悉大震動不令
衆生有恐畏想或示十方世界水劫盡風劫
火劫盡而衆生身隨意莊嚴或於自身亦作
如來身如來身作自身如來身作已佛國已
佛國作如來身佛子菩薩摩訶薩在法雲地
神變如是又餘无量神力自在尒時會中諸
菩薩天龍夜叉乾闥婆阿脩羅迦樓羅緊那
羅摩睺羅伽四天王釋提桓因梵天王自在
天子淨居天等各作是念若菩薩神通力智
慧力如是无量无邊佛復云何時解脫月菩

BD00985號　大方廣佛華嚴經（晉譯五十卷本）卷二二　（31–19）

菩薩天龍夜叉乾闥婆阿脩羅迦樓羅緊那
羅摩睺羅伽四天王釋提桓因梵天王自在
天子淨居天等各作是念若菩薩神通力智
慧力如是无量无邊佛復云何時解脫月菩
薩知大衆心所念問金剛藏菩薩言佛子今
諸大衆聞是菩薩神通智慧力墮在疑網汝
今當斷一切疑或示菩薩神通莊嚴妙事時
金剛藏菩薩即入一切佛國體性三昧時諸大
衆天龍夜叉乾闥婆阿脩羅迦樓羅緊那羅
摩睺羅伽四天王釋提桓因梵天王自在天
子淨居天等皆自見知入金剛藏菩薩身中
於其身內見三千大千世界莊嚴衆事若滿
一劫說不可盡於中見佛道場樹其莖周圍
十万三千大千世界高百万三千大千世界
覆三千億三千大千世界枝樹高廣有師子
坐其坐上有佛号一切智王如來一切大衆
咸皆見佛坐在坐上其中所有莊嚴上妙供
養之具滿一劫說亦不可盡金剛藏菩薩亦
現如是大神力已還令大衆各在本處一切
衆會生希有想嘿然一心觀金剛藏時解脫
月菩薩問金剛藏菩薩言佛子是三昧有大
勢力甚為希有是三昧者所号云何答言是
三昧名一切佛國體性問言是三昧所有勢
力境界云何答言佛子若菩薩摩訶薩善脩
成是三昧力者能以如是无量恒沙世界微
塵數三千大千世界於身中現復過是數善

BD00985號　大方廣佛華嚴經（晉譯五十卷本）卷二二　（31–20）

三昧名一切佛國體性問言是三昧所有勢
力境界云何答言佛子若菩薩摩訶薩善脩
成是三昧力者能以如是无量恒沙世界微
塵數三千大千世界於身中現復過是數菩
薩在法雲地得如是无量无邊百千万億諸
三昧是故菩薩住此地中身身業難可測知
口口業難可測知意意業難可測知神力自
在難可測知觀三世法難可測知諸三昧行
入難可測知智力難可測知遊戲諸解脫難
可測知變化所作神力所作如意所作難可
測知乃至舉足下足菩薩住善慧地者不能
測知佛子菩薩法雲地如是无量若廣說者
无量无邊阿僧祇劫不能得盡解脫月言佛
子若菩薩行處力神通力如是者佛行處力
神通力復云何答言佛子譬如有人見一塊
土作是言无邊世界地性為多此耶汝所問
者我謂如是如來无量智慧云何以菩薩智
慧所欲測量佛子如人取四天下地性少分
餘者極多菩薩法雲地於无量劫但可說門
何況如來地我今當說令汝知之佛現為證
如十方无量无邊世界微塵等諸佛世界十
地菩薩皆滿其中是諸菩薩有无量无邊業
脩習菩薩功德智慧禪定於如來功德智慧
力百分不及一百千万億分不及一乃至筭
數譬喻所不能及佛子是菩薩隨如是智慧
順如來身口意不捨諸菩薩三昧勢心供養

BD00985號　大方廣佛華嚴經（晉譯五十卷本）卷二二　（31–21）

力百分不及一百千万億分不及一乃至筭
數譬喻所不能及佛子是菩薩隨如是智慧
順如來身口意不捨諸菩薩三昧勢心供養
一切諸佛於一一劫以一切供具供養无量
无邊諸佛能悉具受諸佛神力轉復明勝是
菩薩於法性問難无能勝者乃至无量无邊
百千万億劫不可窮盡佛子譬如天金以摩
尼珠眾寶間錯為自在天王嚴身之具其餘
諸天所不能及之无尊者菩薩住十地智慧
善根從初地乃至九地所不能及菩薩住是
地得大智照明隨順一切智故其餘智慧所
不能壞譬如大自在天王光明能令眾生身
心清涼一切生處眾生光明所不能及菩薩
摩訶薩亦如是住法雲地智慧光明一切聲
聞辟支佛所不能及乃至九地菩薩亦不能
及是菩薩住是地中能令无量眾生住一切
智道佛子菩薩住是地十方諸佛為說三世
智慧法界智慧一切世界智慧普照住持一
切世界智慧大悲大慈普遍一切眾生智慧
舉要言之具足為說至一切智道佛子是名
菩薩摩訶薩第十法雲地菩薩住是地多作
摩醯首羅天王智慧明達善說聲聞辟支佛
菩薩波羅蜜於法性中有問難者无能令盡
所作善業布施愛語利益同事皆不離念佛不
離念法乃至不離念具足一切種智常作

BD00985號　大方廣佛華嚴經（晉譯五十卷本）卷二二　（31–22）

菩薩波羅蜜於法性中有問難者无能令盡
所作善業布施愛語利益同事皆不離念佛不
離念法乃至不離念具足一切種智常作
是念我當於一切衆生為首為勝乃至於一
切衆生為依止者若啟如是懃行精進於一
念中得无量百千万億那由他不可說不可
說世界微塵數三昧乃至示尒所微塵數菩
薩以為眷屬若以願力神通自在復過是數
所謂諸行上妙快具信解起業若身若口若
光明若諸根若如意足若音聲若行處乃至
若干百千万億劫不可稱數佛子是菩薩十
地次第順行趣向一切種智如從阿耨達池
四河流出滿足四天下无有窮盡乃入大海
菩薩亦如是從菩薩出於善根大願之水以
四攝法滿足衆生而不窮盡乃至一切種智
佛子是菩薩十地因佛智故而有差別如因
大地有十大山王何等為十所謂雪山王香
山王軻梨羅山王仙聖山王由乾陁山王馬
耳山王尼民陁羅山王斫迦羅山王宿慧山
王須弥山王如雪山王一切藥草集在其中
取不可盡菩薩亦如是住歡喜地一切世間經
書伎藝文頌呪術集在其中无有窮盡如香
山王一切諸香集在其中取不可盡菩薩亦
如是住離垢地持戒頭陁威儀助法集在其
中无有窮盡如軻梨羅山王但以寶成集諸

山王一切諸香集在其中取不可盡菩薩亦
如是住離垢地持戒頭陁威儀助法集在其
中无有窮盡如軻梨羅山王但以寶成集諸
妙華取不可盡菩薩亦如是住於明地集一
切世間禪定神通解脫三昧問不可盡如仙聖
山王但以寶成多有五通聖人不可窮盡菩
薩亦如是住於炎地集令衆生入道因緣種
種問難不可窮盡如由乾陁山王但以寶成
集夜叉大神不可窮盡菩薩亦如是住難勝
地集一切自在如意神通說不可盡如馬耳
山王但以寶成集衆妙菓取不可盡菩薩亦
如是住現前地集深因緣法說聲聞果不可
窮盡如尼民陁羅山王但以寶成集一切大
力龍神不可窮盡菩薩亦如是住遠行地集
種種方便智慧說辟支佛道不可窮盡如斫
迦羅山王但以寶成集心自在者不可窮盡
菩薩亦如是住不動地集一切菩薩自在道
說世間性不可窮盡如宿慧山王但以寶成
集大神力諸阿脩羅无有窮盡菩薩亦如是
住善慧地集轉衆生行智說世間相不可窮
盡如須弥山王但以寶成集諸天神无有窮
盡菩薩亦如是住法雲地集如來十力四无
所畏說諸佛法不可窮盡是十寶山同在大
海因大海水有差別相菩薩十地亦如是同
在佛智因一切智故有差別相佛子辟如大
海以十相故名為大海无有能壞何等為十

諸法不可窮盡是十寶山同在大
海四大海水有差別相菩薩十地亦如是同
在佛智因一切智故有差別相佛子譬如大
海以十相故名為大海无有能壞何等為十
一漸次深二不受死屍三餘水失本名四一
味五多寶六極深難入七廣大无量八多大
身眾生九潮不失時十能受一切大雨无有
盈溢菩薩地亦如是以十因緣故无有能壞
何等為十歡喜地中漸生堅固願離垢地中
不與破戒共宿明地中捨諸假名炎地中於
佛得一心不壞淨信難勝地中生世間无量
方便神通起世間事現前地中觀甚深因緣
法遠行地中以天廣心善觀諸法不動地中
能起大莊嚴示現善慧地中能得深解脫通
達世間行如實不失法雲地中能受一切諸
佛大法明雨佛子譬如大摩尼寶珠有十事
能與眾生一切寶物何等為十一出大海二
巧匠加治三轉精妙四除垢穢五以火鍊治
六眾寶莊嚴七貫以寶縷八置琉璃高柱九
光明四照十隨王意雨眾寶物菩薩發菩薩
心寶亦有十事何等為十一初發心布施離
慳二脩持戒頭陀苦行三以諸禪定解脫三
昧令轉精妙四以道行清淨五鍊以方便神
通六以深因緣法莊嚴七以種種深方便智
慧貫穿八置神通自在憧上九觀眾生行放
多聞智慧光明十諸佛授智職於一切眾生
能為佛事隨在佛數佛子是菩薩所行集一

BD00985號　大方廣佛華嚴經（晉譯五十卷本）卷二二　（31–25）

通六以深因緣法莊嚴七以種種深方便智
慧貫穿八置神通自在憧上九觀眾生行放
多聞智慧光明十諸佛授智職於一切眾生
能為佛事隨在佛數佛子是菩薩所行集一
切智慧功德法門品若不深種善根不能得
聞聞言佛子若得聞者是人為得幾所福答
言隨佛所有智慧勢力如是發薩婆若心所
緣稱福德是人得聞此法門所得福德亦復
如是何以故若无菩薩心聞是法門不能信
解受持何況以身脩習能成是事是故當知
是人隨順一切種智得聞信解受持脩行說
是品時十方世界十億佛國微塵數世界六
種十八相動以佛神力法如是故諸天雨華
末香瓔珞寶衣憣蓋莊嚴身具之雨天伎樂
歌頌而下復有大音讚嘆十地殊勝之事如
此世界四天下他化自在天王宮說十地十
方一切世界皆亦如是以佛神力故十方過
十億佛國微塵數剎有十億佛國微塵數菩
薩詣此世界遍滿虛空皆作是言善哉善哉
金剛藏善說菩薩十地之法佛子我等皆名
金剛藏發金剛德世界金剛憧佛所所逐處
處皆說是經眾會如是言辭義趣亦如是我
等以佛神力故來證是事如我至此十方一
切世界他化自在天王宮摩尼寶殿皆有十億
佛國微塵數菩薩往為作證亦復如是時金
剛藏菩薩觀察十方觀察一切大眾觀察法
界讚嘆初發薩婆若心示菩薩境界淨菩薩
行力攝一切種智隨眾生說除一切世間垢

BD00985號　大方廣佛華嚴經（晉譯五十卷本）卷二二　（31–26）

十世界……摩尼寶殿皆有十億
佛國微塵數菩薩住為作證亦復如是時金
剛藏菩薩觀察十方觀察一切大眾觀察法
界讚歎初發薩婆若心示菩薩境界淨菩薩
行力攝一切種智隨眾生說除一切世間垢
識與眾生一切種智因緣示不可思議智慧
莊嚴事讚歎一切菩薩功德差別相欲令諸
地轉勝明顯示眾生故承佛神力以偈頌曰
諸菩薩所行　樂於善寂滅　其心无所著　猶若如虛空
除貪恚癡垢　安住於道智　如是无上行　歡樂欲聽聞
如是諸菩薩　在於无量劫　懃心常精進　一切諸善根
供養无量佛　辟支阿羅漢　為利眾生故　乃至菩提心
精懃持戒行　頭陀除罪垢　脩善思轉妙　慚愧威德深
福慧因緣故　勝進心明淨　深樂於佛智　同佛生菩提
供養於一切　十方三世佛　如虛空等國　悉皆令清淨
一切法平等　善悉通達故　為度諸眾生　發於菩提心
諸菩薩如是　生是无量心　至於歡喜地　息惡樂布施
得諸本願力　增廣慈悲心　深行十善道　能到離垢地
戒聞功德備　慈心愍世間　永離諸垢穢　深心常清淨
善觀諸世間　三毒火然熾　如是之大士　入第三明地
觀三界皆空　无常亦如病　如癰如創箭　无量苦常然
見諸有為過　貪樂佛功德　得佛智明炎　入於第四地
成就於念慧　得至於道智　在此地供養　百千諸如來
常能思惟念　諸佛无量德　得入於一切　世間難勝地
能以慧方便　種種所示現　諸有所為作　以利於世間
供養於諸佛　行益眾生事　无生法在前　得入現前地
菩薩諸所行　一切世難知　常无有我心　有无皆悉離

……在此地供養　百千諸如來
常能思惟念　諸佛无量德　得入於一切　世間難勝地
能以慧方便　種種所示現　諸有所為作　以利於世間
供養於諸佛　行益眾生事　无生法在前　得入現前地
菩薩諸所行　一切世難知　常无有我心　有无皆悉離
諸法先空寂　十二緣故行　善入此微妙　入於遠行地
行慧方便等　得法寂滅相　如是之大士　難知難可及
為欲令世間　得善寂滅故　還起脩諸行　種種福德事
善入於眾生　種種心行處　如是能得入　如空不動地
大智諸菩薩　善能悉具行　種種諸智業　得十自在力
能以无有量　无邊阻諸身　善現十方界　所為說妙法
善達於世界　及諸眾生性　如是大慈悲　能入善慧地
第一妙淨智　善觀諸世間　纏縛煩惱業　甚深諸難處
為度是等故　得諸佛法藏　善說第一義　悉无所違錯
如是次第行　具足諸善法　乃至於九地　所積集福慧
欲得諸佛力　第一深妙利　乃於一切佛　得受智職位
先得无數定　智行極廣大　最後得難壞　諸智位三昧
若能得如是　益智位三昧　一切寶莊嚴　蓮華王即出
菩薩稱蓮華　現身坐其上　餘華諸菩薩　咸共一心視
尒時大菩薩　從身放无量　百千億光明　滅諸世間苦
然後頂上出　百千億光明　普照十方界　諸佛大眾會
於上虛空中　化成光明網　供養諸佛已　入諸佛足下
時一切如來　及諸大士等　各知某菩薩　得受於智職
如是一切佛　放眉間光明　名益一切智　入此菩薩頂
一切无量佛　與此菩薩職　猶如轉輪王　受於太子位
時十方世界　普皆大震動　乃至阿鼻等　諸苦皆除滅
菩薩具一切　智慧得是職　如是名為到　无上法雲地

時一切如來　及諸大士等　各知其菩薩　得受於智職
如是一切佛　放眉間光明　名益一切智　入此菩薩頂
一切无量佛　與此菩薩職　猶如轉輪王　受於太子位
時十方世界　普皆大震動　乃至阿鼻等　諸苦皆除滅
菩薩具一切　智慧得是職　如是名為到　无上法雲地
住於是地中　智慧无邊限　善知度一切　世間諸因緣
入色无色法　欲色无色界　能知於眾生　國土及法性
又能入可數　不可數法中　乃至能觀察　虛空无量性
又此地悉知　菩薩變化事　諸佛威神力　微細智密事
又能悉通達　一切諸劫數　於一微塵中　觀見諸世界
一切諸如來　於此无上地　初生及出家　得道轉法輪
亦入於涅槃　皆隨順於智　寂滅妙解脫　悉得於此地
此地諸大士　憶念力大故　諸佛大法雨　皆悉能受持
譬如大海水　能持龍王雨　諸佛廣大法　菩薩受亦尒
若於一佛所　一時聽受法　十方无量土　微塵數眾生
皆悉聞總持　成於聲聞乘　不如是菩薩　筭數所不及
以无量智慧　及先大願力　能於一念中　遍滿无量國
雨甘露法雨　滅諸煩惱火　是故諸如來　名為法雲地
大士住此地　供養諸佛具　過諸天所有　普亦大神力
亦眾轉勝力　過是數无量　若人欲思量　迷悶不能解
大智住此地　舉足下足事　一切諸菩薩　乃至於九地
皆悉不能知　何況餘眾生　三世諸聲聞　及與辟支佛
住此諸佛亦　一切智慧事　亦與今通達　三世无閡智
亦法性寂滅　亦亦種種變　一切諸世界　所有眾生類
所行一切法　深微隱遠事　一切佛功德　次第亦今知
菩薩住此地　能以大供具　供養十方佛　遍一切世界
一切諸世間　所有眾生類　其餘諸供具　皆所不能及

亦法性寂滅　亦亦種種變　一切諸世界　所有眾生類
所行一切法　深微隱遠事　一切佛功德　次第亦今知
菩薩住此地　能以大供具　供養十方佛　遍一切世界
一切諸世間　所有眾生類　其餘諸供具　皆所不能及
智者住此地　皆能破一切　无明諸闇冥　開示以佛道
如自在天王　光滅眾熱惱　佛子智光明　滅惡亦如是
住是地多作　三界自在王　通達諸智慧　善以三乘化
能於一念中　得无量三昧　能見十方佛　其數亦如是
金剛藏菩薩　告諸大士言　我今略解說　十地之妙行
若廣演說者　千億劫不盡　是則名清淨　諸大菩薩地
為得佛智故　住於十地中　安住不移動　猶如大山王
初地具一切　經書諸伎術　猶如雪山中　積聚眾藥草
持戒及多聞　在於二地中　猶如香山王　集一切香物
如軻梨羅山　多積諸寶華　明地集聞智　禪定亦如是
炎地多積聚　入道法不壞　如仙聖山中　善寂所遊止
五地諸神通　无能得及者　如由乾陁山　多集夜叉眾
六地善分別　諸果无窮盡　猶如馬耳山　妙菓无有量
七地方便慧　无有能及者　如尼民陁羅　諸龍王盈滿
住於八地中　自在智无量　如斫迦羅山　多心自在者
九地心清淨　說法无鄣閡　猶如宿慧山　阿脩羅所止
十地諸佛力　功德无窮盡　如須彌山王　集一切眾天
又隨初地中　發於廣大願　二地持戒品　三地假名壞
第四地專一　五地眾妙事　六地甚深相　七地廣大心
八地中種種　莊嚴諸神通　九地思妙智　能過一切世
十地能受持　諸佛大法雨　菩薩行大海　難動不可盡
發心出世間　得入於初地　二地淨持戒　三地備諸禪
四地道行淨　五緣方便慧　六因緣莊嚴　七深方便慧

五地諸神通　无能得及者　如由乾陀山　多集夜叉衆
六地善分別　諸果无窮盡　猶如馬耳山　妙菓无有量
七地方便慧　无有能及者　如尼民陀羅　諸龍王盈滿
住於八地中　自在智无量　如斫迦羅山　多心自在者
九地心清淨　說法无鄣閡　猶如宿慧山　阿脩羅所止
十地諸佛力　功德无窮盡　如須弥山王　集一切衆天
又復初地中　發於廣大願　二地持戒品　三地挻名壞
第四地專一　五地眾妙事　六地甚深相　七地廣大心
八地中種種　莊嚴諸神通　九地思妙智　能過一切世
十地能受持　諸佛大法雨　菩薩行大海　難動不可盡
發心出世間　得入於初地　二地淨持戒　三地脩諸禪
四地道行淨　五練方便慧　六因緣莊嚴　七深方便慧
八到深難懂　九地觀衆生　一切險難處　智慧光普照
十地受智職　如珠隨王意　如是次第淨　菩提心妙寶
十方諸世界　所有微塵數　可於一念中　計知其多少
可以一毫末　數知於虛空　諸佛大功德　无量不可盡

大方廣佛華嚴經卷廿二

傳登業邑敬造

BD00985號　大方廣佛華嚴經（晉譯五十卷本）卷二二　（31–31）

也世尊須菩提菩薩无住相布施福德亦復
如是不可思量須菩提菩薩但應如所教住
須菩提於意云何可以身相見如来不不也
世尊不可以身相得見如来何以故如来所
說身相即非身相佛告須菩提凡所有相皆
是虛妄若見諸相非相則見如来
須菩提白佛言世尊頗有衆生得聞如是言
說章句生實信不佛告須菩提莫作是說如
来滅後後五百歲有持戒脩福者於此章句
能生信心以此為實當知是人不於一佛二
佛三四五佛而種善根已於无量千万佛所
種諸善根聞是章句乃至一念生淨信者須
菩提如来悉知悉見是諸衆生得如是无量
福德何以故是諸衆生无復我相人相衆生
相壽者相无法相亦无非法相何以故是諸
衆生若心取相則為著我人衆生壽者若取
法相即著我人衆生壽者何以故若取非法
相即著我人衆生壽者是故不應取法不應
取非法以是義故如来常說汝等比丘知我
說法如筏喻者法尚應捨何況非法
須菩提於意云何如来得阿耨多羅三藐三
菩提耶如来有所說法耶須菩提言如我解

BD00986號　金剛般若波羅蜜經　（13–1）

法相即著我人衆生壽者何以故若取非法
相即著我人衆生壽者是故不應取法不應
取非法以是義故如來常說汝等比丘知我
說法如筏喻者法尚應捨何況非法
須菩提於意云何如來得阿耨多羅三藐三
菩提耶如來有所說法耶須菩提言如我解
佛所說義无有定法名阿耨多羅三藐三菩
提亦无有定法如來可說何以故如來所說
法皆不可取不可說非法非非法所以者何
一切賢聖皆以无為法而有差別
須菩提於意云何若人滿三千大千世界七
寶以用布施是人所得福德寧為多不須菩
提言甚多世尊何以故是福德即非福德性
是故如來說福德多若復有人於此經中受
持乃至四句偈等為他人說其福勝彼何以故須
菩提一切諸佛及諸佛阿耨多羅三藐三菩提法
皆從此經出須菩提所謂佛法者即非佛法
須菩提於意云何須陁洹能作是念我得須
陁洹果不須菩提言不也世尊何以故須陁洹
名為入流而无所入不入色聲香味觸法
是名須陁洹須菩提於意云何斯陁含能作
是念我得斯陁含果不須菩提言不也世尊
何以故斯陁含名一往來而實无往來是名
斯陁含須菩提於意云何阿那含能作是念
我得阿那含果不須菩提言不也世尊何以
故阿那含名為不來而實无來是故名阿那
含須菩提於意云何阿羅漢能作是念我得
阿羅漢道不須菩提言不也世尊何以故實

BD00986號　金剛般若波羅蜜經　（13–2）

斯陁含須菩提於意云何阿那含能作是念
我得阿那含果不須菩提言不也世尊何以
故阿那含名為不來而實无來是故名阿那
含須菩提於意云何阿羅漢能作是念我得
阿羅漢道不須菩提言不也世尊何以故實
无有法名阿羅漢世尊若阿羅漢作是念我
得阿羅漢道即為著我人衆生壽者世尊佛
說我得无諍三昧人中最為第一是第一離
欲阿羅漢我不作是念我是離欲阿羅漢世
尊我若作是念我得阿羅漢道世尊則不說
須菩提是樂阿蘭那行者以須菩提實无所
行而名須菩提是樂阿蘭那行佛告須菩提
於意云何如來昔在然燈佛所於法有所得
不世尊如來在然燈佛所於法實无所得
須菩提於意云何菩薩莊嚴佛土不不也世
尊何以故莊嚴佛土者則非莊嚴是名莊嚴
是故須菩提諸菩薩摩訶薩應如是生清淨
心不應住色生心不應住聲香味觸法生心
應无所住而生其心須菩提譬如有人身如
須彌山王於意云何是身為大不須菩提言甚
大世尊何以故佛說非身是名大身
須菩提如恒河中所有沙數如是沙等恒河
於意云何是諸恒河沙寧為多不須菩提言
甚多世尊但諸恒河尚多无數何況其沙須
菩提我今實言告汝若有善男子善女人以
七寶滿爾所恒河沙數三千大千世界以用
布施得福多不須菩提言甚多世尊佛告須

BD00986號　金剛般若波羅蜜經　（13–3）

甚多世尊但諸恒河尚多无數何況其沙須
菩提我今實言告汝若有善男子善女人以
七寶滿尒所恒河沙數三千大千世界以用
布施得福多不須菩提言甚多世尊佛告須
菩提若善男子善女人於此經中乃至受持
四句偈等為他人說而此福德勝前福德
復次須菩提隨說是經乃至四句偈等當知
此處一切世間天人阿脩羅皆應供養如佛
塔廟何況有人盡能受持讀誦須菩提當知
是人成就最上第一希有之法若是經典所
在之處則為有佛若尊重弟子
尒時須菩提白佛言世尊當何名此經我等
云何奉持佛告須菩提是經名為金剛般若
波羅蜜以是名字汝當奉持所以者何須菩
提佛說般若波羅蜜則非般若波羅蜜須菩
提於意云何如來有所說法不須菩提白佛
言世尊如來无所說須菩提於意云何三千
大千世界所有微塵是為多不須菩提言甚
多世尊須菩提諸微塵如來說非微塵是名
微塵如來說世界非世界是名世界須菩提
於意云何可以三十二相見如來不不也世
尊不可以三十二相得見如來何以故如來
說三十二相即是非相是名三十二相
須菩提若有善男子善女人以恒河沙等身
命布施若復有人於此經中乃至受持四句偈
等為他人說其福甚多
尒時須菩提聞說是經深解義趣涕淚悲泣

BD00986號　金剛般若波羅蜜經　（13–4）

須菩提若有善男子善女人以恒河沙等身
命布施若復有人於此經中乃至受持四句偈
等為他人說其福甚多
尒時須菩提聞說是經深解義趣涕淚悲泣
而白佛言希有世尊佛說如是甚深經典我
從昔來所得慧眼未曾得聞如是之經世尊
若復有人得聞是經信心清淨則生實相當
知是人成就第一希有功德世尊是實相者
則是非相是故如來說名實相世尊我今得
聞如是經典信解受持不足為難若當來世
後五百歲其有衆生得聞是經信解受持是
人則為第一希有何以故此人无我相人相
衆生相壽者相所以者何我相即是非相人
相衆生相壽者相即是非相何以故離一切
諸相則名諸佛佛告須菩提如是如是若復
有人得聞是經不驚不怖不畏當知是人甚
為希有何以故須菩提如來說第一波羅蜜
非第一波羅蜜是名第一波羅蜜
須菩提忍辱波羅蜜如來說非忍辱波羅蜜
何以故須菩提如我昔為歌利王割截身體
我於尒時无我相无人相无衆生相无壽者
相何以故我於往昔節節支解時若有我相
人相衆生相壽者相應生瞋恨須菩提又念
過去於五百世作忍辱仙人於尒所世无我
相无人相无衆生相无壽者相是故須菩提
菩薩應離一切相發阿耨多羅三藐三菩提
心不應住色生心不應住聲香味觸法生心應

BD00986號　金剛般若波羅蜜經　（13–5）

相无人相无衆生相无壽者相是故須菩提
菩薩應離一切相發阿耨多羅三藐三菩提
心不應住色生心不應住聲香味觸法生心應
生无所住心若心有住則為非住是故佛
說菩薩心不應住色布施須菩提菩薩為利
益一切衆生應如是布施如来說一切諸相
即是非相又說一切衆生則非衆生須菩提
如来是真語者實語者如語者不誑語者不
異語者須菩提如来所得法此法无實无虛
須菩提若菩薩心住於法而行布施如人入
闇則无所見若菩薩心不住法而行布施如
人有目日光明照見種種色
須菩提當来之世若有善男子善女人能於此
經受持讀誦則為如来以佛智慧悉知是人
悉見是人皆得成就无量无邊功德
須菩提若有善男子善女人初日分以恒河
沙等身布施中日分復以恒河沙等身布施
後日分亦以恒河沙等身布施如是无量百
千万億劫以身布施若復有人聞此經典信
心不逆其福勝彼何況書寫受持讀誦為人解說
須菩提以要言之是經有不可思議不可稱
量无邊功德如来為發大乘者說為發最上
乘者說若有人能受持讀誦廣為人說如来
悉知是人悉見是人皆得成就不可量不可
稱无有邊不可思議功德如是人等則為荷
擔如来阿耨多羅三藐三菩提何以故須菩
提若樂小法者著我見人見衆生見壽者見

稱无有邊不可思議功德如是人等則為荷
擔如来阿耨多羅三藐三菩提何以故須菩
提若樂小法者著我見人見衆生見壽者見
則於此經不能聽受讀誦為人解說須菩提
在在處處若有此經一切世間天人阿脩羅
所應供養當知此處則為是塔皆應恭敬作
礼圍遶以諸華香而散其處
復次須菩提善男子善女人受持讀誦此經
若為人輕賤是人先世罪業應墮惡道以今
世人輕賤故先世罪業則為消滅當得阿耨
多羅三藐三菩提須菩提我念過去无量阿
僧祇劫於然燈佛前得值八百四千万億那
由他諸佛悉皆供養承事无空過者若復有
人於後末世能受持讀誦此經所得功德於
我所供養諸佛功德百分不及一千万億分
乃至筭數譬喻所不能及須菩提若善男子
善女人於後末世有受持讀誦此經所得功德我
若具說者或有人聞心則狂亂狐疑不信須菩提
當知是經義不可思議果報亦不可思議
尒時須菩提白佛言世尊善男子善女人發
阿耨多羅三藐三菩提心云何應住云何降
伏其心佛告須菩提善男子善女人發阿耨
多羅三藐三菩提者當生如是心我應滅度
一切衆生滅度一切衆生已而无有一衆生
實滅度者何以故若菩薩有我相人相衆生
相壽者相則非菩薩所以者何須菩提實无
有法發阿耨多羅三藐三菩提者

一切衆生滅度一切衆生已而无有一衆生
實滅度者何以故若菩薩有我相人相衆生
相壽者相則非菩薩所以者何須菩提實无
有法發阿耨多羅三藐三菩提者
須菩提於意云何如來於然燈佛所有法得
阿耨多羅三藐三菩提不不也世尊如我解
佛所說義佛於然燈佛所无有法得阿耨多
羅三藐三菩提佛言如是如是須菩提實无有
法如來得阿耨多羅三藐三菩提須菩提若
有法如來得阿耨多羅三藐三菩提然燈
佛則不與我受記汝於來世當得作佛号釋
迦牟尼以實无有法得阿耨多羅三藐三菩提
是故然燈佛與我受記作是言汝於來世當
得作佛号釋迦牟尼何以故如來者即諸
法如義若有人言如來得阿耨多羅三藐三
菩提須菩提實无有法佛得阿耨多羅三藐
三菩提須菩提如來所得阿耨多羅三藐三
菩提於是中无實无虛是故如來說一切法
皆是佛法須菩提所言一切法者即非一切
法是故名一切法
須菩提譬如人身長大須菩提言世尊如來
說人身長大則為非大身是名大身
須菩提菩薩亦如是若作是言我當滅度无
量衆生則不名菩薩何以故須菩提實无有
法名為菩薩是故佛說一切法无我无人无
衆生无壽者須菩提若菩薩作是言我當莊
嚴佛土是不名菩薩何以故如來說莊嚴佛

BD00986 號　金剛般若波羅蜜經　（13-8）

量衆生則不名菩薩何以故須菩提實无有
法名為菩薩是故佛說一切法无我无人无
衆生无壽者須菩提若菩薩作是言我當莊
嚴佛土是不名菩薩何以故如來說莊嚴佛
土者即非莊嚴是名莊嚴須菩提若菩薩通
達无我法者如來說名真是菩薩
須菩提於意云何如來有肉眼不如是世尊
如來有肉眼須菩提於意云何如來有天眼
不如是世尊如來有天眼須菩提於意云何
如來有慧眼不如是世尊如來有慧眼須菩
提於意云何如來有法眼不如是世尊如來
有法眼須菩提於意云何如來有佛眼不如
是世尊如來有佛眼須菩提於意云何恒河
中所有沙佛說是沙不如是世尊如來說是
沙須菩提於意云何如一恒河中所有沙有
如是等恒河是諸恒河所有沙數佛世界如
是寧為多不甚多世尊佛告須菩提尒所國
土中所有衆生若干種心如來悉知何以故
如來說諸心皆為非心是名為心所以者何
須菩提過去心不可得現在心不可得未來
心不可得須菩提於意云何若有人滿三千
大千世界七寶以用布施是人以是因緣得
福多不如是世尊此人以是因緣得福甚多
須菩提若福德有實如來不說得福德多以
福德无故如來說得福德多
須菩提於意云何佛可以具足色身見不不
也世尊如來不應以具足色身見何以故如
來說具足色身即非具足色身是名具足色

BD00986 號　金剛般若波羅蜜經　（13-9）

須菩提若福德有實如来不説得福德多以
福德无故如来説得福德多
須菩提於意云何佛可以具足色身見不不
也世尊如来不應以具足色身見何以故如
来説具足色身即非具足色身是名具足色
身須菩提於意云何如来可以具足諸相見
不不也世尊如来不應以具足諸相見何以故
如来説諸相具足即非具足是名諸相具
足須菩提汝勿謂如来作是念我當有所説
法莫作是念何以故若人言如来有所説法
即為謗佛不能解我所説故須菩提説法者
无法可説是名説法
須菩提白佛言世尊佛得阿耨多羅三藐三
菩提為无所得耶如是如是須菩提我於阿
耨多羅三藐三菩提乃至无有少法可得是
名阿耨多羅三藐三菩提復次須菩提是法
平等无有高下是名阿耨多羅三藐三菩提
以无我无人无衆生无壽者脩一切善法則
得阿耨多羅三藐三菩提須菩提所言善法
者如来説非善法是名善法須菩提若三千
大千世界中所有諸須弥山王如是等七寶
聚有人持用布施若人以此般若波羅蜜經
乃至四句偈等受持讀誦為他人説於前福
德百分不及一百千万億分乃至筭數譬喻
所不能及須菩提於意云何汝等勿謂如来
作是念我當度衆生須菩提莫作是念何以
故實无有衆生如来度者若有衆生如来度

BD00986號　金剛般若波羅蜜經　（13–10）

德百分不及一百千万億分乃至筭數譬喻
所不能及須菩提於意云何汝等勿謂如来
作是念我當度衆生須菩提莫作是念何以
故實无有衆生如来度者若有衆生如来度
者如来則有我人衆生壽者須菩提如来説
有我者則非有我而凡夫之人以為有我須
菩提凡夫者如来説則非凡夫
須菩提於意云何可以卅二相觀如来不須
菩提言如是如是以卅二相觀如来佛言須
菩提若以卅二相觀如来者轉輪聖王則是
如来須菩提白佛言世尊如我解佛所説義
不應以卅二相觀如来尒時世尊而説偈言
若以色見我　以音聲求我　是人行耶道　不能見如来
須菩提汝若作是念如来不以具足相故得
阿耨多羅三藐三菩提須菩提莫作是念如
来不以具足相故得阿耨多羅三藐三菩提
須菩提汝若作是念發阿耨多羅三藐三菩
提者説諸法斷滅莫作是念何以故發阿耨
多羅三藐三菩提者於法不説斷滅相須菩
提若菩薩以滿恒河沙等世界七寶布施若
復有人知一切法无我得成於忍此菩薩勝
前菩薩所得功德須菩提以諸菩薩不受福
德故須菩提白佛言世尊云何菩薩不受福
德須菩提菩薩所作福德不應貪著是故説
不受福德須菩提若有人言如来若来若去
若坐若卧是人不解我所説義何以故如来
者无所從来亦无所去故名如来

BD00986號　金剛般若波羅蜜經　（13–11）

德故須菩提白佛言世尊云何菩薩不受福
德須菩提菩薩所作福德不應貪著是故說
不受福德須菩提若有人言如來若來若去
若坐若卧是人不解我所說義何以故如來
者无所從來亦无所去故名如來
須菩提若善男子善女人以三千大千世界
碎為微塵於意云何是微塵衆寧為多不
甚多世尊何以故若是微塵衆實有者佛則
不說是微塵衆所以者何佛說微塵衆則非微
塵衆是名微塵衆世尊如來所說三千大千
世界則非世界是名世界何以故若世界實
有者則是一合相如來說一合相則非一合
相是名一合相須菩提一合相者則是不可
說但凡夫之人貪著其事須菩提若人言佛
說我見人見衆生見壽者見須菩提於意云
何是人解我所說義不世尊是人不解如來
所說義何以故世尊說我見人見衆生見壽
者見即非我見人見衆生見壽者見是名我
見人見衆生見壽者見須菩提發阿耨多羅
三藐三菩提心者於一切法應如是知如是
見如是信解不生法相須菩提所言法相者
如來說即非法相是名法相須菩提若有人
以滿无量阿僧祇世界七寶持用布施若有
善男子善女人發菩薩心者持於此經乃至
四句偈等受持讀誦為人演說其福勝彼云
何為人演說不取於相如如不動何以故
一切有為法　如夢幻泡影　如露亦如電　應作如是觀

BD00986號　金剛般若波羅蜜經　（13–12）

三藐三菩提心者於一切法應如是知如是
見如是信解不生法相須菩提所言法相者
如來說即非法相是名法相須菩提若有人
以滿无量阿僧祇世界七寶持用布施若有
善男子善女人發菩薩心者持於此經乃至
四句偈等受持讀誦為人演說其福勝彼云
何為人演說不取於相如如不動何以故
一切有為法　如夢幻泡影　如露亦如電　應作如是觀
佛說是經已長老須菩提及諸比丘比丘尼
優婆塞優婆夷一切世間天人阿脩羅聞佛
所說皆大歡喜信受奉持

金剛般若波羅蜜經

BD00986號　金剛般若波羅蜜經　（13–13）

訶薩備行般若波羅蜜多觀諸法時見佛十
力无生畢竟淨故見四无所畏四无礙解大
慈大悲大喜大捨十八佛不共法无生畢竟
淨故世尊諸菩薩摩訶薩備行般若波羅蜜
多觀諸法時見一切智无生畢竟淨故見道
相智一切相智无生畢竟淨故世尊諸菩薩
摩訶薩備行般若波羅蜜多觀諸法時見无
忘失法无生畢竟淨故見恒住捨性无生畢
竟淨故世尊諸菩薩摩訶薩備行般若波
羅蜜多觀諸法時見一切陁羅尼門无生畢竟
淨故見一切三摩地門无生畢竟淨故世尊
諸菩薩摩訶薩備行般若波羅蜜多觀諸法
時見異生无生畢竟淨故見異生法无生畢
竟淨故世尊諸菩薩摩訶薩備行般若波羅
蜜多觀諸法時見預流无生畢竟淨故見預
流法无生畢竟淨故世尊諸菩薩摩訶薩備
行般若波羅蜜多觀諸法時見一來无生畢
竟淨故見一來法无生畢竟淨故世尊諸菩
薩摩訶薩備行般若波羅蜜多觀諸法時見
不還无生畢竟淨故見不還法无生畢竟淨
故世尊諸菩薩摩訶薩備行般若波羅蜜多
觀諸法時見阿羅漢无生畢竟淨故見阿羅
漢法无生畢竟淨故世尊諸菩薩摩訶薩備

BD00987 號　大般若波羅蜜多經卷七四　（11–1）

不還无生畢竟淨故見不還法无生畢竟淨
故世尊諸菩薩摩訶薩備行般若波羅蜜多
觀諸法時見阿羅漢无生畢竟淨故見阿羅
漢法无生畢竟淨故世尊諸菩薩摩訶薩備
行般若波羅蜜多觀諸法時見獨覺无生畢
竟淨故見獨覺法无生畢竟淨故世尊諸菩
薩摩訶薩備行般若波羅蜜多觀諸法時見
菩薩无生畢竟淨故見菩薩法无生畢竟淨
故世尊諸菩薩摩訶薩備行般若波羅蜜多
觀諸法時見如來无生畢竟淨故見如來法
无生畢竟淨故
時舍利子謂善現言如我解仁者所說義我
有情等无生色受等无生乃至如來如來法
无生若如是者六趣受生應无差別不應預
流得預流果一來得一來果不還得不還果
阿羅漢得阿羅漢果不應獨覺得獨覺菩提
不應菩薩摩訶薩得一切相智亦不應得五
種菩提復次善現若一切法定无生者何緣
預流為預流果備斷三結道何緣一來為一
來果備薄貪瞋癡道何緣不還為不還果備
斷五順下分結道何緣阿羅漢為阿羅漢果
備斷五順上分結道何緣獨覺為獨覺菩提
備悟緣起道何緣菩薩摩訶薩為度无量諸
有情故備多百千難行苦行備受无邊種種
劇苦何緣如來證得无上正等菩提何緣諸
佛為有情故轉妙法輪
尒時具壽善現荅舍利子言非我於无生法

BD00987 號　大般若波羅蜜多經卷七四　（11–2）

劇苦何緣如來證得无上正等菩提何緣諸
佛爲有情故轉妙法輪
尒時具壽善現荅舍利子言非我於无生法
中見有六趣受生差別非我於无生法中見
有能入諦現觀者非我於无生法中見有預
流得預流果一來得一來果不還得不還果
阿羅漢得阿羅漢果非我於无生法中見有
獨覺得獨覺菩提非我於无生法中見有菩
薩摩訶薩得一切相智及五種菩提復次舍
利子非我於无生法中見有預流爲預流果
脩斷三結道非我於无生法中見有一來爲
一來果脩薄貪瞋癡道非我於无生法中見
有不還爲不還果脩斷五順下分結道非我
於无生法中見有阿羅漢爲阿羅漢果脩斷
五順上分結道非我於无生法中見有獨覺
爲獨覺菩提脩悟緣起道非我於无生法中
見有菩薩摩訶薩爲度无量諸有情故脩多
百千難行苦行備受无邊種種劇苦而諸菩
薩摩訶薩亦復不起難行苦行想所以者何
非住難行苦行想能爲无量无數无邊有情
作饒益事舍利子然諸菩薩摩訶薩以无所
得而爲方便於一切有情起大悲心住如父
母想如兄弟想如妻子想如己身想如是乃
能爲无量无數无邊有情作大饒益舍利子
諸菩薩摩訶薩應作是心如我自性於一切
法以一切種一切處一切時求不可得內外諸
法亦復如是都无所有皆不可得何以故

BD00987號　大般若波羅蜜多經卷七四　（11–3）

諸菩薩摩訶薩應作是心如我自性於一切
法以一切種一切處一切時求不可得內外諸
法亦復如是都无所有皆不可得何以故
諸菩薩摩訶薩若住此想脩難行苦行便能
饒益无量无數无邊有情是故菩薩摩訶薩
於一切法應无執受舍利子非我於无生法
中見有諸佛證得无上正等菩提轉妙法輪
度无量衆
時舍利子問善現言仁今爲欲以生法證生
法爲欲以无生法證无生法耶善現荅言我
實不欲以生法證生法亦實不欲以无生法
證无生法舍利子言若尒仁今爲欲以生法
證无生法爲欲以无生法證生法耶善現荅
言我亦不欲以生法證无生法亦復不欲以
无生法證生法舍利子言若如是者豈今无得
无現觀耶善現荅言雖有得有現觀而不以
此二法證舍利子但隨世間言說施設有
得有現觀非勝義中有得有現觀但隨世間
言說施設有預流有預流果有一來有一來
果有不還有不還果有阿羅漢有阿羅漢果
有獨覺有獨覺菩提有菩薩摩訶薩有无上
正等覺非勝義中有預流乃至无上正等覺舍
利子言若隨世間言說施設有得有現觀等
非勝義者六趣差別亦隨世間言說施設故
有非勝義耶善現荅言如是如是誠如所說
何以故舍利子於勝義中无業无異熟无生
无滅无染无淨故

BD00987號　大般若波羅蜜多經卷七四　（11–4）

有非勝義邪善現荅言如是如是誠如所說
何以故舍利子於勝義中无業无異熟无生
无滅无染无淨故
時舍利子問善現言仁今為欲令不生法生
為欲令已生法生耶善現荅言我不欲令不
生法生亦不欲令已生法生舍利子言何等
是不生法仁者不欲令彼法生善現荅言舍
利子色是不生法我不欲令生何以故以自性
空故受想行識是不生法我不欲令生何
以故以自性空故舍利子眼處是不生法我
不欲令生何以故以自性空故耳鼻舌身意
處是不生法我不欲令生何以故以自性空故
舍利子色處是不生法我不欲令生何以
故以自性空故聲香味觸法處是不生法我
不欲令生何以故以自性空故舍利子眼界是
不生法我不欲令生何以故以自性空故色
界眼識界及眼觸眼觸為緣所生諸受是不
生法我不欲令生何以故以自性空故舍利子
耳界是不生法我不欲令生何以故以自性
空故聲界耳識界及耳觸耳觸為緣所生
諸受是不生法我不欲令生何以故以自性
空故舍利子鼻界是不生法我不欲令生何
以故以自性空故香界鼻識界及鼻觸鼻觸
為緣所生諸受是不生法我不欲令生何以
故以自性空故舍利子舌界是不生法我不
欲令生何以故以自性空故味界舌識界及
舌觸舌觸為緣所生諸受是不生法我不欲

BD00987號　大般若波羅蜜多經卷七四　（11–5）

為緣所生諸受是不生法我不欲令生何以
故以自性空故舍利子舌界是不生法我不
欲令生何以故以自性空故味界舌識界及
舌觸舌觸為緣所生諸受是不生法我不欲
令生何以故以自性空故舍利子身界是不生
法我不欲令生何以故以自性空故觸界身
識界及身觸身觸為緣所生諸受是不生法
我不欲令生何以故以自性空故舍利子意
界是不生法我不欲令生何以故以自性空
故法界意識界及意觸意觸為緣所生諸
受是不生法我不欲令生何以故以自性空
故舍利子地界是不生法我不欲令生何以
故以自性空故水火風空識界是不生法我
不欲令生何以故以自性空故舍利子苦聖
諦是不生法我不欲令生何以故以自性空
故集滅道聖諦是不生法我不欲令生何以
故以自性空故舍利子无明是不生法我不
欲令生何以故以自性空故行識名色六處
觸受愛取有生老死愁歎苦憂惱是不生法
我不欲令生何以故以自性空故舍利子內空
是不生法我不欲令生何以故以自性空故
外空內外空空空大空勝義空有為空无
為空畢竟空无際空散空无變異空本性空
自相空共相空一切法空不可得空无性空
自性空无性自性空是不生法我不欲令生
何以故以自性空故舍利子布施波羅蜜多
是不生法我不欲令生何以故以自性空故

BD00987號　大般若波羅蜜多經卷七四　（11–6）

自相空共相空一切法空不可得空无性空
自性空无性自性空是不生法我不欲令生
何以故以自性空故舍利子布施波羅蜜多
是不生法我不欲令生何以故以自性空故
淨戒安忍精進静慮般若波羅蜜多是不生
法我不欲令生何以故以自性空故舍利子
四静慮是不生法我不欲令生何以故以自
性空故四无量四无色定是不生法我不欲
令生何以故以自性空故舍利子八解脱是不
生法我不欲令生何以故以自性空故八勝
處九次第定十遍處是不生法我不欲令
生何以故以自性空故舍利子四念住是不生
法我不欲令生何以故以自性空故四正斷
四神足五根五力七等覺支八聖道支是
不生法我不欲令生何以故以自性空故舍
利子空解脱門是不生法我不欲令生何以
故以自性空故无相无願解脱門是不生法
我不欲令生何以故以自性空故舍利子五
眼是不生法我不欲令生何以故以自性空
故六神通是不生法我不欲令生何以故以
自性空故舍利子佛十力是不生法我不欲
令生何以故以自性空故四无所畏四无礙
解大慈大悲大喜大捨十八佛不共法是不
生法我不欲令生何以故以自性空故舍利
子一切智是不生法我不欲令生何以故以
自性空故道相智一切相智是不生法我不
欲令生何以故以自性空故舍利子无忘失
法是不生法我不欲令生何以故以自性空

生法我不欲令生何以故以自性空故舍利
子一切智是不生法我不欲令生何以故以
自性空故道相智一切相智是不生法我不
欲令生何以故以自性空故舍利子无忘失
法是不生法我不欲令生何以故以自性空
故恒住捨性是不生法我不欲令生何以故
以自性空故舍利子一切陁羅尼門是不生
法我不欲令生何以故以自性空故一切三
摩地門是不生法我不欲令生何以故以自
性空故舍利子異生是不生法我不欲令生
何以故以自性空故異生法是不生法我不
欲令生何以故以自性空故舍利子預流是
不生法我不欲令生何以故以自性空故預
流法是不生法我不欲令生何以故以自性
空故舍利子一來是不生法我不欲令生何
以故以自性空故一來法是不生法我不欲
令生何以故以自性空故舍利子不還是不
生法我不欲令生何以故以自性空故不還
法是不生法我不欲令生何以故以自性空
故舍利子阿羅漢是不生法我不欲令生
何以故以自性空故阿羅漢法是不生法我不
欲令生何以故以自性空故舍利子獨覺是
不生法我不欲令生何以故以自性空故獨
覺法是不生法我不欲令生何以故以自性
空故舍利子菩薩是不生法我不欲令生何
以故以自性空故菩薩法是不生法我不欲
令生何以故以自性空故舍利子如來是不

覺法是不生法我不欲令生何以故以自性
空故舍利子菩薩是不生法我不欲令生何
以故以自性空故菩薩法是不生法我不欲
令生何以故以自性空故舍利子如來是不
生法我不欲令生何以故以自性空故如來
法是不生法我不欲令生何以故以自性空
故
舍利子言何等是已生法仁者不欲令彼
法生善現荅言色是已生法我不欲令生何以
故以自性空故受想行識是已生法我不欲
令生何以故以自性空故舍利子眼處是已
生法我不欲令生何以故以自性空故耳鼻
舌身意處是已生法我不欲令生何以故以
自性空故舍利子色處是已生法我不欲令
生何以故以自性空故聲香味觸法處是已
生法我不欲令生何以故以自性空故舍利
子眼界是已生法我不欲令生何以故以自
性空故色界眼識界及眼觸眼觸為緣所生諸
受是已生法我不欲令生何以故以自性空
故舍利子耳界是已生法我不欲令生何以
故以自性空故聲界耳識界及耳觸耳觸為
緣所生諸受是已生法我不欲令生何以故
以自性空故舍利子鼻界是已生法我不欲
令生何以故以自性空故香界鼻識界及鼻
觸鼻觸為緣所生諸受是已生法我不欲令
生何以故以自性空故舍利子舌界是已生

以自性空故舍利子鼻界是已生法我不欲
令生何以故以自性空故香界鼻識界及鼻
觸鼻觸為緣所生諸受是已生法我不欲令
生何以故以自性空故舍利子舌界是已生
法我不欲令生何以故以自性空故味界舌
識界及舌觸舌觸為緣所生諸受是已生法
我不欲令生何以故以自性空故舍利子身
界是已生法我不欲令生何以故以自性空
故觸界身識界及身觸身觸為緣所生諸受
是已生法我不欲令生何以故以自性空故
舍利子意界是已生法我不欲令生何以故
以自性空故法界意識界及意觸意觸為緣
所生諸受是已生法我不欲令生何以故以自
性空故舍利子地界是已生法我不欲令
生何以故以自性空故水火風空識界是已
生法我不欲令生何以故以自性空故舍利
子苦聖諦是已生法我不欲令生何以故以
自性空故集滅道聖諦是已生滅我不欲令
生何以故以自性空故舍利子无明是已生
法我不欲令生何以故以自性空故行識名
色六處觸受愛取有生老死愁歎苦憂惱是
已生法我不欲令生何以故以自性空故舍
利子內空是已生法我不欲令生何以故以
自性空故外空內外空空空大空勝義空有
為空无為空畢竟空无際空散空无變異空
本性空自相空共相空一切法空不可得空

自性空故集滅道聖諦是已生滅我不欲令
生何以故以自性空故舍利子无明是已生
法我不欲令生何以故以自性空故行識名
色六處觸受愛取有生老死愁歎苦憂惱是
已生法我不欲令生何以故以自性空故舍
利子內空是已生法我不欲令生何以故以
自性空故外空內外空空空大空勝義空有
為空无為空畢竟空无際空散空无變異空
本性空自相空共相空一切法空不可得空
无性空自性空无性自性空是已生法我不
欲令生何以故以自性空故

笠智聪寫

大般若波羅蜜多經卷第七十四

BD00987號　大般若波羅蜜多經卷七四　（11–11）

如彼所分別何以古

非至此彼岸是布施波羅蜜多相故淨戒波
羅蜜多中无如是分別亦不如彼所分別何
以故非至此彼岸是淨戒波羅蜜多相故安
忍波羅蜜多中无如是分別亦不如彼所分
別何以故非至此彼岸是安忍波羅蜜多相
故精進波羅蜜多中无如是分別亦不如彼
所分別何以故非至此彼岸是精進波羅蜜
多相故靜慮波羅蜜多中无如是分別亦不
如彼所分別何以故非至此彼岸是靜慮波
羅蜜多相故般若波羅蜜多中无如是分別
亦不如彼所分別何以故非至此彼岸是般
若波羅蜜多相故
善現此菩薩乘補特伽羅不知此岸彼岸相
故不能攝受布施波羅蜜多不能攝受淨戒
安忍精進靜慮般若波羅蜜多不能攝受方
便善巧不能攝受內空不能攝受外空內外
空空空大空勝義空有為空无為空畢竟空
无際空散空无變異空本性空自相空共相
空一切法空不可得空无性空自性空无性
自性空不能攝受真如不能攝受法界法性
不虛妄性不變異性平等性離生性法定法
住實際虛空界不思議界不能攝受苦聖諦
不能攝受集滅道聖諦不能攝受四靜慮不
能攝受四无量四无色定不能攝受八解脫

BD00988號　大般若波羅蜜多經卷三一三　（4–1）

若波羅蜜多相故
善現此菩薩乘補特伽羅不知此岸彼岸相
故不能攝受布施波羅蜜多不能攝受淨戒
安忍精進靜慮般若波羅蜜多不能攝受方
便善巧不能攝受內空不能攝受外空內外
空空空大空勝義空有為空无為空畢竟空
无際空散空无變異空本性空自相空共相
空一切法空不可得空无性空自性空无性
自性空不能攝受真如不能攝受法界法性
不虛妄性不變異性平等性離生性法定法
住實際虛空界不思議界不能攝受苦聖諦
不能攝受集滅道聖諦不能攝受四靜慮不
能攝受四无量四无色定不能攝受八解脫
不能攝受八勝處九次第定十遍處不能攝
受四念住不能攝受四正斷四神足五根五
力七等覺支八聖道支不能攝受空解脫門
不能攝受无相无願解脫門不能攝受菩薩
十地不能攝受五眼不能攝受六神通不能
攝受佛十力不能攝受四无所畏四无礙解
大慈大悲大喜大捨十八佛不共法不能攝
受无忘失法不能攝受恒住捨性不能攝受
一切智不能攝受道相智一切相智不能攝
受一切陁羅尼門不能攝受一切三摩地門
不能攝受一切菩薩摩訶薩行不能攝受諸
佛无上正等菩提善現由是因緣此菩薩乘
補特伽羅墮聲聞地或獨覺地不證无上正
等菩提

BD00988號　大般若波羅蜜多經卷三一三　（4–2）

不能攝受一切菩薩摩訶薩行不能攝受諸
佛无上正等菩提善現由是因緣此菩薩乘
補特伽羅墮聲聞地或獨覺地不證无上正
等菩提
如是善現住菩薩乘諸善男子善女人等由
不攝受甚深般若波羅蜜多不攝受方便
善巧故退墮聲聞及獨覺地不證无上正等
菩提
尒時具壽善現白佛言世尊云何住菩薩乘
諸善男子善女人等以能攝受甚深般若波
羅蜜多亦能攝受方便善巧故不墮聲聞及
獨覺地疾證无上正等菩提佛言善現有菩
薩乘諸善男子善女人等從初發心離我我
所執脩行布施波羅蜜多離我我所執脩行
淨戒波羅蜜多離我我所執脩行安忍波羅
蜜多離我我所執脩行精進波羅蜜多離我
我所執脩行靜慮波羅蜜多離我我所執脩
行般若波羅蜜多善現此善男子善女人等
脩布施時不作是念我能行施彼受我所施
我施如是物脩淨戒時不作是念我能持戒
戒是我所持我成就是戒脩安忍時不作是
念我能脩忍彼是我所忍我成就是忍脩精
進時不作是念我能精進我為此精進我具
是精進脩靜慮時不作是念我能脩定我為
此脩定我成就是定脩般若時不作是念我
能脩慧我為此脩慧我成就是慧復次善現
此菩薩乘諸善男子善女人等脩布施時不

BD00988號　大般若波羅蜜多經卷三一三　（4–3）

不攝受甚深般若波羅蜜多亦不攝受方便
善巧故退墮聲聞及獨覺地不證无上正等
菩提
尒時具壽善現白佛言世尊云何住菩薩乘
諸善男子善女人等以能攝受甚深般若波
羅蜜多亦能攝受方便善巧故不墮聲聞及
獨覺地疾證无上正等菩提佛言善現有菩
薩乘諸善男子善女人等從初發心離我我
所執脩行布施波羅蜜多離我我所執脩行
淨戒波羅蜜多離我我所執脩行安忍波羅
蜜多離我我所執脩行精進波羅蜜多離我
我所執脩行靜慮波羅蜜多離我我所執脩
行般若波羅蜜多善現此善男子善女人等
脩布施時不作是念我能行施彼受我所施
我施如是物脩淨戒時不作是念我能持戒
戒是我所持我成就是戒脩安忍時不作是
念我能脩忍彼是我所忍我成就是忍脩精
進時不作是念我能精進我為此精進我具
是精進脩靜慮時不作是念我能脩定我為
此脩定我成就是定脩般若時不作是念我
能脩慧我為此脩慧我成就是慧復次善現
此菩薩乘諸善男子善女人等脩布施時不
執有布施不執由此布施不執布施為我所
脩淨戒時不執有淨戒不執由此淨戒不執
淨戒為我所脩安忍時不執有安忍不執由

BD00988號　大般若波羅蜜多經卷三一三　（4–4）

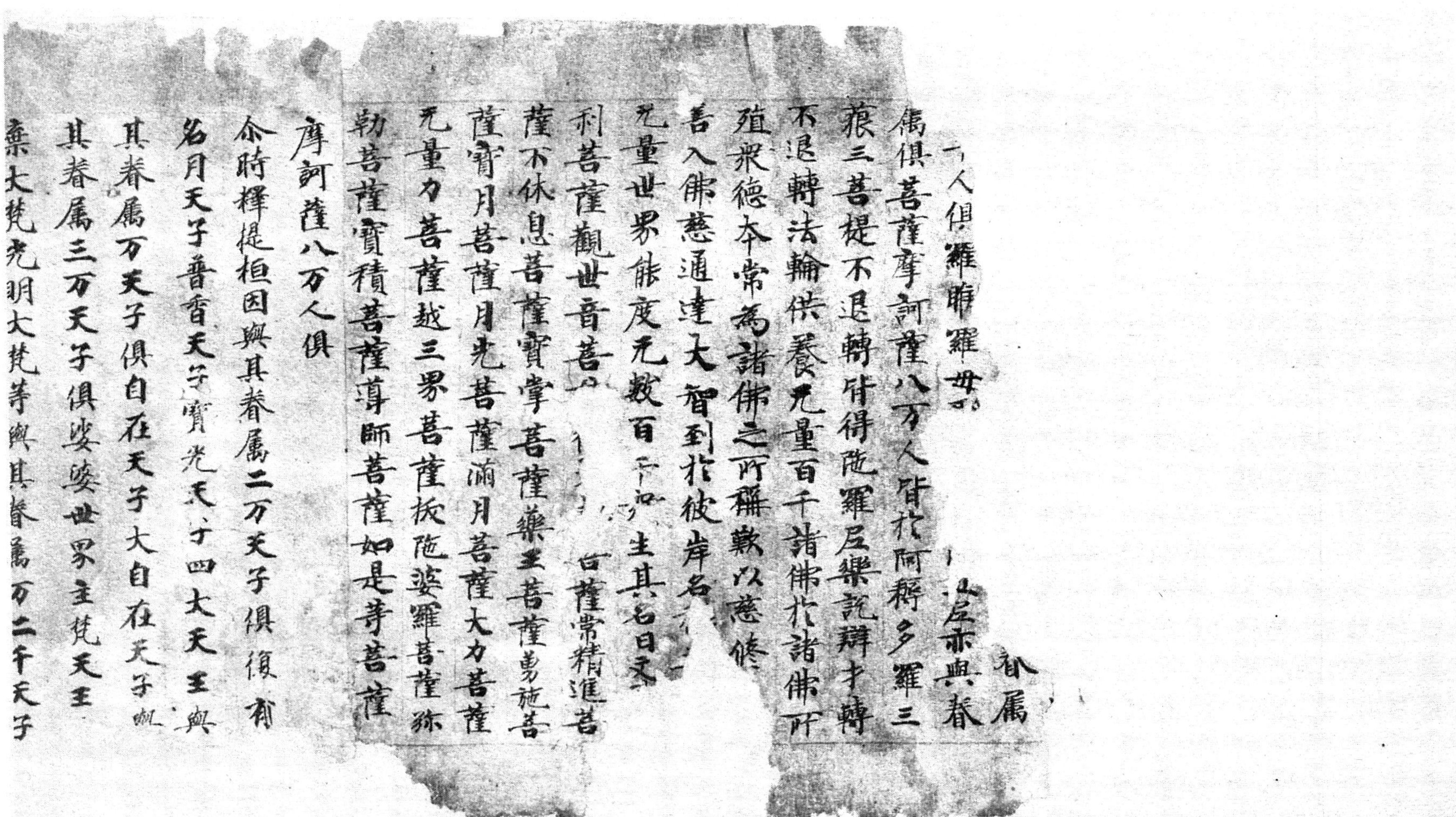
…眷屬
…人俱羅睺羅母…比丘尼亦與眷
俱菩薩摩訶薩八万人皆於阿耨多羅三
藐三菩提不退轉皆得陀羅尼樂說辯才轉
不退轉法輪供養无量百千諸佛於諸佛所
殖衆德本常為諸佛之所稱歎以慈脩
身善入佛慧通達大智到於彼岸名…
无量世界能度无數百千…生其名曰文
殊師利菩薩觀世音菩…菩薩常精進菩
薩不休息菩薩寶掌菩薩藥王菩薩勇施菩
薩寶月菩薩月光菩薩滿月菩薩大力菩薩
无量力菩薩越三界菩薩跋陀婆羅菩薩弥
勒菩薩寶積菩薩導師菩薩如是等菩薩
摩訶薩八万人俱
尒時釋提桓因與其眷屬二万天子俱復有
名月天子普香天子寶光天子四大天王與
其眷屬万天子俱自在天子大自在天子與
其眷屬三万天子俱娑婆世界主梵天王
尸棄大梵光明大梵等與其眷屬万二千天子

BD00989號　妙法蓮華經卷一　（25–1）

名月天子普香天子寶光天子四大天王與
其眷属万天子俱自在天子大自在天子與
其眷属三万天子俱娑婆世界主梵天王
棄大梵光明大梵等與其眷属万二千天子
俱有八龍王難陁龍王跋難陁龍王娑伽羅
龍王和脩吉龍王徳叉迦龍王阿那婆達多
龍王摩那斯龍王漚鉢羅龍王等各與若干
百千眷属俱有四緊那羅王法緊那羅王妙
法緊那羅王大法緊那羅王持法緊那羅王
各與若干百千眷属俱有四乾闥婆王樂乾
闥婆王樂音乾闥婆王美乾闥婆王美音乾
闥婆王各與若干百千眷属俱有四阿脩羅
王婆稚阿脩羅王佉羅騫䭾阿脩羅王毗摩
質多羅阿脩羅王羅睺羅阿脩羅王各與若
干百千眷属俱有四迦樓羅王大威徳迦樓
羅王大身迦樓羅王大滿迦樓羅王如意迦
樓羅王各與若干百千眷属俱韋提希子
阿闍世王與若干百千眷属俱各礼佛足退
坐一面
尒時世尊四衆圍繞供養恭敬尊重讃歎
為諸菩薩說大乘經名无量義教菩薩法
佛所護念佛說此經已結跏趺坐入於无量義
處三昧身心不動是時天雨曼陁羅華摩訶
曼陁羅華曼殊沙華摩訶曼殊沙華而散佛
上及諸大衆普佛世界六種震動尒時會中比

佛所護念佛說此經已結跏趺坐入於无量義
處三昧身心不動是時天雨曼陁羅華摩訶
曼陁羅華曼殊沙華摩訶曼殊沙華而散佛
上及諸大衆普佛世界六種震動尒時會中比
丘比丘尼優婆塞優婆夷天龍夜叉乾闥婆
阿脩羅迦樓羅緊那羅摩睺羅伽人非人等
及諸小王轉輪聖王是諸大衆得未曾有歡
喜合掌一心觀佛尒時佛放眉間白豪相
光照于東方万八千世界靡不周遍下至阿鼻
地獄上至阿迦膩吒天於此世界盡見彼土
六趣衆生又見彼土現在諸佛及聞諸佛所
說經法并見彼諸比丘比丘尼優婆塞優婆
夷諸脩行得道者復見諸菩薩摩訶薩種
種因緣種種信解種種相貌行菩薩道復見諸
佛般涅槃者復見諸佛般涅槃後以佛舍利
起七寶塔尒時弥勒菩薩作是念今者世尊
現神變相以何因緣而有此瑞今佛世尊入
于三昧是不可思議現希有事當以問誰
誰能荅者復作此念是文殊師利法王之子已
曾親近供養過去无量諸佛必應見此希有
之相我今當問尒時比丘比丘尼優婆塞優
婆夷及諸天龍鬼神等咸作此念是佛光明
神通之相今當問誰尒時弥勒菩薩欲自決
疑又觀四衆比丘比丘尼優婆塞優婆夷及
諸天龍鬼神等衆會之心而問文殊師利言

婆夷及諸天龍鬼神等咸作此念是佛光明
神通之相今當問誰尒時弥勒菩薩欲自決
疑又觀四衆比丘比丘尼優婆塞優婆夷及
諸天龍鬼神等衆會之心而問文殊師利言
以何因緣而有此瑞神通之相放大光明照
于東方萬八千土悉見彼佛國界莊嚴於
是弥勒菩薩欲重宣此義以偈問曰
文殊師利 導師何故 眉間白豪 大光普照
雨曼陁羅 曼殊沙華 栴檀香風 悅可衆心
以是因緣 地皆嚴淨 而此世界 六種震動
時四部衆 咸皆歡喜 身意快然 得未曾有
眉間光明 照于東方 万八千土 皆如金色
從阿鼻獄 上至有頂 諸世界中 六道衆生
生死所趣 善惡業緣 受報好醜 於此悉見
又覩諸佛 聖主師子 演說經典 微妙第一
其聲清淨 出柔軟音 教諸菩薩 无數億万
梵音深妙 令人樂聞 各於世界 講說正法
種種因緣 以无量喻 照明佛法 開悟衆生
若人遭苦 猒老病死 為說涅槃 盡諸苦際
若人有福 曾供養佛 志求勝法 為說緣覺
若有佛子 修種種行 求无上慧 為說淨道
文殊師利 我住於此 見聞若斯 及千億事
如是衆多 今當略說
我見彼土 恒沙菩薩 種種因緣 而求佛道
或有行施 金銀珊瑚 真珠摩尼 車𤦲馬瑙

BD00989 號 妙法蓮華經卷一 （25–4）

如是衆多 今當略說
我見彼土 恒沙菩薩 種種因緣 而求佛道
或有行施 金銀珊瑚 真珠摩尼 車𤦲馬瑙
金剛諸珎 奴婢車乘 寶飾輦轝 歡喜布施
迴向佛道 願得是乘 三界第一 諸佛所歎
或有菩薩 駟馬寶車 欄楯華蓋 軒飾布施
復見菩薩 身肉手足 及妻子施 求无上道
又見菩薩 頭目身體 欣樂施與 求佛智慧
文殊師利 我見諸王 往詣佛所 問无上道
便捨樂土 宮殿臣妾 剃除鬚髮 而被法服
或見菩薩 而作比丘 獨處閑靜 樂誦經典
又見菩薩 勇猛精進 入於深山 思惟佛道
又見離欲 常處空閑 深修禪定 得五神通
又見菩薩 安禪合掌 以千万偈 讚諸法王
復見菩薩 智深志固 能問諸佛 聞悉受持
又見佛子 定慧具足 以无量喻 為衆講法
欣樂說法 化諸菩薩 破魔兵衆 而擊法鼓
又見菩薩 寂然宴默 天龍恭敬 不以為喜
又見菩薩 處林放光 濟地獄苦 令入佛道
又見佛子 未嘗睡眠 經行林中 懃求佛道
又見具戒 威儀无缺 淨如寶珠 以求佛道
又見佛子 住忍辱力 增上慢人 惡罵捶打
皆悉能忍 以求佛道
又見菩薩 離諸戲笑 及癡眷屬 親近智者

BD00989 號 妙法蓮華經卷一 （25–5）

又見佛子 住忍辱力 增上慢人 惡罵捶打
皆悉能忍 以求佛道
又見菩薩 離諸戲笑 及癡眷屬 親近智者
一心除亂 攝念山林 億千万歲 以求佛道
或見菩薩 餚膳飲食 百種湯藥 施佛及僧
名衣上服 價直千万 或无價衣 施佛及僧
千万億種 栴檀寶舍 衆妙卧具 施佛及僧
清淨園林 華菓茂盛 流泉浴池 施佛及僧
如是等施 種種微妙 歡喜无猒 求无上道
或有菩薩 說寂滅法 種種教詔 无數衆生
或見菩薩 觀諸法性 无有二相 猶如虛空
又見佛子 心无所著 以此妙慧 求无上道
文殊師利 又有菩薩 佛滅度後 供養舍利
又見佛子 造諸塔廟 无數恒沙 嚴飾國界
寶塔高妙 五千由旬 縱廣正等 二千由旬
一一塔廟 各千幢幡 珠交露幔 寶鈴和鳴
諸天龍神 人及非人 香華伎樂 常以供養
文殊師利 諸佛子等 為供舍利 嚴飾塔廟
國界自然 殊特妙好 如天樹王 其華開敷
佛放一光 我及衆會 見此國界 種種殊妙
諸佛神力 智慧希有 放一淨光 照无量國
我等見此 得未曾有 佛子文殊 願決衆疑
四衆欣仰 瞻仁及我 世尊何故 放斯光明
佛子時荅 決疑令喜 何所饒益 演斯光明
佛坐道場 所得妙法 為欲說此 為當授記

四衆欣仰 瞻仁及我 世尊何故 放斯光明
佛子時荅 決疑令喜 何所饒益 演斯光明
佛坐道場 所得妙法 為欲說此 為當授記
示諸佛土 衆寶嚴淨 及見諸佛 此非小緣
文殊當知 四衆龍神 瞻察仁者 為說何等
尒時文殊師利語弥勒菩薩摩訶薩及諸大
士善男子等如我惟忖今佛世尊欲說大法
雨大法雨吹大法蠡擊大法鼓演大法義諸
善男子我於過去諸佛曾見此瑞放斯光已
即說大法是故當知今佛現光亦復如是欲
令衆生咸得聞知一切世間難信之法故現
斯瑞諸善男子如過去无量无邊不可思議
阿僧祇劫尒時有佛号日月燈明如來應
供正遍知明行足善逝世間解无上士調御丈
夫天人師佛世尊演說正法初善中善後善
其義深遠其語巧妙純一无雜具足清白梵
行之相為求聲聞者說應四諦法度生老病
死究竟涅槃為求辟支佛者說應十二因緣
法為諸菩薩說應六波羅蜜令得阿耨多羅
三藐三菩提成一切種智次復有佛亦名日
月燈明次復有佛亦名日月燈明如是二萬
佛皆同一字号日月燈明又同一姓姓頗羅
惰弥勒當知初佛後佛皆同一字名日月燈
明十号具足所可說法初中後善其最後佛
未出家時有八王子一名有意二名善意三

情弥勒當知初佛後佛皆同一字名日月燈
明十号具足所可説法初中後善其最後佛
未出家時有八王子一名有意二名善意三
名无量意四名寶意五名增意六名除疑意
七名響意八名法意是八王子威德自在各
領四天下是諸王子聞父出家得阿耨多羅
三藐三菩提悉捨王位亦随出家發大乘意
常脩梵行皆為法師已於千万佛所殖諸善
本是時日月燈明佛説大乘經名无量義教
菩薩法佛所護念説是經已即於大衆中結
跏趺坐入於无量義處三昧身心不動是時
天雨曼陁羅華摩訶曼陁羅華曼殊沙華
摩訶曼殊沙華而散佛上及諸大衆普佛世
界六種震動尒時會中比丘比丘尼優婆塞優
婆夷天龍夜叉乹闥婆阿脩羅迦樓羅緊那
羅摩睺羅伽人非人等及諸小王轉輪聖王
等是諸大衆得未曾有歡喜合掌一心觀佛
尒時如来放眉間白毫相光照東方萬八千
佛土靡不周遍如今所見是諸佛土弥勒當
知尒時會中有二十億菩薩樂欲聽法是諸
菩薩見此光明普照佛土得未曾有欲知此
光所為因緣時有菩薩名曰妙光有八百弟
子是時日月燈明佛從三昧起因妙光菩薩
説大乘經名妙法蓮華教菩薩法佛所護念

BD00989號　妙法蓮華經卷一　（25–8）

光所為因緣時有菩薩名曰妙光有八百弟
子是時日月燈明佛從三昧起因妙光菩薩
説大乘經名妙法蓮華教菩薩法佛所護念
六十小劫不起于座時會聽者亦坐一處六
十小劫身心不動聽佛所説謂如食頃是時
衆中无有一人若身若心而生懈惓日月燈
明佛於六十小劫中説是經已即於梵魔沙門
婆羅門及天人阿脩羅衆中而宣此言如来
於今日中夜當入无餘涅槃時有菩薩名曰
德藏日月燈明佛即授其記告諸比丘是德
藏菩薩次當作佛号曰淨身多陁阿伽度阿
羅訶三藐三佛陁佛授記已便於中夜入於
涅槃佛滅度後妙光菩薩持妙法蓮華經滿
八十小劫為人演説日月燈明佛八子皆師
妙光妙光教化令其堅固阿耨多羅三藐三
菩提是諸王子供養无量百千万億佛已皆
成佛道其最後成佛者名曰然燈八百弟子
中有一人号曰求名貪著利養雖復讀誦衆
經而不通利多所忘失故号求名是人亦以
種諸善根因緣故得值无量百千萬億諸佛
供養恭敬尊重讃歎弥勒當知尒時妙光菩
薩豈異人乎我身是也求名菩薩汝身是也
今見此瑞與本无異是故惟忖今日如来當
説大乘經名妙法蓮華教菩薩法佛所護念
尒時文殊師利於大衆中欲重宣此義而説

BD00989號　妙法蓮華經卷一　（25–9）

薩豈異人乎我身是也求名菩薩汝身是也
今見此瑞與本无異是故惟忖今日如來當
說大乘經名妙法蓮華教菩薩法佛所護念
尒時文殊師利於大眾中欲重宣此義而說
偈言
我念過去世　无量无數劫　有佛人中尊　号日月燈明
世尊演說法　度无量眾生　无數億菩薩　令入佛智慧
佛未出家時　所生八王子　見大聖出家　亦隨脩梵行
時佛說大乘　經名无量義　於諸大眾中　而為廣分別
佛說此經已　即於法座上　跏趺坐三昧　名无量義處
天雨曼陀華　天鼓自然鳴　諸天龍鬼神　供養人中尊
一切諸佛土　即時大震動　佛放眉間光　現諸希有事
此光照東方　萬八千佛土　示一切眾生　生死業報處
有見諸佛土　以眾寶莊嚴　琉璃頗梨色　斯由佛光照
及見諸天人　龍神夜叉眾　乾闥緊那羅　各供養其佛
又見諸如來　自然成佛道　身色如金山　端嚴甚微妙
如淨琉璃中　內現真金像　世尊在大眾　敷演深法義
一一諸佛土　聲聞眾无數　因佛光所照　悉見彼大眾
或有諸比丘　在於山林中　精進持淨戒　猶如護明珠
又見諸菩薩　行施忍辱等　其數如恒沙　斯由佛光照
又見諸菩薩　深入諸禪定　身心寂不動　以求无上道
又見諸菩薩　知法寂滅相　各於其國土　說法求佛道
尒時四部眾　見日月燈佛　現大神通力　其心皆歡喜
各各自相問　是事何因緣　天人所奉尊　適從三昧起
讚妙光菩薩　汝為世間眼　一切所歸信　能奉持法藏
如我所說法　惟汝能證知　世尊既讚歎　令妙光歡喜

BD00989號　妙法蓮華經卷一　（25–10）

尒時四部眾　見日月燈佛　現大神通力　其心皆歡喜
各各自相問　是事何因緣　天人所奉尊　適從三昧起
讚妙光菩薩　汝為世間眼　一切所歸信　能奉持法藏
如我所說法　唯汝能證知　世尊既讚歎　令妙光歡喜
說是法華經　滿六十小劫　不起於此座　所說上妙法
是妙光法師　悉皆能受持　佛說是法華　令眾歡喜已
尋即於是日　告於天人眾　諸法實相義　已為汝等說
我今於中夜　當入於涅槃　汝一心精進　當離於放逸
諸佛甚難值　億劫時一遇　世尊諸子等　聞佛入涅槃
各各懷悲惱　佛滅一何速　聖主法之王　安慰无量眾
我若滅度時　汝等勿憂怖　是德藏菩薩　於无漏實相
心已得通達　其次當作佛　号曰為淨身　亦度无量眾
佛此夜滅度　如薪盡火滅　分布諸舍利　而起无量塔
比丘比丘尼　其數如恒沙　倍復加精進　以求无上道
是妙光法師　奉持佛法藏　八十小劫中　廣宣法華經
是諸八王子　妙光所開化　堅固无上道　當見无數佛
供養諸佛已　隨順行大道　相繼得成佛　轉次而授記
最後天中天　号曰然燈佛　諸仙之導師　度脫无量眾
是妙光法師　時有一弟子　心常懷懈怠　貪著於名利
求名利无厭　多遊族姓家　棄捨所習誦　廢忘不通利
以是因緣故　号之為求名　亦行眾善業　得見无數佛
供養於諸佛　隨順行大道　具六波羅蜜　今見釋師子
其後當作佛　号名曰彌勒　廣度諸眾生　其數无有量
彼佛滅度後　懈怠者汝是　妙光法師者　今則我身是

BD00989號　妙法蓮華經卷一　（25–11）

供養於諸佛 隨順行大道 具六波羅蜜 今見釋師子
其後當作佛 号名曰彌勒 廣度諸衆生 其數无有量
彼佛滅度後 懈怠者汝是 妙光法師者 今則我身是
我見燈明佛 本光瑞如此 以是知今佛 欲說法華經
今相如本瑞 是諸佛方便 今佛放光明 助發實相義
諸人今當知 合掌一心待 佛當雨法雨 充足求道者
諸求三乘人 若有疑悔者 佛當為除斷 令盡无有餘

妙法蓮華經方便品第二

尒時世尊從三昧安詳而起告舍利弗諸佛
智慧甚深无量其智慧門難解難入一切聲
聞辟支佛所不能知所以者何佛曾親近百
千萬億无數諸佛盡行諸佛无量道法勇猛
精進名稱普聞成就甚深未曾有法隨宜所
說意趣難解舍利弗吾從成佛已來種種因
緣種種譬喻廣演言教无數方便引導衆生
令離諸著所以者何如來方便知見波羅蜜
皆已具足舍利弗如來知見廣大深遠无量
无礙力无所畏禪定解脫三昧深入无際成
就一切未曾有法舍利弗如來能種種分別
巧說諸法言辭柔軟悅可衆心舍利弗取要
言之无量无邊未曾有法佛悉成就止舍利
弗不須復說所以者何佛所成就第一希有
難解之法唯佛與佛乃能究盡諸法實相所
謂諸法如是相如是性如是體如是力如是
作如是因如是緣如是果如是報如是本末

BD00989號 妙法蓮華經卷一 (25–12)

弗不須復說所以者何佛所成就第一希有
難解之法唯佛與佛乃能究盡諸法實相所
謂諸法如是相如是性如是體如是力如是
作如是因如是緣如是果如是報如是本末
究竟等尒時世尊欲重宣此義而說偈言
世雄不可量 諸天及世人 一切衆生類 无能知佛者
佛力无所畏 解脫諸三昧 及佛諸餘法 无能測量者
本從无數佛 具足行諸道 甚深微妙法 難見難可了
於无量億劫 行此諸道已 道場得成果 我已悉知見
如是大果報 種種性相義 我及十方佛 乃能知是事
是法不可示 言辭相寂滅 諸餘衆生類 无有能得解
除諸菩薩衆 信力堅固者 諸佛弟子衆 曾供養諸佛
一切漏已盡 住是最後身 如是諸人等 其力所不堪
假使滿世間 皆如舍利弗 盡思共度量 不能測佛智
正使滿十方 皆如舍利弗 及餘諸弟子 亦滿十方刹
盡思共度量 亦復不能知 辟支佛利智 无漏最後身
亦滿十方界 其數如竹林 斯等共一心 於億无量劫
欲思佛實智 莫能知少分 新發意菩薩 供養无數佛
了達諸義趣 又能善說法 如稻麻竹葦 充滿十方刹
一心以妙智 於恒河沙劫 咸皆共思量 不能知佛智
不退諸菩薩 其數如恒沙 一心共思求 亦復不能知
又告舍利弗 无漏不思議 甚深微妙法 我今已具得
唯我知是相 十方佛亦然 舍利弗當知 諸佛語无異
於佛所說法 當生大信力 世尊法久後 要當說真實
告諸聲聞衆 及求緣覺乘 我令脫苦縛 逮得涅槃者

BD00989號 妙法蓮華經卷一 (25–13)

又告舍利弗 无漏不思議 甚深微妙法 我今已具得
唯我知是相 十方佛亦然 舍利弗當知 諸佛語无異
於佛所說法 當生大信力 世尊法久後 要當說真實
告諸聲聞衆 及求緣覺乘 我令脫苦縛 逮得涅槃者
佛以方便力 示以三乘教 衆生處處著 引之令得出
尒時大衆中有諸聲聞漏盡阿羅漢阿若憍
陳如等千二百人及發聲聞辟支佛心比丘
比丘尼優婆塞優婆夷各作是念今者世尊
何故慇懃稱歎方便而作是言佛所得法甚
深難解有所言說意趣難知一切聲聞辟支
佛所不能及佛說一解脫義我等亦得此法
到於涅槃而今不知是義所趣尒時舍利弗
知四衆心疑自亦未了而白佛言世尊何因
何緣慇懃稱歎諸佛弟一方便甚深微妙難
解之法我自昔來未曾從佛聞如是說今者
四衆咸皆有疑唯願世尊敷演斯事世尊何
故慇懃稱歎甚深微妙難解之法尒時舍利
弗欲重宣此義而說偈言
慧日大聖尊 久乃說是法 自說得如是 力无畏三昧
禪定解脫等 不可思議法 道場所得法 无能發問者
我意難可測 亦无能問者 无問而自說 稱歎所行道
智慧甚微妙 諸佛之所得 无漏諸羅漢 及求涅槃者
今皆墮疑網 佛何故說是 其求緣覺者 比丘比丘尼
諸天龍鬼神 及乾闥婆等 相視懷猶豫 瞻仰兩足尊
是事為云何 願佛為解說 於諸聲聞衆 佛說我弟一

BD00989號　妙法蓮華經卷一　（25–14）

我意難可測 亦无能問者 无問而自說 稱歎所行道
智慧甚微妙 諸佛之所得 无漏諸羅漢 及求涅槃者
今皆墮疑網 佛何故說是 其求緣覺者 比丘比丘尼
諸天龍鬼神 及乾闥婆等 相視懷猶豫 瞻仰兩足尊
是事為云何 願佛為解說 於諸聲聞衆 佛說我弟一
我今自於智 疑惑不能了 為是究竟法 為是所行道
佛口所生子 合掌瞻仰待 願出微妙音 時為如實說
諸天龍神等 其數如恒沙 求佛諸菩薩 大數有八万
又諸万億國 轉輪聖王至 合掌以敬心 欲聞具足道
尒時佛告舍利弗止止不須復說若說是事
一切世間諸天及人皆當驚疑舍利弗重白
佛言世尊唯願說之唯願說之所以者何是
會无數百千万億阿僧祇衆生曾見諸佛諸
根猛利智慧明了聞佛所說則能敬信尒時
舍利弗欲重宣此義而說偈言
法王无上尊 唯說願勿慮 是會无量衆 有能敬信者
佛復止舍利弗若說是事一切世間天人阿脩
羅皆當驚疑增上慢比丘將墜於大坑尒
時世尊重說偈言
止止不須說 我法妙難思 諸增上慢者 聞必不敬信
尒時舍利弗重白佛言世尊唯願說之唯願
說之今此會中如我等比百千万億世世已曾
從佛受化如此人等必能敬信長夜安隱
多所饒益尒時舍利弗欲重宣此義而說偈
言

BD00989號　妙法蓮華經卷一　（25–15）

說之今此會中如我等比百千万億世世已曾
從佛受化如此人等必能敬信長夜安隱
多所饒益尒時舍利弗欲重宣此義而說偈
言
无上兩足尊　願說第一法　我為佛長子　唯垂分別說
是會无量衆　能敬信此法　佛已曾世世　教化如是等
皆一心合掌　欲聽受佛語　我等千二百　及餘求佛者
願為此衆故　唯垂分別說　是等聞此法　則生大歡喜
尒時世尊告舍利弗汝已慇懃三請豈得不
說汝今諦聽善思念之吾當為汝分別解說
說此語時會中有比丘比丘尼優婆塞優婆
夷五千人等即從座起礼佛而退所以者何此
輩罪根深重及增上慢未得謂得未證謂
證有如此失是以不住世尊嘿然而不制止
尒時佛告舍利弗我今此衆无復枝葉純有
貞實舍利弗如是增上慢人退亦佳矣汝今
善聽當為汝說舍利弗言唯然世尊願樂欲
聞佛告舍利弗如是妙法諸佛如來時乃說
之如優曇鉢華時一現耳舍利弗汝等當信
佛之所說言不虛妄舍利弗諸佛隨宜說法
意趣難解所以者何我以无數方便種種因
緣譬喻言辭演說諸法是法非思量分別之
所能解唯有諸佛乃能知之所以者何諸佛
世尊唯以一大事因緣故出現於世舍利弗
云何名諸佛世尊唯以一大事因緣故出現

意趣難解所以者何我以无數方便種種因
緣譬喻言辭演說諸法是法非思量分別之
所能解唯有諸佛乃能知之所以者何諸佛
世尊唯以一大事因緣故出現於世舍利弗
云何名諸佛世尊唯以一大事因緣故出現
於世諸佛世尊欲令衆生開佛知見使得清
淨故出現於世欲示衆生佛之知見故出現
於世欲令衆生悟佛知見故出現於世欲令
衆生入佛知見道故出現於世舍利弗是為
諸佛以一大事因緣故出現於世佛告舍利
弗諸佛如來但教化菩薩諸有所作常為一
事唯以佛之知見示悟衆生舍利弗如來但
以一佛乘故為衆生說法无有餘乘若二若
三舍利弗一切十方諸佛法亦如是舍利弗
過去諸佛以无量无數方便種種因緣譬喻
言辭而為衆生演說諸法是法皆為一佛乘
故是諸衆生從佛聞法究竟皆得一切種智
舍利弗未來諸佛當出於世亦以无量无數
方便種種因緣譬喻言辭而為衆生演說諸
法是法皆為一佛乘故是諸衆生從佛聞法
究竟皆得一切種智舍利弗現在十方无量
百千万億佛土中諸佛世尊多所饒益安樂
衆生是諸佛亦以无量无數方便種種因緣
譬喻言辭而為衆生演說諸法是法皆為一
佛乘故是諸衆生從佛聞法究竟皆得一切

百千万億佛土中諸佛世尊多所饒益安樂
衆生是諸佛亦以无量无數方便種種因緣
譬喻言辭而為衆生演說諸法是法皆為一
佛乘故是諸衆生從佛聞法究竟皆得一切
種智舍利弗是諸佛但教化菩薩欲以佛之
知見示衆生故欲以佛之知見悟衆生故欲
令衆生入佛知見道故舍利弗我今亦復如
是知諸衆生有種種欲深心所著隨其本性
以種種因緣譬喻言辭方便力故而為說法
舍利弗如此皆為得一佛乘一切種智故舍
利弗十方世界中尚无二乘何況有三舍利
弗諸佛出於五濁惡世所謂劫濁煩惱濁衆
生濁見濁命濁如是舍利弗劫濁亂時衆生
垢重慳貪嫉妒成就諸不善根故諸佛以方
便力於一佛乘分別說三舍利弗若我弟子
自謂阿羅漢辟支佛者不聞不知諸佛如來但
教化菩薩事此非佛弟子非阿羅漢非辟支
佛又舍利弗是諸比丘比丘尼自謂已得阿
羅漢是最後身究竟涅槃便不復志求阿耨
多羅三藐三菩提當知此輩皆是增上慢人
所以者何若有比丘實得阿羅漢若不信此
法无有是處除佛滅度後現前无佛所以者
何佛滅度後如是等經受持讀誦解義者是
人難得若遇餘佛於此法中便得決了舍利

BD00989號　妙法蓮華經卷一　（25–18）

何佛滅度後如是等經受持讀誦解義者是
人難得若遇餘佛於此法中便得決了舍利
弗汝等當一心信解受持佛語諸佛如來言
无虛妄无有餘乘唯一佛乘尒時世尊欲重
宣此義而說偈言

比丘比丘尼　有懷增上慢　優婆塞我慢　優婆夷不信
如是四衆等　其數有五千　不自見其過　於戒有缺漏
護惜其瑕疵　是小智已出　衆中之糟糠　佛威德故去
斯人尠福德　不堪受是法　此衆无枝葉　唯有諸貞實
舍利弗善聽　諸佛所得法　无量方便力　而為衆生說
衆生心所念　種種所行道　若干諸欲性　先世善惡業
佛悉知是已　以諸緣譬喻　言辭方便力　令一切歡喜
或說脩多羅　伽陀及本事　本生未曾有　亦說於因緣
譬喻并祇夜　優波提舍經　鈍根樂小法　貪著於生死
於諸无量佛　不行深妙道　衆苦所惱亂　為是說涅槃
我設是方便　令得入佛慧　未曾說汝等　當得成佛道
所以未曾說　說時未至故　今正是其時　決定說大乘
我此九部法　隨順衆生說　入大乘為本　以故說是經
有佛子心淨　柔軟亦利根　无量諸佛所　而行深妙道
為此諸佛子　說是大乘經　我記如是人　來世成佛道
以深心念佛　脩持淨戒故　此等聞得佛　大喜充遍身
佛知彼心行　故為說大乘　聲聞若菩薩　聞我所說法
乃至於一偈　皆成佛无疑　十方佛土中　唯有一乘法
无二亦无三　除佛方便說　但以假名字　引導於衆生
說佛智慧故　諸佛出於世　唯此一事實　餘二則非真

BD00989號　妙法蓮華經卷一　（25–19）

佛知彼心行　故為說大乘　聲聞若菩薩　聞我所說法
乃至於一偈　皆成佛无疑　十方佛土中　唯有一乘法
无二亦无三　除佛方便說　但以假名字　引導於眾生
說佛智慧故　諸佛出於世　唯此一事實　餘二則非真
終不以小乘　濟度於眾生　佛自住大乘　如其所得法
定慧力莊嚴　以此度眾生　自證无上道　大乘平等法
若以小乘化　乃至於一人　我則墮慳貪　此事為不可
若人信歸佛　如來不欺誑　亦无貪嫉意　斷諸法中惡
故佛於十方　而獨无所畏　我以相嚴身　光明照世間
无量眾所尊　為說實相印　舍利弗當知　我本立誓願
欲令一切眾　如我等无異　如我昔所願　今者已滿足
化一切眾生　皆令入佛道　若我遇眾生　盡教以佛道
无智者錯亂　迷惑不受教　我知此眾生　未曾修善本
堅著於五欲　癡愛故生惱　以諸欲因緣　墜墮三惡道
輪迴六趣中　備受諸苦毒　受胎之微形　世世常增長
薄德少福人　眾苦所逼迫　入邪見稠林　若有若无等
依止此諸見　具足六十二　深著虛妄法　堅受不可捨
我慢自矜高　諂曲心不實　於千万億劫　不聞佛名字
亦不聞正法　如是人難度　是故舍利弗　我為設方便
說諸盡苦道　示之以涅槃　我雖說涅槃　是亦非真滅
諸法從本來　常自寂滅相　佛子行道已　來世得作佛
我有方便力　開示三乘法　一切諸世尊　皆說一乘道
今此諸大眾　皆應除疑惑　諸佛語无異　唯一无二乘
過去无數劫　无量滅度佛　百千万億種　其數不可量
如是諸世尊　種種緣譬喻　无數方便力　演說諸法相

BD00989 號　妙法蓮華經卷一　(25–20)

今此諸大眾　皆應除疑惑　諸佛語无異　唯一无二乘
過去无數劫　无量滅度佛　百千万億種　其數不可量
如是諸世尊　種種緣譬喻　无數方便力　演說諸法相
是諸世尊等　皆說一乘法　化无量眾生　令入於佛道
又諸大聖主　知一切世間　天人群生類　深心之所欲
更以異方便　助顯第一義　若有眾生類　值諸過去佛
若聞法布施　或持戒忍辱　精進禪智等　種種修福慧
如是諸人等　皆已成佛道　諸佛滅度已　若人善軟心
如是諸眾生　皆已成佛道　諸佛滅度已　供養舍利者
起万億種塔　金銀及頗梨　車渠與馬瑙　玫瑰琉璃珠
清淨廣嚴飾　莊校於諸塔　或有起石廟　栴檀及沈水
木櫁并餘材　甎瓦泥土等　若於曠野中　積土成佛廟
乃至童子戲　聚沙為佛塔　如是諸人等　皆已成佛道
若人為佛故　建立諸形像　刻雕成眾相　皆已成佛道
或以七寶成　鍮石赤白銅　白鑞及鉛錫　鐵木及與泥
或以膠漆布　嚴飾作佛像　如是諸人等　皆已成佛道
彩畫作佛像　百福莊嚴相　自作若使人　皆已成佛道
乃至童子戲　若草木及筆　或以指爪甲　而畫作佛像
如是諸人等　漸漸積功德　具足大悲心　皆已成佛道
但化諸菩薩　度脫无量眾　若人於塔廟　寶像及畫像
以華香幡蓋　敬心而供養　若使人作樂　擊鼓吹角貝
簫笛琴箜篌　琵琶鐃銅鈸　如是眾妙音　盡持以供養
或以歡喜心　歌唄頌佛德　乃至一小音　皆已成佛道
若人散亂心　乃至以一華　供養於畫像　漸見无數佛
或有人禮拜　或復但合掌　乃至舉一手　或復小低頭

BD00989 號　妙法蓮華經卷一　(25–21)

若人散亂心 乃至以一華 供養於畫像 漸見无數佛
或有人禮拜 或復但合掌 乃至舉一手 或復小低頭
以此供養像 漸見无量佛 自成无上道 廣度无數眾
入无餘涅槃 如薪盡火滅 若人散亂心 入於塔廟中
一稱南无佛 皆已成佛道 於諸過去佛 在世或滅後
若有聞是法 皆已成佛道 未來諸世尊 其數无有量
是諸如來等 亦方便說法 一切諸如來 以无量方便
度脫諸眾生 入佛无漏智 若有聞法者 无一不成佛
諸佛本誓願 我所行佛道 普欲令眾生 亦同得此道
未來世諸佛 雖說百千億 无數諸法門 其實為一乘
諸佛兩足尊 知法常无性 佛種從緣起 是故說一乘
是法住法位 世間相常住 於道場知已 導師方便說
天人所供養 現在十方佛 其數如恒沙 出現於世間
安隱眾生故 亦說如是法 知第一寂滅 以方便力故
雖示種種道 其實為佛乘 知眾生諸行 深心之所念
過去所習業 欲性精進力 及諸根利鈍 以種種因緣
譬喻亦言辭 隨應方便說 今我亦如是 安隱眾生故
以種種法門 宣示於佛道 我以智慧力 知眾生性欲
方便說諸法 皆令得歡喜 舍利弗當知 我以佛眼觀
見六道眾生 貧窮无福慧 入生死險道 相續苦不斷
深著於五欲 如犛牛愛尾 以貪愛自蔽 盲瞑无所見
不求大勢佛 及與斷苦法 深入諸邪見 以苦欲捨苦
為是眾生故 而起大悲心 我始坐道場 觀樹亦經行
於三七日中 思惟如是事 我所得智慧 微妙最第一

BD00989號　妙法蓮華經卷一　（25–22）

見六道眾生 貧窮无福慧 入生死險道 相續苦不斷
深著於五欲 如犛牛愛尾 以貪愛自蔽 盲瞑无所見
不求大勢佛 及與斷苦法 深入諸邪見 以苦欲捨苦
為是眾生故 而起大悲心 我始坐道場 觀樹亦經行
於三七日中 思惟如是事 我所得智慧 微妙最第一
眾生諸根鈍 著樂癡所盲 如斯之等類 云何而可度
尒時諸梵王 及諸天帝釋 護世四天王 及大自在天
并餘諸天眾 眷屬百千万 恭敬合掌禮 請我轉法輪
我即自思惟 若但讚佛乘 眾生沒在苦 不能信是法
破法不信故 墜於三惡道 我寧不說法 疾入於涅槃
尋念過去佛 所行方便力 我今所得道 亦應說三乘
作是思惟時 十方佛皆現 梵音慰喻我 善哉釋迦文
第一之導師 得是无上法 隨諸一切佛 而用方便力
我等亦皆得 最妙第一法 為諸眾生類 分別說三乘
少智樂小法 不自信作佛 是故以方便 分別說諸果
雖復說三乘 但為教菩薩 舍利弗當知 我聞聖師子
深淨微妙音 稱南无諸佛 復作如是念 我出濁惡世
如諸佛所說 我亦隨順行 思惟是事已 即趣波羅奈
諸法寂滅相 不可以言宣 以方便力故 為五比丘說
是名轉法輪 便有涅槃音 及以阿羅漢 法僧差別名
從久遠劫來 讚示涅槃法 生死苦永盡 我常如是說
舍利弗當知 我見佛子等 志求佛道者 无量千万億
咸以恭敬心 皆來至佛所 曾從諸佛聞 方便所說法
我即作是念 如來所以出 為說佛慧故 今正是其時
舍利弗當知 鈍根小智人 著相憍慢者 不能信是法

BD00989號　妙法蓮華經卷一　（25–23）

舍利弗當知 我見佛子等 志求佛道者 无量千万億
咸以恭敬心 皆來至佛所 曾從諸佛聞 方便所說法
我即作是念 如來所以出 為說佛慧故 今正是其時
舍利弗當知 鈍根小智人 著相憍慢者 不能信是法
今我喜无畏 於諸菩薩中 正直捨方便 但說无上道
菩薩聞是法 疑網皆已除 千二百羅漢 悉亦當作佛
如三世諸佛 說法之儀式 我今亦如是 說无分別法
諸佛興出世 懸遠值遇難 正使出于世 說是法復難
无量无數劫 聞是法亦難 能聽是法者 斯人亦復難
譬如優曇華 一切皆愛樂 天人所希有 時時乃一出
聞法歡喜讚 乃至發一言 則為已供養 一切三世佛
是人甚希有 過於優曇華 汝等勿有疑 我為諸法王
普告諸大眾 但以一乘道 教化諸菩薩 无聲聞弟子
汝等舍利弗 聲聞及菩薩 當知是妙法 諸佛之祕要
以五濁惡世 但樂著諸欲 如是等眾生 終不求佛道
當來世惡人 聞佛說一乘 迷惑不信受 破法墮惡道
有慚愧清淨 志求佛道者 當為如是等 廣讚一乘道
舍利弗當知 諸佛法如是 以万億方便 隨宜而說法
其不習學者 不能曉了此 汝等既已知 諸佛世之師
隨宜方便事 无復諸疑惑 心生大歡喜 自知當作佛

妙法蓮華經卷第一

BD00989號　妙法蓮華經卷一　（25–24）

譬如優曇華 一切皆愛樂 天人所希有 時時乃一出
聞法歡喜讚 乃至發一言 則為已供養 一切三世佛
是人甚希有 過於優曇華 汝等勿有疑 我為諸法王
普告諸大眾 但以一乘道 教化諸菩薩 无聲聞弟子
汝等舍利弗 聲聞及菩薩 當知是妙法 諸佛之祕要
以五濁惡世 但樂著諸欲 如是等眾生 終不求佛道
當來世惡人 聞佛說一乘 迷惑不信受 破法墮惡道
有慚愧清淨 志求佛道者 當為如是等 廣讚一乘道
舍利弗當知 諸佛法如是 以万億方便 隨宜而說法
其不習學者 不能曉了此 汝等既已知 諸佛世之師
隨宜方便事 无復諸疑惑 心生大歡喜 自知當作佛

妙法蓮華經卷第一

BD00989號　妙法蓮華經卷一　（25–25）

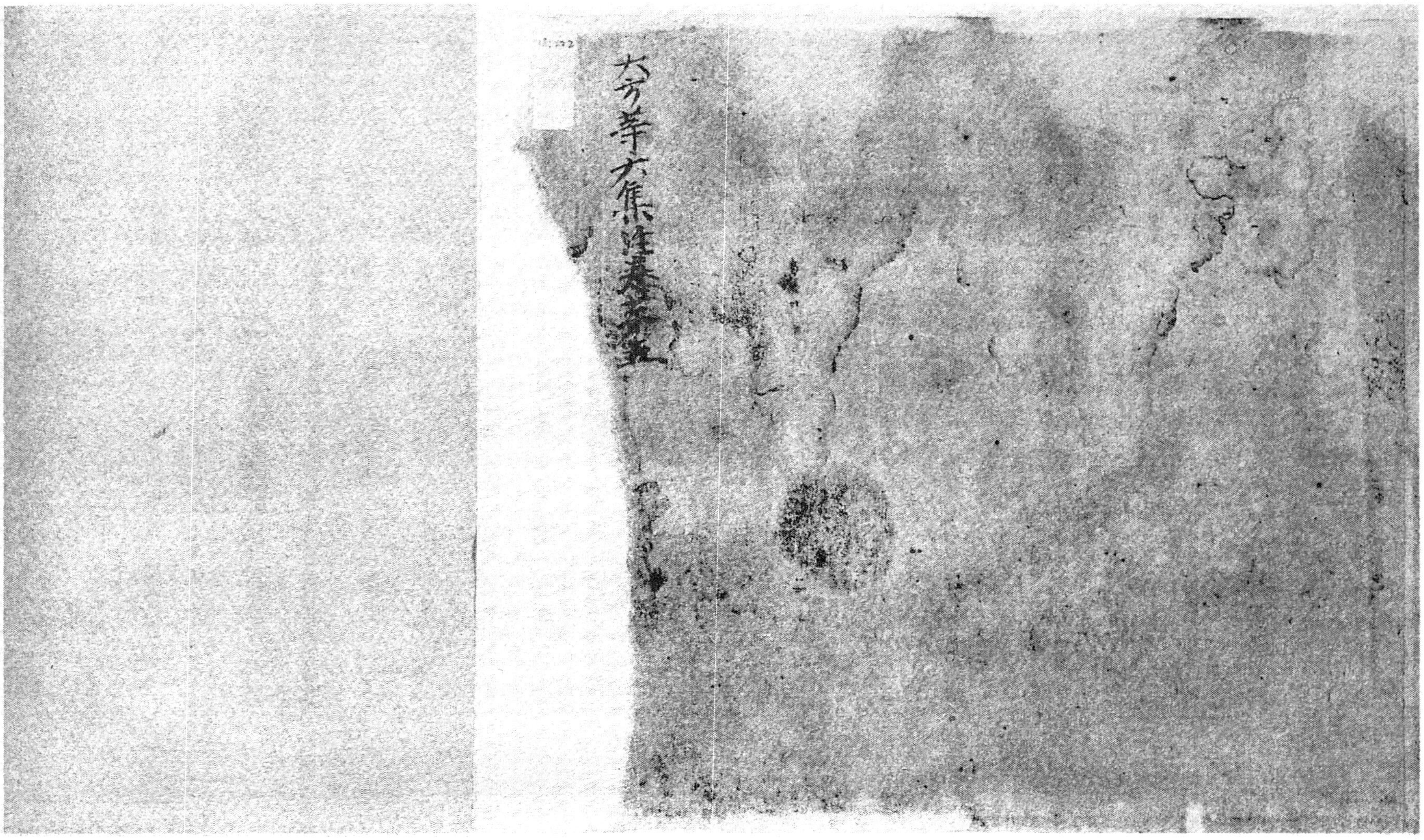
大方等大集經卷第五

BD00990 號背　勘記　　（1–1）

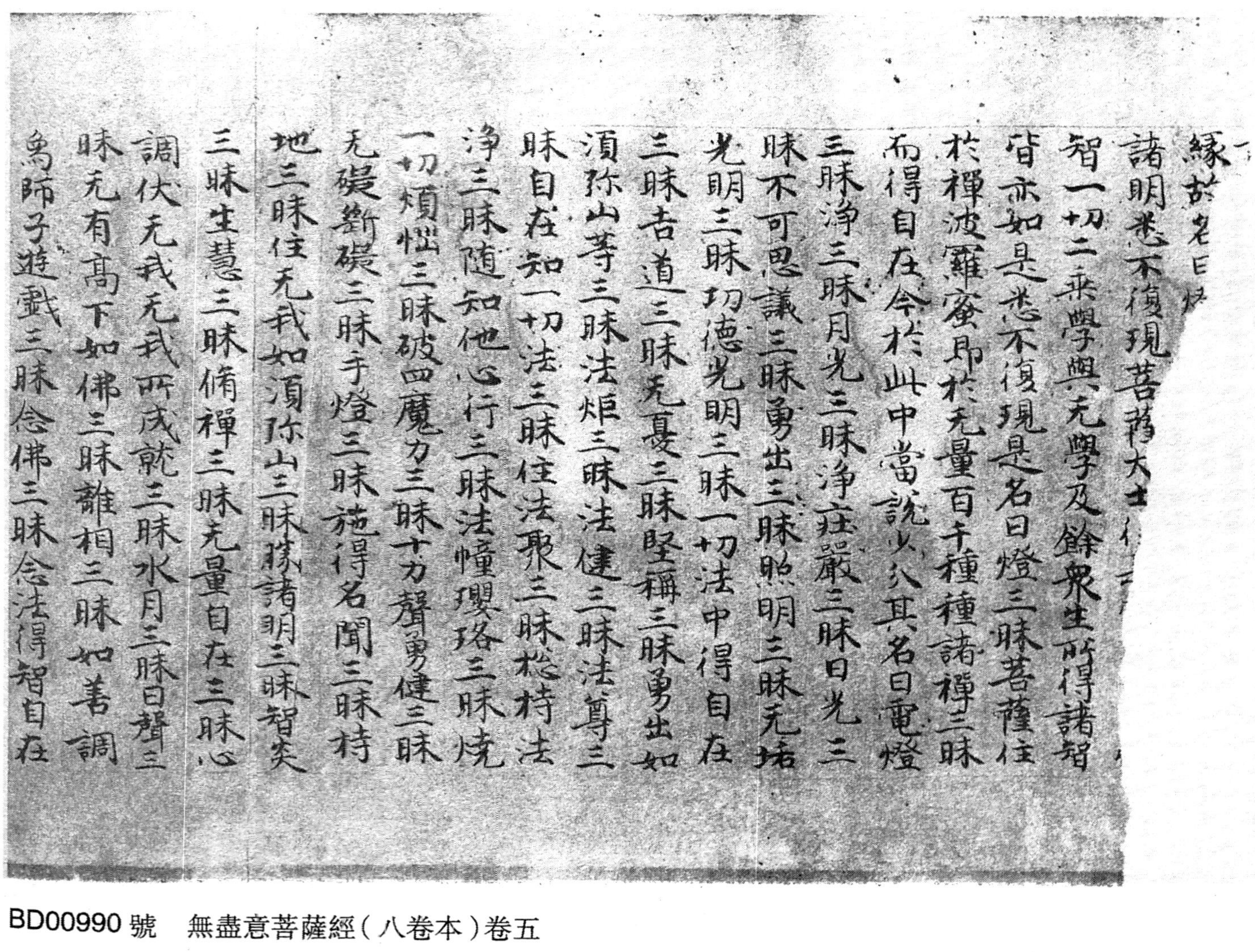
緣故名曰
諸明悉不復現菩薩大士
智一切二乘學與无學及餘衆生所得諸智
皆亦如是悉不復現是名曰燈三昧菩薩住
於禪波羅蜜即於无量百千種種諸禪三昧
而得自在今於此中當說少分其名曰電燈
三昧淨三昧月光三昧淨莊嚴三昧日光三
昧不可思議三昧勇出三昧照明三昧无垢
光明三昧功德光明三昧一切法中得自在
三昧吉道三昧无憂三昧堅稱三昧勇出如
須彌山等三昧法炬三昧法健三昧法尊三
昧自在知一切法三昧住法聚三昧總持法
淨三昧隨知他心行三昧法幢瓔珞三昧燒
一切煩惱三昧破四魔力三昧十力聲勇健三昧
无礙斷礙三昧手燈三昧施得名聞三昧持
地三昧住无我如須彌山三昧莊嚴諸明三昧智炎
三昧生慧三昧脩禪三昧无量自在三昧心
調伏无我无我所成就三昧水月三昧日聲三
昧无有高下如佛三昧離相三昧如善調
象師子遊戲三昧念佛三昧念法得智自在

BD00990 號　無盡意菩薩經（八卷本）卷五　　（16–1）

三昧生慧三昧備禪三昧无量自在三昧心
調伏无我无我所成就三昧水月三昧日賛三
昧无有高下如佛三昧離相三昧如善調
爲師子遊戲三昧念佛三昧念法得智自在
无礙三昧无退不退三昧不眴三昧勝淨无
我三昧空三昧无相三昧无願三昧住心平
等三昧金剛三昧增上三昧无能勝三昧旋
三昧淨聲三昧善分别三昧離煩惱三昧廣
大如空三昧入諸功德三昧念意進覺三昧
勇慧三昧辯无盡三昧語无盡三昧摠持三
昧不忘三昧善作三昧觀一切世三昧善知
所樂三昧生踊躍三昧勇慈心淨三昧大悲
根本三昧入喜三昧捨離二纏三昧法義三
昧法作三昧智炬三昧智海三昧不波蕩三
昧一切心喜三昧調伏三昧解脫智三昧已
自在三昧法場金剛幢三昧蓮華三昧蓮華
增上三昧離世法三昧不動三昧慧增上三昧
諸佛所念首楞嚴三昧无諍三昧火三昧大
明三昧解脫勝智三昧莊嚴佛身三昧遍照
三昧入衆生心歡喜三昧順助道三昧莊嚴
諸波羅蜜三昧寶積三昧興諸覺華三昧興
解脫果三昧甘露三昧速疾如風三昧寶際三
昧遍海濤三昧山相傳三昧廣大神足三昧
見无量諸佛三昧聞持三昧不亂三昧一念
智无量功德海淨三昧如是等不可計那由

BD00990號　無盡意菩薩經（八卷本）卷五　（16–2）

解脫果三昧甘露三昧速疾如風三昧寶際三
昧遍海濤三昧山相傳三昧廣大神足三昧
見无量諸佛三昧聞持三昧不亂三昧一念
智无量功德海淨三昧如是等不可計那由
他諸三昧入禪波羅蜜時悉得清淨舍利弗
是名菩薩備行禪定而不可盡
尒時舍利弗語无盡意言善哉善哉善男子
仁已快說菩薩禪波羅蜜唯願仁者當說菩
薩般若波羅蜜如諸菩薩所得无盡般若波
羅蜜善男子般若波羅蜜云何行云何入无
盡意言唯舍利弗般若波羅蜜如聞備行善
入思惟舍利弗言唯善男子云何如聞備行
无盡意言聞者具八十行何等八十欲備行
順心行畢竟心行常發起行親近善友行无
憍慢行不放逸行恭敬行隨順教行從善語
行數往佛所行至心聽法行善思惟行不亂
心行勤進心行生實相行起尊想行除諸病
行念器行進覺行意喜行入覺行聞无猒行
增長捨行調智行親近多聞行發歡喜行身
輕悅行心柔和行聞无疲惓行聞義行聞
法行聞威儀行聞他說行聞所未聞行聞諸
通行不求餘乘行聞諸波羅蜜行聞菩薩藏
行聞諸攝法行聞方便行聞四梵行聞念處
智行聞生方便行聞无生方便行觀不淨行
思惟慈心行觀因緣行觀无常行觀苦行觀无

BD00990號　無盡意菩薩經（八卷本）卷五　（16–3）

通行不求餘乘行聞諸波羅蜜行聞菩薩藏
行聞諸攝法行聞方便行聞四梵行聞念處
智行聞生方便行聞无生方便行觀不淨行
思惟慈行觀因緣行觀无常行觀苦行觀无
我行觀寂滅行觀空行觀无相行觀无願行觀
无作行作善行持真實行不失行好惡住處防
護心行勤進无懈行善分別諸法行知諸煩惱
非伴侶行護諸善法自伴侶行降伏煩惱非
伴侶行親近正法財行斷諸貧窮行智者所
讚行欣樂利根行衆聖所歡行令非聖者生
歡喜行觀諸諦行觀陰過患行思量有為多
過患行思議行不作一切惡行自利利他行隨
順增進諸善業行進增上行得一切佛法
行舍利弗是名菩薩如其所聞具八十行
舍利弗菩薩摩訶薩行般若波羅蜜具三十
二事善入思惟何等三十二善入受持之善分
別慧善入心柔和善入身獨行善入十二緣善
入不斷善入不常善入因緣生法善入无衆
生无命无人善入无来去住處善入无進不
斷因果善入空不懈善入无相不廢善入无
願不捨善入不證空无相无願善入生諸禪
三昧善入不隨禪定生善入生諸通智善入
不證无漏法善入內觀法善入不證決定善
入思量有為法過患善入不著有為法 善入
觀一切衆生无我而不捨大悲善入一切趣諸

入思量有為法過患善入不著有為法 善入
觀一切衆生无我而不捨大悲善入一切趣諸
怖畏處善入雖生諸趣非業故生善入離欲
善入不證離欲法善入捨所樂欲善入不捨
法樂善入捨一切戲論諸覺善入不捨方便
諸觀舍利弗是名菩薩行般若波羅蜜卌二
事善入思惟又復善思惟者所謂善順句善
順句者是不始句是不終句是不住句是不
依句是不動句是不倚句是平等句是非等
句是真實句是正真句是不變句是清淨句
是永寂句是不然句是不舉句是不下句是
不滅句是不增句是不共句是不戲論句是
如句是不如句是如非如句是非如非不如
句是如實句是三世平等句是三際句是不
住色句是不住受想行識句是不住地大句
是不住水火風句是不住眼界色界眼識界
句是不住耳界聲界耳識界句是不住鼻界
香界鼻識界句是不住舌界味界舌識界句
是不住身界觸界身識界句是不住意界法
界意識界句是念義句是念智句是了義經
句是念法句是名菩薩善入思惟又復善思
惟者所謂一切諸法若我无我如是諸法隨
順觀察若知衆生无有我者即是隨順觀察
諸法如是觀察即是善入思惟如善思惟即
是思惟生死涅槃同一去界觀是二句无有

惟者所謂一切諸法若我无我如是諸法隨
順觀察若知衆生无有我者即是隨順觀察
諸法如是觀察即是善入思惟如善思惟即
是思惟生死涅槃同一法界觀是二句无有
差別如是見者是名勤進善入思惟若觀
黒法及以白法二性平等无有差別是名勤進
善入思惟若觀諸起及以无起不動不持是
名勤進善入思惟若菩薩起善思惟為諸衆
生而不捨離於諸法相亦不分別是名菩薩
發善思惟舍利弗如聞行者如是得入報善
思惟是名為慧舍利弗菩薩慧者有十六法不
於中住云何十六不住无明行識名色六入
觸受愛取有生老死乃至不住无明滅至生
死滅不住根本身見乃至不住六十二見不
住高下乃至不住世法利衰毀譽稱譏苦樂
不住慢慢增上慢勝慢我慢下慢憍慢耶慢
乃至不住廿煩惱不住因貪所起諸結若麁
若細若上中下乃至不住貪欲所起一切諸
結不住癡闇覆蓋諸纏乃至不住因癡所起
一切諸結不住婬欲愛濁不住陰死煩惱天
魔乃至不住因魔所起諸魔事等不住我人
衆生壽命養育士夫乃至不住取衆生相不
住業鄣報鄣法鄣煩惱鄣諸見鄣乃至不住
一切習氣不住思想憶想分別想緣相想境
界見聞覺知乃至不住一切諸結不住隨衆

住業鄣報鄣法鄣煩惱鄣諸見鄣乃至不住
一切習氣不住思想憶想分別想緣相想境
界見聞覺知乃至不住一切諸結不住隨衆
生心行智乃至不住八万四千法聚不住慳
貪布施破戒持戒瞋恚忍辱懈怠精進亂意
禪定愚癡智慧乃至不住諸波羅蜜伴非伴
等不住之亂耶正善不善世間出世間可作不
可作有漏无漏有為无為黒法白法生死涅
槃乃至不住一切諸法伴非伴等不住衆生
異相諸乘異相佛界異相諸佛異相諸法異
相聖衆異相乃至不住一切異相不住知不知
識不識世諦真諦乃至不住一切諸相所諸
菩薩思惟慧者无聞无行无身无相无形无
為如是真慧不住一切憶想思惟心作心住名
字異相舍利弗是名菩薩真智慧者不住如是
十六法中舍利弗云何菩薩慧者處所具八
方便何等八諸陰方便諸界方便諸入方便
諸諦方便諸緣方便三世方便諸乘方便諸
法方便云何諸陰方便若說諸陰如沫如泡
如熱時炎如芭蕉樹如幻如夢如呼聲響如
鏡中像如影如化色如水沫如水沫性非我
非衆生非命非人色亦如是能如是知是名
菩薩觀色方便受喻如泡想喻如炎行如芭
蕉識喻如幻如泡如炎如芭蕉幻性无我无
衆生无命无人受想行識亦復如是能如是

菩薩觀色方便受喻如泡想喻如炎行如芭
蕉識喻如幻如泡如炎如芭蕉幻性无我无
衆生无命无人受想行識亦復如是能如是
知是名菩薩觀受想行識方便諸陰如夢如
嚮如像如影如化如化等性无我无衆生无
命无人是諸陰等亦復如是能如是知是名
菩薩觀陰方便所謂陰者即世間相世間相
者是可壞相如可壞相即无常性苦性无我
性寂滅性能如是知是名菩薩觀陰方便云
何菩薩知界方便法界地界水火風界是法
界中无相无有堅相濕相熱相動相法界眼
界耳界鼻舌身意界是法界中无有見相聞
相齅相別相覺相知相法界色界聲香味觸
法是法界中无明可見相耳可聞相鼻可齅相
舌可別相身可覺相意可知相法界眼識界
耳鼻舌身意識界是法界中无眼識知色乃
至无意識知法界色界法界非色作相乃
至法界亦復如是法界我界无二无別法界
欲界色界无色界我界生死界涅槃界无二
无別法界盡空界一切法界我界空界无相
无願无作不出不生无所有等如涅槃盡空
涅槃及一切法等无有二如是无量有為法
界入无為界能如是知如是說者是名菩
薩知界方便云何菩薩觀入方便如佛所說
眼空我空我所空可以故是眼生中无我无

无願无作不出不生无所有等如涅槃盡空
涅槃及一切法等无有二如是无量有為法
界入无為界能如是知如是說者是名菩
薩知界方便云何菩薩觀入方便如佛所說
眼空我空我所空何以故是眼性中无我无
我所耳鼻舌身意空亦復如是觀是入者見
一切法若善不善无有二相是名菩薩觀入
方便若眼入色入若見眼色入離欲不證離
欲法是名菩薩觀入方便耳入聲入鼻入香入
舌入味入身入觸入意入法入若見離欲不
證離欲法是名菩薩觀入方便所謂入者若聖
入非聖入云何聖入若脩集道云何非聖入
不脩集道若菩薩住道於不脩道者生大悲
心不捨入道是名菩薩觀入方便云何菩薩
觀諦方便所謂甚深難入云何難入若苦智
集智滅智道智苦智者觀陰无生集智者
觀斷愛因滅智者觀无明等諸煩惱无有和合
道智者得平等觀於一切法无所倚著菩薩
若於四聖諦中作如是觀而不取證為化衆
生是名菩薩觀諦方便復有三諦何等三
俗諦第一義諦相諦云何俗諦若世間所用
語言文字假名法等云何第一義諦乃至无
有心行何況當有言語文字云何相諦觀一切
相同於一相一相者即是无相菩薩隨順俗諦
而不猒惓觀第一義諦而不取證觀諸相諦

説言文字假名法等云何第一義諦乃至无
有心行何況當有言語文字云何相諦觀一切
相同於一相一相者即是无相菩薩隨順俗諦
而不猒倦觀第一義諦而不取證觀諸相諦
一相无相是名菩薩觀諦方便復有二諦何
等二俗諦第一義諦何等俗諦若説苦集道
諦若世間言語文字假名法等云何第一義
諦若於涅槃法終不忘失何以故如與法果
其性常故菩薩隨俗不生猒倦觀第一義而
不取證復有一諦何等為一於一切法无所倚
著為化衆生現有所著是名菩薩觀諦方便
復次五陰苦若見五陰苦相是名為苦觀苦
即空是名苦智觀苦聖諦若觀五陰諸煩
惱愛因見因是名為集若觀愛因見因不取不
著不悕不求是名集智觀集聖諦若五陰畢
竟盡相過去已滅未來未生現在不住是
名為滅能如是知是名滅智觀滅聖諦若得
道者證集滅智比智知已是名為道若於是
中悉見空性是名道智觀道聖諦若能如是
觀四聖諦是名菩薩觀諦方便若一切受是名
為苦若於諸受思惟分別是名苦智觀苦聖
諦受因和合是名為集若於受因知如真實
是名集智觀集聖諦若除諸受无受无受者
觀受滅盡不證於滅為化衆生是名滅智觀
滅聖諦若有所受是名為道雖有和合猶如

BD00990號　無盡意菩薩經（八卷本）卷五　（16–10）

諦受因和合是名為集若於受因知如真實
是名集智觀集聖諦若除諸受无受无受者
觀受滅盡不證於滅為化衆生是名滅智觀
滅聖諦若有所受是名為道雖有和合猶如
桄喻不為所受不求於道是名道智觀道聖
諦作如是知見四聖諦清淨平等是名菩薩
觀諦方便復次略説生苦是名為苦若觀於
生是名苦智觀苦聖諦生從因緣是名為集
若觀有非有是名集智觀集聖諦一切生非
生即是非滅若法不生即无有滅是名為滅
若觀此滅即是滅智觀滅聖諦若如是等推
求稱量思惟分別是名為道若滅如是求稱
量等入法門者是名道智觀道聖諦若住於
智不證聖諦是名菩薩觀諦方便云何菩薩
觀緣方便集不善思惟故无明集无明集故
行集行集故名色集名色集故識集識集故
六入集六入集故觸集觸集故受集受集故愛
集愛集故取集取集故有集有集故生集生
集故老死集老死集故憂悲苦惱集若知如
是諸苦聚集是名菩薩觀緣方便若住如是
諸法聚集則不長養无所作无諍訟无有主
无所屬无繫縛所謂若因善法因不善法因
不動法若因向涅槃法如是等法如實分別
若諸衆生根量齊限因是諸根所作諸業若
有受報及非受報善知其因聚集方便是名

BD00990號　無盡意菩薩經（八卷本）卷五　（16–11）

諸法聚集則不長養无所作无諍无有主
无所屬无繫縛所謂若因善法因不善法因
不動法若因向涅槃法如是等法如實分別
若諸衆生根量齊限因是諸根所作諸業若
有受報及非受報善知其因聚集方便是名
菩薩觀緣方便不善思惟滅則无明滅无明
滅故行滅行滅故識滅識滅故名色滅名色
滅故六入滅六入滅故觸滅觸滅故受滅受
滅故愛滅愛滅故取滅取滅故有滅有滅故
生滅生滅故老死滅老死滅故憂悲苦惱諸
苦聚滅若知如是諸苦聚滅是名菩薩觀緣
方便一切諸法屬因屬緣屬和合若法屬因
緣和合是法則不屬我人衆生壽命若法不
屬我人衆生壽命則不入法數能如是知是
名菩薩觀緣方便若菩薩所脩諸法為明菩
提安心菩提如是諸緣悉見滅盡而不取
證為化衆生是名菩薩觀緣方便云何觀三
世方便若念過去已身他身善不善心心數
法不善心法呵嘖毀呰善心數法悉以迴向无
心心數法一向專念菩提之道若起善心願
上菩提是名菩薩觀過去方便若未来世
悉迴向无上菩提所有不善心心數法不令
入心發如是願是名菩薩未來方便若現在
世心心數法善思惟等所作諸業悉以迴向
无上菩提是名菩薩觀現在方便作如是方

悉迴向无上菩提所有不善心心數法不令
入心發如是願是名菩薩未來方便若現在
世心心數法善思惟等所作諸業悉以迴向
无上菩提是名菩薩觀現在方便作如是方
便是名菩薩觀三世方便復次善解三世空
无所有若作是觀觀三世空智慧力故若於
三世諸佛所種无量功德悉以迴向无上菩
提方便力故如是方便是名菩薩觀三世方
便
復次雖見過去盡法不至未來而常脩善精
勤不懈觀未來法雖无生出不捨精進願向
菩提觀現在法雖念念滅其心不忘發趣菩
提如是方便是名菩薩觀三世方便過去已
滅未来未至現在不住雖如是觀心心數法
生滅散壞而常不捨聚集善根助菩提法
如是方便是名菩薩觀三世方便
復次若諸神通念過去世所作善根念已迴
向无上菩提念未来世未生善根願心所當
如意成就現在世中常生善根專念不懈迴
向无上菩提之道如是方便是名菩薩觀三
世方便復次若化衆生念過去世所作善根
助道功德所謂隨衆生心應可化者如其所
樂悉已化訖若未来世所有衆生或須見佛
及諸聖人而得度者隨形應適悉令得度若
現在世所有衆生若應聞法應現神力亦隨

樂悉已化訖若未來世所有衆生或須見佛
及諸聖人而得度者隨形應適悉令得度若
現在世所有衆生若應聞法應現神力亦隨
所應皆悉化之隨所教化諸衆生已則於三
世成自他利如是之利悉爲菩提具无礙智
如是方便是名菩薩觀三世方便
舍利弗云何菩薩觀諸乘方便世有三乘何
等三聲聞乘緣覺乘大乘復有二乘何等二
天乘人乘云何菩薩觀聲聞乘佛未出世无
聲聞乘何以故從他聞法生於正見所謂
聞者持戒威儀威儀具故戒聚具足戒聚具
足已定聚具足定聚具足已慧聚具足慧聚
具足已解脫聚具足解脫聚具足已解脫知
見聚具足如是方便是名菩薩觀聲聞乘方
便復次觀聲聞乘若善不善及不動行心常
毀呰猒離三界觀一切行无常苦无我寂滅
涅槃乃至一念不悕受生常懷怖懼心不甘
樂觀陰如怨家如毒蛇入如空聚於一切趣
不願受生若能如是聞亦分別是名菩薩觀
聲聞乘方便云何菩薩觀緣覺乘方便若緣
覺出世觀其所行如實知之緣覺所行出過
聲聞所有功德欲精進不放逸持戒少聞不
多供養諸佛世尊給侍使令以中根故常有
猒心所作衆事皆悉尠少猒患憒丙常樂遠
離獨住空閑威儀庠序出入凝重安心靜嘿

覺出世觀其所行如實知之緣覺所行出過
聲聞所有功德欲精進不放逸持戒少聞不
多供養諸佛世尊給侍使令以中根故常有
猒心所作衆事皆悉尠少猒患憒丙常樂遠
離獨住空閑威儀庠序出入凝重安心靜嘿
蘭於人事能爲衆生現世福田其心翫樂觀
十二緣常念一法出世涅槃數遊禪定不從
他聞自然覺了少分境界因緣悟道故名緣
覺若能如是聞亦分別是名菩薩觀緣覺乘
方便云何菩薩觀大乘方便其乘无量令於
此中當說少分是乘无量悉能容受一切衆生
无罣礙故是乘增長一切善根令无量衆生
得受用故是乘具足諸波羅蜜能隨衆生心
行化故是乘能過助道之法進趣无礙至道
場故是乘平等无礙光明照於一切无量衆
生悉堪受故是乘无畏過怯弱道悉能示現
諸佛法故是乘能壞一切諸魔外道耶衆了
十二緣建立佐助菩提幢故是乘能除一切
諸邊有无斷常因緣諸見所起煩惱鄣礙覆
蓋疑网調戲得佛无礙真智慧故是乘富足
具諸珍寶真實不盡能益衆生大悲勇猛
本願成就故是乘具足十力无畏不共之法
相好嚴身身口意故如是方便是名菩薩觀
大乘方便

大方等大集經卷第五

場故是乘平等无礙光明照於一切无量衆
生悉堪受故是乘无畏過性得道悉能示現
諸佛法故是乘能壞一切諸魔外道耶衆了
十二緣建立佐助菩提幢故是乘能除一切
諸邊有无斷常因緣諸見所起煩惱鄣礙覆
蓋疑网調戲得佛无礙真智慧故是乘富足
具諸珎寶真實不盡能益衆生大悲勇猛
本願成就故是乘具足十力无畏不共之法
相好嚴身身口意故如是方便是名菩薩觀
大乘方便

大方等大集經卷第五　　八卷成部者

BD00990 號　無盡意菩薩經（八卷本）卷五　　（16–16）

大乘无量壽經
如是我聞一時薄伽梵在舍衛國祇樹給孤獨園與大苾芻僧千二百五十人大菩薩摩訶
薩衆俱同會坐尒時世尊告曼殊室利童子曼殊上方有世界名无量功德聚彼土有
佛号无量智决定王如來阿耨多羅三藐三菩提現為衆生開示說法曼殊諦聽南閻浮提人
皆短壽大限百年於中夭枉横死者衆曼殊如是无量壽如來功德名稱法要若有衆生得聞名号
若自書或使人書能為經卷受持讀誦若於舍宅所住之處以種種花鬘瓔珞塗香末香而為供
養如其命盡復得延年滿足百歲如是曼殊若有衆生得聞是无量壽智决定王如來一百八
名号者益其長壽若有衆生大命將盡憶念是如來名号更得增壽如是曼殊若有善
男子善女人欲求長壽於是无量壽如來一百八名号有持聞者或自書若使人書受持讀
誦得如是等果報福德具足陁羅尼曰
南謨薄伽勃底一　阿波唎蜜哆二　阿喻紇硯娜三　須毗你失指陁四　囉佐耶五　怛他羯他耶六　怛姪他唵七
薩婆桑悉迦羅八　波唎輸底九　達磨底十　伽伽娜十一　莎訶某特迦底十二　薩婆婆毗輸底十三
摩訶娜耶十四　波唎婆羅莎訶　十五
世尊復告曼殊室利如是如來一百八名号若有自書寫或使人書寫為經卷受持讀誦如壽
命盡復満百年壽終之身後得往生无量福智世界無量壽淨土陁羅尼曰
南謨薄伽勃底一　阿波唎蜜多二　阿喻紇硯娜三　須毗你失指陁四　囉佐耶五　怛他羯他耶六　怛姪他唵七
薩婆桑悉迦羅八　波唎輸底九　達磨底十　伽伽娜十一　莎訶某特迦底十二　薩婆婆毗輸底十三
摩訶娜耶十四　波唎婆羅莎訶十五
尒時有九十九姟佛等一時同聲說是无量壽宗要經陁羅尼曰
南謨薄伽勃底一　阿波唎蜜哆二　阿喻紇硯娜三　須毗你失指陁四　囉佐耶五　怛他羯他耶六　怛姪他唵七
薩婆桑悉迦羅八　波唎輸底九　達磨底十　伽伽娜十一　莎訶某特迦底十二　薩婆婆毗輸底十三　摩訶
娜耶十四　波唎婆羅莎訶十五
尒時復有一百四姟佛一時同聲說是无量壽宗要經陁羅尼曰

BD00991 號　無量壽宗要經　　（6–1）

尒時有九十九姟佛等一時同聲說是无量壽宗要經陀羅尼曰
南謨薄伽勃底一 阿波唎蜜多二 阿喻紇硯那三 須毗你悉指陀四 囉佐耶五 怛他羯他耶六 怛姪他唵七
薩婆桑悉迦囉八 波唎輸底九 達磨底十 伽迦那十一 莎訶某特迦底十二 薩婆婆毗輸底十三 摩訶
娜耶十四 波唎婆羅莎訶十五
尒時復有一百姟佛時同聲說是无量壽宗要經陀羅尼曰
南謨薄伽勃底一 阿波唎蜜多二 阿喻紇硯那三 須毗你悉指陀四 囉佐耶五 怛他羯他耶六 怛姪他唵七
薩婆桑悉迦囉八 波唎輸底九 達磨底十 伽迦那十一 莎訶某特迦底十二 薩婆婆毗輸底十三 摩訶
娜耶十四 波唎婆羅莎訶十五
尒時復有七姟佛時同聲說是无量壽宗要經陀羅尼曰
南謨薄伽勃底一 阿波唎蜜多二 阿喻紇硯那三 須毗你悉指陀四 囉佐耶五 怛他羯他耶六 怛姪他唵七 薩婆
桑悉迦囉八 波唎輸底九 達磨底十 伽迦那十一 莎訶某特迦底十二 薩婆婆毗輸底十三 摩訶
娜耶十四 波唎婆羅莎訶十五
尒時復有六十五姟佛一時同聲說是无量壽宗要經陀羅尼曰
南謨薄伽勃底一 阿波唎蜜多二 阿喻紇硯那三 須毗你悉指陀四 囉佐耶五 怛他羯他耶六 怛姪他唵七
薩婆桑悉迦囉八 波唎輸底九 達磨底十 伽迦那十一 莎訶某特迦底十二 薩婆婆毗輸底十三
摩訶娜耶十四 波唎婆羅莎訶十五
尒時復有五十五姟佛一時同聲說是无量壽宗要經陀羅尼曰
南謨薄伽勃底一 阿波唎蜜多二 阿喻紇硯那三 須毗你悉指陀四 囉佐耶五 怛他羯他耶六 怛姪他唵七 薩
婆桑悉迦囉八 波唎輸底九 達磨底十 伽迦那十一 莎訶某特迦底十二 薩婆婆毗輸底十三 摩訶娜
耶十四 波唎婆羅莎訶十五
尒時復有四十五姟佛一時同聲說是无量壽宗要經陀羅尼曰
南謨薄伽勃底一 阿波唎蜜多二 阿喻紇硯那三 須毗你悉指陀四 囉佐耶五 怛他羯他耶六 怛姪他唵七 薩婆
桑悉迦囉八 波唎輸底九 達磨底十 伽迦那十一 莎訶某特迦底十二 薩婆婆毗輸底十三 摩訶
娜耶十四 波唎婆羅莎訶十五
尒時復有三十六姟佛一時同聲說是无量壽宗要經陀羅尼曰
南謨薄伽勃底一 阿波唎蜜多二 阿喻紇硯那三 須毗你悉指陀四 囉佐耶五 怛他羯他耶六 怛姪他唵七 薩婆
桑悉迦囉八 波唎輸底九 達磨底十 伽迦那十一 莎訶某特迦底十二 薩婆婆毗輸底十三 摩訶娜
耶十四 波唎婆羅莎訶十五
尒時復有廿五姟佛一時同聲說是无量壽宗要經陀羅尼曰
南謨薄伽勃底一 阿波唎蜜多二 阿喻紇硯那三 須毗你悉指陀四 囉佐耶五 怛他羯他耶六 怛姪他唵七 薩婆
桑悉迦囉八 波唎輸底九 達磨底十 伽迦那十一 莎訶某特迦底十二 薩婆婆毗輸底十三 摩訶

桑悉迦囉八 波唎輸底九 達磨底十 伽迦那十一 莎訶某特迦底十二 薩婆婆毗輸底十三 摩訶娜
耶十四 波唎婆羅莎訶十五
尒時復有廿五姟佛一時同聲說是无量壽宗要經陀羅尼曰
南謨薄伽勃底一 阿波唎蜜多二 阿喻紇硯那三 須毗你悉指陀四 囉佐耶五 怛他羯他耶六 怛姪他唵七 薩婆
桑悉迦囉八 波唎輸底九 達磨底十 伽迦那十一 莎訶某特迦底十二 薩婆婆毗輸底十三 摩訶
娜耶十四 波唎婆羅莎訶十五
尒時復有恒河沙姟佛一時同聲說是无量壽宗要經陀羅尼曰
南謨薄伽勃底一 阿波唎蜜多二 阿喻紇硯那三 須毗你悉指陀四 囉佐耶五 怛他羯他耶六 怛姪他唵七 薩
婆桑悉迦囉八 波唎輸底九 達磨底十 伽迦那十一 莎訶某特迦底十二 薩婆婆毗輸底十三 摩訶娜
耶十四 波唎婆羅莎訶十五
善男子若有自書寫教人書寫是无量壽宗要宗經知其命盡復得長壽而滿年陀羅尼曰
南謨薄伽勃底一 阿波唎蜜多二 阿喻紇硯那三 須毗你悉指陀四 囉佐耶五 怛他羯他耶六 怛姪他
唵七 薩婆桑悉迦囉八 波唎輸底九 達磨底十 伽迦那十一 莎訶某特迦底十二 薩婆婆毗輸底十三
摩訶娜耶十四 波唎婆羅莎訶十五
若有自書寫教人書寫是无量壽宗要經讀誦受持畢竟不墮地獄在在所生得宿命智陀羅尼曰
南謨薄伽勃底一 阿波唎蜜多二 阿喻紇硯那三 須毗你悉指陀四 囉佐耶五 怛他羯他耶六 怛姪他唵七
薩婆桑悉迦囉八 波唎輸底九 達磨底十 伽迦那十一 莎訶某特迦底十二 薩婆婆毗輸底十三 摩
訶娜耶十四 波唎婆羅莎訶十五
若有自書寫教人書寫是无量壽宗要經受持讀誦知同書寫八万四千一切經典陀羅尼曰
南謨薄伽勃底一 阿波唎蜜多二 阿喻紇硯那三 須毗你悉指陀四 囉佐耶五 怛他羯他耶六 怛姪他唵七
薩婆桑悉迦囉八 波唎輸底九 達磨底十 伽迦那十一 莎訶某特迦底十二 薩婆婆毗輸底十三
摩訶娜耶十四 波唎婆羅莎訶十五
若有自書寫教人書寫是无量壽宗要經即是書寫八万四千部建立塔廟陀羅尼曰
南謨薄伽勃底一 阿波唎蜜多二 阿喻紇硯那三 須毗你悉指陀四 囉佐耶五 怛他羯他耶六 怛姪他唵七
薩婆桑悉迦囉八 波唎輸底九 達磨底十 伽迦那十一 莎訶某特迦底十二 薩婆婆毗輸底十三 摩
訶娜耶十四 波唎婆羅莎訶十五
若有自書寫教人書寫是无量壽宗要經能消五无間等一切重罪陀羅尼曰
南謨薄伽勃底一 阿波唎蜜多二 阿喻紇硯那三 須毗你悉指陀四 囉佐耶五 怛他羯他耶六 怛姪他唵七 薩
婆桑悉迦囉八 波唎輸底九 達磨底十 伽迦那十一 莎訶某特迦底十二 薩婆婆毗輸底十三 摩
訶娜耶十四 波唎婆羅莎訶十五
若有自書寫教人書寫是无量壽宗要經受持讀誦設有重罪猶如須彌盡能除滅陀羅尼曰

南謨薄伽勃底一阿波唎蜜多二阿箚紇硯娜三須毗你失指陁四囉佐耶五怛他羯他耶六怛姪他唵七薩
婆桑悉迦囉八波唎輸底九達磨底十伽迦娜十一莎訶某特迦底十二薩婆婆毗輸底十三摩
訶娜耶十四波唎婆囉莎訶十五
若有自書寫教人書寫是无量壽宗要經受持讀誦設有重罪猶如須彌盡能除滅陁羅尼曰
南謨薄伽勃底一阿波唎蜜多二阿箚紇硯娜三須毗你失指陁四囉佐耶五怛他羯他耶六怛姪他唵七
薩婆桑悉迦囉八波唎輸底九達磨底十伽迦娜十一莎訶某特迦底十二薩婆婆毗輸底十三摩
訶娜耶十四波唎婆囉莎訶十五
若有自書寫教人書寫是无量壽宗要經受持讀誦若魔魔之眷屬夜叉羅刹不得其便終
无枉死陁羅尼曰　南謨薄伽勃底一阿波唎蜜多二阿箚紇硯娜三須毗你失指陁四囉佐耶五
怛他羯他耶六怛姪他唵七薩婆桑悉迦囉八波唎輸底九達磨底十伽迦娜十一莎訶某特迦底十二薩
婆婆毗輸底十三摩訶娜耶十四波唎婆囉莎訶十五
若有自書寫教人書寫是无量壽宗要經受持讀誦當命終時有九十九俱胝佛現其人前來
手佛授手飛遊一切佛刹莫於此經生於疑惑陁羅尼曰
南謨薄伽勃底一阿波唎蜜多二阿箚紇硯娜三須毗你失指陁四囉佐耶五怛他羯他耶六怛姪他唵
薩婆桑悉迦囉八波唎輸底九達磨底十伽迦娜十一莎訶某特迦底十二薩婆婆毗輸底十三
摩訶娜耶十四波唎婆囉莎訶十五
若有自書寫教人書寫是无量壽宗要經受持讀誦常得四天大王隨其衛護陁羅
尼曰　南謨薄伽勃底一阿波唎蜜多二阿箚紇硯娜三須毗你失指陁四囉佐耶五怛他羯他耶六
怛姪他唵七薩婆桑悉迦囉八波唎輸底九達磨底十伽迦娜十一莎訶某特迦底十二薩婆婆
毗輸底十三摩訶娜耶十四波唎婆囉莎訶十五
若有自書寫教人書寫是无量壽宗要經受持讀誦當得往生西方極樂世界阿彌陁佛土
陁羅尼曰　南謨薄伽勃底一阿波唎蜜多二阿箚紇硯娜三須毗你失指陁四囉佐耶五怛他羯他耶六
怛姪他唵七薩婆桑悉迦囉八波唎輸底九達磨底十伽迦娜十一莎訶某特迦底十二薩婆婆毗輸底十三
摩訶娜耶十四波唎婆囉莎訶十五
若有方所書寫使人書寫是无量壽經典之處則爲是塔皆應恭敬作礼若是畜生或爲鳥獸得
聞是經如是等類皆當不久得成一切種智陁羅尼曰
南謨薄伽勃底一阿波唎蜜多二阿箚紇硯娜三須毗你失指陁四囉佐耶五怛他羯他耶六怛姪他唵七薩
婆桑悉迦囉八波唎輸底九達磨底十伽迦娜十一莎訶某特迦底十二薩婆婆毗輸底十三摩
訶娜耶十四波唎婆囉莎訶十五
若有我是无量壽經自書寫若使人書畢竟不受女人之身陁羅尼曰
南謨薄伽勃底一阿波唎蜜多二阿箚紇硯娜三須毗你失指陁四囉佐耶五怛他羯他耶六怛姪他唵七薩

BD00991號　無量壽宗要經　（6–4）

訶娜耶十四波唎婆囉莎訶十五
若有我是无量壽經自書寫若使人書畢竟不受女人之身陁羅尼曰
南謨薄伽勃底一阿波唎蜜多二阿箚紇硯娜三須毗你失指陁四囉佐耶五怛他羯他耶六怛姪他唵七薩
婆桑悉迦囉八波唎輸底九達磨底十伽迦娜十一莎訶某特迦底十二薩婆婆毗輸底十三摩訶娜
耶十四波唎婆囉莎訶十五
若有能於是經少分能惠施者等於三千大千世界滿中七寶布施陁羅尼曰
南謨薄伽勃底一阿波唎蜜多二阿箚紇硯娜三須毗你失指陁四囉佐耶五怛他羯他耶六怛姪他唵七薩
婆桑悉迦囉八波唎輸底九達磨底十伽迦娜十一莎訶某特迦底十二薩婆婆毗輸底十三摩訶娜
耶十四波唎婆囉莎訶十五
若有能供養是經者則是供養一切諸經等无有異陁羅尼曰
南謨薄伽勃底一阿波唎蜜多二阿箚紇硯娜三須毗你失指陁四囉佐耶五怛他羯他耶六怛姪他唵七
薩婆桑悉迦囉八波唎輸底九達磨底十伽迦娜十一莎訶某特迦底十二薩婆婆毗輸底十三摩
訶娜耶十四波唎婆囉莎訶十五
如是毗婆尸佛尸棄佛毗舍浮佛俱留孫佛俱那含牟尼佛迦葉佛釋迦牟尼佛若有人以七寶
供養如是七佛其福有限書寫受持是无量壽經典所有功德不可限量陁羅尼曰
南謨薄伽勃底一阿波唎蜜多二阿箚紇硯娜三須毗你失指陁四囉佐耶五怛他羯他耶六怛姪他唵七薩
婆桑悉迦囉八波唎輸底九達磨底十伽迦娜十一莎訶某特迦底十二薩婆婆毗輸底十三摩訶
娜耶十四波唎婆囉莎訶十五
若有七寶善於須彌以用布施其福上能知其限量是无量壽經典其福不可知數陁羅尼曰
南謨薄伽勃底一阿波唎蜜多二阿箚紇硯娜三須毗你失指陁四囉佐耶五怛他羯他耶六怛姪他唵七薩婆
桑悉迦囉八波唎輸底九達磨底十伽迦娜十一莎訶某特迦底十二薩婆婆毗輸底十三摩訶娜耶十四
波唎婆囉莎訶十五
如是四大海水可知滴數是无量壽經典所生果報不可數量陁羅尼曰
南謨薄伽勃底一阿波唎蜜多二阿箚紇硯娜三須毗你失指陁四囉佐耶五怛他羯他耶六怛姪他唵七薩
婆桑悉迦囉八波唎輸底九達磨底十伽迦娜十一莎訶某特迦底十二薩婆婆毗輸底十三摩訶娜
耶十四波唎婆囉莎訶十五
若有自書寫使人書寫是无量壽經典又能護持供養即如恭敬供養一切十方佛土如來无有
別異陁羅尼曰　南謨薄伽勃底一阿波唎蜜多二阿箚紇硯娜三須毗你失指陁四囉佐耶五
怛他羯他耶六怛姪他唵七薩婆桑悉迦囉八波唎輸底九達磨底十伽迦娜十一莎訶某特迦底十二
薩婆婆毗輸底十三摩訶娜耶十四波唎婆囉莎訶十五
布施力能成正覺　悟布施力人師子　布施力能聲普聞　慈悲心間衛最能　入

BD00991號　無量壽宗要經　（6–5）

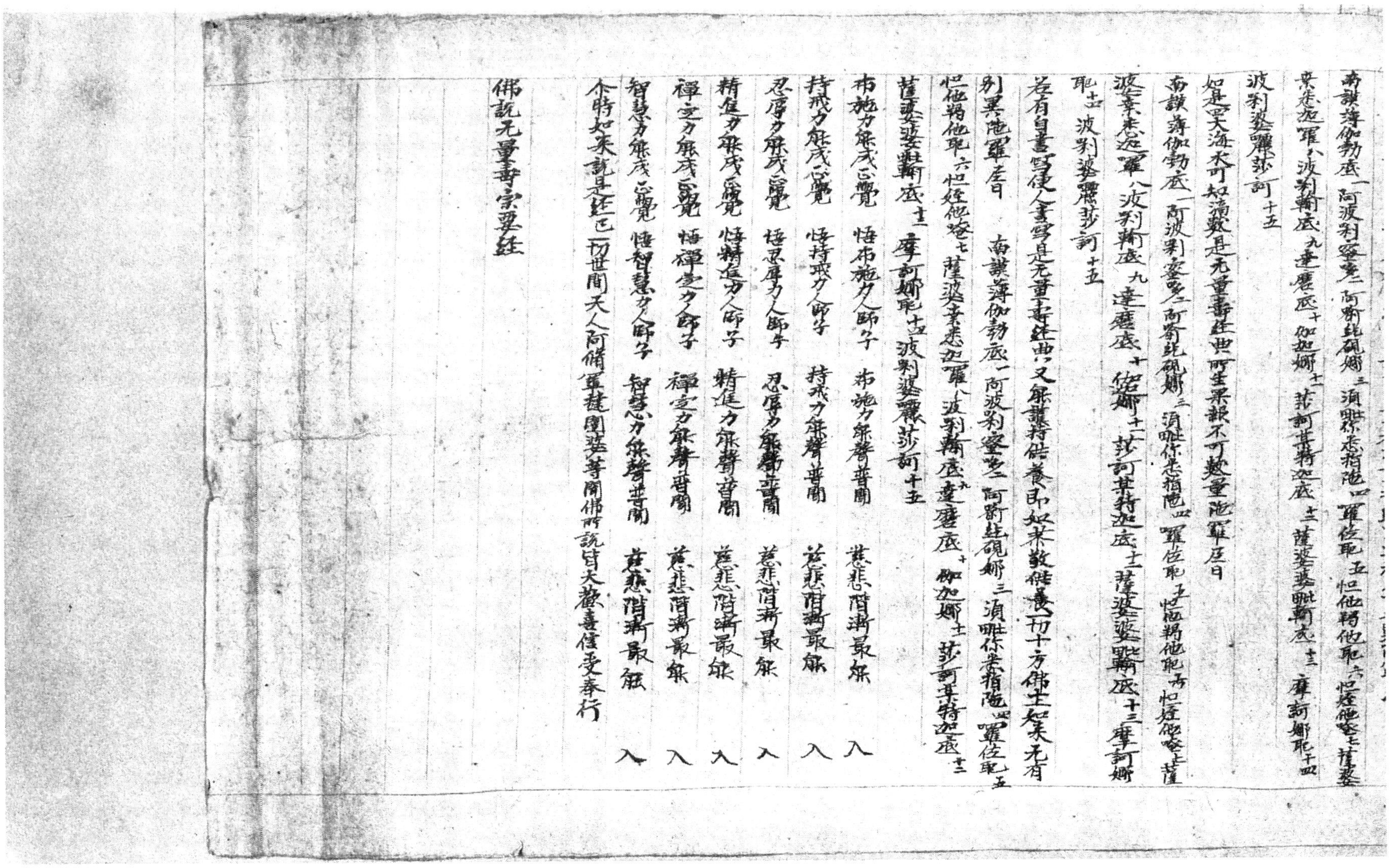

南謨薄伽勃底一阿波利蜜多二阿喻紇硯娜三須毗你悉指陀四囉佐耶五怛他羯他耶六怛姪他七薩婆
桑悉迦囉八波利輸底九達磨底十伽伽娜十一莎訶莎揭娑底十二薩婆娑毗輸底十三摩訶娜耶十四
波利婆囉莎訶十五
如是四大海水可知滴數，是无量壽經典所生果報不可數量。陀羅尼曰
南謨薄伽勃底一阿波利蜜多二阿喻紇硯娜三須毗你悉指陀四囉佐耶五怛他羯他耶六怛姪他七薩
婆桑悉迦囉八波利輸底九達磨底十伽伽娜十一莎訶莎揭娑底十二薩婆娑毗輸底十三摩訶娜
耶十四波利婆囉莎訶十五
若有自書寫、使人書寫是无量壽經典，受持供養，即如來敬供養一切十方佛土，如來无有
別異。陀羅尼曰　南謨薄伽勃底一阿波利蜜多二阿喻紇硯娜三須毗你悉指陀四囉佐耶五
怛他羯他耶六怛姪他七薩婆桑悉迦囉八波利輸底九達磨底十伽伽娜十一莎訶莎揭娑底十二
薩婆娑毗輸底十三摩訶娜耶十四波利婆囉莎訶十五
布施力能成正覺　悟布施力人師子　布施力能聲普聞　慈悲階滿最能入
持戒力能成正覺　悟持戒力人師子　持戒力能聲普聞　慈悲階滿最能入
忍辱力能成正覺　悟忍辱力人師子　忍辱力能聲普聞　慈悲階滿最能入
精進力能成正覺　悟精進力人師子　精進力能聲普聞　慈悲階滿最能入
禪定力能成正覺　悟禪定力人師子　禪定力能聲普聞　慈悲階滿最能入
智慧力能成正覺　悟智慧力人師子　智慧力能聲普聞　慈悲階滿最能入
尒時如來說是經已，一切世間天人阿脩羅乾闥婆等，聞佛所說，皆大歡喜，信受奉行。
佛說无量壽宗要經

BD00991 號　無量壽宗要經　（6–6）

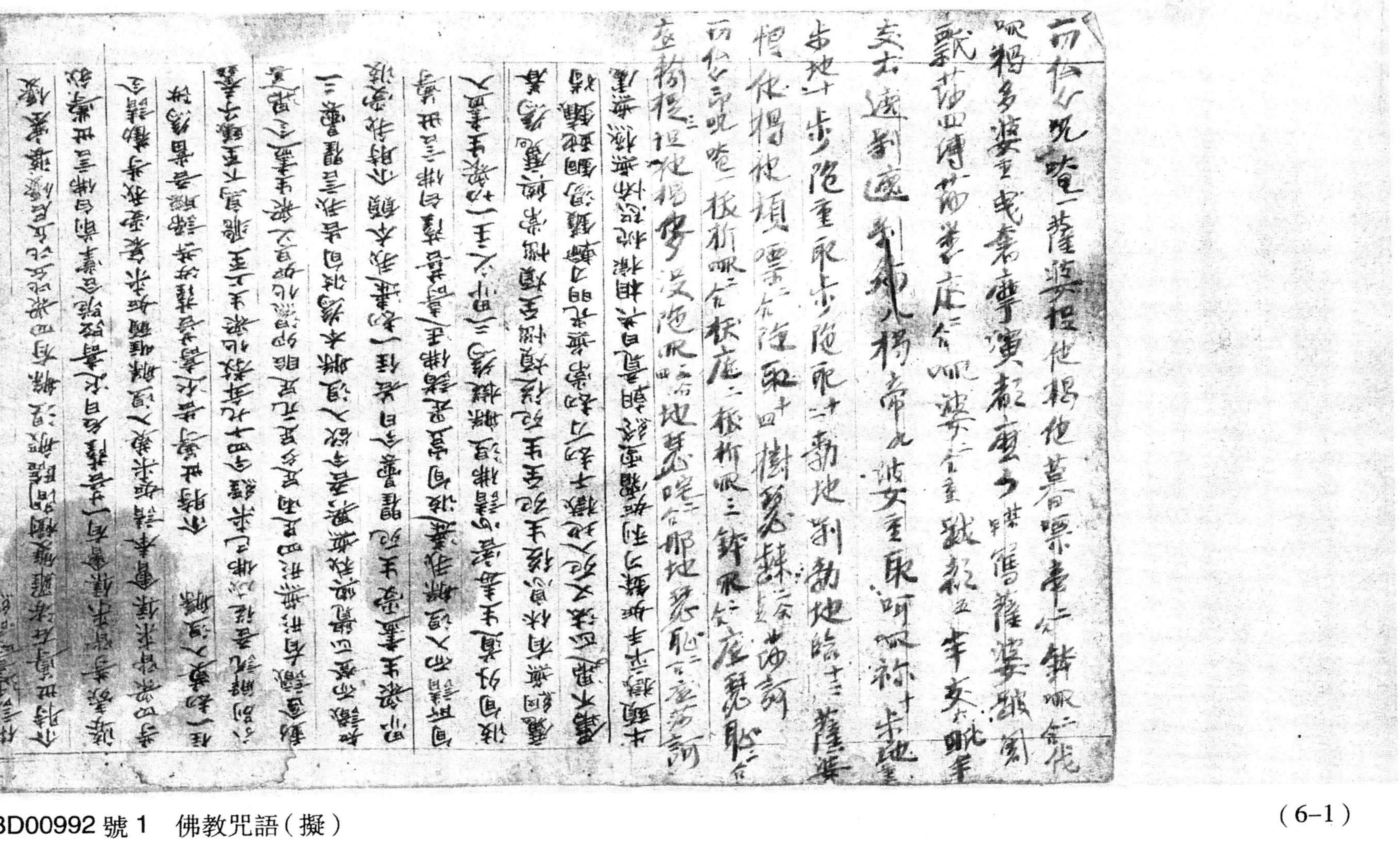

BD00992 號 1　佛教咒語（擬）　（6–1）
BD00992 號 2　延壽命經（大本）

樂无有怨賊劫竊之患城邑聚落无閉門者
亦无衰惱水火刀兵及諸飢饉毒害之難人
常慈心恭敬和順調伏諸根語言謙遜舍利
弗我今為汝粗略說彼國界城邑富樂之事
其諸園林池泉之中自然而有八功德水青紅
赤白雜色蓮華遍覆其上其池四邊有四寶
階道衆鳥和集鵝鴨鴛鴦孔雀翡翠鸚鵡
舍利鳩那羅耆婆耆婆等諸妙音鳥常在其
中復有異類妙音之鳥不可稱數菓樹香樹
充滿國內
尒時閻浮提中常有好香譬如香山流水美好
味甘除患雨澤隨時穀稼滋茂不生草穢一種
七穫用功甚少所收甚多食之香美氣力充實
其國尒時有轉輪王名曰蠰佉有四種兵不以威
武治四天下其王千子勇健多力能破怨敵王
有七寶金輪寶象寶馬寶珠寶女寶主藏寶
主兵寶又其國土有七寶臺舉高千丈千頭
千輪廣六十丈又有四大藏一一大藏各有四

BD00992 號 3　彌勒下生成佛經（鳩摩羅什本）　（6–2）

其國尒時有轉輪王名曰蠰佉有四種兵不以威
武治四天下其王千子勇健多力能破怨敵王
有七寶金輪寶象寶馬寶珠寶女寶主藏寶
主兵寶又其國土有七寶臺舉高千丈千頭
千輪廣六十丈又有四大藏一一大藏各有四
億小藏圍遶伊勒鉢大藏在乹陁羅國般軸
迦大藏在弥提羅國賓伽羅大藏在須羅吒
國蠰佉大藏在波羅㮈國此四大藏縱廣千
由旬滿中珍寶各有四億小藏附之有四大
龍王各自守護此四大藏及諸小藏自然涌出形
如蓮華无數人皆共往觀是時衆寶无守護
者衆人見之心不貪著棄之於地猶如凡石
草木土塊時人見者皆生猒心而作是念往
昔衆生為此寶故共相殘害更相偷劫欺誑
妄語令生死罪緣展轉增長翅頭末城衆寶
羅網弥覆其上寶鈴莊嚴微風吹動其聲和
雅如扣鍾磬其城中有大婆羅門主名曰妙梵
婆羅門女名曰梵摩波提弥勒託生以為父母身
紫金色三十二相衆生視之无有猒足身力无
量不可思議光明照耀无所障礙日月火珠都
不復現身長千尺胷廣三十丈面長二丈四尺
身體具足端政无比成就相好如鑄金像肉眼清淨
見十由旬常光四照面百由旬日月珠火光不復
現但有佛光殊妙第一弥勒菩薩觀世五欲致
患甚多衆生沉沒在大生死甚可憐愍自以如
是正念觀故不樂在家時蠰佉王共諸大臣持
此寶臺奉上弥勒弥勒受已施諸婆羅門婆羅

BD00992 號 3　彌勒下生成佛經（鳩摩羅什本）　（6–3）

見十由旬常光四照面百由旬日月珠火光不復
現但有佛光殊妙第一弥勒菩薩觀世五欲致
患甚多衆生沉沒在大生死甚可憐愍自以如
是正念觀故不樂在家時蠰佉王共諸大臣持
此寶臺奉上弥勒弥勒受已施諸婆羅門婆羅
門受已即便毀壞各共分之弥勒菩薩見此
妙臺須申无常知一切法皆亦磨滅脩无常相
出家學道坐於龍華菩提樹下樹莖枝葉高五
十里即以出家日得阿耨多羅三藐三菩提尒時
諸天龍神王不現其身而雨華香供養於佛三
千大千世界皆大震動佛身出光照无量國
應可度者皆得見佛
尒時人民各作是念我等雖復千万億歲受五欲
樂不能得免三惡道苦妻子財產所不能救世
間无常命難久保我等今者宜於佛法脩行梵
行作是念已出家學道時蠰佉王亦共八萬四千
大臣恭敬圍遶出家學道復有八萬四千諸
婆羅門聡明大智於佛法中亦共出家復有
長者名須達那今須達長者是是人亦與
八萬四千人俱共出家復有梨師達多富
蘭那兄弟亦與八萬四千人出家復有二
大臣一名栴檀二名須蔓王所愛重亦與八
万四千人俱於佛法中出家蠰佉王寶女名
舍弥婆帝今之毗舍佉是亦與八萬四千綵女俱
共出家蠰佉王太子名曰天色今提婆那是亦
與八萬四千人俱共出家弥勒佛親族婆羅
門子名須摩提利根智慧今欝多羅是亦與

BD00992 號 3　彌勒下生成佛經（鳩摩羅什本）　（6–4）

大臣一名栴檀二名須蔓王所愛重亦與八
万四千人俱於佛法中出家蠰佉王寶女名
舍弥婆帝今之毗舍佉是亦與八萬四千綵女俱
共出家蠰佉王太子名曰天色今提婆那是亦
與八萬四千人俱共出家弥勒佛親族婆羅
門子名須摩提利根智慧今欝多羅是亦與
八萬四千人俱於佛法中出家如是等无量千
萬億衆見世苦惱皆於弥勒佛法中出家尒
時弥勒佛見諸大衆作是念言今諸人等不以
生天樂故亦復不為今世樂故來至我所但為涅
槃常樂因緣是諸人等皆於佛法中種諸善根
釋迦牟尼佛遣來付我是故今者皆至我所
我今受之是諸人等或以讀誦分別決定脩妬
路毗尼阿毗曇藏脩諸功德來至我所或以衣食
施人持戒智慧脩此功德來至我所或以幡
蓋華香供養於佛脩此功德來至我所或以
布施持齋脩習慈心行此功德來至我所或以
苦惱衆生令其得樂脩此功德來至我所或
以持戒忍辱脩清淨慈以此功德來至我所
或以施僧常食齋講設會供養飯食脩此
功德來至我所或以持戒多聞脩行禪定
无漏智慧以此功德來至我所或有起塔
供養舍利以此功德來至我所善哉釋迦
牟尼佛能善教化如是等百千萬億衆生令
至我所弥勒佛如是三稱讚釋迦牟尼佛然
後說法而作是言汝等衆生能為難事於彼
惡世貪欲瞋恚愚癡迷惑短命人中能脩持

BD00992 號 3　彌勒下生成佛經（鳩摩羅什本）　（6–5）

槃常樂因緣是諸人等皆於佛法中種諸善根
釋迦牟尼佛遣來付我是故今者皆至我所
我今受之是諸人等或以讀誦分別決定脩妬
路毗尼阿毗曇藏脩諸功德來至我所或以衣食
施人持戒智慧脩此功德來至我所或以幡
蓋華香供養於佛脩此功德來至我所或以
布施持齋脩習慈心行此功德來至我所或以
苦惱衆生令其得樂脩此功德來至我所或
以持戒忍辱脩清淨慈以此功德來至我所
或以施僧常食齋講設會供養飯食脩此
功德來至我所或以持戒多聞脩行禪定
无漏智慧以此功德來至我所或有起塔
供養舍利以此功德來至我所善哉釋迦
牟尼佛能善教化如是等百千萬億衆生令
至我所彌勒佛如是三稱讚釋迦牟尼佛然
後說法而作是言汝等衆生能爲難事於彼
惡世貪欲嗔恚愚癡迷惑短命人中能脩持
戒作諸功德甚爲希有

BD00992 號 3　彌勒下生成佛經（鳩摩羅什本）　（6–6）

伽盈泮蕫鉢囉夜訶多馳泮婆冢鉢唲那那河柰
唲尾哩唲般那蔦唲夜泮謎至麼々努羌多
唖唴蚍唲室多跋々室多唖嗟多室多嚧洒擇
字由噴那薩他阿囌多剎那尸麼濕喻葛蹊
形伎唲尾娜濕喻葛蹊形麼嚕窠濕喻葛蹊形
麼曩盤喻葛蹊形恒怛姪他㖿那含阿那含
尾舍麟底尾気底哫唲唻唲婆嘐唲犍哯伴
他伴他婆嘐唲跛㕧吽吽泮泮莎訶　吽吽嚕盤
但泮莎訶　怛姪他竜咄嚕吽泮陁嗒叉嗏叉婆訶
唵吽咜嚕伴陁嚩婆嘐跛㕧吽吽泮泮莎訶吽吽
嚕盤他泮莎訶　怛姪他唵咜嚕吽吽陁泮陁泮
陁嗒叉嗏叉莎訶　唵吽咜嚕泮陁泮陁　嗏叉嗏叉
跋樓唲㕧你吽吽吽莎訶　唵怛他揭都烏瑟尼沙
央那婆盧克多怛嘌他帝寃唲尸唵唖唲
莎唲諾哥議哥尾謎哥尾謎哥榛唲榛唲尾
榛唲尾榛唲真那真那頻那頻那吽吽泮泮莎訶
唵薩縛怛他揭都烏瑟尼沙　吽叭莎訶　怛姪
他阿那含阿那含　濕羌那濕羌那尾唲嚧形嚧形薩
婆縛羊徽涅羌叉那涅木底薩嬰哩他揭都烏
瑟尼沙羌多得鉢怛囉吽叭唵麼々吽你莎訶

BD00992 號背 1　佛教咒語（擬）　（5–1）

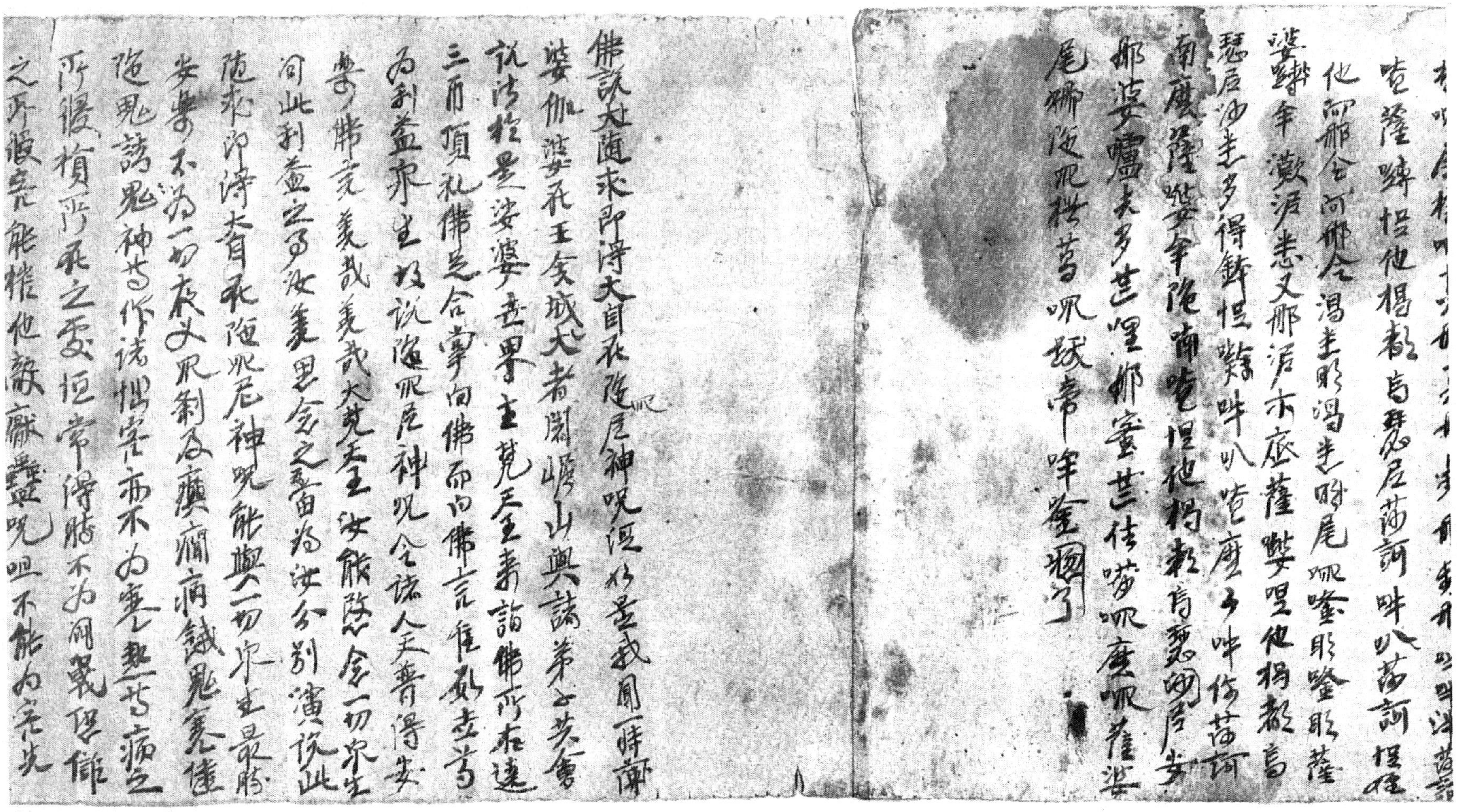

BD00992 號背 2　隨求即得大自在陀羅尼神咒經　（5–2）

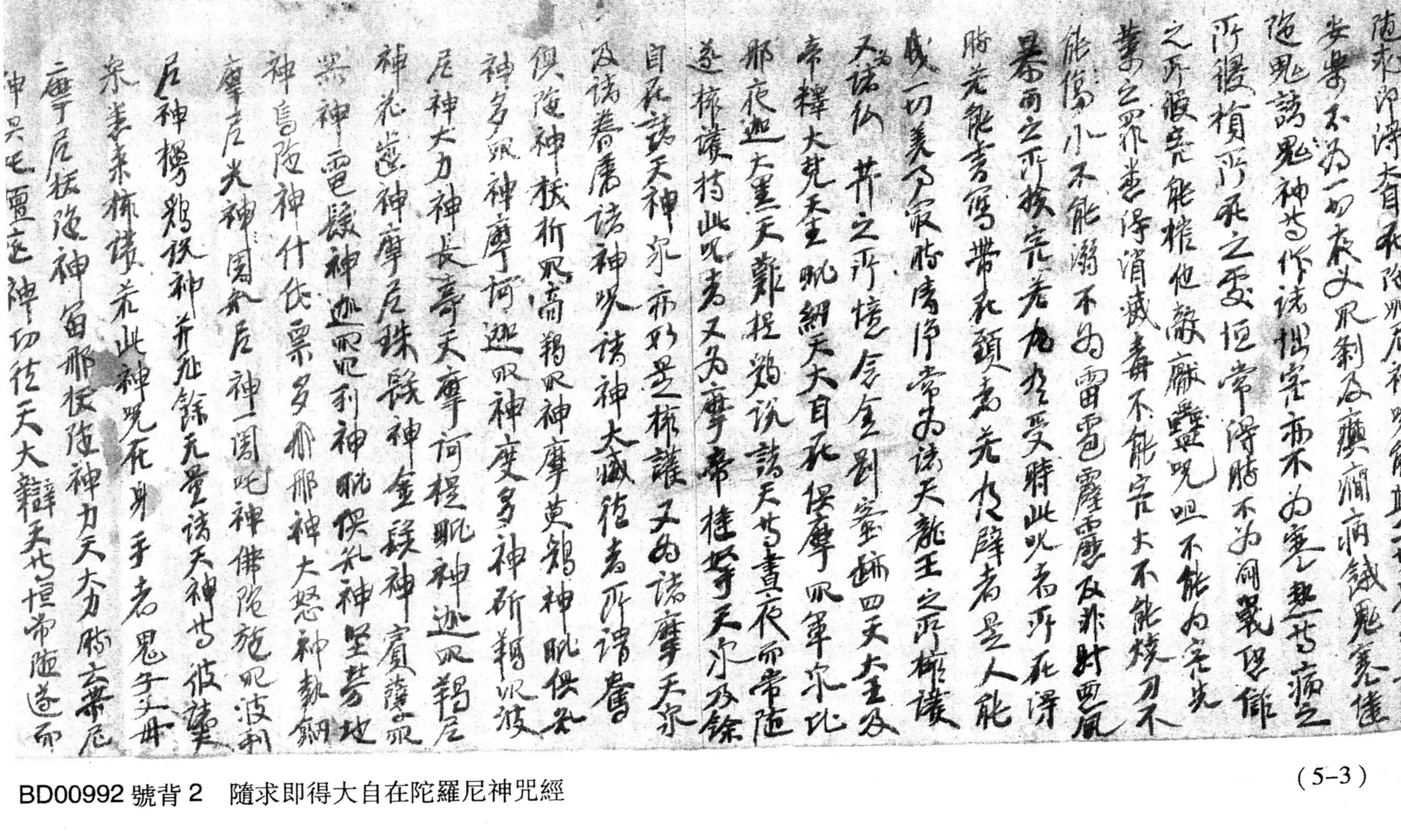

BD00992 號背 2　隨求即得大自在陀羅尼神咒經　（5–3）

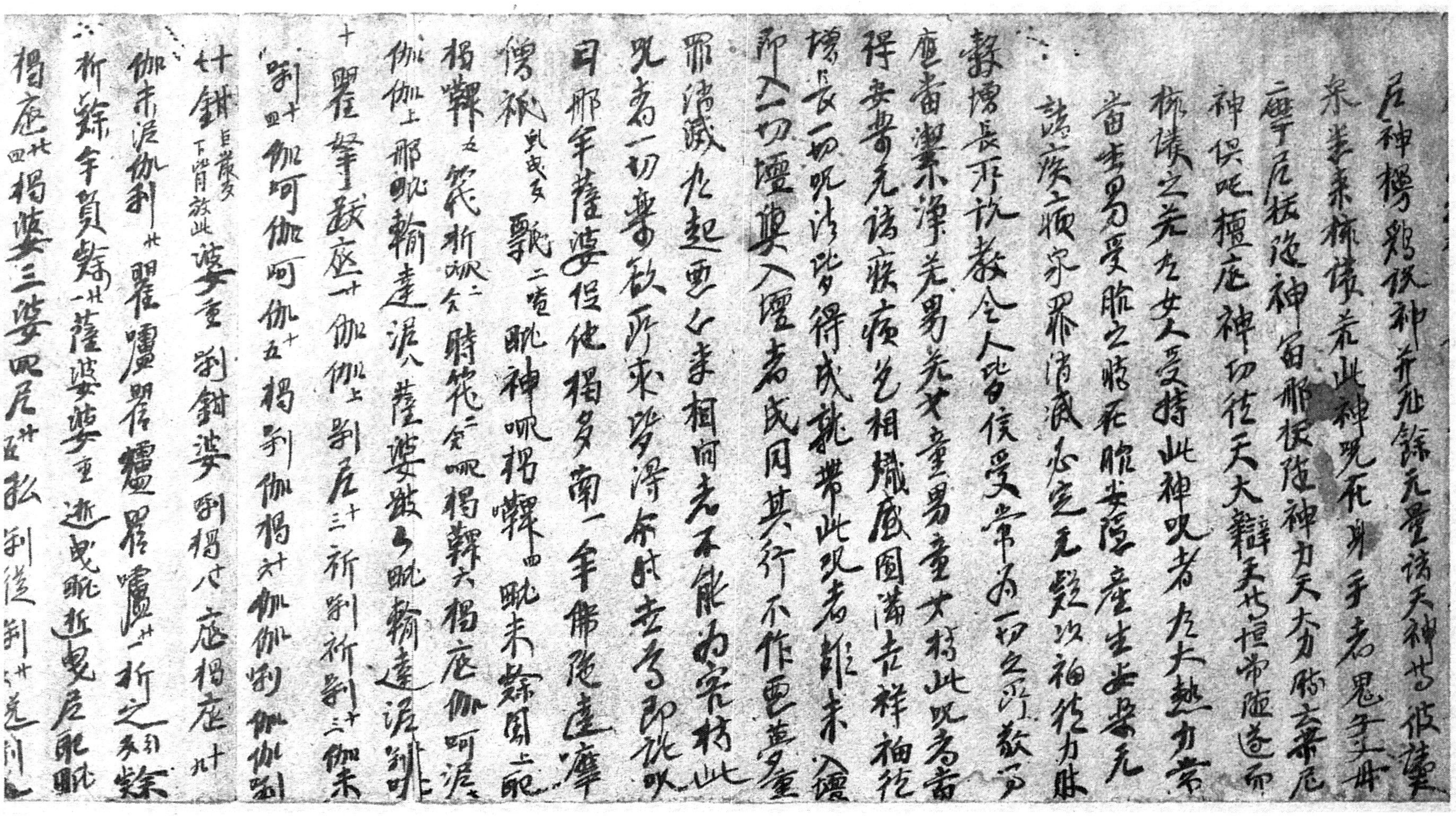

BD00992 號背 2　隨求即得大自在陀羅尼神咒經　（5–4）

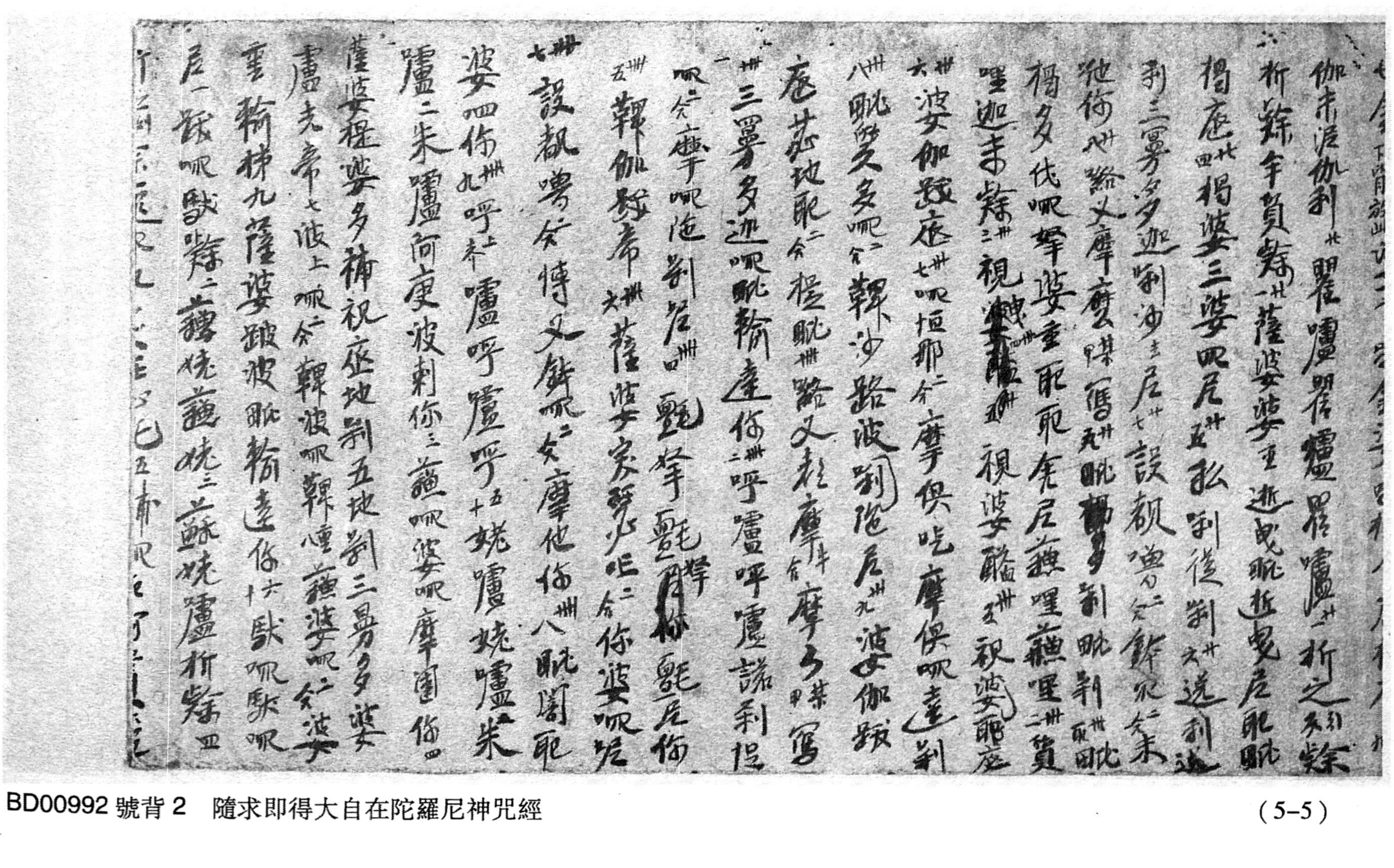

BD00992 號背 2　隨求即得大自在陀羅尼神咒經　（5–5）

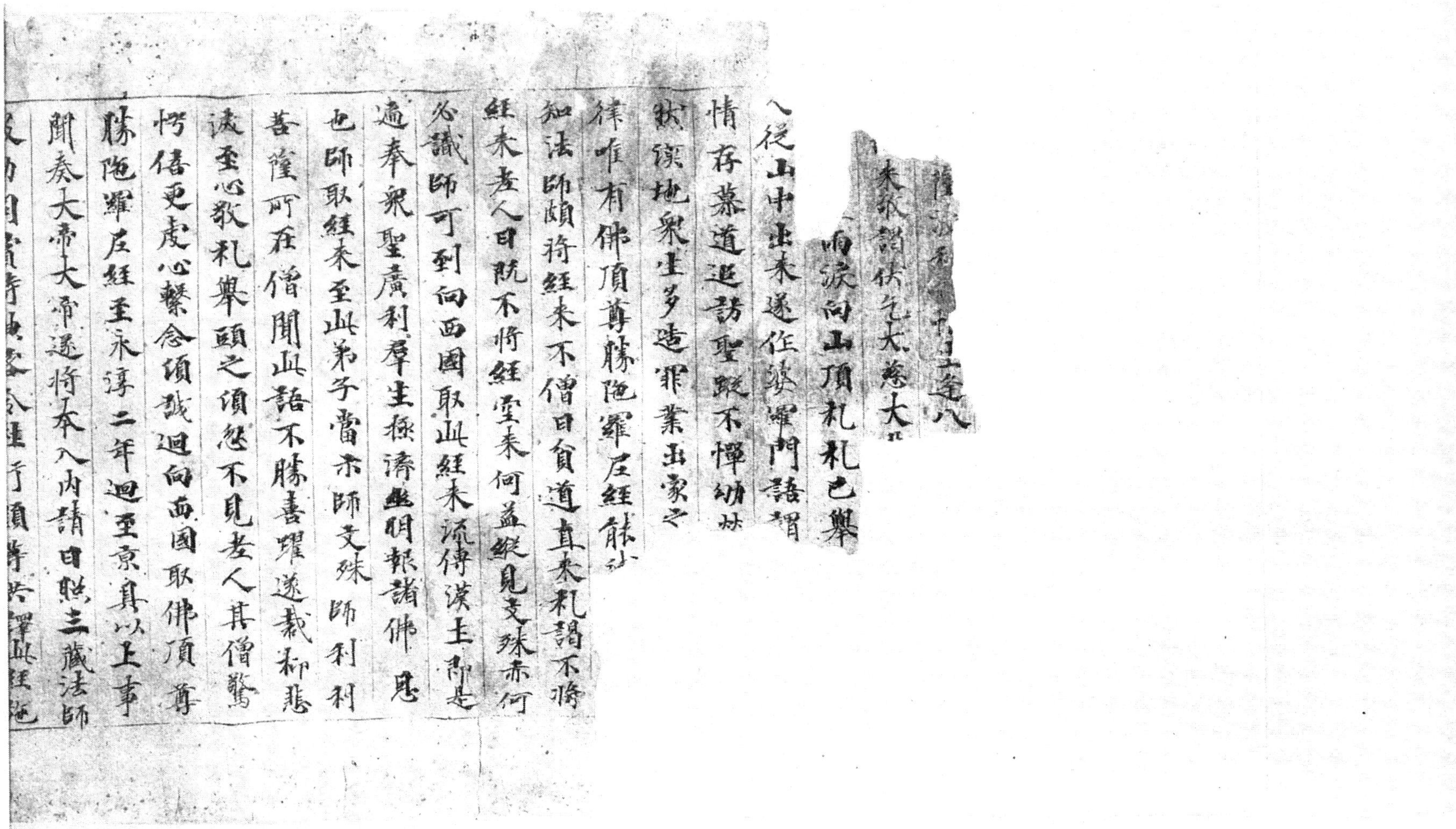

隂不……生逢八
来敬謁伏乞大慈大
雨淚向山頂礼礼已舉
人從山中出来遂作婆羅門語謂
情存慕道追訪聖蹤不憚劬劳
然漢地衆生多造罪業出家之
律唯有佛頂尊勝陁羅尼經能
知法師頗將經来不僧曰貧道直来礼謁不將
經来老人曰既不將經空来何益縱見文殊亦何
必識師可到向西國取此經来流傳漢土即是
遍奉衆聖廣利羣生拯濟幽明報諸佛恩
也師取經来至此弟子當示師文殊師利
菩薩所在僧聞此語不勝喜躍遂裁抑悲
涙至心敬礼舉頭之頃忽不見老人其僧驚
愕倍更虔心繫念傾誠迴向西國取佛頂尊
勝陁羅尼經至永淳二年迴至京具以上事
聞奏大帝大帝遂將本入内請日照三藏法師
及勑司賓寺典客令杜行顗等共譯此經施

BD00993 號 1　佛頂尊勝陀羅尼經序　（8–1）

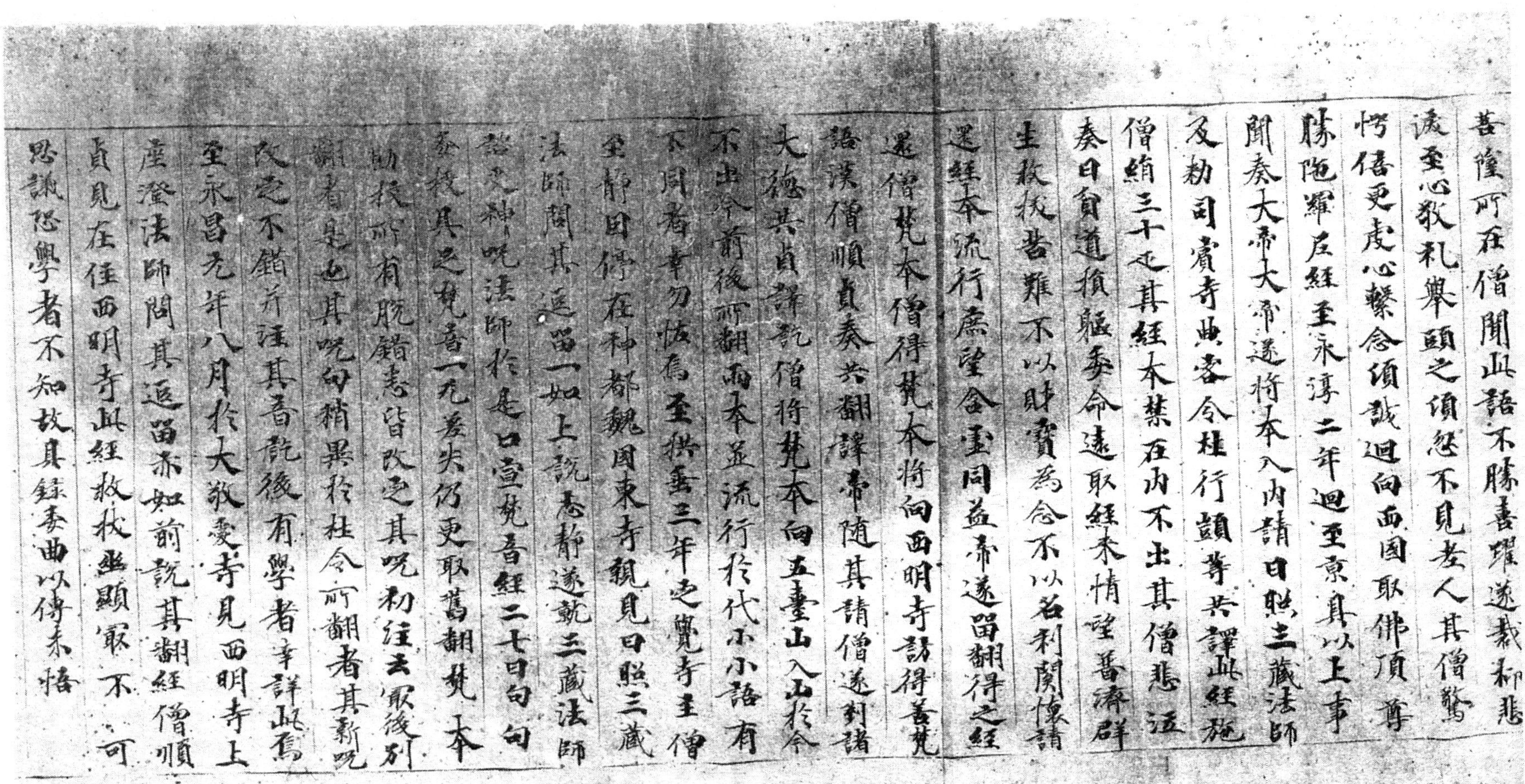

菩薩所在僧聞此語不勝喜躍遂裁抑悲
涙至心敬礼舉頭之頃忽不見老人其僧驚
愕倍更虔心繫念傾誠迴向西國取佛頂尊
勝陁羅尼經至永淳二年迴至京具以上事
聞奏大帝大帝遂將本入内請日照三藏法師
及勑司賓寺典客令杜行顗等共譯此經施
僧絹三十疋其經本禁在内不出其僧悲泣
奏曰貧道捐軀委命遠取經来情望普濟群
生救拔苦難不以財寶為念不以名利關懷請
還經本流行庶望含靈同益帝遂留翻得之經
還僧梵本其僧得梵本將向西明寺訪得善梵
語漢僧順貞奏共翻譯帝隨其請僧遂對諸
大德共貞翻譯訖僧將梵本向五臺山入山於今
不出今前後所翻兩本並流行於代小小語有
不同者幸勿怪焉至垂拱三年定覺寺主僧
志靜因停在神都魏國東寺親見日照三藏
法師問其逗留一如上說志靜遂就三藏法師
諮受神呪法師於是口宣梵音經二七日句句
委授具足梵音一无差失仍更取舊翻梵本
勘校所有脫錯悉皆改定其呪初注云最後別
翻者是也其呪句稍異於杜令所翻者其新呪
改定不錯并注其音訖後有學者幸詳此焉
至永昌元年八月於大敬愛寺見西明寺上
座澄法師問其逗留亦如前說其翻經僧順
貞見在西明寺此經救拔幽顯最不可
思議恐學者不知故具錄委曲以傳未悟

BD00993 號 1　佛頂尊勝陀羅尼經序　（8–2）

彼之不錯并注其音訖後有學者幸詳此焉
至永昌元年八月於大敬愛寺見西明寺上
座澄法師問其逗留亦如前說其翻經僧順
貞見在住西明寺此經救拔幽顯最不可
思議恐學者不知故具錄委曲以傳未悟

佛頂尊勝陀羅尼經　罽賓沙門佛陀波利譯

如是我聞一時薄伽梵在室羅筏住誓多林
給孤獨園與大苾芻眾千二百五十人俱又
與諸大菩薩僧万二千人俱
尒時三十三天於善法堂會有一天子名曰
善住與諸大天遊於園觀又與大天受勝尊
貴與諸天女前後圍繞歡喜遊戲種種音樂
娛樂受諸快樂尒時善住天子即於夜分聞有
聲言善住天子却後七日命將欲盡命終之
後生贍部洲受七返傍生身即受那落迦苦
從地獄出希得人身生於貧賤處於母胎
即无兩目

佛頂尊勝陀羅　罽賓沙門佛陀波利奉
如是我聞一時薄伽　在室羅伐住誓多林
給孤獨園與大苾芻眾千二百五十人俱又
與諸大菩薩僧万二千人俱尒時三十三天
於善法堂會有一天子名曰善住與諸大天
遊於園觀又與大天受勝尊貴與諸天女前
後圍繞歡喜遊戲種種音樂共相娛樂受諸

BD00993 號 2　佛頂尊勝陀羅尼經（佛陀波利本　兌廢稿）　（8–3）

BD00993 號 3　佛頂尊勝陀羅尼經（佛陀波利本）

給孤獨園與大苾芻眾千二百五十人俱又
與諸大菩薩僧万二千人俱尒時三十三天
於善法堂會有一天子名曰善住與諸大天
遊於園觀又與大天受勝尊貴與諸天女前
後圍繞歡喜遊戲種種音樂共相娛樂受諸
快樂尒時善住天子即於夜分聞有聲言善
住天子却後七日命將欲盡命終之後生贍
部洲受七返畜生身即受地獄苦從地獄出希
得人身生於貧賤處於母胎即无兩目
尒時善住天子聞此聲已即大驚怖身毛皆
竪愁憂不樂速疾往詣天帝釋所悲啼哭
惶怖无計頂禮帝釋二足尊已白帝釋言聽
我所說我與諸天女共相圍遶受諸快樂聞
有聲言善住天子却後七日命將欲盡命終
之後生贍部洲七返受畜生身受[illegible]身已即
生諸地獄從地獄出希得人身生貧賤家无
其兩目天帝云何令我得免斯苦
尒時帝釋聞此語已甚大驚愕即自思惟此
善住天子受何七返惡道之身
尒時帝釋須臾靜住入定諦觀即見善住當
受七返惡道之身所謂猪狗野干獼猴蟒蛇
烏鷲等身食諸穢惡不淨之物
尒時帝釋觀見善住天子當墮七返惡道之身
極助苦惱痛割於心諦思无計何所歸依唯
有如來應正等覺令其善住得免斯苦
尒時帝釋即於此日初分夜時以種種花鬘
塗香末香以妙天衣莊嚴執持往詣誓多林
園於世尊所到已頂禮佛足右遶七帀即於

BD00993 號 3　佛頂尊勝陀羅尼經（佛陀波利本）　（8–4）

有如來應正等覺尒其善住得免斯苦
尒時帝釋即於此日初分夜時以種種花鬘
塗香末香以妙天衣莊嚴執持往詣誓多林
園於世尊所到已頂礼佛足右遶七帀即於
佛前廣大供養佛前胡跪而白佛言世尊善
住天子云何當受七返畜生惡道之身具如
上說
尒時如來頂上放種種光遍照十方一切世界
已其光還來遶佛三帀從佛口入佛便微
笑告帝釋言天帝有陁羅尼名為如來佛頂
尊勝能淨一切惡道能淨除一切生死苦惱
又能淨除諸地獄閻羅王界畜生之苦又破一
切地獄能迴向善道天帝此佛頂尊勝陁羅
尼若有人聞一經於耳先世所造一切地獄
惡業皆悉消滅當得清淨之身隨所生處憶
持不忘從一佛剎至一佛剎從一天界至一
天界遍歷三十三天所生之處憶持不忘天
帝若人命欲將終須臾憶念此陁羅尼還得
增壽得身口意淨身无苦痛隨其福利隨處
安隱一切如來之所觀視一切天神恒常侍衛
為人所敬惡鄣消滅一切菩薩同心覆護天
帝若人能須臾讀誦此陁羅尼者此人所有
一切地獄畜生閻羅王界餓鬼之苦破壞消滅
无有遺餘諸佛剎土及諸天宮一切菩薩所
住之門无有鄣㝵隨意遊入
尒時天帝白佛言世尊唯願如來為衆生說
增益壽命之法
尒時世尊知帝釋意心之所念樂聞佛說是陁

BD00993號3　佛頂尊勝陀羅尼經（佛陀波利本）　（8–5）

住之門无有鄣㝵隨意遊入
尒時天帝白佛言世尊唯願如來為衆生說
增益壽命之法
尒時世尊知帝釋意心之所念樂聞佛說是陁
羅尼法即說呪曰
那謨薄伽跋帝一啼入聲𡄔路迦鉢囉底毗失
瑟吒引祈佳反下同耶二余何反下同勃陁耶三薄伽跋帝四怛姪
他五唵六引毗輸上馱耶七娑摩三滿平多縛父何反
婆娑八娑撥囉拏揭底伽訶上那娑婆縛秫
輸律反地九阿鼻詵者去蘇上揭多代折那阿
嚧嘌多毗曬罽平十阿訶上囉阿訶囉十一阿
瑜散去陁羅尼二十輸上馱耶輸馱耶十三伽伽那
毗秫提十四烏瑟尼沙毗逝耶秫提十五娑訶上娑
囉喝囉濕彌珊珠地帝十六薩婆怛他揭多
地瑟吒那頞反地瑟恥帝慕姪䭤十七跋折
囉迦引去耶僧訶上多那秫提十八薩婆代囉拏
毗秫提十九鉢囉底你代怛耶阿瑜秫提二十薩
末耶遏地瑟恥帝二十一末你末你二十二怛闥多部
多俱胝鉢利秫提二十三毗薩普吒勃地徒賣反秫
提二十四社耶社耶二十五毗社耶毗社耶二十六薩末
囉薩末囉勃陁遏地瑟恥多秫提二十七跋折
梨跋折囉揭鞞二十八跋折藍婆代都二十九摩
摩某甲受持者自稱名薩婆薩埵寫迦引去耶毗秫提三十薩婆
揭底鉢利秫提三十一薩婆怛他揭多三摩濕婆娑
遏地瑟恥帝三十二勃陁池耶反下同勃陁三十三蒲馱
耶蒲馱耶三滿多鉢利秫提三十四薩婆怛他

BD00993號3　佛頂尊勝陀羅尼經（佛陀波利本）　（8–6）

邏地瑟恥帝 三十二 勃陀 池耶反 下同 勃陀 三十三 蒲馱
耶蒲馱耶三漫多鉢利秫提 三十四 薩婆怛他
揭多地瑟咤 引 耶邏地瑟恥帝 三十五 莎婆訶
三十六
佛告帝釋言此咒名淨除一切惡道佛頂尊
勝陀羅尼能除一切罪業等鄣能破一切
穢惡道苦天帝此陀羅尼八十八殑伽沙俱胝
百千諸佛同共宣說隨喜受持大如來智印
印之為破一切衆生穢惡道義故為一切地
獄畜生閻羅王界衆生得解脫故臨急苦難
墮生死海中衆生得解脫故短命薄福无救
護衆生樂造雜染惡業衆生故說又此陀羅
尼於贍部洲住持力故能令地獄惡道衆生
種種流轉生死薄福衆生不信善惡業失正
道衆生等得解脫義故
佛告天帝我說此陀羅尼付囑於汝汝當授
與善住天子復當受持讀誦思惟愛樂憶念
供養於贍部洲一切衆生廣為宣說此陀羅尼
印付囑於汝天帝汝當善持守護勿令忘失
天帝若人須臾得聞此陀羅尼千劫已來積
造惡業重鄣應受種種流轉生死地獄餓鬼畜
生閻羅王界阿脩羅身夜叉羅剎鬼神布單
那羯吒布單那阿波娑摩羅蚊虻龜狗蟒蛇
一切諸鳥及諸猛獸一切蠢動含靈乃至蟻
子之身更不重受即得轉生諸佛如來一生
補處菩薩同會處生或得大姓婆羅門家生
或得大剎利種家生或得豪貴最勝家生天

BD00993號3　佛頂尊勝陀羅尼經（佛陀波利本）　（8–7）

那羯吒布單那阿波娑摩羅蚊虻龜狗蟒蛇
一切諸鳥及諸猛獸一切蠢動含靈乃至蟻
子之身更不重受即得轉生諸佛如來一生
補處菩薩同會處生或得大姓婆羅門家生
或得大剎利種家生或得豪貴最勝家生天
帝此人得如上貴處生者皆由聞此陀羅尼故
轉所生處皆得清淨天帝乃至得到菩提道
場最勝之處皆由讚美此陀羅尼功德如是
天帝此陀羅尼名吉祥能淨一切惡道此佛
頂尊勝陀羅尼猶如日藏摩尼之寶淨无瑕
穢淨等虛空光焰照徹无不周遍若諸衆生
持此陀羅尼亦復如是亦如閻浮檀金明淨
柔軟令人喜見不為穢惡之所染著天帝若
有衆生持此陀羅尼亦復如是乘斯善淨
得生善道天帝此陀羅尼所在之處若能書
寫流通受持讀誦聽聞供養能如是者一
道皆得清淨一切地獄苦悉皆消滅佛
[illegible]

BD00993號3　佛頂尊勝陀羅尼經（佛陀波利本）　（8–8）

第六十六

BD00994號背　勘記　　（1-1）

大般若六六
初分無所得品第
舍利子異生地
空法無所有不
無所有不可得
種姓空法
生空法無
八空法無所
空法於第
於異生種姓空法於
姓第八地法於具見
見地法性空故具見地
有不可得具見地法於
無所有不可得異生種姓
薄地法無所有不可得薄地
法於薄空法無所有不可得薄
種姓第八具見空法無所有不
姓第八具見薄空法於離欲地
可得離欲地法性空故離欲地法

BD00994號　大般若波羅蜜多經卷六六　　（5-1）

無所有不可得異生種姓於
薄地法無所有不可得薄地法
法於薄地法無所有不可得薄
種姓第八具見地法無所有不
姓第八具見薄地法於離欲地
可得離欲地法性空故離欲地法
無所有不可得離欲地法於異
八具見薄地法無所有不可得已
八具見薄離欲地法於已辦地
可得已辦地法性空故已辦地
法無所有不可得已辦地法於
八具見薄離欲地法無所有不
姓第八具見薄離欲已辦地法於獨覺地
無所有不可得獨覺地法性空故獨覺地法於
獨覺地法無所有不可得獨覺地法於異生種
姓第八具見薄離欲已辦地法無所有不可
得異生種姓第八具見薄離欲已辦獨覺地
法於菩薩地法無所有不可得菩薩地法性
空故菩薩地法於菩薩地法無所有不可得
菩薩地法於異生種姓第八具見薄離欲已
辦獨覺地法無所有不可得異生種姓第八
具見薄離欲已辦獨覺菩薩地法於如來地
法無所有不可得如來地法性空故如來地
法於如來地法無所有不可得如來地法於
異生種姓第八具見薄離欲已辦獨覺菩薩地
法無所有不可得舍利子我於如是諸法以
一切種一切處一切時求菩薩摩訶薩亦無
所有不可得何以故自性空故

BD00994號　大般若波羅蜜多經卷六六　（5–2）

法於如來地法無所有不可得如來地法於
異生種姓第八具見薄離欲已辦獨覺菩薩地
法無所有不可得舍利子我於如是諸法以
一切種一切處一切時求菩薩摩訶薩亦無
所有不可得何以故自性空故
舍利子異生地性空故異生地於異生地無
所有不可得異生地於種姓地無所有不可
得種姓地性空故種姓地於種姓地無所有
不可得種姓地於異生地無所有不可得異
生種姓地於第八地無所有不可得第八地
性空故第八地於第八地無所有不可得第
八地於異生種姓地無所有不可得異生種
姓第八地於具見地無所有不可得具見地
性空故具見地於具見地無所有不可得具
見地於異生種姓第八地無所有不可得異
生種姓第八具見地於薄地無所有不可得
薄地性空故薄地於薄地無所有不可得薄
地於異生種姓第八具見地無所有不可得異
生種姓第八具見薄地於離欲地無所有不
可得離欲地性空故離欲地於離欲地無所
有不可得離欲地於異生種姓第八具見薄
地無所有不可得異生種姓第八具見薄離
欲地於已辦地無所有不可得已辦地性空故
已辦地於已辦地無所有不可得已辦地於
異生種姓第八具見薄離欲地無所有不
可得異生種姓第八具見薄離欲已辦地
於獨覺地無所有不可得獨覺地性空故獨

BD00994號　大般若波羅蜜多經卷六六　（5–3）

[illegible]
地無所有不可得異生種姓第八具見薄離
欲地於已辦地無所有不可得已辦地性空故
已辦地於已辦地無所有不可得已辦地於
異生種姓第八具見薄離欲地無所有不
可得異生種姓第八具見薄離欲已辦地
於獨覺地無所有不可得獨覺地性空故獨
覺地於獨覺地無所有不可得獨覺地於異
生種姓第八具見薄離欲已辦地無所有不
可得異生種姓第八具見薄離欲已辦獨覺
地於菩薩地無所有不可得菩薩地性空故
菩薩地於菩薩地無所有不可得菩薩地於
異生種姓第八具見薄離欲已辦獨覺地無
所有不可得異生種姓第八具見薄離欲已
辦獨覺菩薩地於如來地無所有不可得如
來地性空故如來地於如來地無所有不可
得如來地於異生種姓第八具見薄離欲已
辦獨覺菩薩地無所有不可得舍利子我於
如是諸法以一切種一切處一切時求菩薩
摩訶薩亦無所有不可得何以故自性空故
舍利子預流向法性空故預流向法於預流
向法無所有不可得預流向法於預流果法
無所有不可得預流果法性空故預流果法
於預流果法無所有不可得預流果法於預
流向法無所有不可得預流向法預流果法
於一來向法無所有不可得一來向法性空

BD00994 號　大般若波羅蜜多經卷六六　（5–4）

可得異生種姓第八具見薄離欲已辦獨覺
地於菩薩地無所有不可得菩薩地性空故
菩薩地於菩薩地無所有不可得菩薩地於
異生種姓第八具見薄離欲已辦獨覺地無
所有不可得異生種姓第八具見薄離欲已
辦獨覺菩薩地於如來地無所有不可得如
來地性空故如來地於如來地無所有不可
得如來地於異生種姓第八具見薄離欲已
辦獨覺菩薩地無所有不可得舍利子我於
如是諸法以一切種一切處一切時求菩薩
摩訶薩亦無所有不可得何以故自性空故
舍利子預流向法性空故預流向法於預流
向法無所有不可得預流向法於預流果法
無所有不可得預流果法性空故預流果法
於預流果法無所有不可得預流果法於預
流向法無所有不可得預流向法預流果法
於一來向法無所有不可得一來向法性空

BD00994 號　大般若波羅蜜多經卷六六　（5–5）

BD00995號背　勘記　（1–1）

……不可得故
十方三世無所從來而
通中無名名中無六通非合非離但假施設
何以故以六通與名俱自性空故自性空中
若六通若名俱無所有不可得故菩薩摩訶
薩名亦復如是唯客所稱於十方三世無所
從來無所至去亦無所住菩薩摩訶薩中無
名名中無菩薩摩訶薩非合非離但假施設
何以故以菩薩摩訶薩與名俱自性空故自
性空中若菩薩摩訶薩若名俱無所有不可
得故舍利子由此緣故我作是說菩薩摩訶
薩但有假名
舍利子如佛十力名唯客所稱於十方三世
無所從來無所至去亦無所住佛十力中無
名名中無佛十力非合非離但假施設何以
故以佛十力與名俱自性空故自性空中若
佛十力若名俱無所有不可得故如四無所
畏四無礙解大慈大悲大喜大捨十八佛不

BD00995號　大般若波羅蜜多經卷六七　（3–1）

名名中無佛十力非合非離但假施設何以
故以佛十力若名俱自性空故自性空中若
佛十力若名俱無所有不可得故如四無所
畏四無礙解大慈大悲大喜大捨十八佛不
共法名唯客所攝於十方三世無所從來無
所至去亦無所住四無所畏四無礙解大慈
大悲大喜大捨十八佛不共法中無名名中
無四無所畏四無礙解大慈大悲大喜大捨
十八佛不共法非合非離但假施設何以故
以四無所畏四無礙解大慈大悲大喜大捨
十八佛不共法與名俱自性空故自性空中
若四無所畏四無礙解大慈大悲大喜大捨
十八佛不共法若名俱無所有不可得故菩
薩摩訶薩名亦復如是唯客所攝於十方三
世無所從來無所至去亦無所住菩薩摩訶
薩中無名名中無菩薩摩訶薩非合非離但
假施設何以故以菩薩摩訶薩與名俱自性
空故自性空中若菩薩摩訶薩若名俱無所
有不可得故舍利子由此緣故我作是說菩
薩摩訶薩但有假名
舍利子如一切智名唯客所攝於十方三世
無所從來無所至去亦無所住一切智中無
名名中無一切智非合非離但假施設何以
故以一切智與名俱自性空故自性空中若
一切智若名俱無所有不可得故如道相智
一切相智名唯客所攝於十方三世無所從

BD00995號　大般若波羅蜜多經卷六七　（3–2）

舍利子如一切智名唯客所攝於十方三世
無所從來無所至去亦無所住一切智中無
名名中無一切智非合非離但假施設何以
故以一切智與名俱自性空故自性空中若
一切智若名俱無所有不可得故如道相智
一切相智名唯客所攝於十方三世無所從
來無所至去亦無所住道相智一切相智中
無名名中無道相智一切相智非合非離但
假施設何以故以道相智一切相智與名俱
自性空故自性空中若道相智一切相智若
名俱無所有不可得故菩薩摩訶薩名亦復
如是唯客所攝於十方三世無所從來無所
至去亦無所住菩薩摩訶薩中無名名中無
菩薩摩訶薩非合非離但假施設何以故以
菩薩摩訶薩與名俱自性空故自性空中若
菩薩摩訶薩若名俱無所有不可得故舍利
子由此緣故我作是說菩薩摩訶薩但有假
名
舍利子如無忘失法名唯客所攝於十方三
世無所從來無所至去亦無所住無忘失法
中無名名中無無忘失法非合非離但假施
設何以故以無忘失法與名俱自性空故自
性空中若無忘失法若名俱無所有不可得
故如恒住捨性名唯客所攝於十方三世無

BD00995號　大般若波羅蜜多經卷六七　（3–3）

令子得出

知財富无量欲饒益諸子等與大車佛告舍
利弗善哉善哉如汝所言舍利弗如來亦復
如是則為一切世間之父於諸怖畏衰惱憂
患无明暗蔽永盡无餘而悉成就无量知見
力无所畏有大神力及智慧力具足方便智
慧波羅蜜大慈大悲常无懈惓恒求善事利
益一切而生三界朽故火宅為度衆生生老
病死憂悲苦惱愚癡暗蔽三毒之火教化令
得阿耨多羅三藐三菩提見諸衆生為生老
病死憂悲苦惱之所燒煑亦以五欲財利故
受種種苦又以貪著追求故現受衆苦後受
地獄畜生餓鬼之苦若生天上及在人間貧
窮困苦愛別離苦怨憎會苦如是等種種諸
苦衆生沒在其中歡喜遊戲不覺不知不驚
不怖亦不生猒不求解脫於此三界火宅東
西馳走雖遭大苦不以為患舍利弗佛見此

BD00996 號　妙法蓮華經卷二　（17–1）

地獄畜生餓鬼之苦若生天上及在人間貧
窮困苦愛別離苦怨憎會苦如是等種種諸
苦衆生沒在其中歡喜遊戲不覺不知不驚
不怖亦不生猒不求解脫於此三界火宅東
西馳走雖遭大苦不以為患舍利弗佛見此
已便作是念我為衆生之父應抜其苦難與
无量无邊佛智慧樂令其遊戲舍利弗如來
復作是念若我但以神力及智慧力捨於方
便為諸衆生讚如來知見力无所畏者衆生
不能以是得度所以者何是諸衆生未免生
老病死憂悲苦惱而為三界火宅所燒何由
能解佛之智慧舍利弗如彼長者雖復身手
有力而不用之但以慇懃方便免
宅之難然後各與珎寶大車如
雖有力无所畏而不用之但以
三界火宅抜濟衆生
佛乘而作是言汝
貪麁弊色聲香味
燒汝速出三界當得三
我今為汝保任此事終不虛也汝等但當
脩精進如來以是方便誘進衆生復作是言
汝等當知此三乘法皆是聖所稱歎自在无
繫无所依求乘是三乘以无漏根力覺道禪
定解脫三昧等而自娛樂便得无量安隱快
樂舍利弗若有衆生內有智性從佛世尊聞

BD00996 號　妙法蓮華經卷二　（17–2）

汝等當知此三乘法皆是聖所稱歎自在无
繫无所依求乘是三乘以无漏根力覺道禪
定解脫三昧等而自娛樂便得无量安隱快
樂舍利弗若有衆生內有智性從佛世尊聞
法信受慇懃精進欲速出三界自求涅槃是
名聲聞乘如彼諸子為求羊車出於火宅若
有衆生從佛世尊聞法信受慇懃精進求自
然慧樂獨善寂深知諸法因緣是名辟支佛
乘如彼諸子為求鹿車出於火宅若有衆生
從佛世尊聞法信受勤修精進求一切智佛
智自然智无師智如来知見力无所畏愍念
安樂无量衆生利益天人度脫一切是名大
乘菩薩求此乘故名為摩訶薩如彼諸子為
求牛車出於火宅舍利弗如彼長者見諸子
等安隱得出火宅到无畏處自惟財富无量
等以大車而賜諸子如来亦復如是為一切
衆生之父若見无量億千衆生以佛教門出
三界苦怖畏險道得涅槃樂如来尒時便作
是念我有无量无邊智慧力无畏等諸佛法
藏是諸衆生皆是我子等與大乘不令有人
獨得滅度皆以如来滅度而滅度之是諸衆
生脫三界者悉與諸佛禪定解脫等娛樂之
具皆是一相一種聖所稱歎能生淨妙第一
之樂舍利弗如彼長者初以三車誘引諸子
然後但與大車寶物莊嚴安隱第一然彼長

生脫三界者悉與諸佛禪定解脫等娛樂之
具皆是一相一種聖所稱歎能生淨妙第一
之樂舍利弗如彼長者初以三車誘引諸子
然後但與大車寶物莊嚴安隱第一然彼長
者无虛妄之咎如来亦復如是无有虛妄初
說三乘引導衆生然後但以大乘而度脫之
何以故如来有无量智慧力无所畏諸法之
藏能與一切衆生大乘之法但不盡能受舍
利弗以是因緣當知諸佛方便力故於一佛
乘分別說三佛欲重宣此義而說偈言
譬如長者　有一大宅　其宅久故　而復頓弊
堂舍高危　柱根摧朽　梁棟傾斜　基陛頹毀
墻壁圮坼　泥塗褫落　覆苫亂墜　椽梠差脫
周障屈曲　雜穢充遍　有五百人　止住其中
鵄梟鵰鷲　烏鵲鳩鴿　蚖蛇蝮蝎　蜈蚣蚰蜒
守宮百足　狖狸鼷鼠　諸惡蟲輩　交橫馳走
屎尿臭處　不淨流溢　蜣蜋諸蟲　而集其上
狐狼野干　咀嚼踐蹋　嚌齧死屍　骨肉狼藉
由是群狗　競來搏撮　飢羸慞惶　處處求食
鬪諍齟掣　嘊喍嘷吠　其舍恐怖　變狀如是
處處皆有　魑魅魍魎　夜叉惡鬼　食噉人肉
毒蟲之屬　諸惡禽獸　孚乳產生　各自藏護
夜叉競來　爭取食之　食之既飽　惡心轉熾
鬪諍之聲　甚可怖畏　鳩槃荼鬼　蹲踞土埵
或時離地　一尺二尺　往反遊行　縱逸嬉戲

毒虫之屬 諸惡禽獸 孚乳産生 各自藏護
夜叉競來 爭取食之 食之既飽 惡心轉熾
鬪諍之聲 甚可怖畏 鳩槃荼鬼 蹲踞土埵
或時離地 一尺二尺 往返遊行 縱逸嬉戲
捉狗兩足 撲令失聲 以脚加頸 怖狗自樂
復有諸鬼 其身長大 裸形黑瘦 常住其中
發大惡聲 叫呼求食 復有諸鬼 其咽如針
復有諸鬼 首如牛頭 或食人肉 或復噉狗
頭髮蓬亂 殘害凶險 飢渴所逼 叫喚馳走
夜叉餓鬼 諸惡鳥獸 飢急四向 窺看窓牖
如是諸難 恐畏无量 是朽故宅 屬于一人
其人近出 未久之間 於後舍宅 欻然火起
四面一時 其焰俱熾 棟梁椽柱 爆聲震裂
摧折墮落 墻壁崩倒 諸鬼神等 揚聲大叫
鵰鷲諸鳥 鳩槃荼等 周慞惶怖 不能自出
惡獸毒虫 藏竄孔穴 毗舍闍鬼 亦住其中
薄福德故 為火所逼 共相殘害 飲血噉肉
野干之屬 並已前死 諸大惡獸 競來食噉
臭烟烽㶿 四面充塞 蜈蚣蚰蜒 毒蛇之類
為火所燒 爭走出穴 鳩槃荼鬼 隨取而食
又諸餓鬼 頭上火然 飢渴熱惱 周慞悶走
其宅如是 甚可怖畏 毒害火災 衆難非一
是時宅主 在門外立 聞有人言 汝諸子等
先因遊戲 來入此宅 稚小无知 歡娛樂著
長者聞已 驚入火宅 方宜救濟 令无燒害
告喻諸子 說衆患難 惡鬼毒虫 災火蔓莚

BD00996號　妙法蓮華經卷二　（17–5）

是時宅主 在門外立 聞有人言 汝諸子等
先因遊戲 來入此宅 稚小无知 歡娛樂著
長者聞已 驚入火宅 方宜救濟 令无燒害
告喻諸子 說衆患難 惡鬼毒虫 災火蔓莚
衆苦次第 相續不絕 毒蛇蚖蝮 及諸夜叉
鳩槃荼鬼 野干狐狗 鵰鷲鵄梟 百足之屬
飢渴惱急 甚可怖畏 此苦難處 況復大火
諸子无知 雖聞父誨 猶故樂著 嬉戲不已
是時長者 而作是念 諸子如此 益我愁惱
今此舍宅 无一可樂 而諸子等 耽湎嬉戲
不受我教 將為火害 即便思惟 設諸方便
告諸子等 我有種種 珍玩之具 妙寶好車
羊車鹿車 大牛之車 今在門外 汝等出來
吾為汝等 造作此車 隨意所樂 可以遊戲
諸子聞說 如此諸車 即時奔競 馳走而出
到於空地 離諸苦難 長者見子 得出火宅
住於四衢 坐師子座 而自慶言 我今快樂
此諸子等 生育甚難 愚小无知 而入險宅
多諸毒虫 魑魅可畏 大火猛焰 四面俱起
而此諸子 貪樂嬉戲 我已救之 令得脫難
是故諸人 我今快樂 尒時諸子 知父安坐
皆詣父所 而白父言 願賜我等 三種寶車
如前所許 諸子出來 當以三車 隨汝所欲
今正是時 唯垂給與 長者大富 庫藏衆多
金銀琉璃 車𤦲馬瑙 以衆寶物 造諸大車
莊校嚴飾 周帀欄楯 四面懸鈴 金繩交絡

BD00996號　妙法蓮華經卷二　（17–6）

如有所說 諸子出來 皆以三車 隨汝所欲
今正是時 唯垂給與 長者大富 庫藏衆多
金銀琉璃 車𤚲馬瑙 以衆寶物 造諸大車
莊挍嚴飾 周帀欄楯 四面懸鈴 金繩交絡
真珠羅網 張施其上 金華諸瓔 處處垂下
衆彩雜飾 周帀圍繞 柔軟繒纊 以為茵蓐
上妙細疊 價直千億 鮮白淨潔 以覆其上
有大白牛 肥壯多力 形體姝好 以駕寶車
多諸儐從 而侍衛之 以是妙車 等賜諸子
諸子是時 歡喜踊躍 乘是寶車 遊於四方
嬉戲快樂 自在无礙 告舍利弗 我亦如是
衆聖中尊 世間之父 一切衆生 皆是吾子
深著世樂 无有慧心 三界无安 猶如火宅
衆苦充滿 甚可怖畏 常有生老 病死憂患
如是等火 熾然不息 如來已離 三界火宅
寂然閑居 安處林野 今此三界 皆是我有
其中衆生 悉是吾子 而今此處 多諸患難
唯我一人 能為救護 雖復教詔 而不信受
於諸欲染 貪著深故 是以方便 為說三乘
令諸衆生 知三界苦 開示演說 出世間道
是諸子等 若心決定 具足三明 及六神通
有得緣覺 不退菩薩 汝舍利弗 我為衆生
以此譬喻 說一佛乘 汝等若能 信受是語
一切皆當 得成佛道 是乘微妙 清淨第一
於諸世間 為无有上 佛所悅可 一切衆生
所應稱讚 [illegible]

BD00996號　妙法蓮華經卷二　（17–7）

以此譬喻 說一佛乘 汝等若能 信受是語
一切皆當 得成佛道 是乘微妙 清淨第一
於諸世間 為无有上 佛所悅可 一切衆生
所應稱讚 供養禮拜 无量億千 諸力解脫
禪定智慧 及佛餘法 得如是乘 令諸子等
日夜劫數 常得遊戲 與諸菩薩 及聲聞衆
乘此寶乘 直至道場 以是因緣 十方諦求
更无餘乘 除佛方便 告舍利弗 汝諸人等
皆是吾子 我則是父 汝等累劫 衆苦所燒
我皆濟拔 令出三界 我雖先說 汝等滅度
但盡生死 而實不滅 今所應作 唯佛智慧
若有菩薩 於是衆中 能一心聽 諸佛實法
諸佛世尊 雖以方便 所化衆生 皆是菩薩
若人小智 深著愛欲 為此等故 說於苦諦
衆生心喜 得未曾有 佛說苦諦 真實无異
若有衆生 不知苦本 深著苦因 不能暫捨
為是等故 方便說道 諸苦所因 貪欲為本
若滅貪欲 无所依止 滅盡諸苦 名第三諦
為滅諦故 脩行於道 離諸苦縛 名得解脫
是人於何 而得解脫 但離虛妄 名為解脫
其實未得 一切解脫 佛說是人 未實滅度
斯人未得 无上道故 我意不欲 令至滅度
我為法王 於法自在 安隱衆生 故現於世
汝舍利弗 我此法印 為欲利益 世間故說
在所遊方 勿妄宣傳 若有聞者 隨喜頂受

BD00996號　妙法蓮華經卷二　（17–8）

斯人未得　无上道故　我意不欲　令至滅度
我為法王　於法自在　安隱衆生　故現於世
汝舍利弗　我此法印　為欲利益　世間故說
在所遊方　勿妄宣傳　若有聞者　隨喜頂受
當知是人　阿鞞跋致　若有信受　此經法者
是人已曾　見過去佛　恭敬供養　亦聞是法
若人有能　信汝所說　則為見我　亦見於汝
及比丘僧　并諸菩薩　斯法華經　為深智說
淺識聞之　迷惑不解　一切聲聞　及辟支佛
於此經中　力所不及　汝舍利弗　尚於此經
以信得入　況餘聲聞　其餘聲聞　信佛語故
隨順此經　非己智分　又舍利弗　憍慢懈怠
計我見者　莫說此經　凡夫淺識　深著五欲
聞不能解　亦勿為說　若人不信　毀謗此經
則斷一切　世間佛種　或復顰蹙　而懷疑惑
汝當聽說　此人罪報　若佛在世　若滅度後
其有誹謗　如斯經典　見有讀誦　書持經者
輕賤憎嫉　而懷結恨　此人罪報　汝今復聽
其人命終　入阿鼻獄　具足一劫　劫盡更生
如是展轉　至无數劫　從地獄出　當墮畜生
若狗野干　其形顇瘦　黧黮疥癩　人所觸嬈
又復為人　之所惡賤　常困飢渴　骨肉枯竭
生受楚毒　死被瓦石　斷佛種故　受斯罪報
若作駱駞　或生驢中　身常負重　加諸杖捶
但念水草　餘无所知　謗斯經故　獲罪如是

BD00996號　妙法蓮華經卷二　（17–9）

若狗野干　其形顇瘦　黧黮疥癩　人所觸嬈
又復為人　之所惡賤　常困飢渴　骨肉枯竭
生受楚毒　死被瓦石　斷佛種故　受斯罪報
若作駱駞　或生驢中　身常負重　加諸杖捶
但念水草　餘无所知　謗斯經故　獲罪如是
有作野干　來入聚落　身體疥癩　又无一目
為諸童子　之所打擲　受諸苦痛　或時致死
於此死已　更受蟒身　其形長大　五百由旬
聾騃无足　宛轉腹行　為諸小虫　之所唼食
晝夜受苦　无有休息　謗斯經故　獲罪如是
若得為人　諸根闇鈍　矬陋攣躄　盲聾背傴
有所言說　人不信受　口氣常臭　鬼魅所著
貧窮下賤　為人所使　多病痟瘦　无所依怙
雖親附人　人不在意　若有所得　尋復忘失
若脩醫道　順方治病　更增他疾　或復致死
若自有病　无人救療　設服良藥　而復增劇
若他反逆　抄劫竊盜　如是等罪　橫羅其殃
如斯罪人　永不見佛　衆聖之王　說法教化
如斯罪人　常生難處　狂聾心亂　永不聞法
於无數劫　如恒河沙　生輙聾瘂　諸根不具
常處地獄　如遊園觀　在餘惡道　如己舍宅
駞驢猪狗　是其行處　謗斯經故　獲罪如是
若得為人　聾盲瘖瘂　貧窮諸衰　以自莊嚴
水腫乾痟　疥癩癰疽　如是等病　以為衣服
身常臭處　垢穢不淨　深著我見　增益瞋恚

BD00996號　妙法蓮華經卷二　（17–10）

[illegible]
駝驢猪狗　是其行處　謗斯經故　獲罪如是
若得為人　聾盲瘖瘂　貧窮諸衰　以自莊嚴
水腫乾痟　疥癩癰疽　如是等病　以為衣服
身常臭處　垢穢不淨　深著我見　增益瞋恚
婬欲熾盛　不擇禽獸　謗斯經故　獲罪如是
告舍利弗　謗斯經者　若說其罪　窮劫不盡
以是因緣　我故語汝　无智人中　莫說此經
若有利根　智慧明了　多聞強識　求佛道者
如是之人　乃可為說　若人曾見　億百千佛
殖諸善本　深心堅固　如是之人　乃可為說
若人精進　常脩慈心　不惜身命　乃可為說
若人恭敬　无有異心　離諸凡愚　獨處山澤
如是之人　乃可為說　又舍利弗　若見有人
捨惡知識　親近善友　如是之人　乃可為說
若見佛子　持戒清潔　如淨明珠　求大乘經
如是之人　乃可為說　若人无瞋　質直柔軟
常愍一切　恭敬諸佛　如是之人　乃可為說
復有佛子　於大衆中　以清淨心　種種因緣
譬喻言辭　說法无礙　如是之人　乃可為說
若有比丘　為一切智　四方求法　合掌頂受
但樂受持　大乘經典　乃至不受　餘經一偈
如是之人　乃可為說　如人至心　求佛舍利
如是求經　得已頂受　其人不復　志求餘經
亦未曾念　外道典籍　如是之人　乃可為說
告舍利弗　我說是相　求佛道者　窮劫不盡

BD00996號　妙法蓮華經卷二　（17–11）

但樂受持　大乘經典　乃至不受　餘經一偈
如是之人　乃可為說　如人至心　求佛舍利
如是求經　得已頂受　其人不復　志求餘經
亦未曾念　外道典籍　如是之人　乃可為說
告舍利弗　我說是相　求佛道者　窮劫不盡
如是等人　則能信解　汝當為說　妙法華經

妙法蓮華經信解品第四

尒時慧命須菩提摩訶迦旃延摩訶迦葉摩
訶目揵連從佛所聞未曾有法世尊授舍利
弗阿耨多羅三藐三菩提記發希有心歡喜
踊躍即從座起整衣服偏袒右肩右膝著地
一心合掌曲躬恭敬瞻仰尊顏而白佛言我
等居僧之首年並朽邁自謂已得涅槃无所
堪任不復進求阿耨多羅三藐三菩提世尊
往昔說法既久我時在座身體疲懈但念空
无相无作於菩薩法遊戲神通淨佛國土成
就衆生心不憙樂所以者何世尊令我等出
於三界得涅槃證又今我等年已朽邁於佛
教化菩薩阿耨多羅三藐三菩提不生一念
好樂之心我等今於佛前聞授聲聞阿耨多
羅三藐三菩提記心甚歡喜得未曾有不謂
於今忽然得聞希有之法深自慶幸獲大善
利无量珎寶不求自得世尊我等今者樂說
譬喻以明斯義譬若有人年既幼稚捨父逃
逝久住他國或十二十至五十歲年既長大
加復窮困馳騁四方以求衣食漸漸遊行遇

BD00996號　妙法蓮華經卷二　（17–12）

利无量珍寶不求自得世尊我等今者樂說
譬喻以明斯義譬若有人年既幼稚捨父逃
逝久住他國或十二十至五十歲年既長大
加復窮困馳騁四方以求衣食漸漸遊行遇
向本國其父先来求子不得中止一城其家
大富財寶无量金銀瑠璃珊瑚虎珀頗梨珠
等其諸倉庫悉皆盈溢多有僮僕臣佐吏民
象馬車乘牛羊无數出入息利乃遍他國商
估賈客亦甚衆多時貧窮子遊諸聚落經歷
國邑遂到其父所止之城父每念子與子離
別五十餘年而未曾向人說如此事但自思
惟心懷悔恨自念老朽多有財物金銀珎寶
倉庫盈溢无有子息一旦終沒財物散失无
所委付是以慇勤每憶其子復作是念我若
得子委付財物坦然快樂无復憂慮世尊尒
時窮子傭賃展轉遇到父舍住立門側遥見
其父踞師子床寶几承足諸婆羅門剎利居
士皆恭敬圍繞以真珠瓔珞價直千万莊嚴
其身吏民僮僕手執白拂侍立左右覆以寶
帳垂諸華幡香水灑地散衆名華羅列寶物
出内取與有如是等種種嚴飾威德特尊窮
子見父有大力勢即懷恐怖悔来至此竊作
是念此或是王或是王等非我傭力得物之
處不如往至貧里肆力有地衣食易得若久
住此或見逼迫強使我作作是念已疾走而
去時富長者於師子座見子便識心大歡喜

BD00996號　妙法蓮華經卷二　（17–13）

是念此或是王或是王等非我傭力得物之
處不如往至貧里肆力有地衣食易得若久
住此或見逼迫強使我作作是念已疾走而
去時富長者於師子座見子便識心大歡喜
即作是念我財物庫藏今有所付我常思念
此子无由見之而忽自来甚適我願我雖年
朽猶故貪惜即遣傍人急追將還尒時使者
疾走往捉窮子驚愕稱怨大喚我不相犯何
為見捉使者執之逾急強牽將還于時窮子
自念无罪而被囚執此必定死轉更惶怖悶
絕躄地父遥見之而語使言不須此人勿強
將来以冷水灑面令得醒悟莫復與語所以
者何父知其子志意下劣自知豪貴為子所
難審知是子而以方便不語他人云是我子
使者語之我今放汝隨意所趣窮子歡喜得
未曾有從地而起往至貧里以求衣食尒時
長者將欲誘引其子而設方便密遣二人形
色憔悴无威德者汝可詣彼徐語窮子此有
作處倍與汝直窮子若許將来使作若言欲
何所作便可語之雇汝除糞我等二人亦共
汝作時二使人即求窮子既已得之具陳上
事尒時窮子先取其價尋與除糞其父見子
愍而怪之又以他日於窓牖中遥見子身羸
瘦憔悴糞土塵坌汙穢不淨即脫瓔珞細軟

BD00996號　妙法蓮華經卷二　（17–14）

事尒時窮子先取其價尋與除糞其父見子
愍而怪之又以他日於窻牖中遥見子身羸
瘦憔悴糞土塵坌汙穢不淨即脫瓔珞細軟
上服嚴飾之具更著麁弊垢膩之衣塵土坌
身右手執持除糞之器狀有所畏語諸作人
汝等勤作勿得懈息以方便故得近其子後
復告言咄男子汝常此作勿復餘去當加汝
價諸有所須瓫器米麵塩酢之屬莫自疑難
亦有老弊使人須者相給好自安意我如汝
父勿復憂慮所以者何我年老大而汝少壯
汝常作時无有欺怠瞋恨怨言都不見汝有
此諸惡如餘作人自今已後如所生子即時
長者更與作字名之為兒尒時窮子雖欣此
遇猶故自謂客作賤人由是之故於二十年
中常令除糞過是已後心相體信入出无難
然其所止猶在本處世尊尒時長者有疾自
知將死不久語窮子言我今多有金銀珎寶
倉庫盈溢其中多少所應取與汝悉知之我
心如是當體此意所以者何今我與汝便為
不異宜加用心无令漏失尒時窮子即受教
勑領知衆物金銀珎寶及諸庫藏而无悕取
一餐之意然其所止故在本處下劣之心亦
未能捨復經少時父知子意漸已通泰成就
大志自鄙先心臨欲終時而命其子并會親
族國王大臣剎利居士皆悉已集即自宣言

BD00996號　妙法蓮華經卷二　（17–15）

勑領知衆物金銀珎寶及諸庫藏而无悕取
一餐之意然其所止故在本處下劣之心亦
未能捨復經少時父知子意漸已通泰成就
大志自鄙先心臨欲終時而命其子并會親
族國王大臣剎利居士皆悉已集即自宣言
諸君當知此是我子我之所生於某城中捨
吾逃走跉跰辛苦五十餘年其本字某我名
某甲昔在本城懷憂推覓忽於此間遇會得
之此實我子我實其父今我所有一切財物
皆是子有先所出内是子所知世尊是時窮
子聞父此言即大歡喜得未曾有而作是念
我本无心有所悕求今此寶藏自然而至世
尊大富長者則是如來我等皆似佛子如來
常說我等為子世尊我等以三苦故於生死
中受諸熱惱迷惑无知樂著小法今日世尊
令我等思惟蠲除諸法戲論之糞我等於中
勤加精進得至涅槃一日之價既得此已心
大歡喜自以為足便自謂於佛法中勤精進
故所得弘多然世尊先知我等心著弊欲樂
於小法便見縱捨不為分別汝等當有如來
知見寶藏之分世尊以方便力說如來智慧
我等從佛得涅槃一日之價以為大得於此
大乘无有志求我等又因如來智慧為諸菩
薩開示演說而自於此无有志願所以者何
佛知我等心樂小法以方便力隨我等說而
[illegible]

BD00996號　妙法蓮華經卷二　（17–16）

我本无心有所悕求今此寶藏自然而至世
尊大富長者則是如來我等皆似佛子如來
常說我等為子世尊我等以三苦故於生死
中受諸熱惱迷惑无知樂着小法今日世尊
令我等思惟蠲除諸法戲論之糞我等於中
勤加精進得至涅槃一日之價既得此已心
大歡喜自以為足便自謂於佛法中勤精進
故所得弘多然世尊先知我等心著弊欲樂
於小法便見縱捨不為分別汝等當有如來
知見寶藏之分世尊以方便力說如來智慧
我等從佛得涅槃一日之價以為大得於此
大乘无有志求我等又因如來智慧為諸菩
薩開示演說而自於此无有志願所以者何
佛知我等心樂小法以方便力隨我等說而
我等不知真是佛子今我等方知世尊於佛
智慧无所恡惜所以者何我等昔來真是佛
子而但樂小法若我等有樂大之心佛則為
我說大乘法此經中唯說一乘而昔於菩薩

BD00996 號　妙法蓮華經卷二　（17–17）

大般若波羅蜜多經卷第六十九　三藏法師玄[illegible]詔譯
初分無所得品第十八之九
舍利子布施波羅蜜多無染亦無
安忍精進靜慮般若波羅蜜多無染亦無散
失舍利子四靜慮無染亦無散失四無量四
無色定無染亦無散失舍利子八解脫無染
亦無散失八勝處九次第定十遍處無染亦
無散失舍利子四念住無染亦無散失四正斷
四神足五根五力七等覺支八聖道支無
染亦無散失舍利子空解脫門無染亦無散
失無相無願解脫門無染亦無散失舍利
子五眼無染亦無散失六神通無染亦無散失
舍利子佛十力無染亦無散失四無所畏四
無礙解大慈大悲大喜大捨十八佛不共法
無染亦無散失舍利子一切智無染亦無散
失道相智一切相智無染亦無散失舍利子
無忘失法無染亦無散失恒住捨性無染亦

BD00997 號　大般若波羅蜜多經卷六九　（5–1）

舍利子佛十力無染亦無散失四無所畏四
無礙解大慈大悲大喜大捨十八佛不共法
無染亦無散失舍利子一切智無染亦無散
失道相智一切相智無染亦無散失舍利子
無忘失法無染亦無散失恒住捨性無染亦
無散失舍利子一切陀羅尼門無染亦無散
失一切三摩地門無染亦無散失舍利子極
喜地無染亦無散失離垢地發光地焰慧地
極難勝地現前地遠行地不動地善慧地法
雲地無染亦無散失舍利子異生地無染亦
無散失種姓地第八地具見地薄地離欲地
已辦地獨覺地菩薩地如來地無染亦無散
失舍利子聲聞乘無染亦無散失獨覺乘大
乘無染亦無散失舍利子由此緣故我作是
說諸法亦尒都無自性
復次舍利子諸法清淨亦無散失何以故若
法清淨無盡性故時舍利子問善現言何法
清淨亦無散失善現答言舍利子色清淨亦
無散失受想行識清淨亦無散失舍利子眼
處清淨亦無散失耳鼻舌身意處清淨亦
無散失舍利子色處清淨亦無散失聲香味
觸法處清淨亦無散失舍利子眼界清淨亦無
散失色界眼識界及眼觸眼觸為緣所生諸
受清淨亦無散失舍利子耳界清淨亦無散
失聲界耳識界及耳觸耳觸為緣所生諸受
清淨亦無散失舍利子鼻界清淨亦無散失
香界鼻識界及鼻觸鼻觸為緣所生諸受
清淨亦無散失舍利子舌界清淨亦無散失味

BD00997號　大般若波羅蜜多經卷六九　（5–2）

受清淨亦無散失舍利子耳界清淨亦無散
失聲界耳識界及耳觸耳觸為緣所生諸受
清淨亦無散失舍利子鼻界清淨亦無散失
香界鼻識界及鼻觸鼻觸為緣所生諸受
清淨亦無散失舍利子舌界清淨亦無散失味
界舌識界及舌觸舌觸為緣所生諸受清淨
亦無散失舍利子身界清淨亦無散失觸界
身識界及身觸身觸為緣所生諸受清淨亦
無散失舍利子意界清淨亦無散失法界意
識界及意觸意觸為緣所生諸受清淨亦無
散失舍利子地界清淨亦無散失水火風空
識界清淨亦無散失舍利子苦聖諦清淨亦
無散失集滅道聖諦清淨亦無散失舍利子
無明清淨亦無散失行識名色六處觸受愛
取有生老死愁歎苦憂惱清淨亦無散失舍
利子內空清淨亦無散失外空內外空空空
大空勝義空有為空無為空畢竟空無際
空散空無變異空本性空自相空共相空一切
法空不可得空無性空自性空無性自性空
清淨亦无散失
舍利子布施波羅蜜多清淨亦无散失淨戒
安忍精進靜慮般若波羅蜜多清淨亦无散
失舍利子四靜慮清淨亦无散失四无量四
无色定清淨亦无散失舍利子八解脫清淨
亦无散失八勝處九次第定十遍處清淨亦
无散失舍利子四念住清淨亦无散失四正斷
四神足五根五力七等覺支八聖道支清淨

BD00997號　大般若波羅蜜多經卷六九　（5–3）

失舍利子四靜慮清淨亦无散失四无量四
无色定清淨亦无散失舍利子八解脫清淨
亦无散失八勝處九次第定十遍處清淨亦
无散失舍利子四念住清淨亦无散失四正斷
四神足五根五力七等覺支八聖道支清淨
亦无散失舍利子空解脫門清淨亦无散失
无相无願解脫門清淨亦无散失舍利子
五眼清淨亦无散失六神通清淨亦无散失
舍利子佛十力清淨亦无散失四无所畏四
无礙解大慈大悲大喜大捨十八佛不共法
清淨亦无散失舍利子一切智清淨亦无散
失道相智一切相智清淨亦无散失舍利子
无忘失法清淨亦无散失恒住捨性淨亦
无散失舍利子一切陀羅尼門清淨亦无散失
一切三摩地門清淨亦无散失舍利子極喜
地清淨亦无散失離垢地發光地焰慧地極
難勝地現前地遠行地不動地善慧地法雲
地清淨亦无散失舍利子異生地清淨亦无
散失種姓地第八地具見地薄地離欲地已
辦地獨覺地菩薩地如來地清淨亦無散失
舍利子聲聞乘清淨亦无散失獨覺乘大
乘清淨亦无散失舍利子由此漸故我作是
說諸法亦尒都无自性
復次舍利子諸法出世間亦无散失何以故
若法出世間无盡性故時舍利子問善現言

BD00997 號　大般若波羅蜜多經卷六九　（5–4）

无礙解大慈大悲大喜大捨十八佛不共法
清淨亦无散失舍利子一切智清淨亦无散
失道相智一切相智清淨亦无散失舍利子
无忘失法清淨亦无散失恒住捨性淨亦
无散失舍利子一切陀羅尼門清淨亦无散失
一切三摩地門清淨亦无散失舍利子極喜
地清淨亦无散失離垢地發光地焰慧地極
難勝地現前地遠行地不動地善慧地法雲
地清淨亦无散失舍利子異生地清淨亦无
散失種姓地第八地具見地薄地離欲地已
辦地獨覺地菩薩地如來地清淨亦無散失
舍利子聲聞乘清淨亦无散失獨覺乘大
乘清淨亦无散失舍利子由此漸故我作是
說諸法亦尒都无自性
復次舍利子諸法出世間亦无散失何以故
若法出世間无盡性故時舍利子問善現言

BD00997 號　大般若波羅蜜多經卷六九　（5–5）

BD00997 號背　殘字　　（1–1）

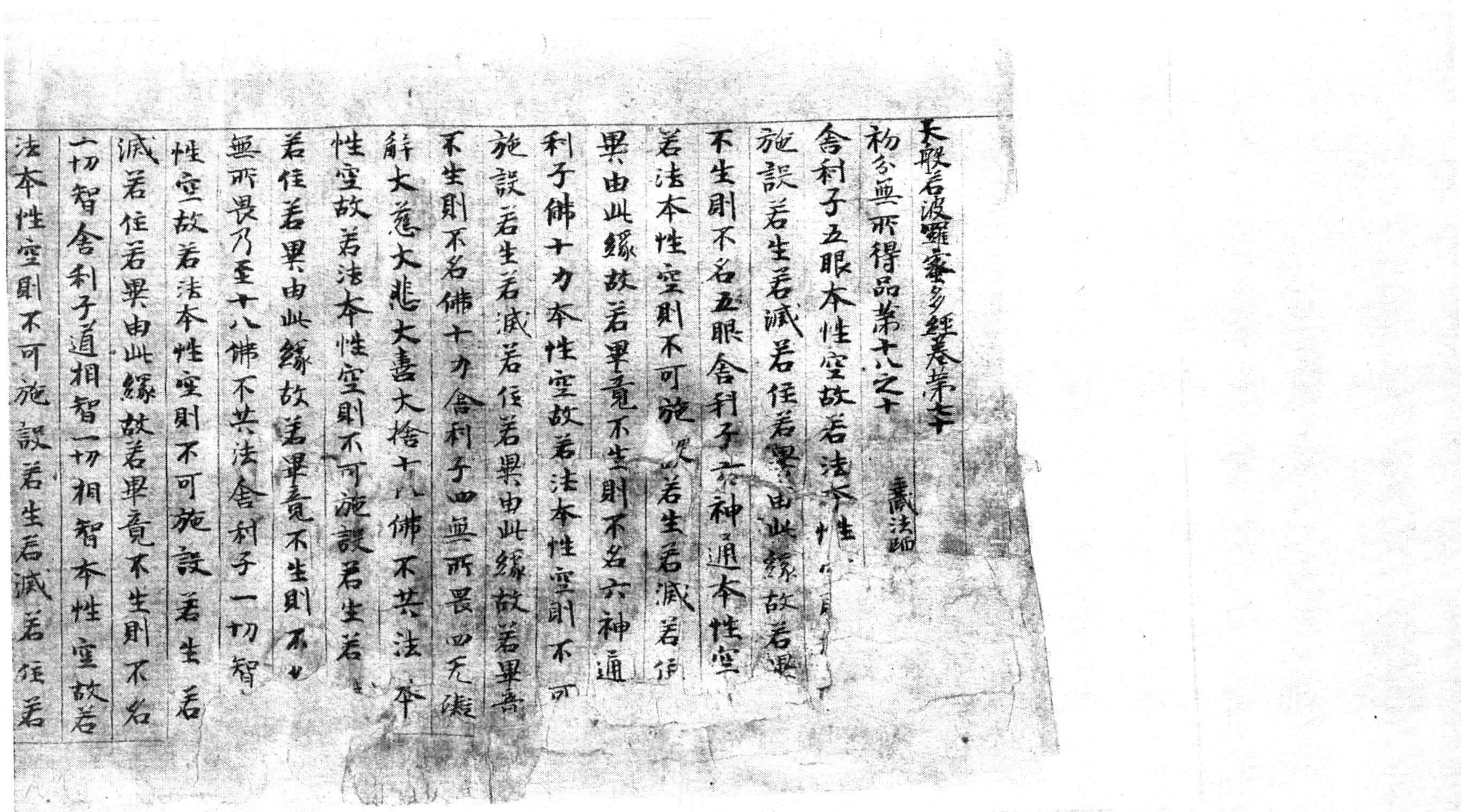
大般若波羅蜜多經卷第七十
初分無所得品第十八之十　　三藏法師
舍利子五眼本性空故若法本性
施設若生若滅若住若異由此緣故若畢
不生則不名五眼舍利子六神通本性空
若法本性空則不可施設若生若滅若住
異由此緣故若畢竟不生則不名六神通
利子佛十力本性空故若法本性空則不可
施設若生若滅若住若異由此緣故若畢竟
不生則不名佛十力舍利子四無所畏四无礙
辭大慈大悲大喜大捨十八佛不共法本
性空故若法本性空則不可施設若生若
若住若異由此緣故若畢竟不生則不名
無所畏乃至十八佛不共法舍利子一切智
性空故若法本性空則不可施設若生若
滅若住若異由此緣故若畢竟不生則不名
一切智舍利子道相智一切相智本性空故若
法本性空則不可施設若生若滅若住若

BD00998 號　大般若波羅蜜多經卷七〇　　（5–1）

若住若異由此緣故若畢竟不生則不名
無所畏乃至十八佛不共法舍利子一切智
性空故若法本性空則不可施設若生若
滅若住若異由此緣故若畢竟不生則不名
一切智舍利子道相智一切相智本性空故若
法本性空則不可施設若生若滅若住若
異由此緣故若畢竟不生則不名道相智一切
相智舍利子無忘失法本性空故若法本性
空則不可施設若生若滅若住若異由此
故若畢竟不生則不名無忘失法舍利子恒住
捨性本性空故若法本性空則不可施設若
生若滅若住若異由此緣故若畢竟不生
則不名恒住捨性舍利子一切陀羅尼門本性
空故若法本性空則不可施設若生若滅若
住若異由此緣故若畢竟不生則不名一切陀
羅尼門舍利子一切三摩地門本性空故若法
本性空則不可施設若生若滅若住若異由
此緣故若畢竟不生則不名一切三摩地門
舍利子極喜地本性空故若法本性空則不
可施設若生若滅若住若異由此緣故若畢
竟不生則不名極喜地舍利子離垢地發光
地焰慧地極難勝地現前地遠行地不動地
善慧地雲地本性空故若法本性空則不
可施設若生若滅若住若異由此緣故若畢竟
不生則不名離垢地乃至法雲地舍利子異
生地本性空故若法本性空則不可施設若
生若滅若住若異由此緣故若畢竟不生則

BD00998號　大般若波羅蜜多經卷七〇　（5–2）

可施設若生若滅若住若異由此緣故若畢竟
不生則不名離垢地乃至法雲地舍利子異
生地本性空故若法本性空則不可施設若
生若滅若住若異由此緣故若畢竟不生則
不名異生地舍利子種姓地第八地具見地
薄地離欲地已辦地獨覺地菩薩地如來地
本性空故若法本性空則不可施設若生若
滅若住若異由此緣故若畢竟不生則不名
種姓地乃至如來地舍利子聲聞乘本性空
故若法本性空則不可施設若生若滅若住
若異由此緣故若畢竟不生則不名聲聞乘
舍利子獨覺乘大乘本性空故若法本性空
則不可施設若生若滅若住若異由此緣故
若畢竟不生則不名獨覺乘大乘舍利子由
此緣故我作是說若畢竟不生則不名色等
空無生法不可說故
尒時具壽善現復答舍利子言如尊者所云
何緣故說我豈能以畢竟不生般若波羅蜜
多教誡教授畢竟不生諸菩薩摩訶薩者舍
利子畢竟不生即是般若波羅蜜多般若波
羅蜜多即是畢竟不生何以故畢竟不生與
般若波羅蜜多無二無二分故舍利子畢竟
不生即是菩薩摩訶薩菩薩摩訶薩即是畢
竟不生何以故畢竟不生與菩薩摩訶薩無
二無二分故舍利子由此緣故我作是說我
豈能以畢竟不生般若波羅蜜多教誡教授
畢竟不生諸菩薩摩訶薩

BD00998號　大般若波羅蜜多經卷七〇　（5–3）

般若波羅蜜多無二無二分故……即是畢
不生即是菩薩摩訶薩菩薩摩訶薩即是畢
竟不生何以故畢竟不生與菩薩摩訶薩無
二無二分故舍利子由此緣故我作是說我
豈能以畢竟不生般若波羅蜜多教誡教授
畢竟不生諸菩薩摩訶薩
尒時具壽善現復荅舍利子言如尊者所云
何緣故說離畢竟不生亦無菩薩摩訶薩
能行無上正等菩提者舍利子諸菩薩摩訶
薩脩行般若波羅蜜多時不見般若波羅蜜
多異畢竟不生亦不見菩薩摩訶薩異畢竟
不生何以故若般若波羅蜜多若菩薩摩訶
薩與畢竟不生無二無二分故舍利子諸菩
薩摩訶薩依行般若波羅蜜多時亦不見色
異畢竟不生亦不見受想行識異畢竟不生
何以故色乃至識與畢竟不生無二無二分
故舍利子諸菩薩摩訶薩脩行般若波羅蜜
多時亦不見眼處異畢竟不生亦不見耳鼻
舌身意處異畢竟不生何以故眼處乃至意
處與畢竟不生無二無二分故舍利子諸菩
薩摩訶薩依行般若波羅蜜多時亦不見色
處異畢竟不生亦不見聲香味觸法處異畢
竟不生何以故色處乃至法處與畢竟不生
無二無二分故舍利子諸菩薩摩訶薩脩行
般若波羅蜜多時亦不見眼界異畢竟不生
亦不見色界眼識界及眼觸眼觸為緣所生

BD00998 號　大般若波羅蜜多經卷七〇　（5–4）

不生何以故若般若波羅蜜多若菩薩摩訶
薩與畢竟不生無二無二分故舍利子諸菩
薩摩訶薩依行般若波羅蜜多時亦不見色
異畢竟不生亦不見受想行識異畢竟不生
何以故色乃至識與畢竟不生無二無二分
故舍利子諸菩薩摩訶薩脩行般若波羅蜜
多時亦不見眼處異畢竟不生亦不見耳鼻
舌身意處異畢竟不生何以故眼處乃至意
處與畢竟不生無二無二分故舍利子諸菩
薩摩訶薩依行般若波羅蜜多時亦不見色
處異畢竟不生亦不見聲香味觸法處異畢
竟不生何以故色處乃至法處與畢竟不生
無二無二分故舍利子諸菩薩摩訶薩脩行
般若波羅蜜多時亦不見眼界異畢竟不生
亦不見色界眼識界及眼觸眼觸為緣所生

BD00998 號　大般若波羅蜜多經卷七〇　（5–5）

八慧力是名五力善現云何七等
覺支謂菩薩摩訶薩念等覺支擇法等覺支
精進等覺支喜等覺支輕安等覺支定等覺
支捨等覺支如是名為七等覺支善現云何
八聖道支謂菩薩摩訶薩正見正思惟正語
正業正命正精進正念正定如是名為八聖
道支善現云何三解脫門謂菩薩摩訶薩空
无相无願解脫門如是名為三解脫門善現
云何空解脫門謂菩薩摩訶薩以空非我行
相攝心一趣是名空解脫門善現云何无相
解脫門謂菩薩摩訶薩以寂滅行相攝心一
趣是名无相解脫門善現云何无願解脫門
謂菩薩摩訶薩以苦无常行相攝心一趣是
名无願解脫門善現云何名八解脫謂菩薩
摩訶薩有色觀諸色名第一解脫內无色想
觀外諸色名第二解脫淨勝解身作證名第
三解脫空无邊處定具足住名第四解脫識

BD00999 號　大般若波羅蜜多經卷五三一　　（10–1）

謂菩薩摩訶薩以苦无常行相攝心一趣是
名无願解脫門善現云何名八解脫謂菩薩
摩訶薩有色觀諸色名第一解脫內无色想
觀外諸色名第二解脫淨勝解身作證名第
三解脫空无邊處定具足住名第四解脫識
无邊處定具足住名第五解脫无所有處定
具足住名第六解脫非想非非想處定具足
住名第七解脫滅想受定具足住名第八解
脫是名八解脫善現云何九次第定謂菩薩
摩訶薩離欲惡不善法有尋有伺離生喜
樂入初靜慮具足住名第一次第定廣說乃
至超一切非想非非想處入滅想受定具足
住名第九次第定是名九次第定善現云何
名四聖諦智謂菩薩摩訶薩苦智集智滅智
道智是名四聖諦智善現云何波羅蜜多謂
菩薩摩訶薩所有布施乃至智波羅蜜多如
是名為波羅蜜多善現云何諸空等智謂菩
薩摩訶薩內空乃至无性自性空智及真如
乃至不思議界智如是名為諸空等智善現
云何菩薩十地謂菩薩摩訶薩極喜地乃至
法雲地如是名為菩薩十地善現云何名為
五眼謂菩薩摩訶薩所求肉眼天眼慧眼法
眼佛眼是名五眼善現云何名六神通謂菩
薩摩訶薩所學神境智證通天耳智證通他
心智證通宿住隨念智證通天眼智證通漏
盡智證通是名六神通善現云何如來十力

BD00999 號　大般若波羅蜜多經卷五三一　　（10–2）

眼佛眼是名五眼善現云何名六神通謂菩
薩摩訶薩所學神境智證通天耳智證通他
心智證通宿住隨念智證通天眼智證通漏
盡智證通是名六神通善現云何如來十力
謂諸如來應正等覺於是處如實知是處於
非處如實知非處名第一力若諸如來應正
等覺於諸有情過去未來現在諸業及諸
法受處因異熟皆如實知名第二力若諸如
來應正等覺於諸世間非一種種諸界差別皆
如實知名第三力若諸如來應正等覺於諸
有情非一種種勝解差別皆如實知名第四
力若諸如來應正等覺於諸有情諸根勝劣
皆如實知名第五力若諸如來應正等覺於
遍趣行皆如實知名第六力若諸如來應正
等覺善於一切靜慮解脫等持等至雜染清
淨建立差別皆如實知名第七力若諸如來應
正等覺於諸有情過去无量諸宿住事或一
生或十生或百生或千生或无量生或一劫
或十劫或百劫或千劫或无量劫所有諸行
諸說諸相皆如實知名第八力若諸如來應
正等覺以淨天眼超過於人見諸有情死時
生時諸善惡事廣說乃至於諸有情隨業勢
力生善惡趣皆如實知名第九力若諸如來
應正等覺於諸漏盡无漏心解脫无漏慧解
脫皆如實知於自漏盡真解脫法自證通慧
具足而住廣說乃至不受後有名第十力如
是名為如來十力善現云何四无所畏謂諸

BD00999號　大般若波羅蜜多經卷五三一　（10–3）

力生善惡趣皆如實知名第九力若諸如來
應正等覺於諸漏盡无漏心解脫无漏慧解
脫皆如實知於自漏盡真解脫法自證通慧
具足而住廣說乃至不受後有名第十力如
是名為如來十力善現云何四无所畏謂諸
如來應正等覺自稱我是正等覺者設有沙
門若婆羅門若天魔梵若餘世間依法立難
或令憶念佛於是法非正等覺我於彼難正
見无由以於彼難正見无由得安隱住无怖
无畏自稱我處大仙尊位於大衆中正師子
吼轉大梵輪一切沙門若婆羅門若天魔梵
若餘世間畢竟无能如法轉者是名第一若
諸如來應正等覺自稱我已永盡諸漏設有
沙門若婆羅門若天魔梵若餘世間依法立
難或令憶念佛於是漏未得永盡我於彼難
正見无由以於彼難正見无由得安隱住无
怖无畏自稱我處大仙尊位於大衆中正師
子吼轉大梵輪一切沙門若婆羅門若天魔
梵若餘世間畢竟无能如法轉者是名第二
若諸如來應正等覺自稱我為諸弟子衆說
能障法染必為障設有沙門若婆羅門若天
魔梵若餘世間依法立難或令憶念有染是
法不能為障我於彼難正見无由以於彼難
正見无由得安隱住无怖无畏自稱我處大
仙尊位於大衆中正師子吼轉大梵輪一切
沙門若婆羅門若天魔梵若餘世間畢竟无
能如法轉者是名第三若諸如來應正等覺

BD00999號　大般若波羅蜜多經卷五三一　（10–4）

魔梵若餘世間依法立難或令憶念有然是
法不能為障我於彼難正見无由以於彼難
正見无由得安隱住无怖无畏自稱我處大
仙尊位於大衆中正師子吼轉大梵輪一切
沙門若婆羅門若天魔梵若餘世間畢竟无
能如法轉者是名第三若諸如來應正等覺
自稱我為諸弟子衆說能出道諸聖脩習决
定出離决定通達正盡衆苦作苦邊際設有
沙門若婆羅門若天魔梵若餘世間依法立
難或令憶念有脩此道非正出離非正通達
非盡衆苦非作苦邊我於彼難正見无由以
於彼難正見无由得安隱住无怖无畏自稱
我處大仙尊位於大衆中正師子吼轉大梵
輪一切沙門若婆羅門若天魔梵若餘世間
畢竟无能如法轉者是名第四如是名為四
无所畏善現云何四无礙解謂義无礙解法
无礙解詞无礙解辯无礙解如是名為四无
礙解云何名為義无礙解謂緣義无礙智云
何名為法无礙解謂緣法无礙智云何名為
詞无礙解謂緣詞无礙智云何名為辯无礙
解謂緣辯无礙智善現云何名為十八佛不
共法謂諸如來應正等覺常无誤失无卒暴
音无忘失念无不定心无種種想无不擇捨
志欲无退精進无退憶念无退般若无退解
脫无退解脫智見无退一切身業智為前導
隨智而轉一切語業智為前導隨智而轉一

共法謂諸如來應正等覺常无誤失无卒暴
音无忘失念无不定心无種種想无不擇捨
志欲无退精進无退憶念无退般若无退解
脫无退解脫智見无退一切身業智為前導
隨智而轉一切語業智為前導隨智而轉一
切意業智為前導隨智而轉若智若見於過
去世無著无礙若智若見於未來世无著无
礙若智若見於現在世无著无礙是名十八
佛不共法
善現云何三十二相謂諸佛足下有平滿相
妙善安住猶如奩底地雖高下隨足所蹈皆
悉坦然无不等觸是為第一諸佛足下千輻
輪文輞轂衆相无不圓滿是為第二諸佛手
足悉皆柔軟如覩羅綿勝過一切是為第三
諸佛手足指皆纖長圓妙過人以表長壽是
為第四諸佛手足一一指間猶如鴈王咸有
鞔網金色交絡文同綺畫是為第五諸佛足
跟廣長圓滿與趺相稱勝餘有情是為第六
諸佛足趺脩高充滿柔軟妙好與跟相稱是
為第七諸佛雙腨漸次纖圓如瑿泥耶仙鹿
王腨是為第八諸佛雙臂脩直𦟛圓如象王
鼻平立摩膝是為第九諸佛陰相勢峯藏密
其猶龍馬亦如象王是為第十諸佛毛孔各
一毛生柔潤紺青右旋宛轉是第十一諸佛
髮毛端皆上靡右旋宛轉柔潤紺青嚴金色
身甚可愛樂是第十二諸佛身皮細薄潤滑
塵垢水等皆所不住是第十三諸佛身皮皆

其猶龍馬亦如象王是為第十諸佛毛孔各
一毛生柔潤紺青右旋宛轉是第十一諸佛
髮毛端皆上靡右旋宛轉柔潤紺青嚴金色
身甚可愛樂是第十二諸佛身皮細薄潤滑
塵垢水等皆所不住是第十三諸佛身皮皆
真金色光潔晃曜如妙金臺衆寶莊嚴衆所
樂見是第十四諸佛兩足二手掌中頸及雙
肩七處充滿光淨柔軟甚可愛樂是第十五
諸佛肩項圓滿殊妙是第十六諸佛髆腋悉
皆充實是第十七諸佛容儀洪滿端直是第
十八諸佛身相脩廣端嚴是第十九諸佛體
相縱廣量等周帀圓滿如諾瞿陁是第二十
諸佛頷臆并身上半威容廣大如師子王是
二十一諸佛常光面各一尋是二十二諸佛
齒相四十齊平淨密根深白逾珂雪是二十三
諸佛四牙鮮白鋒利是二十四諸佛常得味
中上味喉脉直故能引身中千支節脉所有
上味是二十五諸佛舌相薄淨廣長能覆面
輪至耳髮際是二十六諸佛梵音詞韻和雅
隨衆多少无不等聞其聲洪震猶如天鼓發
言婉約如頻迦音是二十七諸佛眼睫猶若
牛王紺青齊整不相雜乱是二十八諸佛眼
睛紺青鮮白紅環間飾皎潔分明是二十九
諸佛面輪其猶滿月 眉相皎淨如天帝弓是
第三十諸佛眉間有白毫相右旋柔軟如覩
羅綿鮮白光淨逾珂雪等是三十一諸佛頂
上烏瑟膩沙高顯周圓猶如天蓋是三十二

BD00999號　大般若波羅蜜多經卷五三一　（10–7）

睛紺青鮮白紅環間飾皎潔分明是二十九
諸佛面輪其猶滿月 眉相皎淨如天帝弓是
第三十諸佛眉間有白毫相右旋柔軟如覩
羅綿鮮白光淨逾珂雪等是三十一諸佛頂
上烏瑟膩沙高顯周圓猶如天蓋是三十二
是名諸佛三十二相善現云何八十隨好謂
諸佛指爪狹長薄潤光潔鮮淨如花赤銅是
為第一諸佛手足指圓纖長傭直柔軟節骨
不現是為第二諸佛手足各等无差於諸指
間悉皆充密是為第三諸佛手足圓滿如意
軟淨光澤色如蓮花是為第四諸佛筋脉盤
結堅固深隱不現是為第五諸佛兩踝俱隱
不現是為第六諸佛行步直進庠審如龍象
王是為第七諸佛行步威容齊肅如師子王
是為第八諸佛行步安平庠序不過不減猶
若牛王是為第九諸佛行步進止儀雅譬如
鵝王是為第十諸佛迴顧必皆右旋如龍象
王舉身隨轉是第十一諸佛支節漸次傭圓
妙善安布是第十二諸佛骨節交結无隙猶
若龍盤是第十三諸佛膝輪妙善安布堅固
圓滿是第十四諸佛隱處其文妙好威勢具
足圓滿清淨是第十五諸佛身支潤滑柔軟
光悅鮮淨塵垢不著是第十六諸佛身容敦
肅无畏常不怯弱是第十七諸佛身支堅固
稠密善相屬著是第十八諸佛身支安定敦
重常不掉動圓滿无壞是第十九諸佛身相
猶若仙王周帀端嚴光淨離翳是第二十諸

BD00999號　大般若波羅蜜多經卷五三一　（10–8）

[illegible]
光悅鮮淨塵垢不著是第十六諸佛身容敦
肅无畏常不怯弱是第十七諸佛身支堅固
稠密善相屬著是第十八諸佛身支安定敦
重常不掉動圓滿无壞是第十九諸佛身相
猶若仙王周帀端嚴光淨離翳是第二十諸
佛身有周帀圓光於行等特恒自照曜是二
十一諸佛腹形方正无欠柔軟不現衆相莊
嚴是二十二諸佛臍深右旋圓妙清淨光澤
是二十三諸佛臍厚不窊不凸周匝妙好是
二十四諸佛皮膚遠離疥癬亦无黶點疣贅
等過是二十五諸佛手掌充滿柔軟足下安
平是二十六諸佛手文深長明直潤澤无斷
是二十七諸佛脣色光潤丹暉如頻婆菓上
下相稱是二十八諸佛面門不長不短不大
不小如量端嚴是二十九諸佛舌相軟薄廣
長如赤銅色是第三十諸佛發聲威震深遠
如鳥王吼明朗清徹是三十一諸佛音韻美
妙具足如深谷響是三十二諸佛鼻高脩而
且直其孔不現是三十三諸佛諸齒方整鮮
白是三十四諸佛諸牙圓白光潔漸次鋒利
是三十五諸佛目淨青白分明是三十六諸
佛明相脩廣譬如青蓮華葉甚可愛樂是三
十七諸佛眼睫上下齊整稠密不白是三十
八諸佛雙眉長而不白緻而細軟是三十九
諸佛雙眉綺靡順次紺瑠璃色是第四十諸
佛雙眉高顯光潤形如初月是四十一諸佛

BD00999號　大般若波羅蜜多經卷五三一　（10–9）

長如赤銅色是第三十諸佛發聲威震深遠
如鳥王吼明朗清徹是三十一諸佛音韻美
妙具足如深谷響是三十二諸佛鼻高脩而
且直其孔不現是三十三諸佛諸齒方整鮮
白是三十四諸佛諸牙圓白光潔漸次鋒利
是三十五諸佛目淨青白分明是三十六諸
佛明相脩廣譬如青蓮華葉甚可愛樂是三
十七諸佛眼睫上下齊整稠密不白是三十
八諸佛雙眉長而不白緻而細軟是三十九
諸佛雙眉綺靡順次紺瑠璃色是第四十諸
佛雙眉高顯光潤形如初月是四十一諸佛
耳厚廣大脩長輪埵成就是四十二諸佛兩
耳綺麗齊平離諸過失是四十三諸佛容儀
能令見者无損无染皆生愛敬是四十四諸
佛額廣圓滿平正形相殊妙是四十五諸佛
身分上半圓滿如師子王威嚴无對是四十
六諸佛首髮脩長紺青稠密不白是四十七
諸佛首髮香潔細軟潤澤旋轉是四十八諸
佛首髮齊整无亂亦不交雜是四十九諸佛

BD00999號　大般若波羅蜜多經卷五三一　（10–10）

BD00999 號背　勘記　　(2–1)

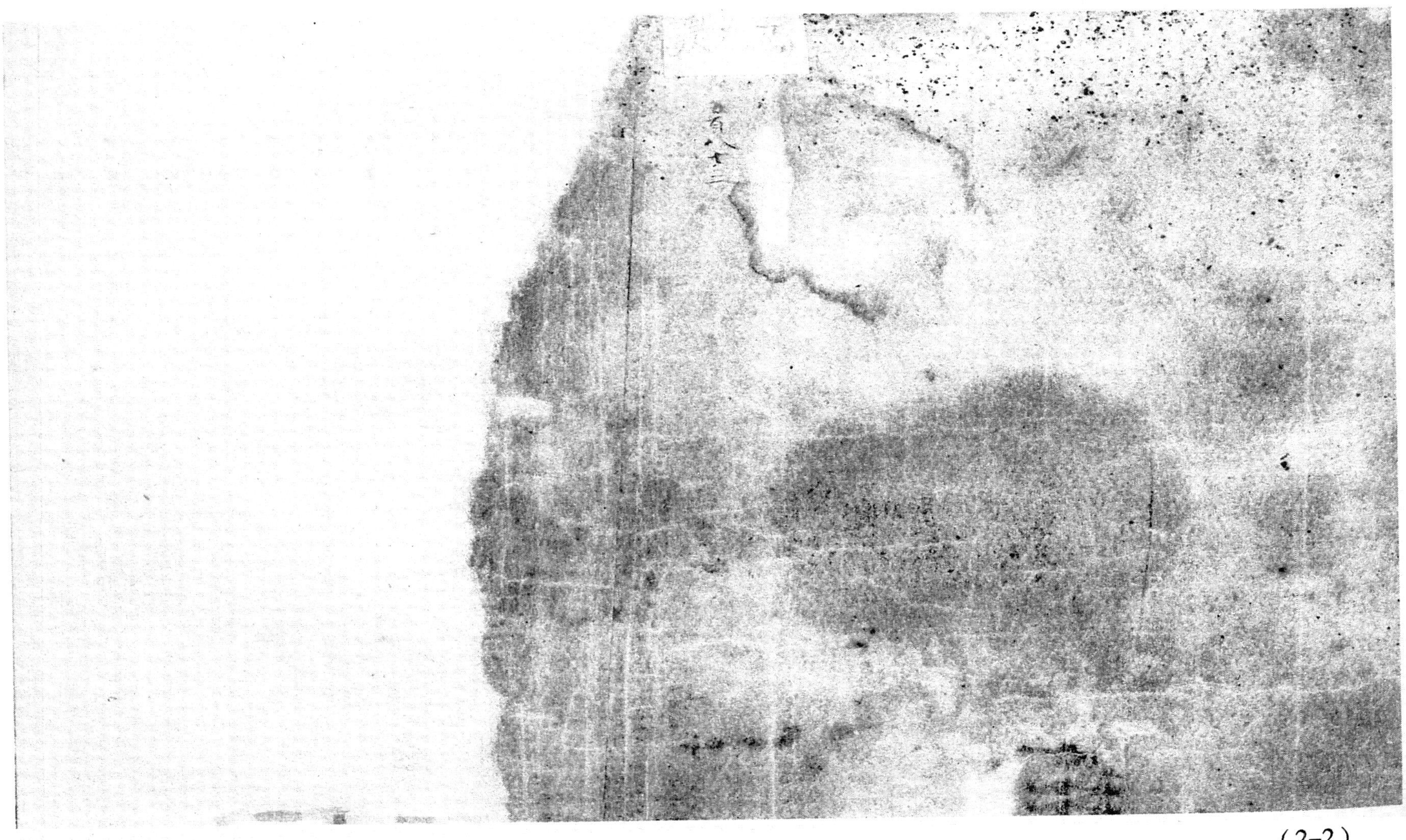

BD00999 號背　勘記　　(2–2)

□服飲食□□病瘦隨藥
石作無上方足內外諸惡因緣即時滅壞都
不憶念往日供給衣食之恩善男子譬如有
王畜四毒虵置之一篋以付一人仰令瞻養
是四虵中設一生瞋則能害人是人怖常
求飲食隨時守護一切衆生四大毒虵亦復
如是若一大瞋則能壞身善男子如人久病
應當至心求醫療治若不勤救必死不疑一
切衆生身亦如是常應攝心不令放逸若放
逸者則便滅壞善男子譬如坏瓶不耐風雨
打擲槌押一切衆生身亦如是不耐飢渴寒
熱風雨打繫惡罵善男子如癰未熟常當善
護不令人觸設有觸者則大苦痛一切衆生
身亦如是善男子如驟懷任自害其軀一切

BD01000號　大般涅槃經（北本）卷三一　（5–1）

逸者則便滅壞善男子譬如坏瓶不耐風雨
打擲槌押一切衆生身亦如是不耐飢渴寒
熱風雨打繫惡罵善男子如癰未熟常當善
護不令人觸設有觸者則大苦痛一切衆生
身亦如是善男子如驟懷任自害其軀一切
衆生身亦如是內有風冷身則受害善男子
譬如芭蕉生實則枯一切衆生身亦如是善
男子亦如芭蕉內无堅實一切衆生身亦如
是善男子如虵鼠狼各各相於常生惡心衆
生四大亦復如是善男子譬如鵝王不樂塚
墓菩薩亦尒於身冢墓不貪樂善男子如
旃陀羅七世相續不捨其業是故為人之所
輕賤是身種子亦復如是種子精血究竟不
淨以不淨故諸佛菩薩之所輕呵善男子是
身不如摩羅耶山生於旃檀亦不能生優鉢
羅華分陁利華瞻婆華摩利迦華婆師迦華
九孔常流膿血不淨生處臭穢醜陋可惡常
與諸虫共在一處善男子譬如世間雖有上
妙清淨薗林死屍至中則為不淨衆共捨之
不生愛着色界亦尒雖復淨妙以有身故諸
佛菩薩悉共捨之善男子若有不能作如是
觀不名脩身不脩戒者善男子若不能觀戒
是一切善法梯橙亦是一切善法根本如地
悉是一切樹木所生之本是諸善根之導首
也如彼商主導衆商人戒是一切善法勝幢
如天帝釋所立勝幢戒能永斷一切惡業及
三惡道能療惡病猶如藥樹戒是生死嶮路

BD01000號　大般涅槃經（北本）卷三一　（5–2）

是一切善法樹根亦是一切善法根本如地
悉是一切樹木所生之本是諸善根之導首
也如彼商主導衆商人戒是一切善法勝幢
如天帝釋所立勝幢戒能永斷一切惡業及
三惡道能療惡病猶如藥樹戒是生死嶮路
資粮戒是摧結惡賊鎧杖戒是滅結毒蛇良
呪戒是度惡業行橋梁若有不能如是觀者
名不脩戒不脩心者不能觀心輕躁動轉難
捉難調馳騁騖逸如大惡鳥念念迁速如彼
電光躁擾不住猶如獼猴如幻如炎乃是一
切諸惡根本五欲難滿如大獲薪亦如大海
呑受諸流如湯陁山草木滋多不能觀察生
死虛妄躭或致患如魚呑鉤常先引導諸業
隨從猶如貝母引導諸子貪着五欲不樂涅
槃如駝食蜜乃至於死不顧嫩草深着現樂
不觀後過如牛食苗不懼杖捶馳騁周遍廿
五有猶如疾風吹兜羅毦所不應求求无猒
是如无智人求无熱火常樂生死不樂解脫
如紲婆虫樂紲婆樹迷或愛着生死臭穢猶
如獄囚樂獄卒女亦如廁豬樂處不淨若有
不樂如是觀者名不脩心不脩慧者不觀智
慧有大勢力如金翅鳥能壞惡業壞无明闇
猶如日光能拔陰樹如水澍物焚燒耶見猶
如猛火慧是一切善法根本佛菩薩母之種
子世若有不能如是觀者不名脩慧善男子
第一義中若見身身相身因身果身聚身一
身二此身彼身身滅身等身脩脩者若有如

猶如日光能拔陰樹如水澍物焚燒耶見猶
如猛火慧是一切善法根本佛菩薩母之種
子世若有不能如是觀者不名脩慧善男子
第一義中若見身身相身因身果身聚身一
身二此身彼身身滅身等身脩脩者若有如
是見者名不脩身善男子若見戒戒相戒因
戒果上戒下戒戒聚戒一戒二此戒彼戒戒
滅戒等戒脩脩者戒波羅蜜若有如是見者
名不脩戒若見心心相心因心果心聚心及
心數心一心二此心彼心心滅心等心脩脩
者上中下心善心惡心若有如是見者名不
脩心善男子若見慧慧相慧因慧果慧聚慧
一慧二此慧彼慧慧滅慧等上中下慧純慧
利慧慧脩脩者若有如是見者名不脩慧善
男子若有不脩身戒心慧如是之人於小惡
業得大惡報以恐怖故常生是念我屬地獄
作地獄行雖聞智者說地獄苦常
還打石木自打木火
似地獄若似地獄有
所粘不能得出是人亦
自出心初无悔不能脩善
過去一切善業悉為是罪之
有現受輕報轉為地獄極重惡
如小器水置鹽一升其味醎苦難
人罪業亦復如是善男子辟如
錢不能償故身被繫縛多受衆苦
亦復如是師子吼菩薩言世尊是人

錢不能償故身被繫縛多受衆苦
亦復如是師子吼菩薩言世尊是人
現輕報轉地獄受佛言善男子一切衆
具五事令現輕報轉地獄受何等爲五
二者善根微少故三者惡業深
懺悔故五者不脩本善業故復有
一者脩集惡業故二者无戒財故三者
鄙善根故四者不脩身戒心慧故五者親
惡知識故善男子是故能令現世輕報地獄
重受師子吼言世尊何等人能轉地獄報現
世輕受善男子若有脩集身戒心慧如先所
說能觀諸法同如虛空不見智慧不見智者
不見愚癡不見愚者不見脩集及脩集者是
名智者如是之人則能脩集身戒心慧是人
能令地獄果報現世輕受是人設作極重惡
業思惟觀察能令輕微作是念言我業雖重
不如善業譬如疊華雖復百斤終不能敵真
金一兩如恒河中投一升鹽水无醎味飲者
不覺如巨富者雖多負人千万寶物无能檕
縛令其受苦如大香象能壞鐵鏁自在而去
言我善力多惡
脩智慧智慧

著 錄 凡 例

本目錄採用條目式著錄法。諸條目意義如下：

1.1　著錄編號。用漢語拼音首字“BD”表示，意為“北京圖書館藏敦煌遺書”，簡稱“北敦號”。文獻寫在背面者，標註為“背”。一件遺書上抄有多個文獻者，用數字 1、2、3 等標示小號。一號中包括幾件遺書，且遺書形態各自獨立者，用字母 A、B、C 等區別。

1.2　著錄分類號。本條記目錄暫不分類，該項空缺。

1.3　著錄文獻的名稱、卷本、卷次。

1.4　著錄千字文編號。

1.5　著錄縮微膠卷號。

2.1　著錄遺書的總體數據。包括長度、寬度、紙數、正面抄寫總行數與每行字數、背面抄寫總行數與每行字數。如該遺書首尾有殘破，則對殘破部分單獨度量，用加號加在總長度上。凡屬這種情況，長度用括弧標註。

2.2　著錄每紙數據。包括每紙長度及抄寫行數或界欄數。

2.3　著錄遺書的外觀。包括：（1）裝幀形式。（2）首尾存況。（3）護首、軸、軸頭、天竿、縹帶，經名是書寫還是貼簽，有無經名號，扉頁、扉畫。（4）卷面殘破情況及其位置。（5）尾部情況。（6）有無附加物（蟲繭、油污、線繩及其他）。（7）有無裱補及其年代。（8）界欄。（9）修整。（10）其他需要交待的問題。

2.4　著錄一件遺書抄寫多個文獻的情況。

3.1　著錄文獻首部文字與對照本核對的結果。

3.2　著錄文獻尾部文字與對照本核對的結果。

3.3　著錄錄文。

3.4　著錄對文獻的説明。

4.1　著錄文獻首題。

4.2　著錄文獻尾題。

5　著錄本文獻與對照本的不同之處。

6.1　著錄本遺書首部可與另一遺書綴接的編號。

6.2　著錄本遺書尾部可與另一遺書綴接的編號。

7.1　著錄題記、題名、勘記等。

7.2　著錄印章。

7.3　著錄雜寫。

7.4　著錄護首及扉頁的內容。

8　著錄年代。

9.1　著錄字體。如有武周新字、合體字、避諱字等，予以説明。

9.2　著錄卷面二次加工的情況。包括句讀、點標、科分、間隔號、行間加行、行間加字、硃筆、墨塗、倒乙、刪除、兑廢等。

10　著錄敦煌遺書發現後，近現代人所加內容，裝裱、題記、印章等。

11　備註。著錄揭裱互見、圖版本出處及其他需要説明的問題。

上述諸條，有則著錄，無則空缺。

為避文繁，上述著錄中出現的各種參考、對照文獻，暫且不列版本説明。全目結束時，將統一編制本條記目錄出現的各種參考書目。

本條記目錄為農曆年份標註其公曆紀年時，未經行歲頭年末之換算，請讀者使用時注意自行換算。

條 記 目 錄

BD00944—BD01000

1.1 BD00944號
1.3 十誦律（兑廢稿）卷三八
1.4 昃044
1.5 174:7085
2.1 93.3×26.5厘米；2紙；53行，行17字。
2.2 01：44.0，25； 02：49.3，28。
2.3 卷軸裝。首斷尾脱。麻紙。有烏絲欄。
3.1 首殘→大正1435，23/272C25。
3.2 尾殘→23/273B22。
5 與《大正藏》本對照，錯漏較多，應為兑廢。
8 7~8世紀。唐寫本。
9.1 楷書。
11 圖版：《敦煌寶藏》，104/114A~115A。

1.1 BD00945號
1.3 十誦律（兑廢稿）卷三八
1.4 昃045
1.5 174:7086
2.1 93×26.5厘米；2紙；53行，行17字。
2.2 01：44.0，25； 02：49.0，28。
2.3 卷軸裝。首斷尾脱。麻紙。有烏絲欄。
3.1 首殘→大正1435，23/278A17。
3.2 尾殘→23/278C9。
5 與《大正藏》本對照，錯漏較多，應為兑廢。
8 7~8世紀。唐寫本。
9.1 楷書。
11 圖版：《敦煌寶藏》，104/115B~116B。

1.1 BD00946號
1.3 維摩詰所說經卷上
1.4 昃046
1.5 070:0923
2.1 169.5×27厘米；4紙；81行，行16~18字。
2.2 01：25.0，護首； 02：48.5，27； 03：48.5，27；
04：47.5，27。
2.3 卷軸裝。首全尾斷。有護首，扉頁劃有烏絲欄。第2、3紙接縫處上部開裂，第3紙前部有横撕裂。卷面多水漬、變色。有烏絲欄。已修整。
3.1 首全→大正475，14/537A3。
3.2 尾殘→14/538A1。
4.1 維摩詰所說經，一名不可思議解脱，佛國品第一（首）。
8 9~10世紀。歸義軍時期寫本。
9.1 楷書。
9.2 有倒乙。
11 圖版：《敦煌寶藏》，64/32B~34B。

1.1 BD00947號
1.3 十誦律（兑廢稿）卷三一
1.4 昃047
1.5 174:7084
2.1 （2+45.5+2）×26.5厘米；1紙；28行，行17字。
2.3 卷軸裝。首尾均脱。紙張背面有些地方被揭去一層，故厚薄不均。有烏絲欄。
3.1 首1行上殘→大正1435，23/223C12~13。
3.2 尾1行上殘→23/224A13。
5 與《大正藏》本對照，錯漏較多，應為兑廢。
6.1 首→BD00948號。
8 7~8世紀。唐寫本。
9.1 楷書。
11 圖版：《敦煌寶藏》，104/113A~B。

1.1 BD00948號
1.3 十誦律（兑廢稿）卷三一
1.4 昃048
1.5 174:7083
2.1 44×26.5厘米；1紙；25行，行17字。

2.3 卷軸裝。首尾脱。通卷背面被揭去一層。有烏絲欄。
3.1 首殘→大正 1435，23/223B16。
3.2 尾殘→23/223C13。
5 與《大正藏》本對照，錯漏較多，應為兑廢。
6.2 尾→BD00947 號。
8 7～8 世紀。唐寫本。
9.1 楷書。
11 圖版：《敦煌寶藏》，104/112A～B。

1.1 BD00949 號
1.3 金剛般若波羅蜜經
1.4 昃 049
1.5 094:3771
2.1 (4＋107.8＋5.5)×26.5 厘米；3 紙；66 行，行 17 字。
2.2 01：4＋14.5，09； 02：49.3，28； 03：44＋5.5，29。
2.3 卷軸裝。首殘尾殘。本件通卷破爛，有等距離水漬。原有 2 殘片脱落，現已綴接。有烏絲欄。已修整。
3.1 首 7 行上下殘→大正 235，8/749A28～B6。
3.2 尾 3 行上殘→8/750A17～20。
8 8 世紀。唐寫本。
9.1 楷書。
11 圖版：《敦煌寶藏》，80/266A～267B。

1.1 BD00950 號
1.3 合部金光明經卷八
1.4 昃 050
1.5 075:1321
2.1 525.8×26.6 厘米；11 紙；正面 296 行，背面 302 行，行 17 字。
2.2 01：48.2，28； 02：47.7，28； 03：47.8，28；
04：47.9，28； 05：47.7，28； 06：47.8，28；
07：47.8，28； 08：47.8，28； 09：47.8，28；
10：47.8，28； 11：47.5，16。
2.3 卷軸裝。首脱尾全。卷尾有墨筆塗抹。有烏絲欄。
2.4 本遺書包括 2 個文獻：（一）《合部金光明經》卷八，296 行，抄寫在正面，今編為 BD00950 號。（二）《維摩經解》，302 行，抄寫在背面，今編為 BD00950 號背。
3.1 首殘→大正 664，16/397B21。
3.2 尾全→16/401C24。
4.2 金光明經卷第八（尾）。
5 與《大正藏》本對照，此號與《思溪藏》、《普寧藏》、《嘉興藏》、日本《宮內寮》本、《聖語藏》本一樣，末尾均缺少 416 字。
8 7～8 世紀。唐寫本。
9.1 楷書。
11 圖版：《敦煌寶藏》，66/539A～550B。
本號書品較好。

1.1 BD00950 號背
1.3 維摩經解（擬）
1.4 昃 050
1.5 075:1321
2.4 本遺書由 2 個文獻組成，本號為第 2 個，302 行，抄寫在背面。餘參見 BD00950 號之第 2 項、第 11 項。
3.4 說明：
本號首殘尾缺。參見《敦煌學大辭典》，第 676 頁。
8 8～9 世紀。吐蕃統治時期寫本。
9.1 楷書，行書。木筆書寫。
9.2 有行間校加字。有重文號。有刪除號。有倒乙。

1.1 BD00951 號
1.3 摩訶般若波羅蜜經卷二一
1.4 昃 051
1.5 088:3452
2.1 (17＋86.3＋8.7)×26.2 厘米；3 紙；66 行，行 17 字。
2.2 01：17＋23.8，24； 02：46.2，28；
03：16.3＋8.7，14。
2.3 卷軸裝。首尾均殘。打紙。研光上蠟。細密光潔，瑩潤如玉。簾紋細如髮絲，工藝精湛。實為敦煌遺書中紙張之精品。首紙尾部至第 2 紙有 1 道橫豎撕損，第 2 紙上邊有殘損，尾紙上邊有 1 處撕裂。有烏絲欄。已修整。
3.1 首 10 行上下殘→大正 223，8/374B14～24。
3.2 尾 4 行上中殘→8/375A22～26。
6.2 尾→BD06905 號。
8 7～8 世紀。唐寫本。
9.1 楷書。
9.2 有硃筆加行。
11 圖版：《敦煌寶藏》，78/62A～63B。

1.1 BD00952 號
1.3 金剛般若波羅蜜經
1.4 昃 052
1.5 094:4077
2.1 (71.8＋253.5＋7)×27 厘米；10 紙；203 行，行 17 字。
2.2 01：11.7，7； 02：39.8，24； 03：20.3＋16，24；
04：39.0，24； 05：39.5，24； 06：39.8，24；
07：39.7，24； 08：40.0，24； 09：39.5，24；
10：07.0，04。
2.3 卷軸裝。首尾均殘。本件破損嚴重。卷首下部殘缺。中間有殘洞。第 1 紙自接縫處脱落，第 7 紙下部有橫裂，第 8 紙下部有殘損。上邊殘留筆痕，並有等距離火灼小洞。卷背有多處古代裱補。有烏絲欄。已修整。
3.1 首 43 行下殘→大正 235，8/749C25～750B13。
3.2 尾 4 行上殘→8/752B13～17。
8 8 世紀。唐寫本。

9.1 楷書。
9.2 有行間校加字。
11 圖版:《敦煌寶藏》,82/44B~48B。

1.1 BD00953 號 1
1.3 賢劫十方千五百佛名經
1.4 昃 053
1.5 066:0843
2.1 (7.5+961.3)×27.8 厘米;22 紙;516 行,行 17 字。
2.2 01:7.5+19.5,16; 02:46.5,26; 03:46.5,26;
04:46.5,25; 05:46.5,25; 06:46.3,25;
07:46.3,25; 08:46.5,25; 09:46.5,25;
10:46.5,25; 11:46.5,25; 12:46.5,25;
13:46.5,25; 14:46.5,25; 15:46.5,25;
16:46.5,25; 17:46.5,25; 18:46.7,23;
19:46.5,25; 20:46.5,25; 21:46.5,25;
22:12,拖尾。
2.3 卷軸裝。首殘尾全。第 2、3 紙接縫下部開裂,第 3、4 紙接縫上部開裂。有燕尾。已修整。
2.4 本遺書包括 2 個文獻:(一)《賢劫十方千五百佛名經》,423 行,今編為 BD00953 號 1。(二)《持誦佛名及功德文》,93 行,今編為 BD00953 號 2。
3.1 首 5 行上下殘→大正 0442,14/0314B29~C03。
3.2 尾殘→14/0318A07。
5 與《大正藏》本對照,本號每個佛名上均有"南無"。《大正藏》本無。
4.2 佛說賢劫十方千五百佛名經卷下(尾)。
8 7~8 世紀。唐寫本。
9.1 楷書。
11 圖版:《敦煌寶藏》,63/4A~16A。

1.1 BD00953 號 2
1.3 持誦佛名及功德文(擬)
1.4 昃 053
1.5 066:0843
2.4 本遺書由 2 個文獻組成,本號為第 2 個,93 行。餘參見 BD00953 號 1 之第 2 項、第 11 項。
3.4 說明:
本文獻首全尾缺。未為歷代大藏經所收。
8 7~8 世紀。唐寫本。
9.1 楷書。

1.1 BD00954 號
1.3 大般涅槃經(北本異本)卷一六
1.4 昃 054
1.5 115:6389
2.1 (10.5+633.7)×26.3 厘米;14 紙;375 行,行 17 字。
2.2 01:10.5,7; 02:51.5,31; 03:51.7,31;
04:51.5,31; 05:51.5,31; 06:51.5,31;
07:51.5,31; 08:51.5,31; 09:51.5,31;
10:51.5,31; 11:51.5,31; 12:51.5,31;
13:51.5,27; 14:15.5,拖尾。
2.3 卷軸裝。首殘尾全。尾有原軸,兩端塗漆,黑色,頂端點硃漆。首紙殘碎嚴重,第 2 紙下部有殘洞,尾紙脫落,未入潢。每紙兩端界欄處有針孔。卷背有古代裱補。有燕尾。有烏絲欄。已修整。
3.1 首 7 行下殘→大正 374,12/458B22~29。
3.2 尾全→12/463A14。
4.2 大般涅槃經卷第十六(尾)。
5 與《大正藏》本對照,分卷不同。經文相當於《大正藏》卷第十六梵行品第八之二至卷第十七梵行品第八之三。與《思溪藏》等歷代其他藏經對照,也均略有差異。
8 5~6 世紀。南北朝寫本。
9.1 隸書。
9.2 有硃筆校改。
11 圖版:《敦煌寶藏》,98/516A~524B。
典型的南北朝寫經。

1.1 BD00955 號
1.3 妙法蓮華經卷一
1.4 昃 055
1.5 105:4556
2.1 704.9×26.1 厘米;15 紙;398 行,行 17~18 字。
2.2 01:49.4,28; 02:48.6,28; 03:49.3,28;
04:48.8,28; 05:48.9,28; 06:49.0,28;
07:49.0,28; 08:48.2,28; 09:49.3,28;
10:49.2,28; 11:48.8,28; 12:49.0,28;
13:48.8,28; 14:49.1,28; 15:19.5,06。
2.3 卷軸裝。首殘尾全。第 14、15 紙接縫處下部開裂。上下邊略殘。有烏絲欄。
3.1 首殘→大正 262,9/3B4。
3.2 尾全→9/10B21。
4.2 妙法蓮華經卷第一(尾)。
8 8 世紀。唐寫本。
9.1 楷書。
11 圖版:《敦煌寶藏》,84/406B~417A。

1.1 BD00956 號
1.33 摩訶般若波羅蜜經鈔(擬)
1.4 昃 056
1.5 088:3475
2.1 325.3×26.4 厘米;7 紙;196 行,行 17 字。
2.2 01:46.8,28; 02:46.2,28; 03:46.6,28;
04:46.6,28; 05:46.6,28; 06:46.2,28;

07：46.3，28。
2.3 卷軸裝。首尾均脱。經黄紙。第3、4、5紙接縫處下開脱、開裂，6、7紙接縫處脱爲2截。有烏絲欄。已修整。
3.4 説明：
本號抄寫《摩訶般若波羅蜜經》四段經文，詳情如下：
①首殘→大正223，8/242B27，相當於《大正藏》本卷四。
第13行→8/242C11。
②第14行→8/270B17，相當於《大正藏》本卷七。
第75行→8/272A27。
③第76行→8/308B13，相當於《大正藏》本卷一二。
第143行→8/309A27。
④第144行→8/323A22，相當於《大正藏》本卷一四。
尾殘→8/323C20。
5 與《大正藏》本對照，此卷經文爲《摩訶般若波羅蜜經》經文節抄。卷中品名、品次或與《大正藏》本有不同。
8 7~8世紀。唐寫本。
9.1 楷書。
9.2 通卷有硃筆斷句。有刮改。
11 圖版：《敦煌寶藏》，78/179A~183A。

1.1 BD00957號
1.3 妙法蓮華經卷六
1.4 昃057
1.5 105:5664
2.1 （20.5+962.8）×25.5厘米；22紙；591行，行17字。
2.2 01：20.5+11.8，20； 02：46.2，28； 03：46.4，28；
04：46.4，28； 05：46.4，28； 06：46.4，28；
07：46.2，28； 08：46.5，28； 09：46.6，28；
10：46.4，28； 11：46.5，28； 12：46.4，28；
13：46.5，28； 14：46.4，28； 15：46.5，28；
16：46.6，28； 17：46.5，28； 18：46.6，28；
19：46.5，28； 20：46.5，28； 21：46.5，28；
22：22.0，11。
2.3 卷軸裝。首殘尾全。經黄紙。多水漬。有烏絲欄。品相好。已修整。
3.1 首13行下殘→大正262，9/46B29~C13。
3.2 尾全→9/55A9。
4.2 妙法蓮華經卷第六（尾）。
8 7~8世紀。唐寫本。
9.1 楷書。
11 圖版：《敦煌寶藏》，93/649B~662B。

1.1 BD00958號
1.3 金剛般若波羅蜜經
1.4 昃058
1.5 094:4149
2.1 （36.5+285.3）×24.5厘米；7紙；174行，行17字。
2.2 01：36.5+9.3，26； 02：46.0，26； 03：46.0，26；
04：46.0，26； 05：46.0，26； 06：46.0，26；
07：46.0，18。
2.3 卷軸裝。首殘尾全。第1紙多處破裂，第2、3紙有横裂。有烏絲欄。已修整。
3.1 首21行上下殘→大正235，8/750B14~C7。
3.2 尾全→8/752C2。
4.2 金剛經（尾）。
8 8~9世紀。吐蕃統治時期寫本。
9.1 楷書。
11 圖版：《敦煌寶藏》，82/236B~240B。

1.1 BD00959號
1.3 妙法蓮華經卷三
1.4 昃059
1.5 105:5092
2.1 （6+689.6）×25.3厘米；16紙；418行，行17字。
2.2 01：6+28，21； 02：45.8，28； 03：45.8，28；
04：45.8，28； 05：45.8，28； 06：45.7，28；
07：46.1，28； 08：46.0，28； 09：46.1，28；
10：46.0，28； 11：46.1，28； 12：46.1，28；
13：46.1，28； 14：46.1，28； 15：46.0，28；
16：18.1，05。
2.3 卷軸裝。首殘尾全。首紙内有多處大小殘洞，第6、7紙接縫處中間開裂。有等距離水漬。有燕尾。有烏絲欄。已修整。
3.1 首4行上下殘→大正262，9/21A12~18。
3.2 尾全→9/27B9。
4.2 妙法蓮華經卷第三（尾）。
8 7~8世紀。唐寫本。
9.1 楷書。
11 圖版：《敦煌寶藏》，88/615A~625B。

1.1 BD00960號
1.3 勝天王般若波羅蜜經卷二
1.4 昃060
1.5 091:3488
2.1 （517.4+1.2）×27厘米；12紙；290行，行17字。
2.2 01：07.3，04； 02：50.2，28； 03：50.3，28；
04：50.5，28； 05：50.4，28； 06：50.3，28；
07：50.3，28； 08：50.3，28； 09：49.2，28；
10：49.4，28； 11：50.2，28； 12：9+1.2，06。
2.3 卷軸裝。首尾殘。前2紙接縫處下脱裂，第2紙前方上有1處殘損。有烏絲欄。已修整。
3.1 首殘→大正231，8/694C14。
3.2 尾行上殘→8/698A15~16。
6.2 尾→BD02503號。
8 9~10世紀。歸義軍時期寫本。

9.1 楷書。
9.2 有刮改。
11 圖版：《敦煌寶藏》，78/251B～258A。

1.1 BD00961 號 1
1.3 金光明經懺悔滅罪傳
1.4 昃 061
1.5 081：1365
2.1 （10.5＋740.5）×25.6 厘米；17 紙；436 行，行 17 字。
2.2 01：02.5，01； 02：8＋38.5，28； 03：46.5，28；
04：47.3，28； 05：46.5，28； 06：46.3，28；
07：46.3，28； 08：46.7，28； 09：46.8，28；
10：47.4，28； 11：46.5，28； 12：47.0，28；
13：47.2，28； 14：47.0，28； 15：47.0，28；
16：47.0，28； 17：46.5，15。
2.3 卷軸裝。首殘尾全，第 14～15 紙間下部粘縫處開裂。上部油污。卷面有殘洞。卷尾上邊有等距離火燒殘破。有烏絲欄。已修整。
2.4 本遺書包括 2 個文獻：（一）《金光明經懺悔滅罪傳》，58 行，今編為 BD00961 號 1。（二）《金光明經》卷一，378 行，今編為 BD00961 號 2。
3.1 首 6 行上下殘→大正 663，16/358B28～C5。
3.2 尾全→16/359B1。
4.2 金光明經傳（尾）。
8 9～10 世紀。歸義軍時期寫本。
9.1 楷書。
11 圖版：《敦煌寶藏》，67/193A～202B。

1.1 BD00961 號 2
1.3 金光明經卷一
1.4 昃 061
1.5 081：1365
2.4 本遺書由 2 個文獻組成，本號為第 2 個，378 行。餘參見 BD00961 號 1 之第 2 項、第 11 項。
3.1 首全→大正 663，16/335B1。
3.2 尾全→16/340C10。
4.1 金光明經序品第一（首）。
4.2 金光明經卷第一（尾）。
8 9～10 世紀。歸義軍時期寫本。
9.1 楷書。

1.1 BD00962 號
1.3 空號（金剛般若波羅蜜經）
1.4 昃 062
3.4 說明：
該卷於民國十年（1921）2 月提送歷史博物館。

1.1 BD00963 號
1.3 金剛般若波羅蜜經
1.4 昃 063
1.5 094：3951
2.1 377.1×26.6 厘米；9 紙；218 行，行 17 字。
2.2 01：38.0，23； 02：47.0，28； 03：47.0，28；
04：47.0，28； 05：47.0，28； 06：46.6，28；
07：47.0，28； 08：47.0，27； 09：10.5，拖尾。
2.3 卷軸裝。首殘尾全。麻紙。第 1 紙有横裂；第 1、2 紙，第 8、9 紙間接縫處開裂；第 2、3 紙，第 4、5 紙脫斷爲兩截。拖尾紙張與前不同。有燕尾。背有古代裱補。有烏絲欄。已修整。
3.1 首殘→大正 235，8/749C25。
3.2 尾全→8/752C3。
4.2 金剛般若波羅蜜經（尾）。
8 7～8 世紀。唐寫本。
9.1 楷書。
11 圖版：《敦煌寶藏》，81/320B～307A。

1.1 BD00964 號
1.3 妙法蓮華經卷二
1.4 昃 064
1.5 105：4727
2.1 （10.4＋960＋6.5）×25.4 厘米；21 紙；541 行，行 17 字。
2.2 01：10.4＋31.6，23； 02：44.4，24； 03：44.4，24；
04：44.3，24； 05：44.4，24； 06：48.3，27；
07：48.4，27； 08：48.5，27； 09：48.6，27；
10：48.4，27； 11：48.6，27； 12：48.5，27；
13：48.5，27； 14：48.4，27； 15：48.5，27；
16：45.1，26； 17：46.4，26； 18：46.7，25；
19：46.6，26； 20：46.6，26；
21：34.8＋6.5，23。
2.3 卷軸裝。首尾殘。首紙下有 1 處殘破。尾紙背面有古代裱補。卷後半部多水漬。有烏絲欄。已修整。
3.1 首 6 行上殘→大正 262，9/11A2～11。
3.2 尾 4 行下殘→9/18B26～29。
8 8 世紀。唐寫本。
9.1 楷書。
11 圖版：《敦煌寶藏》，85/644A～657B。

1.1 BD00965 號
1.3 金剛般若波羅蜜經
1.4 昃 065
1.5 094：3620
2.1 （14＋527.2）×25.7 厘米；12 紙；293 行，行 17 字。
2.2 01：14＋13，14； 02：50.5，28； 03：50.0，28；
04：50.5，28； 05：50.3，28； 06：50.5，28；
07：50.5，28； 08：50.4，28； 09：50.5，28；

10：50.5，28；　11：50.0，27；　12：10.5，拖尾。
2.3　卷軸裝。首殘尾全。麻紙。第 1 紙斷爲上下兩截，第 2 紙有橫裂，第 8 紙有豎裂。紙與紙間接縫處多有開裂。有燕尾。有烏絲欄。
3.1　首 7 行上、中、下殘→大正 235，8/749A4～10。
3.2　尾全→8/752C2。
8　7～8 世紀。唐寫本。
9.1　楷書。
11　圖版：《敦煌寶藏》，79/180A～187A。首紙斷落的下半截殘片《寶藏》沒拍攝。

1.1　BD00966 號
1.3　藥師瑠璃光如來本願功德經
1.4　昃 066
1.5　030:0275
2.1　（3+480.8）×26.5 厘米；11 紙；278 行，行 17 字。
2.2　01：3+43.5，28；　02：47.0，27；　03：47.0，27；
04：47.0，27；　05：47.0，28；　06：47.0，28；
07：47.0，29；　08：47.0，27；　09：47.0，28；
10：46.8，28；　11：14.5，01。
2.3　卷軸裝。首殘尾全。卷端上下有撕裂殘損。第 1、9、10 紙有破裂。上邊有殘破。簾紋甚細。第 9、10 紙背有古時裱補。有烏絲欄。已修整。
3.1　首 2 行上中殘→大正 450，14/405A13～14。
3.2　尾全→14/408B25。
4.2　佛說藥師瑠璃光如來本願功德經（尾）。
8　7～8 世紀。唐寫本。
9.1　楷書。
9.2　有刮改。
11　圖版：《敦煌寶藏》，57/569B～576A。

1.1　BD00967 號
1.3　彌勒下生成佛經（鳩摩羅什本）
1.4　昃 067
1.5　033:0322
2.1　（19+199.5+1.5）×25.5 厘米；7 紙；139 行，行 17 字。
2.2　01：19+9，18；　02：36.5，23；　03：36.5，23；
04：36.5，23；　05：36.5，23；　06：36.5，23；
07：8+1.5，06。
2.3　卷軸裝。首尾均殘。卷端碎損，背有古時裱補。第 5、6 紙間接縫上方開裂，第 6 紙中有碎裂。有 1 殘片，可與卷端相接，已修整綴接。有上下邊欄。已修整。
3.1　首 12 行上下殘→大正 454，14/423C11～24。
3.2　尾殘→14/425B18。
8　5～6 世紀。南北朝寫本。
9.1　隸書。
9.2　有重文號。

11　圖版：《敦煌寶藏》，58/48B～51B。

1.1　BD00968 號
1.3　妙法蓮華經玄讚卷二
1.4　昃 068
1.5　110:6205
2.1　（10.5+2077.7）×28 厘米；55 紙；1161 行，行 24 字。
2.2　01：10.5+8，10；　02：39.0，22；　03：39.0，22；
04：39.0，22；　05：39.0，22；　06：39.0，22；
07：39.3，22；　08：39.2，22；　09：39.1，22；
10：39.0，22；　11：39.1，22；　12：39.0，22；
13：39.1，22；　14：39.1，22；　15：39.1，22；
16：39.0，22；　17：39.0，22；　18：39.1，22；
19：39.3，22；　20：39.2，22；　21：39.1，22；
22：39.2，22；　23：39.1，22；　24：39.3，22；
25：39.1，22；　26：39.3，22；　27：39.5，22；
28：39.3，22；　29：39.3，22；　30：39.4，22；
31：36.5，21；　32：37.5，21；　33：37.5，21；
34：37.5，20；　35：37.5，21；　36：37.5，21；
37：37.3，21；　38：37.4，21；　39：37.4，21；
40：37.5，21；　41：37.2，21；　42：37.5，21；
43：37.5，21；　44：37.5，21；　45：37.5，21；
46：37.5，21；　47：37.5，21；　48：37.6，21；
49：37.6，21；　50：37.5，21；　51：37.3，21；
52：37.5，21；　53：37.5，21；　54：37.5，21；
55：36.2，10。
2.3　卷軸裝。首殘尾全。經疏皮紙。第 30、31 紙間接縫處開裂，卷中有等距離殘洞。背有古代裱補。
3.1　首 6 行下殘→大正 1732，34/673B26～C6。
3.2　尾全→34/694B11。
4.2　法花經玄贊第二（尾）。
8　7～8 世紀。唐寫本。
9.1　行書。有合體字“涅槃”、“菩薩”。
9.2　有硃筆點標、斷句、科分及校改。有刪除號、重文號。有些硃筆改後又用墨筆重描。
11　圖版：《敦煌寶藏》，97/302A～328B。

1.1　BD00969 號
1.3　妙法蓮華經卷五
1.4　昃 069
1.5　105:5442
2.1　（3+1064.4）×25.9 厘米；23 紙；621 行，行 17 字。
2.2　01：3+36.2，24；　02：48.4，29；　03：48.5，29；
04：48.5，29；　05：48.5，29；　06：48.5，29；
07：48.4，29；　08：48.5，29；　09：48.5，29；
10：48.5，28；　11：48.4，29；　12：48.5，28；
13：48.4，28；　14：48.5，28；　15：48.4，28；

16：46.0，26；　17：47.3，27；　18：47.4，27；
19：47.3，27；　20：47.3，28；　21：47.2，28；
22：47.2，28；　23：20.0，05。
2.3　卷軸裝。首殘尾全。第 1 紙有上下撕裂及縱橫向撕裂。有古代裱補。多水漬。有烏絲欄。已修整。
3.1　首 2 行殘→大正 262，9/37A12 ~ 14。
3.2　尾全→9/46B14。
4.2　妙法蓮華經卷第五（尾）。
8　9 ~ 10 世紀。歸義軍時期寫本。
9.1　楷書。
9.2　有刮改。
11　圖版：《敦煌寶藏》，91/525B ~ 540A。

1.1　BD00970 號
1.3　讚僧功德經
1.4　昃 070
1.5　289:8263
2.1　（5 + 227.1）×25.3 厘米；6 紙；126 行，行 14 字。
2.2　01：5 + 6.3，03；　02：41.8，24；　03：49.2，28；
04：49.5，28；　05：49.3，28；　06：31.0，15。
2.3　卷軸裝。首殘尾全。第 1、2 紙接縫處下開裂，第 2 紙下有横向撕裂、上邊下邊殘破，第 3 紙下邊殘破。第 1 紙紙質字跡與以後各紙不同，為後補。第 1 紙背有古代裱補。第 2 至 6 紙有上下邊欄。已修整。
3.1　首全→大正 2911，85/1456C14。
3.2　尾全→65/1458A23。
4.1　讚僧功德經，詞辯菩薩譯（首）。
4.2　讚僧功德經（尾）。
7.3　卷面有雜寫“凡”。
8　9 ~ 10 世紀。歸義軍時期寫本。
9.1　楷書。
9.2　有倒乙。
11　圖版：《敦煌寶藏》，109/443B ~ 446A。

1.1　BD00971 號
1.3　妙法蓮華經卷二
1.4　昃 071
1.5　105:4752
2.1　（2.9 + 807.7）×25.3 厘米；18 紙；477 行，行 17 字。
2.2　01：2.9 + 32.2，21；　02：47.1，28；　03：46.9，28；
04：46.9，28；　05：46.9，28；　06：46.8，28；
07：46.0，28；　08：46.5，28；　09：46.5，28；
10：46.3，28；　11：46.2，28；　12：46.3，28；
13：46.3，28；　14：46.2，28；　15：46.1，28；
16：50.3，28；　17：49.9，28；　18：24.3，08。
2.3　卷軸裝。首殘尾全。經黄紙。第 1、2 紙接縫處上方開裂，17、18 紙上邊殘損，卷面有一小殘洞。首紙背面有古代裱補。有燕尾。有烏絲欄。已修整。
3.1　首 2 行上殘→大正 262，9/12B16 ~ 17。
3.2　尾全→9/19A12。
4.2　妙法蓮華經卷第二（尾）。
8　7 ~ 8 世紀。唐寫本。
9.1　楷書。
11　圖版：《敦煌寶藏》，86/282B ~ 293A。

1.1　BD00972 號
1.3　妙法蓮華經卷六
1.4　昃 072
1.5　105:5829
2.1　315.8 ×25 厘米；7 紙；196 行，行 17 字。
2.2　01：45.3，28；　02：45.5，28；　03：45.0，28；
04：45.0，28；　05：45.0，28；　06：45.0，28；
07：45.0，28。
2.3　卷軸裝。首尾均脫。經黄紙。第 4、5 紙接縫處下部和第 6、7 紙接縫處上部有開裂。有烏絲欄。已修整。
3.1　首殘→大正 262，9/52B10。
3.2　尾殘→9/54C25。
8　7 ~ 8 世紀。唐寫本。
9.1　楷書。
11　圖版：《敦煌寶藏》，95/304A ~ 308A。

1.1　BD00973 號
1.3　金光明最勝王經卷三
1.4　昃 073
1.5　083:1598
2.1　（14.5 + 541.1）×25.5 厘米；13 紙；323 行，行 17 字。
2.2　01：14.5 + 2.5，10；　02：47.2，28；　03：47.0，28；
04：47.2，28；　05：47.3，28；　06：47.3，28；
07：47.1，28；　08：47.2，28；　09：47.3，28；
10：47.3，28；　11：46.9，28；　12：46.8，28；
13：20.0，05。
2.3　卷軸裝。首殘尾全，第 7 ~ 8 紙上部、第 10 ~ 11 紙下部有開裂。下邊有殘破。卷尾有殘洞。有燕尾。有烏絲欄。已修整。
3.1　首 9 行下殘→大正 665，16/413C29 ~ 414A9。
3.2　尾全→16/417C16。
4.2　金光明最勝王經卷第三（尾）。
5　尾附音義。
7.3　音義後有雜寫“李”。
8　9 ~ 10 世紀。歸義軍時期寫本。
9.1　楷書。
11　圖版：《敦煌寶藏》，68/536A ~ 543A。

1.1　BD00974 號
1.3　妙法蓮華經卷七

1.4　昃 074
1.5　105:6080
2.1　(18.5 +460) ×25 厘米；11 紙；283 行，行 17 字。
2.2　01：18.5 +17，21；　02：46.0，28；　03：46.0，28；
04：46.0，28；　05：46.0，28；　06：46.0，28；
07：46.0，28；　08：46.0，28；　09：46.0，28；
10：46.0，28；　11：29.0，10。
2.3　卷軸裝。首殘尾全。打紙。第 1 紙上邊有 1 處撕裂。卷自第 1、2 紙接縫處斷爲两截。第 5 紙中下部有斜撕裂，第 7、8 紙接縫處上部撕裂。第 1 紙背有古代裱補。有水漬。有燕尾。有烏絲欄。已修整。
3.1　首 11 行上下殘→大正 262，9/58B20 ~ C2。
3.2　尾全→9/62B1。
4.2　妙法蓮華經卷第七（尾）。
8　7 ~ 8 世紀。唐寫本。
9.1　楷書。
11　圖版：《敦煌寳藏》，96/569A ~ 575B。

1.1　BD00975 號
1.3　無量壽宗要經
1.4　昃 075
1.5　275:7708
2.1　(3 +175) ×31 厘米；5 紙；107 行，行 30 餘字。
2.2　01：3 +30.5，20；　02：44.0，27；　03：44.5，27；
04：44.0，27；　05：12.0，06。
2.3　卷軸裝。首尾均全。第 1 紙上下邊有撕裂，第 2 紙上邊有撕裂。卷中有一紙漿疙瘩。有烏絲欄。已修整。
3.1　首行上殘→大正 936，19/82A3。
3.2　尾全→19/84A29。
4.1　大乘無量壽經（首）。
4.2　佛說無量壽宗要經（尾）。
8　8 ~ 9 世紀。吐蕃統治時期寫本。
9.1　行楷。
9.2　有行間校加字。有校改。
11　圖版：《敦煌寳藏》，107/387A ~ 389A。

1.1　BD00976 號
1.3　佛名經（十六卷本）卷七
1.4　昃 076
1.5　063:0672
2.1　884.3 ×26 厘米；19 紙；523 行，行 15 字。
2.2　01：47.3，28；　02：47.3，28；　03：47.4，28；
04：47.3，28；　05：47.3，28；　06：47.4，28；
07：47.4，28；　08：47.4，28；　09：47.4，28
10：47.5，28；　11：47.4，28；　12：47.3，28；
13：47.4，28；　14：47.5，28；　15：47.5，28；
16：47.5，28；　17：47.5，28；　18：47.5，28；
19：31.0，19。
2.3　卷軸裝。首脱尾斷。麻紙。首紙上方撕裂，下部有殘洞；第 9、10 紙接縫上下全斷開；第 10、11 紙接縫中下部開裂；第 18、19 紙接縫上下開裂。有烏絲欄。已修整。
3.1　首殘→《七寺古逸經典研究叢書》，3/第 330 頁第 113 行。
3.2　尾殘→《七寺古逸經典研究叢書》，3/第 371 頁第 647 行。
5　與七寺本對照，本遺書有缺文，相當於《七寺本》第 346 頁 ~ 第 347 頁之第 323 行 ~ 329 行。佛名之排列亦略有參差。
8　7 ~ 8 世紀。唐寫本。
9.1　楷書。
11　圖版：《敦煌寳藏》，61/121B ~ 133B。

1.1　BD00977 號
1.3　金剛般若波羅蜜經
1.4　昃 077
1.5　094:3819
2.1　(3 +417.1) ×25.5 厘米；10 紙；252 行，行 17 字。
2.2　01：03.0，02；　02：46.5，28；　03：46.3，28；
04：46.5，28；　05：46.3，28；　06：46.5，28；
07：46.3，28；　08：46.4，28；　09：46.3，28；
10：46.0，26。
2.3　卷軸裝。首殘尾全。經黄紙。第 5、6 紙及第 7、8 紙間接縫開裂。有烏絲欄。已修整。
3.1　首 2 行下殘→大正 235，8/749B18 ~ 20。
3.2　尾全→8/752C3。
4.2　金剛般若波羅蜜經（尾）。
8　7 ~ 8 世紀。唐寫本。
9.1　楷書。
11　圖版：《敦煌寳藏》，80/453B ~ 459A。

1.1　BD00978 號
1.3　觀世音經
1.4　昃 078
1.5　111:6217
2.1　(12 +247.5) ×25.7 厘米；7 紙；136 行，行字不等。
2.2　01：12 +32.3，24；　02：48.4，27；　03：50.5，28；
04：36.5，20；　05：39.5，22；　06：28.3，15；
07：12，拖尾。
2.3　卷軸裝。首殘尾全。麻紙。第 1 紙前 6 行上下殘損，第 1、2 紙中間横裂，1、5、6 紙背有古時裱補。有燕尾。燕尾裹有竹製地竿，并有穿帶孔洞。有烏絲欄。已修整。
3.1　首 8 行上下殘→大正 262，9/56C8 ~ 13。
3.2　尾全→9/58B7。
4.2　佛說觀世音經一卷（尾）。
8　9 ~ 10 世紀。歸義軍時期寫本。
9.1　楷書。
11　圖版：《敦煌寳藏》，97/381B ~ 384B。

12　原卷斷下一個小殘片，上有“薩名者”三字，相當於《大正藏》本 9/56C8～9，因修整錯綴於首行。

1.1　BD00979 號
1.3　大般若波羅蜜多經卷五四九
1.4　昃 079
1.5　084:3323
2.1　(3＋354.9)×26.1 厘米；8 紙；214 行，行 17 字。
2.2　01：3＋26.8，18；　02：46.9，28；　03：46.9，28；
04：47.0，28；　05：46.9，28；　06：46.8，28；
07：46.9，28；　08：46.7，28。
2.3　卷軸裝。首殘尾脫。多水漬。卷面有紅色污痕。有殘洞。有烏絲欄。
3.1　首 2 行上殘→大正 220，7/824C29～825A1。
3.2　尾殘→7/827B3。
8　8～9 世紀。吐蕃統治時期寫本。
9.1　楷書。
11　圖版：《敦煌寶藏》，77/253A～257B。

1.1　BD00980 號
1.3　藥師瑠璃光如來本願功德經
1.4　昃 080
1.5　030:0280
2.1　(24.5＋419)×25 厘米；10 紙；263 行，行 17 字。
2.2　01：24.5，15；　02：46.5，28；　03：47.0，28；
04：47.0，28；　05：47.0，28；　06：47.0，28；
07：47.0，28；　08：47.0，28；　09：47.0，28；
10：43.5，24。
2.3　卷軸裝。首殘尾全。麻紙。打紙。第 2 紙及尾紙有撕裂破損。尾有蟲繭兩個。有烏絲欄。已修整。
3.1　首 15 行下殘→大正 450，14/405A25～B12。
3.2　尾全→14/408B25。
4.2　藥師瑠璃光如來本願功德經（尾）。
8　7～8 世紀。唐寫本。
9.1　楷書。
11　圖版：《敦煌寶藏》，57/585A～591A。

1.1　BD00981 號
1.3　金光明最勝王經卷一
1.4　昃 081
1.5　083:1478
2.1　(1.7＋369.1)×25 厘米；8 紙；214 行，行 17 字。
2.2　01：1.7＋40.2，25；　02：48.0，28；　03：47.2，28；
04：47.9，28；　05：47.0，28；　06：46.5，28；
07：46.3，28；　08：46.0，21。
2.3　卷軸裝。首殘尾全。全卷破碎嚴重。有烏絲欄。已修整，附《趙城藏》軸。
3.1　首行中上殘→大正 665，16/405B12。
3.2　尾全→16/408A28。
4.2　金光明最勝王經卷第一（尾）。
5　尾附音義。
7.1　第 2 紙背有名錄“妙、沙彌、智覺、潤盈、保盈”。
8　8～9 世紀。吐蕃統治時期寫本。
9.1　楷書。
9.2　有行間校加字。
11　圖版：《敦煌寶藏》，68/52A～56B。
修整時從本件揭下古代裱補紙 23 塊，其中 16 塊為素紙，7 塊有文字。今分別編爲 BD16054 號、BD16055 號、BD16056 號等 3 號。

1.1　BD00982 號
1.3　大般涅槃經（北本）卷一
1.4　昃 082
1.5　115:6286
2.1　(5.5＋877.5)×26.4 厘米；19 紙；520 行，行 17 字。
2.2　01：5.5＋28.5，20；　02：47.0，28；　03：47.0，28；
04：47.0，28；　05：47.0，28；　06：47.0，28；
07：47.5，28；　08：47.0，28；　09：47.0，28；
10：47.0，28；　11：47.5，28；　12：47.0，28；
13：47.5，28；　14：47.5，28；　15：47.5，28；
16：47.0，28；　17：47.0，28；　18：47.5，28；
19：47.0，24。
2.3　卷軸裝。首殘尾全。通卷下邊殘損。有烏絲欄。已修整。
3.1　首 2 行上殘→大正 374，12/365C12～13。
3.2　尾全→12/371C8。
4.2　大般涅槃經卷第一（尾）。
8　8 世紀。唐寫本。
9.1　楷書。
11　圖版：《敦煌寶藏》，97/550B～561B。

1.1　BD00983 號
1.3　金剛般若波羅蜜經
1.4　昃 083
1.5　094:4211
2.1　(23＋225)×27 厘米；6 紙；正面 146 行，行 17 字。背面 4 行，殘片。
2.2　01：23＋11.5，22；　02：43.0，26；　03：43.0，26；
04：43.0，26；　05：43.0，26；　06：41.5，20。
2.3　卷軸裝。首殘尾全。首紙殘損，第 1、2 紙下部撕裂，第 5、6 紙接縫處有古時裱補。有燕尾。有烏絲欄。已修整。
2.4　本遺書包括 2 個文獻：（一）《金剛般若波羅蜜經》，146 行，抄寫在正面，今編為 BD00983 號。（二）《大般涅槃經義記》卷二，4 行，抄寫在背面裱補紙上，今編為 BD00983 號背。
3.1　首 14 行上殘→大正 235，8/750C17～751A1。

3.2 尾全→8/752C3。
4.2 金剛般若波羅蜜經（尾）。
8 8世紀。唐寫本。
9.1 楷書。
11 圖版:《敦煌寶藏》，82/411A～414A。

1.1 BD00983號背
1.3 大般涅槃經義記卷二
1.4 昃083
1.5 094:4211
2.1 5.4×19.4厘米；1紙；4行。
2.4 本遺書由2個文獻組成，本號為第2個，4行。為粘貼在BD00983號背面的古代裱補紙。餘參見BD00983號之第2項、第11項。
3.1 首殘→大正1764，37/0645A13。
3.2 尾殘→37/0645A18。
8 7～8世紀。唐寫本。
9.1 楷書。

1.1 BD00984號
1.3 金光明最勝王經卷五
1.4 昃084
1.5 083:1724
2.1 (19.2+569.1)×27厘米；15紙；342行，行17字。
2.2 01：19.2+2，13； 02：42.0，25； 03：42.1，25；
04：42.2，25； 05：42.0，25； 06：42.0，25；
07：42.0，25； 08：42.1，25； 09：42.1，25；
10：42.2，25； 11：42.3，25； 12：42.3，25；
13：42.1，25； 14：42.0，25； 15：19.7，04。
2.3 卷軸裝。首殘尾全，首2紙碎損嚴重。通卷油污變色。有烏絲欄。已修整。
3.1 首3行上下殘→大正665，16/423B1～3。
3.2 尾全→16/427B13。
4.2 金光明最勝王經卷第五（尾）。
5 尾附音義。
8 8世紀。唐寫本。
9.1 楷書。
11 圖版:《敦煌寶藏》，69/465B～473A。

1.1 BD00985號
1.3 大方廣佛華嚴經（晉譯五十卷本）卷二二
1.4 昃085
1.5 001:0019
2.1 (4.5+1147.9)×26.5厘米；21紙；677行，行17字。
2.2 01：4.5+5，6； 02：57.0，34； 03：57.0，33；
04：57.0，33； 05：57.0，33； 06：57.0，33；
07：57.0，33； 08：57.0，33； 09：57.5，33；
10：57.3，34； 11：57.3，34； 12：57.3，34；
13：57.0，34； 14：57.0，34； 15：57.0，33；
16：57.0，33； 17：56.5，34； 18：56.0，33；
19：58.5，36； 20：58.5，35； 21：57.0，32。
2.3 卷軸裝。首殘尾全。尾有原軸，兩端塗漆，紅色。第1紙末兩行中部横裂；第2紙有殘洞，紙前下殘爛，後有撕裂；第4紙後部有撕裂。背有古代裱補。上下界欄有針孔。有烏絲欄。已修整。
3.1 首3行下殘→大正278，9/568A5～8。
3.2 尾全→9/578A3。
4.2 大方廣佛華嚴經卷廿二（尾）。
5 與《大正藏》本對照，卷品開合不同。相當於《大正藏》本卷二十六“十地品”第二十二之四的後部分及卷二十七同品第二十二之五的全文。且本號的《十地品》不分細目。在本號第208行有“九地竟”三字，占一行，位置正相當《大正藏》本第二十六、二十七卷分卷處。本文獻之分卷與日本《宮內寮》本五十卷本相同，應屬五十卷本。
7.1 卷尾有題記“優婆夷包敬造”。
8 5～6世紀。南北朝寫本。
9.1 隸書。
9.2 有刮改。
11 圖版:《敦煌寶藏》，56/86B～102B。

1.1 BD00986號
1.3 金剛般若波羅蜜經
1.4 昃086
1.5 094:4408
2.1 477.1×25.5厘米；11紙；278行，行17字。
2.2 01：46.3，28； 02：46.3，28； 03：46.3，28；
04：46.3，28； 05：46.3，28； 06：46.3，28；
07：46.3，28； 08：46.3，28； 09：46.5，28；
10：46.2，26； 11：14，拖尾。
2.3 卷軸裝。首脫尾全。麻紙。9、10紙間有縱向撕裂。卷尾有拖尾，為歸義軍時期所接。有烏絲欄。
3.1 首殘→大正235，8/749A18。
3.2 尾全→8/752C3。
4.2 金剛般若波羅蜜經（尾）。
5 與《大正藏》本對照，本卷經文無冥司偈。
8 7～8世紀。唐寫本。
9.1 楷書。
11 圖版:《敦煌寶藏》，83/115B～121B。

1.1 BD00987號
1.3 大般若波羅蜜多經卷七四
1.4 昃087
1.5 084:2214
2.1 399.5×25.2厘米；9紙；235行，行17字。

2.2　01：46.0，28；　02：46.0，28；　03：45.4，28；
04：45.3，28；　05：45.2，28；　06：45.2，28；
07：48.2，28；　08：48.2，28；　09：30.0，11。
2.3　卷軸裝。首脫尾全。有烏絲欄。
3.1　首殘→大正 220，5/418C11。
3.2　尾全→5/421B20。
4.2　大般若波羅蜜多經卷第七十四（尾）。
6.1　首→BD04384 號。
7.1　第 9 紙經名之後有題記“比丘智照寫”。
8　8 世紀。唐寫本。
9.1　楷書。
11　圖版：《敦煌寶藏》，72/303A～308A。

1.1　BD00988 號
1.3　大般若波羅蜜多經卷三一三
1.4　昃 088
1.5　084:2853
2.1　（2.8＋107.5）×25.9 厘米；3 紙；65 行，行 17 字。
2.2　01：2.8＋42，27；　02：48.0，28；　03：17.5，10。
2.3　卷軸裝。首殘尾斷。第 2 紙 5、6 行之間斷裂爲兩段，第 3 紙末有横向撕裂、上邊殘破。第 1 紙有 1 塊殘片，可與首 2 行對接。有烏絲欄。已修整。
3.1　首 2 行中下殘→大正 220，6/595A3～4。
3.2　尾殘→6/595C7。
8　8～9 世紀。吐蕃統治時期寫本。
9.1　楷書。有武周新字“正”，使用周遍。但“人”字不用武周新字。
11　圖版：《敦煌寶藏》，75/242B～243B。第 1 紙的殘片，《敦煌寶藏》，未攝入。

1.1　BD00989 號
1.3　妙法蓮華經卷一
1.4　昃 089
1.5　105:4524
2.1　（5＋908.1）×25.3 厘米；20 紙；502 行，行 17 字。
2.2　01：5＋14.7，13；　02：46.5，26；　03：47.1，26；
04：47.1，26；　05：47.2，26；　06：47.0，26；
07：47.0，26；　08：46.7，26；　09：47.1，26；
10：47.4，26；　11：47.1，26；　12：47.1，26；
13：47.1，26；　14：47.1，26；　15：47.0，26；
16：47.1，26；　17：47.0，26；　18：47.1，26；
19：47.0，26；　20：46.7，21。
2.3　卷軸裝。首殘尾全。第 1、2 紙有多處殘破，第 9 與第 10 紙接縫處脱爲兩截。有燕尾。有烏絲欄。已修整。
3.1　首 3 行中上殘→大正 262，9/1C29～2A2。
3.2　尾全→9/10B21。
4.2　妙法蓮華經卷第一（尾）。
8　8 世紀。唐寫本。
9.1　楷書。
11　圖版：《敦煌寶藏》，84/63A～77A。

1.1　BD00990 號
1.3　無盡意菩薩經（八卷本）卷五
1.4　昃 090
1.5　018:0222
2.1　（3.5＋591）×26.3 厘米；14 紙；316 行，行 17 字。
2.2　01：3.5＋25.5，16；　02：43.5，24；　03：43.5，24；
04：43.5，24；　05：43.5，24；　06：43.5，24；
07：43.5，24；　08：43.5，24；　09：43.5，24；
10：43.5，24；　11：43.5，24；　12：43.5，24；
13：43.5，24；　14：43.5，12。
2.3　卷軸裝。首殘尾全。卷背有鳥糞污痕。有烏絲欄。已修整。
3.1　首 2 行下殘→大正 397，13/195A15～17。
3.2　尾全→13/198C20。
4.2　大方等大集經卷第五（尾）。
7.1　卷端背有勘記“大方等大集經卷第五”1 行。尾題下有“八卷成部者”5 字。
8　7～8 世紀。唐寫本。
9.1　楷書。
11　圖版：《敦煌寶藏》，57/268B～276B。

1.1　BD00991 號
1.3　無量壽宗要經
1.4　昃 091
1.5　275:7709
2.1　213×30.5 厘米；5 紙；137 行，行 30 餘字。
2.2　01：43.0，28；　02：42.5，29；　03：42.5，29；
04：42.5，29；　05：42.5，22。
2.3　卷軸裝。首尾均全。第 1 紙上下邊殘損，中間有殘洞。有烏絲欄。
3.1　首全→大正 936，19/82A3。
3.2　尾全→19/84A29。
4.1　大乘無量壽經（首）。
4.2　佛說無量壽宗要經（尾）。
8　8～9 世紀。吐蕃統治時期寫本。
9.1　楷書。
11　圖版：《敦煌寶藏》，107/389B～392A。

1.1　BD00992 號 1
1.3　佛教咒語（擬）
1.4　昃 092
1.5　284:8239
2.1　184.9×25.2 厘米；4 紙；正面 107 行，背面 94 行，行字不等。

2.2　01：42.5，23；　02：47.5，28；　03：47.5，28；
04：47.4，28。
2.3　卷軸裝。首尾均全。第1紙為後補，與後3紙紙色、字迹皆不同。通卷兩面均有字。第1紙正面的兩個文獻，一個正寫，一個倒寫。有烏絲欄。
2.4　本遺書包括5個文獻：（一）《佛教咒語》，8行，抄寫在第1紙正面，今編為BD00992號1。（二）《延壽命經》，15行，抄寫在第1紙正面，倒寫，今編為BD00992號2。（三）《彌勒下生成佛經》，84行，今編為BD00992號3。抄寫在第2至第4紙正面。（四）《佛教咒語》，23行，抄寫在第1紙背面，今編為BD00992號背1。（五）《隨求即得大自在陀羅尼神咒經》，71行，抄寫在第2至第4紙背面，今編為BD00992號背2。
3.4　說明：
本文獻首尾均殘，無首尾題，書寫潦草，頗似雜寫。詳情待考。
8　9～10世紀。歸義軍時期寫本。
9.1　楷書。
11　圖版：《敦煌寶藏》，109/386B～392A。

1.1　BD00992號2
1.3　延壽命經（大本）
1.4　昃092
1.5　284:8239
2.4　本遺書由5個文獻組成，本號為第2個，15行，抄寫在第1紙正面，倒寫。餘參見BD00992號1之第2項、第11項。
3.1　首全→大正2888，85/1404A27。
3.2　尾缺→85/1404B20。
4.1　佛說延壽命經（首）。
7.3　首部空白處有雜寫一字。
8　9～10世紀。歸義軍時期寫本。
9.1　楷書。

1.1　BD00992號3
1.3　彌勒下生成佛經（鳩摩羅什本）
1.4　昃092
1.5　284:8239
2.4　本遺書由5個文獻組成，本號為第3個，84行，抄寫在正面。餘參見BD00992號1之第2項、第11項。
3.1　首殘→大正454，14/424A7，
3.2　尾殘→14/425A13。
8　7～8世紀。唐寫本。
9.1　楷書。

1.1　BD00992號背1
1.3　佛教咒語（擬）
1.4　昃092
1.5　284:8239
2.4　本遺書由5個文獻組成，本號為第4個，23行，抄寫在背面。餘參見BD00992號1之第2項、第11項。
3.4　說明：
本文獻首殘尾全，無首尾題。屬於哪一種佛教咒語，詳情待考。末有“總（終）了”，上有間隔號“ㄱ”。
8　9～10世紀。歸義軍時期寫本。
9.1　楷書。

1.1　BD00992號背2
1.3　隨求即得大自在陀羅尼神咒經
1.4　昃092
1.5　284:8239
2.4　本遺書由5個文獻組成，本號為第5個，71行，抄寫在背面。餘參見BD00992號1之第2項、第11項。
3.1　首殘→大正1154，20/637B14。
3.2　尾殘→20/638B10。
4.1　佛說隨求即得大自在陀羅尼神咒經（首）。
8　9～10世紀。歸義軍時期寫本。
9.1　楷書。
9.2　有校改。有刪節號。有塗抹。

1.1　BD00993號1
1.3　佛頂尊勝陀羅尼經序
1.4　昃093
1.5　229:7335
2.1　（11.7＋260.4＋2.7）×25.4厘米；7紙；177行，行17字。
2.2　01：11.7＋25.8，22；　02：48.6，28；　03：45.0，27；
04：45.0，28；　05：47.0，28；　06：47.1，28；
07：1.9＋2.7，3。
2.3　卷軸裝。首尾均殘。第1、6紙上邊下邊殘破，第2紙上邊殘破，第1、2紙接縫處下開裂，第3紙下有縱向撕裂、首端中下殘缺。第1紙有3塊殘片，可以綴接。第1、5紙背面有古代裱補。第1、2紙與以後各紙紙質字迹不同，為8～9世紀之吐蕃統治時期寫本。餘紙為7～8世紀之唐寫本。有烏絲欄。已修整。
2.4　本遺書包括3個文獻：（一）《佛頂尊勝陀羅尼經序》，38行，今編為BD00993號1。（二）《佛頂尊勝陀羅尼經》，12行，今編為BD00993號2。（三）《佛頂尊勝陀羅尼經》，127行，今編為BD00993號3。
3.1　首7行上下殘→大正967，19/349B8～C15。
3.2　尾全→19/349C19。
8　8～9世紀。吐蕃統治時期寫本。
9.1　楷書。
11　圖版：《敦煌寶藏》，105/514A～517B。

1.1　BD00993號2
1.3　佛頂尊勝陀羅尼經（佛陀波利本　兌廢稿）

1.4　昃 093
1.5　229:7335
2.4　本遺書由 3 個文獻組成，本號為第 2 個，12 行。餘參見 BD00993 號 1 之第 2 項、第 11 項。
3.1　首全→大正 967，19/349C23。
3.2　尾殘→19/350A7。
4.1　佛頂尊勝陀羅尼經，罽賓沙門佛陀波利譯（首）。
5　與《大正藏》本對照，文字略有錯漏，乃兌廢稿。
8　8～9 世紀。吐蕃統治時期寫本。
9.1　楷書。

1.1　BD00993 號 3
1.3　佛頂尊勝陀羅尼經（佛陀波利本）
1.4　昃 093
1.5　229:7335
2.4　本遺書由 3 個文獻組成，本號為第 3 個，127 行。餘參見 BD00993 號 1 之第 2 項、第 11 項。
3.1　首全→大正 967，16/349C23。
3.2　尾 2 行上下殘→19/351B7～9。
4.1　佛頂尊勝陀羅□…□沙門佛陀波利奉□…□（首）。
5　與《大正藏》本對照，咒語不同，略相當於所附宋本，參見 19/352A27～B23。
8　7～8 世紀。唐寫本。
9.1　楷書。

1.1　BD00994 號
1.3　大般若波羅蜜多經卷六六
1.4　昃 094
1.5　084:2183
2.1　(43+91.7)×25 厘米；3 紙；82 行，行 17 字。
2.2　01：43.0，26；　02：45.5，28；　03：46.2，28。
2.3　卷軸裝。首殘尾脫。第 3 紙有橫向撕裂，第 2 紙下邊有殘缺。第 2 紙背面有古代裱補。有烏絲欄。已修整。
3.1　首 26 行下殘→大正 220，5/371A10～B9。
3.2　尾殘→5/372A7。
4.1　大般若波□…□（首）。
7.1　第 2 紙背面有勘記"第六十六"，為本文獻卷次。
8　8～9 世紀。吐蕃統治時期寫本。
9.1　楷書。有武周新字"地"，使用不周遍。
11　圖版：《敦煌寶藏》，72/195A～196B。

1.1　BD00995 號
1.3　大般若波羅蜜多經卷六七
1.4　昃 095
1.5　084:2186
2.1　(5.1+87.8)×25.6 厘米；3 紙；58 行，行 17 字。
2.2　01：03.5，02；　02：1.6+43，28；　03：44.8，28。
2.3　卷軸裝。首殘尾脫。第 2 紙有縱橫向撕裂。有烏絲欄。已修整。
3.1　首 3 行下殘→大正 220，5/377A4～7。
3.2　尾殘→5/377C6。
7.1　第 1 紙背端有勘記"六十七"，為本文獻卷次。
8　8～9 世紀。吐蕃統治時期寫本。
9.1　楷書。
11　圖版：《敦煌寶藏》，72/211B～212B。

1.1　BD00996 號
1.3　妙法蓮華經卷二
1.4　昃 096
1.5　105:4764
2.1　(1.6+601.3)×25.8 厘米；13 紙；337 行，行 17 字。
2.2　01：01.6，01；　02：50.3，28；　03：50.3，28；
04：50.1，28；　05：50.1，28；　06：50.1，28；
07：50.1，28；　08：50.0，28；　09：50.2，28；
10：50.0，28；　11：50.1，28；　12：50.1，28；
13：49.9，28。
2.3　卷軸裝。首殘尾脫。經黄紙。砑光上蠟。第 2、3 紙間下部有 1 大塊殘缺；第 10 紙上有 1 處撕裂，背面有古代裱補；尾紙下有 1 處撕裂。卷面、卷背有多處鳥糞。有烏絲欄。已修整。
3.1　首行殘→大正 262，9/13A8～9。
3.2　尾殘→9/17C6。
8　7～8 世紀。唐寫本。
9.1　楷書。
11　圖版：《敦煌寶藏》，86/412B～420A。

1.1　BD00997 號
1.3　大般若波羅蜜多經卷六九
1.4　昃 097
1.5　084:2192
2.1　(6+126.7)×25.2 厘米；3 紙；82 行，行 17 字。
2.2　01：6+35.7，26；　02：45.5，28；　03：45.5，28。
2.3　卷軸裝。首殘尾脫。第 3 紙有殘洞，第 1、2、3 紙有縱橫向撕裂，第 1、2 紙接縫處上下開裂。殘破較嚴重。有烏絲欄。已修整。
3.1　首 3 行下殘→大正 220，5/388A9～13。
3.2　尾殘→5/389A9。
4.1　大般若波羅蜜多經卷第六十九/初分無所得品第十八之九，三藏法師玄□…□/（首）。
7.3　背有裱補紙殘字，無法辨認。
8　8～9 世紀。吐蕃統治時期寫本。
9.1　楷書。
11　圖版：《敦煌寶藏》，72/228A～229B。

修整時揭下古代裱補紙 4 塊，3 塊為素紙，其中一張紙的卷端有沾粘字跡，幾乎不可辨認。今編為 BD16457 號。

1.1　BD00998 號
1.3　大般若波羅蜜多經卷七〇
1.4　昃 098
1.5　084:2200
2.1　(16+121.3)×25.2 厘米；3 紙；82 行，行 17 字。
2.2　01：16+28，26；　02：46.5，28；　03：46.8，28。
2.3　卷軸裝。首殘尾脱。第 1、2 紙下邊有殘缺，第 2 紙上邊有殘缺。第 2 紙背面有古代裱補。有烏絲欄。已修整。
3.1　首 9 行下殘→大正 220，5/393C20～394A2。
3.2　尾殘→5/394C19。
4.1　大般若波羅蜜多經卷第七十/初分無所得品第十八之十，三藏法師□…□/（首）。
8　8～9 世紀。吐蕃統治時期寫本。
9.1　楷書。
11　圖版：《敦煌寶藏》，72/241A～242B。

1.1　BD00999 號
1.3　大般若波羅蜜多經卷五三一
1.4　昃 099
1.5　084:3295
2.1　(4.1+328.9)×26.1 厘米；8 紙；198 行，行 17 字。
2.2　01：04.1，02；　02：47.2，28；　03：46.9，28；
04：46.9，28；　05：47.1，28；　06：47.2，28；
07：46.8，28；　08：46.8，28。
2.3　卷軸裝。首殘尾脱。第 2 紙下邊有殘損，3 紙前方下有 1 殘洞，6、7 紙接縫處上開裂，7、8 紙接縫處上開裂、撕裂，8 紙後部上有撕裂殘損，尾端有撕裂殘損。卷面多斑點。有烏絲欄。已修整。
3.1　首 2 行上下殘→大正 220，7/724C12。
3.2　尾殘→7/727A9。
7.1　卷背有勘記"五百八十五"，又用墨筆塗去。又有勘記"五百八十三"。
8　8～9 世紀。吐蕃統治時期寫本。
9.1　楷書。
11　圖版：《敦煌寶藏》，77/143B～147B。

1.1　BD01000 號
1.3　大般涅槃經（北本）卷三一
1.4　昃 100
1.5　115:6489
2.1　(4+160.5+4)×27 厘米；2 紙；100 行，行 17 字。
2.2　01：4+67，42；　02：93.5+4，58。
2.3　卷軸裝。首尾均殘。紙張質量極好。研光上蠟。全卷殘碎嚴重。紙厚 0.07 毫米。有烏絲欄。已修整。
3.1　首 2 行上下殘→大正 374，12/552C3～4。
3.2　尾 2 行上殘→12/553C15～17。
8　7 世紀。唐寫本。
9.1　楷書。
11　圖版：《敦煌寶藏》，99/510B～512B。
從背面揭下古代裱補紙一張，今編為 BD16486 號。

新舊編號對照表

一、千字文號與北敦號、縮微膠卷號對照表

千字文號	北敦號	縮微膠卷號
昃 044	BD00944 號	174:7085
昃 045	BD00945 號	174:7086
昃 046	BD00946 號	070:0923
昃 047	BD00947 號	174:7084
昃 048	BD00948 號	174:7083
昃 049	BD00949 號	094:3771
昃 050	BD00950 號	075:1321
昃 050	BD00950 號背	075:1321
昃 051	BD00951 號	088:3452
昃 052	BD00952 號	094:4077
昃 053	BD00953 號 1	066:0843
昃 053	BD00953 號 2	066:0843
昃 054	BD00954 號	115:6389
昃 055	BD00955 號	105:4556
昃 056	BD00956 號	088:3475
昃 057	BD00957 號	105:5664
昃 058	BD00958 號	094:4149
昃 059	BD00959 號	105:5092
昃 060	BD00960 號	091:3488
昃 061	BD00961 號 1	081:1365
昃 061	BD00961 號 2	081:1365
昃 062	BD00962 號	
昃 063	BD00963 號	094:3951
昃 064	BD00964 號	105:4727
昃 065	BD00965 號	094:3620
昃 066	BD00966 號	030:0275
昃 067	BD00967 號	033:0322
昃 068	BD00968 號	110:6205
昃 069	BD00969 號	105:5442
昃 070	BD00970 號	289:8263
昃 071	BD00971 號	105:4752
昃 072	BD00972 號	105:5829
昃 073	BD00973 號	083:1598
昃 074	BD00974 號	105:6080
昃 075	BD00975 號	275:7708
昃 076	BD00976 號	063:0672
昃 077	BD00977 號	094:3819
昃 078	BD00978 號	111:6217
昃 079	BD00979 號	084:3323
昃 080	BD00980 號	030:0280
昃 081	BD00981 號	083:1478
昃 082	BD00982 號	115:6286
昃 083	BD00983 號	094:4211
昃 083	BD00983 號背	094:4211
昃 084	BD00984 號	083:1724
昃 085	BD00985 號	001:0019
昃 086	BD00986 號	094:4408
昃 087	BD00987 號	084:2214
昃 088	BD00988 號	084:2853
昃 089	BD00989 號	105:4524
昃 090	BD00990 號	018:0222
昃 091	BD00991 號	275:7709
昃 092	BD00992 號 1	284:8239
昃 092	BD00992 號 2	284:8239
昃 092	BD00992 號 3	284:8239
昃 092	BD00992 號背 1	284:8239
昃 092	BD00992 號背 2	284:8239
昃 093	BD00993 號 1	229:7335
昃 093	BD00993 號 2	229:7335
昃 093	BD00993 號 3	229:7335
昃 094	BD00994 號	084:2183
昃 095	BD00995 號	084:2186
昃 096	BD00996 號	105:4764
昃 097	BD00997 號	084:2192
昃 098	BD00998 號	084:2200
昃 099	BD00999 號	084:3295
昃 100	BD01000 號	115:6489

二、縮微膠卷號與北敦號、千字文號對照表

縮微膠卷號	北敦號	千字文號
	BD00962 號	昃 062
001:0019	BD00985 號	昃 085
018:0222	BD00990 號	昃 090
030:0275	BD00966 號	昃 066
030:0280	BD00980 號	昃 080
033:0322	BD00967 號	昃 067
063:0672	BD00976 號	昃 076
066:0843	BD00953 號 1	昃 053
066:0843	BD00953 號 2	昃 053
070:0923	BD00946 號	昃 046
075:1321	BD00950 號	昃 050
075:1321	BD00950 號背	昃 050
081:1365	BD00961 號 1	昃 061
081:1365	BD00961 號 2	昃 061
083:1478	BD00981 號	昃 081
083:1598	BD00973 號	昃 073
083:1724	BD00984 號	昃 084
084:2183	BD00994 號	昃 094
084:2186	BD00995 號	昃 095
084:2192	BD00997 號	昃 097
084:2200	BD00998 號	昃 098
084:2214	BD00987 號	昃 087
084:2853	BD00988 號	昃 088
084:3295	BD00999 號	昃 099
084:3323	BD00979 號	昃 079
088:3452	BD00951 號	昃 051
088:3475	BD00956 號	昃 056
091:3488	BD00960 號	昃 060
094:3620	BD00965 號	昃 065
094:3771	BD00949 號	昃 049
094:3819	BD00977 號	昃 077
094:3951	BD00963 號	昃 063
094:4077	BD00952 號	昃 052
094:4149	BD00958 號	昃 058
094:4211	BD00983 號	昃 083
094:4211	BD00983 號背	昃 083
094:4408	BD00986 號	昃 086
105:4524	BD00989 號	昃 089
105:4556	BD00955 號	昃 055
105:4727	BD00964 號	昃 064
105:4752	BD00971 號	昃 071
105:4764	BD00996 號	昃 096
105:5092	BD00959 號	昃 059
105:5442	BD00969 號	昃 069
105:5664	BD00957 號	昃 057
105:5829	BD00972 號	昃 072
105:6080	BD00974 號	昃 074
110:6205	BD00968 號	昃 068
111:6217	BD00978 號	昃 078
115:6286	BD00982 號	昃 082
115:6389	BD00954 號	昃 054
115:6489	BD01000 號	昃 100
174:7083	BD00948 號	昃 048
174:7084	BD00947 號	昃 047
174:7085	BD00944 號	昃 044
174:7086	BD00945 號	昃 045
229:7335	BD00993 號 1	昃 093
229:7335	BD00993 號 2	昃 093
229:7335	BD00993 號 3	昃 093
275:7708	BD00975 號	昃 075
275:7709	BD00991 號	昃 091
284:8239	BD00992 號 1	昃 092
284:8239	BD00992 號 2	昃 092
284:8239	BD00992 號 3	昃 092
284:8239	BD00992 號背 1	昃 092
284:8239	BD00992 號背 2	昃 092
289:8263	BD00970 號	昃 070